Nous sommes tous
des acteurs

Nous sommes tous des acteurs
est le deuxième titre publié par les Éditions Lescop.

Photos de la couverture : Yves Beaulieu
Maquette de la couverture : Louise Gannon
Mise en pages : Gilbert Gervais
Révision : Pascale Germain
Coordination : François Lescop
© Éditions Lescop
Tous droits réservés.

Dépôt légal : 1998
Bibliothèque nationale du Québec
Bibliothèque nationale du Canada

Diffusion et distribution : Éditions Lescop
5039, rue Saint-Urbain
Montréal (Québec) H2T 2W4
Téléphone : (514) 277-3808
Télécopieur : (514) 277-9390
lescop@microtec.net

Données de catalogage avant publication (Canada)

Roux, Jean-Louis, 1923-
Nous sommes tous des acteurs

Autobiographie.
L'ouvrage complet comprendra 2 v.
Comprend un index.
ISBN 2-9804832-1-4 (v. 1)

1. Roux, Jean-Louis, 1923-
2. Acteurs—Québec (Province)—Biographies.
3. Producteurs et metteurs en scène de théâtre—Québec (Province)—
   Biographies.
4. Hommes d'État—Québec (Province)—Biographies. I. Titre.

PN2308.R68A3 1997   792'.028'092   C97-901242-2

Nous sommes tous des acteurs

Du même auteur

Aux éditions Le Jour :

En grève (collaboration), 1964
Bois-brûlés, reportage épique sur Louis Riel, 1968
Le drame de Jules César, de Shakespeare (traduction), 1973

Aux éditions Leméac :

L'Ouvre-boîte, de Victor Lanoux (adaptation, en
collaboration avec Yvon Deschamps), 1976
Equus, de Peter Shaffer (traduction), 1976

Aux Éditions du Boréal :

Tête à tête, de Ralph Burdman (traduction), 1988

Chez Éditeq :

Le drame du roi Lear, de Shakespeare (traduction), 1996

À Monique,
pour qui ce n'est pas toujours facile.

À tous les miens.

All the world's a stage,
And all the men and women
merely players.
« Le monde entier est un théâtre,
Et tous, hommes et femmes,
de simples acteurs. »

SHAKESPEARE

As you like it
Comme il vous plaira
Acte II, Sc. VII, vers 139-140

Avant-propos

« Seriez-vous intéressé à écrire des *Carnets* ?

— Des *Carnets* pour Radio-Canada ? Qu'est-ce que ça mange en hiver ?

— Écoutez le MF, lundi prochain, à 11 heures : vous en aurez une bonne idée... »

Ce que je fis. Ce matin-là, Jacques Godbout épiloguait, entre autres choses, sur la difficulté de chauffer les appartements parisiens en janvier. Le cofondateur de la revue *Liberté* et auteur de *Salut Galarneau!* a déjà tenu des propos plus essentiels... Ceux-là me persuadèrent que je pouvais faire aussi bien que lui. Grâce à son sens aigu de l'humour, sans doute acceptera-t-il ce jugement avec le sourire. Précisons plus sérieusement qu'il sut me convaincre que ce genre de « littérature » confère à son auteur une latitude sans bornes. Ce qui contribua pour beaucoup à ma décision de m'installer devant mon ordinateur et de m'attaquer à la rédaction de *Carnets*.

C'est Doris Dumais, réalisatrice au MF de Radio-Canada, à Rimouski, qui m'avait posé cette question plus haut citée. Sans elle, *Nous sommes tous des acteurs* n'aurait jamais vu le jour. Si cette publication rencontre le moindre succès, elle doit en être remerciée en tout premier lieu.

Je pris beaucoup de plaisir à ce nouveau métier d'auteur, à flâner ici et là dans mes souvenirs, du banal quotidien aux événements les plus graves. Une première série de *Carnets* fut diffusée par Radio-Canada, à l'été 94. Plusieurs auditeurs me flattèrent en me communiquant, de vive voix ou par écrit, leurs commentaires élogieux. Parmi ceux-ci, François Lescop qui venait de fonder avec sa mère, Marguerite Lescop, une maison d'édition après l'étonnant succès du livre *Le tour de ma vie en 80 ans* écrit par nulle autre que cette dernière. Il se montra intéressé à inscrire mes *Carnets* à son catalogue. Ce ne fut pas le seul éditeur qui prit contact avec moi; mais ce fut le premier qui y apporta autant d'insistance et d'obstination. C'est donc grâce à lui — et je l'en remercie — que je me suis remis à mes *Carnets*, me livrant à un minutieux travail de refonte, de correction, d'élagage, de mise à jour et d'ajouts. De la rédaction initiale, je n'ai retenu qu'une seule chose : la fantaisie du parcours et les sinuosités de la narration. Si bien que, si le présent ouvrage a été édifié sur la base des *Carnets*, il en diffère considérablement dans son ensemble, offrant un texte presque entièrement inédit, sinon « inouï »...

Le manuscrit a été révisé par Pascale Germain, qui a retouché ma ponctuation déficiente et mon style quelquefois boiteux. Elle n'a pas hésité à me proposer des coupures, ainsi que des modifications de vocabulaire et de syntaxe que j'ai presque toujours accueillies avec extrême gratitude ; dans le même ordre d'idées, le travail de mise en pages a été confié à Gilbert Gervais qui s'en est acquitté selon les règles de cet art oublié qu'est la typographie, m'assure François Lescop : précieuse collaboration que la leur. Enfin, mon vieil ami, Jacques Hébert, a eu la patience de me lire au moins deux fois, me faisant profiter de sa longue expérience dans le domaine de l'édition et dans le monde de la politique. Nos franches relations m'interdisent de lui en exprimer ma reconnaissance comme il se devrait.

Dans ces pages, où se bousculent récits, commentaires et réflexions, je relate ma carrière artistique jusqu'à mon premier départ du Théâtre du Nouveau Monde, en 1963, et ma brève carrière politique jusqu'à ma nomination comme lieutenant-gouverneur du Québec, en août 96. Pourvu que l'intérêt manifesté le justifie, un deuxième tome devrait donc être publié d'ici peu.

Là-dessus, je préviens les réserves des lecteurs en osant parodier Claudel : oubliez ce qui vous semblera obscur, sautez ce qui vous semblera long et riez à ce qui vous semblera amusant...

L'AUTEUR

Table des matières

Acte I

Acte II

Acte III

Acte IV

Acte V

Acte premier

SCÈNE PREMIÈRE
Aventure renouvelée

Le lundi 21 juin 1993

Me voici installé, pour la plus grande partie de l'été, au bord d'un joli petit lac près du Bic, à une cinquantaine de kilomètres de Rimouski. La nature est douce : collines boisées surtout d'érables et de trembles, prés tachetés de bouquets de conifères vert sombre, vallons d'herbe folle, piquée de bruyères, de pieds-d'alouette et de marguerites, descendent en pentes paresseuses vers le lac. C'est le massif des Appalaches, caractérisé par ses basses altitudes aux horizons parallèles et ses dépressions allongées. Géographie qui respire la paix et la détente. Mon accueillant chalet est entouré de pelouses, de potagers, de jardinets où poussent les tulipes, les pivoines, les géraniums, les pensées de toutes couleurs et de gigantesques pavots. Dans un coin reculé, de paisibles abeilles s'affairent à produire leur miel. Une rangée de mélèzes masque la route publique alors qu'un peuplier solitaire fait sentinelle à l'orée du chemin d'accès. Quelques érables rouges sont promesse de plages d'ombre, où il fera bon s'étendre dans quelques années. Un étroit escalier de pierre conduit à une petite plage caillouteuse qui invite à la baignade dans une eau limpide et tempérée. La saison est splendide. Je m'en réjouis, car je suis de ceux dont le moral est grandement influencé par le temps. Au point de me faire maussade ou enjoué, suivant que le ciel est gris ou bleu.

En me préparant à ce séjour dans le Bas-Saint-Laurent, l'idée m'est venue d'écrire au fil des heures et au gré de ma fantaisie. J'ai un jour commencé à tenir un journal, lorsque je suis parti pour l'Europe en 1946. J'avais acheté à cette intention une espèce de petit agenda recouvert de moire verte et assorti d'un fermoir à serrure minuscule, pour prévenir les indiscrétions. Quand je le regarde aujourd'hui, je me dis que c'est peut-être ce format et cet aspect, en plus de ma paresse naturelle, qui m'ont rendu si volage

Jean-Louis Roux
1946

envers ce journal. J'y retrouve quelques brèves entrées, échelonnées sur six ans (de 1946 à 1952) et ponctuées de silences, quelques fois longs de plusieurs mois.

Je n'ai jamais repris l'expérience, par la suite. Au début du TNM, Éloi de Grandmont, Jean Gascon et moi-même avions commencé à tenir un «journal de bord», qui a été, malheureusement, abandonné assez rapidement. Un incendie à notre atelier de la rue Sanguinet lui a plus tard conféré un aspect de vieux document, rongé par les flammes et délavé par l'eau. Un véritable accessoire de théâtre... ou un objet miraculeusement rescapé du naufrage de quelque grand voilier perdu en mer.

Le plus clair de tout cela est que, si je devais écrire mes souvenirs — à la condition qu'une telle entreprise présente un intérêt quelconque — il me faudrait me fier uniquement à ma mémoire, avec les risques d'erreurs et d'omissions que cela comporte. Car la mémoire est capricieuse. On dit que c'est une faculté qui oublie... mais elle est surtout d'une très grande autonomie, avec des règles de sélection qui lui sont propres. On ne lui commande pas le rappel des sensations, des impressions, des idées, des événements passés. Il peut être soudain, presque spontané; mais souvent, il est laborieux et ne se produit qu'après un long travail de fouille. Il arrive aussi que la mémoire résiste. Angoissant! Quel est donc le secret qui se cache derrière ces portes et ces volets clos?

Bref, j'ai décidé de tenter une nouvelle aventure dans le domaine. Non pas pour raconter l'histoire de ma vie, mais simplement pour le plaisir intime de me livrer à une sorte de flânerie du cœur, suivant les caprices de mes songeries. Voilà pourquoi je me retrouve aujourd'hui devant l'écran de mon ordinateur. Je n'ai rien moins qu'un esprit porté sur l'électronique. Les manuels de directives de ce genre d'appareils sont, pour moi, écrits en jargon. Mais je m'entête à venir à bout de la machine. Je me bagarre avec elle, jusqu'à ce que je la maîtrise. Du moins pour ce que je veux en faire, c'est-à-dire du traitement de texte, douteuse appellation au sujet de laquelle Jacques Godbout a déjà déclaré qu'il se passe d'ordinateur, vu que son texte n'est pas malade. En ce qui me concerne, j'oublie la gaucherie des termes et je consens volontiers à me servir de cette bien pratique machine. Étant donné les difficultés imprévues qu'elle provoque souvent, je m'amuse à la battre à son propre jeu. Peut-être pour cette raison lui vouerai-je plus de constance qu'à mon petit agenda relié en moire verte...

SCÈNE II
La Jeune fille et la mort

Le lundi 28 juin 1993

C'est la première fois que je joue dans un spectacle monté par Martine Beaulne : *La Jeune fille et la mort,* d'Ariel Dorfman. Dès le début du travail, cette dernière a une très nette vision de ce qu'elle entend faire comme metteur en scène, mais elle n'est aucunement hermétique aux idées qui lui sont proposées. Ainsi les répétitions deviennent-elles une véritable affaire d'équipe, ce qui est primordial. Martine a fait un long séjour au Japon, où elle a travaillé comme comédienne avec un grand maître. D'autres en seraient revenus en plaquant partout artificiellement, à tort et à travers, des teintes orientales empruntées au Nô ou au Kabuki. Mais elle a très bien assimilé les connaissances acquises là-bas, et s'en sert à des fins extrêmement originales et parfaitement justifiées. L'exploitation astucieuse du lieu théâtral que constitue la Grange-Théâtre du Bic, rappelle les représentations classiques du Nô, tout en servant la pièce de Dorfman de façon très fonctionnelle. De même pour le rituel qui précède certaines scènes, comme celle durant laquelle Paulina finit par révéler à son mari les sévices dont elle a été victime sous le régime de Pinochet. On ne mentionne jamais ce nom au cours de la pièce, pas plus que celui du pays où se déroule l'action. Mais le contexte est révélateur : il s'agit bien du Chili et de la dictature militaire qui a sévi, dans ce pays sud-américain, de 1974 à 1990.

SCÈNE III
Éveilleur de conscience

Le mercredi 30 juin 1993

Générale, hier, de *La Jeune fille et la mort*, pièce produite au Bic par le Théâtre les gens d'en bas. Quelle agréable surprise que de découvrir cette courageuse compagnie régionale ! Je ne la connaissais que sur papier, à titre de membre occasionnel des Comités consultatifs du Conseil des Arts du Canada ou du ministère, nouvellement nommé, de la Culture. Le choix de l'œuvre d'Ariel Dorfman, auteur chilien d'origine argentine émigré aux États-Unis en 1973, après l'assassinat grossièrement maquillé en suicide du président Allende, témoigne favorablement du mandat dont se dotait cette compagnie au moment de sa fondation, il y a maintenant vingt ans. Comme moi, Eudore Belzile, le directeur artistique du Théâtre les gens d'en bas, croit au rôle d'éveilleur de conscience du théâtre. Ce n'est pas parce qu'on est en région que le public et les gens de théâtre doivent se faire moins exigeants les uns envers les autres. La preuve en est la très bonne réaction des spectateurs et spectatrices qui assistaient, hier, à la représentation d'une pièce qui n'a rien d'«estival», dans le sens péjoratif du mot.

Il est souvent difficile de juger de la valeur d'une pièce après une simple lecture, malgré une longue expérience du métier de comédien et de directeur de théâtre. Lorsque Martine Beaulne m'a fait lire *La Jeune fille et la mort*, j'ai d'abord eu l'impression de me trouver devant un texte en cours d'écriture, et qui exigeait donc d'être sérieusement retravaillé. Les longues confessions de Paulina et du docteur Miranda, ainsi que la toute dernière scène située dans une salle de concert, me paraissaient le fait d'un auteur dépourvu de connaissance pratique du théâtre. Mais le sujet correspondait exactement au genre de problèmes qui me préoccupent : en l'occurrence, les difficultés de transition pour un pays qui s'achemine vers un régime gouvernemental de type démocratique, après avoir connu une longue période de dictature et d'abus de pouvoir. J'ai donc accepté le rôle.

Grand bien m'en a pris puisque, en cours de répétitions, grâce au travail de Martine Beaulne, on a pu trouver des solutions extrêmement heureuses pour corriger ce qui me semblait être des gaucheries de dramaturge débutant (à moins de me tromper, il s'agit en effet de la première et unique pièce de Dorfman). À suivre fidèlement les indications d'auteur, par exemple, toutes les confessions du docteur Miranda, le présumé tortionnaire, devaient être enregistrées sur magnétophone. Procédé qui, au Bic, fut heureusement réduit à quelques minutes. De même, la disposition en rectangle allongé de la scène, avec les spectateurs installés en toute proximité sur trois de ses côtés, a permis d'ignorer une autre directive selon laquelle ces derniers, reflétés dans des miroirs descendus du cintre, devaient figurer les auditeurs du concert final. Pour nous, ce fut beaucoup plus simple : en temps voulu, Gerardo, le mari de Paulina, s'adressa tout naturellement aux spectateurs au milieu desquels il se trouvait, qui, par une convention instantanément perçue, se *virent* reportés dans une salle de concert à des milliers de kilomètres de là.

SCÈNE IV
Éphémère et fragile, le théâtre

Le vendredi 2 juillet 1993

Surtout à la scène, il est impossible de prendre la distance nécessaire pour juger de ce qu'on fait. La représentation théâtrale ne subsiste que dans l'instant. Elle est à la fois éphémère et fragile. Cocteau fait dire à Orphée, dans le prologue de la pièce qui porte son nom : «Nous jouons très haut et sans filet de secours. Le moindre bruit intempestif risque de nous faire tuer, mes camarades et moi.» Tout en faisant la part de l'emphase dans cette figure de style, la formule décrit pourtant fidèlement aussi bien la précarité de la représentation théâtrale, que la vulnérabilité de l'acteur.

Au début des répétitions, un texte inerte gît sur les pages d'une brochure. Au fur et à mesure du travail, il est assimilé par des interprètes qui le nourrissent de leur esprit et de leur corps. Pourtant ce texte ne se libère du papier imprimé et ne s'anime vraiment que lorsqu'une fois le rideau levé, la lumière révèle au public le lieu de convention où doit se dérouler l'action. Il devient alors œuvre vivante : sons, couleurs, voix, paroles, mouvements lui confèrent une existence *virtuelle*. La vision de l'auteur s'incarne en une image animée, à trois dimensions, qui se maintient, au regard de la salle, en équilibre instable, telle une menue balle de celluloïd à l'extrémité d'un jet d'eau vertical. Un défaut de tension, une absence momentanée de cohésion entre les innombrables éléments qui entretiennent le mirage, et c'est la bascule dans la réalité de tous les jours. L'acteur redevient lui-même, et le public retrouve son quotidien. Le texte retourne à la brochure, et la vision réintègre l'esprit de l'auteur et de ses créateurs. Phénomène qui ne doit se produire normalement qu'à la fin de la pièce, lorsque les interprètes, en saluant, s'enquièrent auprès des spectateurs de leur degré de satisfaction.

Les documents qui tentent de fixer la succession d'instants, pendant lesquels se maintient l'illusion au plus haut degré possible de perfection (photos, enregistrements sonores, films, bandes magnétoscopiques), ne sont que de pâles reflets de la représentation théâtrale, puisque y manque le relief profond que constitue justement la présence du public. Ces liens, ces échanges qui s'établissent entre l'œuvre et ses « consommateurs » (si je peux me permettre d'emprunter ce terme au vocabulaire commercial), ont une influence directe sur la représentation. Si bien que, d'une fois à l'autre, rien n'est entièrement, exactement identique. C'est un silence qui se prolonge parce qu'il est porté par le rire ou l'émotion de l'assistance ; c'est un tempo qui s'accélère ou se ralentit, parce que l'interprète en perçoit le besoin à un moment précis d'une représentation spécifique ; c'est un accent vocal qui n'intervenait pas hier et qui sera oublié demain, tout bêtement peut-être parce que quelqu'un a toussé ou bougé trop bruyamment dans la salle, etc. Il n'y a donc aucun témoignage fidèle sur lequel on puisse se fonder pour permettre une appréciation tout à fait objective d'une production de théâtre.

Ce qui n'est pas faisable pour un comédien ou une comédienne l'est pour l'auteur, le peintre, l'écrivain, qui peuvent retourner à leur œuvre après l'avoir abandonnée plus ou moins longtemps, et y jeter un regard frais, impartial. Ainsi, lorsque j'ai lu *La Jeune fille et la mort* pour la première fois, je me suis rappelé qu'en 1988, un poste de télévision m'avait demandé, à titre de président des Artistes pour la paix, de commenter le référendum qui venait d'avoir lieu au Chili et qui devait mener au retrait (trompeur) de Pinochet. Bien que je sois, pour mes documents personnels, un très mauvais archiviste, j'ai retrouvé celui-là sans trop de difficulté et j'ai été en mesure, grâce à la distance que j'avais prise au fil du temps, de vérifier que mes propos d'alors restaient, ma foi! encore très justes.

Je disais, entre autres choses :

«... le retour de la démocratie, au Chili, n'est pas chose accomplie. Même si le processus semble bien engagé, il se peut qu'il soit long et pénible.

«C'est que le choix de la démocratie n'en est pas un de facilité. La facilité, pour le citoyen, est du côté du régime autoritaire, le régime qui assume toutes les responsabilités individuelles, en même temps qu'il garantit — même si c'est sous de fallacieuses apparences — le maintien de la loi et de l'ordre. En démocratie, l'équilibre délicat entre la liberté et la justice est toujours extrêmement difficile à atteindre; alors qu'en régime autoritaire, c'est la simplicité même : on va toujours du côté de la justice, même si cette justice favorise le petit nombre.

«En dictature, le citoyen consentant se lave les mains de la chose publique : c'est un grand souci de moins. Alors qu'en démocratie, s'ils veulent vraiment jouer leur rôle, l'homme et la femme de la rue doivent toujours poser un regard critique sur la moindre action du gouvernement en place. C'est une énorme responsabilité de tous les instants. Un régime démocratique ne peut maintenir son intégrité que par la vigilance du peuple. Le moindre fléchissement peut donner lieu à un accroc.»

Si je me suis permis cette citation, ce n'est pas pour faire valoir la justesse de mes vues, mais pour souligner la remarquable affinité qui relie mon texte à la pièce de Dorfman dans laquelle je joue. Il y a de ces ponts qui s'érigent entre esprits, sans plan préétabli et au delà des frontières. La situation politique du Chili d'il y a cinq ans m'a amené à des réflexions que, deux ans après, reprendra un Chilien émigré aux États-Unis, sous la forme d'une pièce de théâtre dont j'interprète un personnage, avec un décalage ultérieur de trois ans. Les jeux du hasard sont aussi étonnants qu'imprévisibles...

Mais pour en revenir au sujet, toujours brûlant, de la démocratie, il ne faudrait pourtant pas tomber dans le piège de la quiétude : quand on parle des dangers qui la menacent dans les pays où elle existe, le Canada ne fait pas exception. Les événements d'octobre 70 ont contribué, à cet égard, à secouer notre tranquille insouciance. Et même — peut-être surtout — dans les périodes de morosité politique, faut-il savoir être sur ses gardes. Avec des gouvernements comme ceux d'Ottawa et de Québec qui jouissent d'une confortable majorité, les abus sont faciles. Et comme il ne se trouve, ni dans une capitale ni dans l'autre, de leader doté d'une vision sociale inspirée, les citoyens ont l'obligation de rappeler à leurs dirigeants qu'ils ne doivent pas se contenter de se laisser porter par l'air du temps, l'œil fixé sur les prochaines élections. Quand donc, par exemple, au Canada et au Québec, plutôt que d'*idéaux* et d'objectifs issus de préoccupations gravitant autour de notions d'économie, de commerce, de nation, d'État, parlera-t-on d'un réel projet de société juste?

Ces dernières réflexions me sont venues à cause de *La Jeune fille et la mort*. Peut-il y avoir de plus éloquente illustration de l'éveil de la conscience provoqué par un théâtre qui, par ailleurs, remplit parfaitement son rôle primordial de divertissement? Qu'est-ce que divertir? Est-ce tout simplement récréer, distraire, régaler, égayer? Le verbe «divertir» n'a-t-il pas comme sens premier celui de «détourner»? On divertit le cours d'une rivière. De même, par le théâtre, on divertit le public de ses préoccupations quotidiennes, de ses soucis digestifs, de ses tracas familiaux, en lui présentant un sujet qui le propulse dans un univers différent, aux dimensions plus larges, plus vastes, qui débordent la cuisine, le salon et la chambre à coucher.

Le principal reproche qu'un certain public adresse à ce genre de théâtre, c'est qu'après la fatigue et le harassement d'une journée de travail au bureau, à l'usine ou à la maison, il espère qu'on va lui «changer les idées», comme on dit, et il refuse qu'on l'entretienne de problèmes générateurs d'angoisse et d'inquiétude. Pourtant, ce sont ces mêmes gens qui, fourbus par le boulot d'une semaine, vont se précipiter sur les pentes de ski ou de motoneige, sur les courts de tennis ou les parcours de golf. Ils jugent que la fatigue physique qu'entraîne l'exercice d'un sport est salutaire, régénératrice, puisqu'elle est d'un autre genre que celle du labeur quotidien. Pourquoi n'en serait-il pas de même de l'esprit? Pourquoi n'aurait-il pas droit, lui aussi, au *divertissement* que procure la réflexion sur la condition humaine, considérée sous un autre angle que celui de la mastication, du tiroir-caisse, du code civil ou de la chaîne de montage?

N'est-ce pas Claudel qui disait — à peu de mots près — souhaiter que les spectateurs sortent de ses pièces «sourds et inquiets»? Sourds de la rumeur de ce qu'ils viennent d'entendre, et inquiets parce que cette rumeur crée des remous dans les régions les plus profondes de leur conscience d'hommes et de femmes.

SCÈNE V
Portrait à la manière de La Bruyère

Le lundi 5 juillet 1993

Au sujet de la tenue régulière d'un journal intime, j'ai déjà mentionné ma paresse naturelle. D'aucuns en seront étonnés, qui me prêtent une réputation de bourreau de travail. Rien n'est plus faux. En réalité, je suis un paresseux... mais un paresseux piocheur. L'espèce en est assez répandue, et rien n'indique qu'elle soit en voie de disparition.

Ce qui caractérise le «paresseux piocheur», c'est qu'il est d'abord porté à ne rien faire; mais que, ne faisant rien, il se sent coupable, parce qu'en réalité il a quelque chose à faire et dans des délais précis. Il estime donc qu'il lui faudrait se mettre au travail. Mais auparavant, il s'emploie à évaluer l'ampleur de la tâche et le temps qui lui reste pour l'accomplir. Il juge l'un largement suffisant, et qu'enfin, il s'est exagéré l'autre. Il ne se trouve donc coincé par aucune urgence, quelle qu'elle soit. D'autant moins que le frappe soudain le désordre qui règne autour de lui. C'est donc au rangement des lieux qu'il doit avant tout se consacrer. Et après, n'y a-t-il pas ces livres à classer dans la bibliothèque? Cette course importante à faire? Cette longue liste de coups de fil à donner? Tout cela occupe le reste de la journée. Et le lendemain, c'est de nouveau autre chose... Jusqu'à ce que, ne pouvant se dérober, force lui est de se lancer à corps perdu dans la rédaction de cette causerie qu'il doit donner, dans deux jours, ou dans la mémorisation de ce texte qu'il lui fallait savoir hier! Et le voilà qui saute les repas, écourte son sommeil et éconduit les importuns de son entourage, avec une brusquerie d'homme occupé. Ce qui fait dire à tous ceux qui le fréquentent de plus ou moins près, qu'il «n'arrête pas de travailler!» C'est ainsi que se créent les légendes.

SCÈNE VI
Fichu métier !

Le mercredi 7 juillet 1993

Jouer la comédie : quel métier ! Beau certes, sous plusieurs aspects — la plupart du temps, pas ceux pour lesquels les gens nous envient, qui se réfèrent presque toujours au succès et à la gloire. Mais souvent : fichu métier !

J'ai connu récemment, par exemple, une longue période de... vacances ou de... chômage, suivant le point de vue où l'on veut bien se placer. Ce sont des moments angoissants. On se pose alors des questions : peut-être plus personne n'aura dorénavant besoin de mes services ? Peut-être est-ce la fin abrupte de ma carrière ? Il faudra bien que cela se produise un jour, volontairement ou non, par épuisement des forces ou «pour cause de décès»...

Dans des pays à population plus dense que le nôtre et où, par conséquent, les artistes qui connaissent le succès jouissent de revenus plus importants, ces cycles sont souvent souhaités, voire provoqués par les comédiens et les comédiennes. Mais quand le hasard vous a fait naître au nord plutôt qu'au sud du 49ᵉ parallèle, les ressources sont limitées. Au théâtre, on ne joue que vingt ou trente fois, plutôt que deux ou trois cents ; au cinéma et à la télévision, les cachets s'ajustent sur l'envergure du public. Autant dire qu'ils sont facilement ici, de vingt à trente fois moindres qu'aux États-Unis. Que s'ajoute à cela l'imprévoyance qui me caractérise, et l'on comprendra que le silence prolongé du téléphone puisse devenir très préoccupant. Et puis un beau matin, ça redémarre, et on se voit obligé de refuser la moitié de ce que l'on vous offre, faute de disponibilité, le don d'ubiquité n'ayant pas été accordé à profusion ! Cette insécurité, qui est par ailleurs le fait de tout travail autonome, n'est-elle pas l'un des facteurs qui rendent ce métier captivant ? Rien n'y est acquis une fois pour toutes. Pas plus en ce qui concerne les offres d'emploi que le succès auprès du public. Il faut donc toujours être en état d'alerte. Et c'est bien ainsi.

Les arts de la scène ont un caractère hautement compétitif ; à cet égard, ils sont de même nature que le sport. Les critiques et le public sont irrésistiblement portés à comparer ce qu'on fait aujourd'hui à ce qu'on a fait précédemment, ou à ce que d'autres ont fait. C'est mieux, ou c'est moins bien. Et si, de surcroît, on nous a récemment portés aux nues, le «moins bien» peut, de façon sûre et expéditive, nous faire tomber au plus bas de la faveur populaire, pour une période plus ou moins longue.

Je l'ai souvent appris à mes dépens; mais j'ai également été à même de le constater pour autrui. Ainsi, en 1950, j'assistais à la répétition générale du *Tartuffe* de Molière à l'Athénée, théâtre que Jouvet avait repris dès son retour en France, après une tournée prolongée en Amérique du Sud. Les générales étaient alors très courues et fréquentées en partie par une faune hautement colorée, dont deux personnages littéralement sortis d'une autre époque : Maurice Rostand et Rosemonde Gérard. Celle-ci avait été la femme d'Edmond Rostand; celui-là était leur fils, comme le grand biologiste et écrivain, Jean Rostand, dont il différait autant que faire se peut. Elle, excédant les quatre fois vingt ans, avait le visage blanc d'un pierrot et était toujours coiffée de véritables monuments à plumes flamboyantes; lui, dans sa cape noire doublée de satin pourpre, était outrageusement maquillé et s'efforçait de bien porter le poids de ses 60 ans, alors qu'il avait presque l'air plus âgé que sa mère. Ils constituaient l'une des attractions d'une générale parfaitement réussie.

Par ailleurs, lors d'une telle représentation, l'attribution des fauteuils relevait d'un art des plus raffinés. Un bon contrôleur savait, d'un jugement sûr, qui méritait les meilleures places, qui pouvait se contenter d'une banquette au poulailler, et à qui ne pas octroyer des fauteuils voisins l'un de l'autre. Ce soir-là, j'étais à l'orchestre, grâce à l'entremise de mon ami Jean de Rigault. J'avais vu l'ouvreuse conduire Rosemonde Gérard et Maurice Rostand dans la première rangée. Il s'agissait donc d'une véritable *grande* générale.

À 63 ans, Jouvet était au sommet de sa brillante carrière de directeur de théâtre, de metteur en scène et de comédien. Il avait, cinq ans plus tôt, créé *La Folle de Chaillot* de Giraudoux, qui devait triomphalement tenir l'affiche pendant des centaines de représentations. En 1948, il avait campé un Dom Juan satanique, véritablement hallucinant, que tous les critiques avaient louangé en termes dithyrambiques. Enfin, le cinéma en avait fait, jusqu'à un certain point, une vedette populaire. Malgré tout cela, on l'attendait :

qu'allait-il faire de *Tartuffe*? Des indiscrétions avaient filtré dans le milieu, hors des dernières répétitions. On disait qu'il avait opté pour le côté noir, inquiétant, dramatique du personnage et de la pièce. N'avait-il pas commandé le décor au peintre Rouault, qui n'avait pas précisément la réputation d'être folichon? N'avait-il pas confié le rôle de Dorine à Gabrièle Dorziat, comédienne de grande classe, dont la silhouette était bien éloignée de celle de la soubrette conventionnelle?

Dès le lever du rideau, on put constater que les indiscrétions, pour indélicates qu'on pût les qualifier, n'en étaient pas moins fondées. Les couleurs foncées du décor (à mon souvenir beaucoup de noir, de marron sombre, de gris), les teintes de l'éclairage, le ton du dialogue, tout démontrait la franchise de l'option. Ce qui n'était pas, personnellement, pour me déplaire. Avec *Dom Juan* et *Le Misanthrope, Tartuffe* est, à coup sûr, l'une des grandes comédies de Molière, de celles où se révèlent la noblesse de son génie, la profondeur de son observation et la gravité de son propos. Durant le déroulement de la pièce, la réception du public fut polie. Mais aux saluts de la fin, les bravos étaient couverts par les sifflets, lesquels en Europe, sont à l'opposé d'une manifestation de satisfaction, comme c'est le cas aux États-Unis et ici. J'étais assez proche de la scène pour lire l'expression sur le visage de Jouvet. Du haut de son mètre quatre-vingts, il saluait doucement de la tête, au jardin puis à la cour, au balcon puis à l'orchestre, avec un sourire tristement amusé. Je n'oublierai jamais ce tableau, qui avait quelque chose de déchirant et pourtant, aussi, de réconfortant. Jouvet semblait dire : « Vous n'êtes pas d'accord, de toute évidence ; mais moi, je suis en règle avec moi-même. C'est ce qui m'importe. La prochaine fois, peut-être nous rencontrerons-nous ? » Jouvet prit la défense de sa conception de *Tartuffe* dans une causerie, probablement écrite en grande partie par son extra-ordinaire secrétaire général, Thomas Coëlle, au physique copie conforme de son patron. Il ne réussit pourtant pas à modifier l'avis de ses critiques.

Quelque quatre ans auparavant, j'avais connu une autre expérience semblable. C'était chez Renaud-Barrault au Théâtre Marigny, durant l'une des périodes les plus prospères du célèbre tandem. On y donnait *Fastes d'enfer*, du grand dramaturge belge Michel de Ghelderode. La pièce avait d'abord été présentée en spectacle coupé par le jeune animateur, André Reybaz, au petit Théâtre des Noctambules, rue Champollion, avec *Hop Signor!*, du même auteur. Je crois que c'était la première fois que Ghelderode était joué en France, et les représentations avaient créé un certain scandale, qui plus est à Paris. La dernière réplique de *Fastes d'enfer* fut suivie d'un véritable chahut. Un évêque auxiliaire, en parlant des moines d'un palais épiscopal tourmentés par la trouille d'un soulèvement populaire, tonitruait : «Les porcs!... Ils ont chié plein leur soutane!...»

Aussi courageux qu'opportuniste (deux qualités essentielles à un bon directeur de théâtre), Barrault avait décidé de récupérer ce scandale à son profit, en accueillant chez lui ces *Fastes d'enfer*. Mais jugeant probablement le public de son Marigny incapable de supporter l'iconoclastie au delà d'une soixantaine de minutes, il avait renoncé à *Hop Signor!* et, pour compléter la soirée, avait choisi une pièce bien sage, intitulée *Le Pays des cerisiers*.

Il s'agissait d'une création d'un jeune auteur plutôt oublié de nos jours, André Dhotel, peut-être un ami de Jean Dessailly, puisque c'était ce dernier qui en assurait la mise en scène et en incarnait également le personnage masculin principal. Si l'auteur était peu connu, Dessailly, par contre, sans avoir atteint le statut d'un Gérard Philipe, était un jeune premier très en demande au cinéma et l'un des piliers de la compagnie Renaud-Barrault.

À mon souvenir, voici le sujet de la pièce. Durant la guerre, un jeune homme a connu une aventure aussi courte que passionnée avec une jeune fille, rencontrée au hasard des exodes. Cette jeune fille était restée anonyme pour le jeune homme, et la seule image précise que lui proposait son souvenir était constituée des innombrables cerisiers plantés à perte de vue dans la contrée où était éclos cet amour fulgurant. La paix venue, et à l'aide de ce maigre indice, le jeune homme part à la recherche de sa bien-aimée, qu'il finira par retrouver. Les deux amoureux reprennent leur dialogue ardent, mais doivent se quitter temporairement pour permettre au jeune homme d'aller régler ses affaires à Paris, avant de revenir filer le parfait bonheur au «pays des cerisiers». La jeune fille regarde le jeune homme s'éloigner. Mais la fatalité est au rendez-vous : en coulisses, on entend le vrombissement du moteur d'un camion routier, le bruit de la trompe, le crissement des pneus. Cris de la jeune fille. Noir. Chose inusitée, la chute du rideau fut suivie d'un grand silence qui dura l'éternité de quelques secondes. Puis, venant du balcon, on entendit un loustic imiter très distinctement le dégonflement d'un ballon. Ssss... Et ce fut tout. Je n'ai même pas souvenir qu'à l'entracte, le public ait pris la peine de commenter la pauvreté de la pièce qu'on venait de voir. Le lendemain, il y avait un nouveau lever de rideau : *L'ours*, de Tchekhov. J'imagine la déconvenue de Dessailly et l'amertume de l'auteur. Mais c'est ainsi : au théâtre, pas de pitié pour les perdants.

Autre souvenir de même nature d'un échec appréhendé celui-là mais qui ne se réalisa heureusement pas. Il a trait au *Dom Juan* que le TNM avait présenté au début de 1953, durant sa troisième saison, alors que la jeune compagnie maintenait une moyenne assez élevée d'honorables succès, avec des productions comme celles de *L'Avare, Célimare le bien-aimé, Maître après Dieu, La Nuit du 16 janvier, Tartuffe, La Cuisine des Anges,* etc. Le TNM prétendait au plus grand professionnalisme. Mais, dans la façon dont s'exerçait le métier au début des années cinquante, se glissait encore une bonne part d'artisanat et d'improvisation. Ainsi, avant l'acquisition d'un atelier, rue Sanguinet, les décors étaient construits directement sur scène. Nous jouions alors au Théâtre du Gesù, lieu extrêmement chaleureux, qui présentait pourtant de nombreux inconvénients. Le cadre de scène avait de curieuses proportions : à peine trois mètres de hauteur, avec une largeur de près de dix. Ce qui nous faisait dire que nous faisions du *Théâtroscope*. Nous disions aussi, lorsque la pièce n'attirait qu'un maigre public, que nous faisions du théâtre «clandestin», histoire de ne pas se prendre trop au sérieux. Le dégagement était assez spacieux au jardin, mais nul côté cour. Quant au lointain, il était bloqué par deux minces colonnes bien en vue, derrière lesquelles grimpait un escalier central d'une dizaine de marches. Enfin, le vieux plancher vermoulu présentait une surface pleine de reliefs, coupée d'interstices plus ou moins larges, qui aurait été plus appropriée à un terrain de course à obstacles qu'à une scène de théâtre.

Pour *Dom Juan*, le décorateur Robert Prévost, ce très cher Roberto dont on ne célébrera jamais assez le talent, avait renoncé au dispositif fixe, faute de hauteur (le cintre était tout juste suffisant pour y pendre des frises d'au plus cinquante centimètres). Avec le metteur en scène Jean Dalmain, il avait opté pour des éléments de décor montés sur roulettes et manipulés par quelques serviteurs de scène, qui jouaient également les rôles de laquais. Les décors n'avaient pu être terminés à temps pour permettre d'en répéter les changements. Le soir de la répétition générale — sans public heureusement, selon la coutume locale —, les coulisses étaient parsemées de bran de scie, de clous de tous formats, et jonchées de bouts de bois et de morceaux de toile. Mais, place au théâtre ! On commença la répétition, ayant réussi à disposer les éléments de décor pour la scène d'ouverture, derrière le rideau fermé. « ... il n'est rien d'égal au tabac... », proclama Sganarelle, et la scène fila sans anicroches.

Au premier changement, la corrida commence. Les roulettes se coincent dans les interstices du plancher et les pauvres serviteurs de scène, malgré des efforts désespérés, ne parviennent pas à en vaincre les aspérités. Les machinistes et les menuisiers doivent s'en mêler et, faute de pouvoir trouver une solution convenable, chaque changement dure des dizaines de minutes, les éléments de décor refusant de suivre les trajets prévus, et obéissant bien davantage à la surface capricieuse du sol qu'aux vaines tentatives des manipulateurs.

Dans ces conditions, la répétition prend des allures de catastrophe. Comédiens et comédiennes ne parviennent pas à retrouver leur personnage, chaque scène tombe à plat et Molière même en perd son génie. À 9 heures le lendemain matin, sans que soit encore tombé le rideau final, chacun rentre chez soi, livide, éreinté et abattu.

Seul des animateurs de la Compagnie, Guy Hoffmann était absent. Jean Dalmain avait légitimement usé de son droit de metteur en scène pour se distribuer dans Sganarelle, qu'il jouait magnifiquement d'ailleurs. Mais Guy, pour qui le rôle était fait sur mesure, en avait été profondément blessé et s'était tenu à l'écart de la production. Plus de vingt-cinq ans après, lorsque je remontai *Dom Juan*, je désirai lui faire, si possible, oublier cet épisode en lui offrant de jouer le pathétique et grotesque valet dont rêvent tous les grands acteurs de comédie. Mais les premières manifestations du mal qui allait l'emporter, six ans plus tard, l'empêchèrent même de commencer les répétitions. Toujours est-il qu'en son absence, le matin du 15 janvier 1954, Jean Gascon, son frère André et moi-même, sans avoir osé échanger nos impressions, étions allés prendre quelques heures de repos.

En début d'après-midi, André se rendit chez notre fournisseur, le quincaillier Omer DeSerres, acheter des roulettes pivotantes (que nos machinistes, dans leur argot, appelaient des *swivels*) pour remplacer les roulettes fixes qui étaient source de tous nos ennuis. Il fut renversé d'en avoir pour 70 $ (il faut quasiment décupler cette somme pour se rendre compte de ce qu'elle pouvait représenter dans un budget total de quelques milliers de dollars). Soixante-dix dollars de *swivels*, on s'en serait bien passé! De notre côté, Jean et moi sommes rentrés au théâtre. D'instinct, et pour occuper un temps qui nous pesait lourdement, nous nous sommes mis à faire le ménage des loges et des coulisses, pendant que les machinistes équipaient les éléments de décor des ruineuses *swivels*.

Quelques heures plus tard, ayant rétabli l'ordre et la propreté des coulisses et des loges, nous étions parvenus à faire évoluer les éléments de décor, nouvellement munis de leurs *swivels*, tout de même sans trop de difficultés. Le manque de temps nous avait pourtant empêchés de procéder à la répétition de chacun des changements de scène. À 21 heures, pendant que Robert Prévost donnait les derniers coups de pinceau au costume de la statue du Commandeur sur le dos même de son interprète, le fidèle Guy Bélanger, nous faisions lever le rideau, le cœur rongé d'angoisse. Et le miracle se produisit! De quoi redonner foi en l'existence d'un Être suprême, goguenard et bienveillant... à moins qu'il ne ce fût agi, à vingt-cinq siècles de distance, du dieu païen Dionysos qui nous faisait partager son ivresse. Tout marcha «sur des roulettes», si j'ose dire, et la réception du public nous fit comprendre que nous avions en main un énorme succès. Les trente-sept représentations consécutives en firent la preuve.

Nous avions coutume à l'époque d'aller, selon le cas, célébrer notre liesse ou enterrer notre chagrin au restaurant Chez son père, qui a fait place, rue Saint-Antoine alors nommée rue Craig, au nouveau Palais de justice. Là nous accueillaient chaleureusement les propriétaires, monsieur et madame Bouyeux, le cuisinier Georges Bourthoumieu, et Alphonse, le maître d'hôtel. Les murs étaient affreusement décorés de fresques verdâtres représentant toutes espèces de fruits de mer : homards, oursins et autres pétoncles. En été, il y faisait une chaleur intolérable. Mais que c'était bon! et que l'atmosphère y était chaleureuse! C'est là que nous apprîmes de nos conjointes respectives qu'en rentrant chacun chez soi, le matin précédent, Jean, André Gascon et moi-même n'avions eu qu'un seul commentaire, sans pourtant nous être concertés : « Ce soir, c'en sera fini du Théâtre du Nouveau Monde ! » Et cela, en dépit de cette tradition — tout à fait injustifiée dans la pratique — selon laquelle plus la générale est mauvaise, meilleure est la première, et vice versa.

Il faut se rendre compte que, dépourvue de toute subvention, la Compagnie ne disposait à l'époque d'aucun fonds de roulement, ni de réserves. Les choses n'ont peut-être pas beaucoup changé de nos jours mais, du moins, la recette des abonnements, perçue à l'avance, constitue une sorte de... disons coussin de sécurité. En 1953, au début d'une nouvelle production — surtout de l'envergure de celle de *Dom Juan* et avec nos maigres douze cents abonnés —, les coffres étaient à sec, et c'est la vente au guichet qui venait les renflouer. Il aurait donc suffi que l'œuvre de Molière soit un four pour qu'elle mette effectivement un terme à l'activité du TNM. Car cette troisième saison avait débuté très timidement avec une pièce d'Irwin Shaw, *Philippe et Jonas*, qui n'avait été jouée que seize fois et vue par un peu plus de huit mille spectateurs. En comparaison, avec ses trente-sept représentations, *Dom Juan* allait en attirer le triple. On peut se demander ce qui serait advenu si le TNM avait cessé d'exister, en janvier 1953. La face du globe n'en aurait sûrement pas été changée, mais il est sans doute permis de croire que l'évolution de notre activité théâtrale aurait été quelque peu ralentie. Les événements les plus importants sont quelquefois tributaires de bien peu de choses. Sur cette profonde réflexion, je vais me mettre au lit.

SCÈNE VII

Images de mon père

Le dimanche 11 juillet 1993

Depuis la mort de mes parents, je pense souvent à eux, bien qu'ils soient disparus l'un il y a plus de quinze ans, et l'autre, plus de trente. Naturellement, en particulier, lors du jour anniversaire de leur naissance. Celui de ma mère tombe le 1er décembre ; celui de mon père, aujourd'hui, le 11 juillet.

Il était médecin comme on l'était en ce temps-là; c'est-à-dire qu'on exerçait sa profession avec un dévouement absolu en couvrant à peu près tous les domaines, mais en ayant une spécialité dans laquelle on excellait. Pour sa part, mon père était accoucheur. Même après sa mort, combien de gens n'ai-je pas croisés qui me déclaraient, comme avec une certaine fierté, qu'ils avaient été mis au monde par le Dr Louis Roux. Il sortait souvent la nuit, pour se rendre au chevet de ses patientes. Entre les années vingt et quarante, il n'y avait guère que les gens fortunés qui naissaient à l'hôpital, et nous habitions un quartier populaire, notre domicile se trouvant rue Maisonneuve — devenue depuis la rue Alexandre-DeSève —, en face de l'église Sainte-Brigide. Dans le temps où il se déplaçait à pied ou en voiture à cheval, il se munissait, histoire de se protéger contre les détrousseurs, d'une canne dite *plombée*, long et mince cylindre de plomb, couronné d'un petit pommeau et recouvert de fin cuir noir. C'est ce que j'ai ouï dire; car d'aussi loin que je me souvienne, je vois mon père se transportant en automobile (une imposante *Rhéo* noire), et la canne mise à la retraite dans le porte-parapluies.

Une pièce de la maison lui servait de bureau, où il donnait consultation de 6 à 8 heures, le soir. Nous mangions donc tôt et vite. Il avait l'élégance de ne pas faire attendre inutilement et quittait la table pratiquement au premier coup de 6 heures, si un patient s'était déjà présenté. Ce qui, en l'occurence, agaçait ma mère, sans qu'elle osât trop manifester son mécontentement. Chez nous, c'était le régime du *paterfamilias*. Aujourd'hui, il m'arrive de manger vers 17 heures, en prévision du spectacle du soir où il faut se présenter l'estomac léger. Mais même lorsque, faisant relâche, je me mets à table à une heure plus tardive, j'ai toujours conservé l'habitude de mastiquer pour ainsi dire en accéléré. Et c'est maintenant ma femme Monique qui en éprouve de l'agacement et l'exprime ouvertement, prétendant que mon exemple est communicatif!

Bien évidemment en ce temps-là, n'existait pas ce petit instrument qu'on a ironiquement baptisé *castonguette*, du nom du ministre qui a introduit l'assurance-maladie au Québec. Les patients payaient les services de leur médecin traitant sur-le-champ et en

argent sonnant. Lorsqu'ils payaient... Dans le quartier Sainte-Marie, après le krach de 1929, les sans-travail se faisaient nombreux, et il n'y avait pas plus d'assurance pour assister le chômeur que le malade. Seuls les plus démunis bénéficiaient d'un mince secours que l'on qualifiait de *direct*, au moyen duquel les municipalités, par entente avec les gouvernements fédéral et provinciaux, distribuaient aux miséreux quelque 20 millions de dollars, au total, pour subvenir à leurs besoins en alimentation, en habillement, en combustible et en loyer. C'était la dépression, la *crise*, comme on disait communément. Et ce terme terrifiant évoque toujours aujourd'hui, en mon esprit, le malheur et la détresse des petites gens. S'y présente encore le spectacle de maigres mobiliers et de quelques frusques, jonchant le trottoir même en hiver, uniques biens de pauvres familles expulsées par des propriétaires implacables.

Il arrivait fréquemment à mon père de jouer le *Bon Samaritain*. Impensable qu'un médecin consciencieux comme lui refuse ses soins faute de rétribution. Il les troquait plutôt contre les produits et services que vendaient ses patients, épicier, coiffeur ou boucher. C'est ma mère qui tenait les comptes dans un gros registre à forte reliure rouge sombre et noir. Elle rappelait les débiteurs récalcitrants à l'ordre. Je l'entends encore, parlant au téléphone d'une voix terrible, les menacer de je ne sais quelle calamité s'ils ne s'acquittaient de leurs dettes dans les plus brefs délais. J'ai toujours soupçonné mon père de les tranquilliser discrètement, par la suite.

Cela ne fut pas sans conséquences fâcheuses pour ce père d'une famille de six enfants qui, tous, avaient accès à la meilleure éducation. J'ai souvenir, vers le milieu des années trente, de son visage assombri par l'inquiétude et les soucis d'argent. C'était nouveau pour moi qui avais jusque-là connu un père jovial, dont le rire en brèves cascades ascendantes me réjouissait le cœur. Peu doué pour les affaires et les transactions financières, il s'était risqué à contretemps dans l'achat et l'administration d'un petit immeuble d'une demi-douzaine de logements assez luxueux, selon les critères du moment, qu'il avait payé 42 000 $! En 1932 ! Nous avions donc déménagé, boulevard Saint-Joseph à l'angle de la rue des Carrières, grimpant dans l'échelle sociale mais accédant du coup à une gêne relative. Après quelque temps, incapable de rencontrer le paiement des taxes foncières, papa avait offert à l'ancien propriétaire de lui remettre l'immeuble purement et simplement. Pour se faire rétorquer par ce dernier que s'il avait été en mesure de payer les taxes afférentes à la propriété, il ne l'aurait pas vendue. Le nouvel acquéreur resta donc avec son éléphant blanc sur les bras. Depuis, l'immeuble a été démoli pour faire place à la bouche principale du métro Laurier.

La situation finit par s'arranger lorsqu'un de ses confrères échevin parvint à faire accéder mon père au service médico-légal de l'hôtel de ville de Montréal. Dans son nouveau poste, il évaluait, entre autres, la gravité des blessures encourues au travail par les employés municipaux, ainsi que celles des accidentés de la rue qui intentaient un procès à l'administration urbaine. Il examinait aussi les candidats pompiers et policiers. Il revint un jour à la maison, déclarant joyeusement qu'un postulant lui avait offert un pot-de-vin pour que le rapport médical lui soit favorable. Devant notre curiosité, il nous confia lui avoir déclaré ne jamais monnayer son intégrité à moins de un million! Ce genre d'humour faisait mon bonheur.

Jusqu'à l'âge de 13 ou 14 ans, j'ai eu des relations tout à fait privilégiées avec mon père. Nous étions véritablement deux copains. Je me permettais, à son égard, la même espièglerie qu'envers un petit camarade. Je l'appelais familièrement « vieux ». Nous avions une complicité dont il savait se servir lorsque, par exemple, il m'incitait à faire quelque chose que ma mère aurait jugé par trop osé, eût-elle été mise au courant. C'est ainsi qu'il me confiait le volant de la voiture à un âge où je savais à peine rouler à bicyclette. À une autre occasion, alors qu'il était convenu qu'il me cueillait sans faute à la sortie du jardin d'enfants du Mont Jésus-Marie, il me laissa parcourir seul, à pied, une distance d'environ deux kilomètres jusqu'à la maison, l'annonçant triomphalement à ma mère, une fois l'exploit accompli.

De souche paysanne, il était né dans le rang de Saint-Féréole, communément appelé Saint-Friole, près des Cèdres. D'où peut-être son physique — de taille moyenne et d'aspect assez trapu — et son habileté de bricoleur, exerçant avec adresse tous les métiers manuels — menuisier, charpentier, plombier, électricien, terrassier, peintre, mécanicien —, pour ma plus béate admiration. Il ne m'a rien légué de cette dextérité, du reste. Je le suivais partout où je le pouvais, jusqu'à l'attendre de longs moments dans son automobile, même par les froids les plus rigoureux, pendant qu'il faisait ses visites à domicile. C'était la coutume; mais pour la visite à domicile, les honoraires étaient évidemment un peu plus élevés que pour la consultation au bureau. Plus tard, lorsqu'il devint fonctionnaire municipal, je passais tous mes jours de congé avec lui, faisant le ménage de son local et retirant de ses classeurs les dossiers périmés. Je me donnais ainsi l'impression de me rendre utile et de justifier mon assiduité auprès de lui. En retour, je crois que ma présence l'enchantait : sans épanchements — ce n'était pas le genre de la maison —, il me prodiguait une affection singulière de chaque instant, à laquelle j'étais éperdument sensible.

Tout se termina abruptement, du moins pour moi. Dans les familles de l'époque, la coutume était au baiser sur la bouche. De frères à sœurs, de père et mère à enfants, il se pratiquait à toutes occasions. Entre parents plus éloignés, on en était un peu plus parcimonieux et ils étaient attendus ou redoutés, selon le cas. On voyait le jour de l'An approcher avec impatience, si s'annonçaient de jolies cousines; mais je me rappelle un beau-frère de ma mère, l'oncle Edgar, fumeur de pipe, dont la visite nous faisait littéralement prendre refuge, à mes sœurs et à moi, sous les lits et derrière les meubles. Ma mère avait peine à retenir son rire pendant que l'oncle Edgar nous cherchait par toute la maison, pour nous accabler des marques de sa tendresse humide et malodorante.

Le matin donc, avant de quitter pour l'école ou le collège, j'embrassais ma mère et mon père sur la bouche. Mais un jour, alors que je m'avançais pour le baiser d'au revoir, mon père me maintint à bout de bras, déclarant que j'étais assez vieux dorénavant pour que nous nous serrions simplement la main... Cela marqua, pour moi, une rupture absolue. Par ce *shake-hand*, j'accédais peut-être à l'adolescence, mais le fait de quitter si abruptement mon enfance, sans le moindre avertissement préalable, ne me fit certes pas l'effet d'une promotion. Du jour au lendemain, les relations avec mon père cessèrent d'être ce qu'elles étaient jusque-là. Nous prenions nos distances.

Mon père ne me fut plus qu'un père ordinaire, dont je songeais à m'émanciper le plus tôt possible. Et ce fut expéditif. À la fin de mon cours classique, le milieu familial m'était devenu quasi insupportable. C'est à cette époque que je commençai à écrire un roman, dont je ne terminai que le premier chapitre, intitulé *Les*

Sépulcres blanchis : on devine à qui j'adressais cette réprobation évangélique. Le plus clair de mon temps, je le passais donc hors du domicile, avec mes amis du moment qui étaient les Compagnons et les Compagnes de saint Laurent. Quelques années plus tard, une fois en médecine à l'Université de Montréal, la rupture s'accentua. D'autant plus que je me consacrais, bien davantage qu'à mes études, à la publication du *Quartier Latin*, en compagnie de Jacques Hébert, et à l'interprétation de Claudel et de Racine, dirigé par Ludmilla Pitoëff.

SCÈNE VIII
Mon premier monument vivant :
Igor Stravinski

Jacques Hébert était directeur du *Quartier Latin*. J'en étais rédacteur en chef. J'y écrivais assidûment, même lorsqu'il devint bihebdomadaire. Du plus au moins mauvais. J'estime que ma contribution la plus remarquable à ce journal a été, conjuguant mes efforts à ceux de mon camarade Hébert, son affranchissement de la censure de l'aumônier, l'abbé Deniger. Un seul article mérite de ne pas sombrer dans l'oubli : celui que je consacrai à Igor Stravinski. Je le reproduis ici sans y apporter grandes modifications, avec ses maladresses, sa naïveté, sa prétention et son ingénuité. Il me semble qu'il a valeur de témoignage en ce qui concerne les jeunes intellectuels de l'époque. Il est daté du 23 mars 1945 :

«Dès les premières nouvelles de son passage à Montréal, mes amis et moi formions le projet bien arrêté d'obtenir une entrevue avec Stravinski. L'occasion était unique pour nous — et peut-être ne se représenterait-elle jamais — de rencontrer le plus grand compositeur contemporain, l'auteur de *Petrouchka*, du *Sacre du printemps*, du *Baiser de la fée*, de l'*Octuor* et de tant d'autres œuvres qui faisaient les délices de nos soirées, et qui en comblaient si intensément les moindres secondes qu'elles devenaient, comme par miracle, trop courtes. Nous aurions souhaité l'audition de l'œuvre entier de Stravinski, depuis les premières pièces écrites sous l'œil sévère de Rimski-Korsakov, pour assister à cette courte évolution qui, depuis Petrouchka, en fit rapidement le compositeur le plus personnel du siècle et celui dont l'influence aura les répercussions les plus lointaines dans l'histoire de la musique. Les circonstances s'agencèrent si bien que, peu de temps après l'arrivée du Maître, nous eûmes un premier contact avec lui, lors de l'entrevue qu'il accorda aux journalistes.

« Inutile de décrire l'émotion bien explicable dont nous fûmes l'objet lorsque, légèrement en retrait dans le couloir de l'hôtel Mont-Royal, nous vîmes Stravinski pour la première fois. Il faut se méfier de l'imagination, et nous avions à un tel point l'habitude de considérer l'auteur de l'*Histoire du soldat* comme un intangible, une sorte d'abstraction, qu'il nous devenait difficile de l'identifier avec cet homme de petite taille, aux épaules un peu voûtées, marchant comme nous et exécutant les mêmes gestes que nous. Ce n'est qu'un peu plus tard que cela nous devint possible, au contact de cette main forte et à la vue de cette figure énergique où un œil mal averti n'aurait peut-être décelé que rudesse. Et encore, c'est aux dessins de Picasso ou de Cocteau que se reportait alors notre pensée et, par leur intermédiaire, à l'ami de Diaghilev et de Nijinski. À tout moment, il nous fallait nous rappeler, tant cela nous semblait impossible, qui nous avions devant nous. Comment cet homme si simple, si affable, si charmant pouvait-il être le génie que nous nous représentions toujours rébarbatif et distant ? Il n'y avait pourtant qu'à suivre sa conversation pour s'en persuader : des propos sûrs et incisifs sans avoir rien d'arrogant ; des idées claires et catégoriques, un débit net où les mots se suivent lentement, sans effort ni sécheresse.

« Stravinski ne possède pas cette voix que l'on dit caractéristique des compositeurs : en fausset et haut perchée. Son timbre est plutôt grave, légèrement voilé, et il parle avec un assez fort accent russe. Comme il y a déjà cinq ans qu'il habite les États-Unis, il glisse parfois des termes anglais au milieu de sa phrase ; ce qui, au charme nordique de ses roulements d'«r», ajoute une note de flegme tout britannique. Curieux alliage qui rend la conversation de Stravinski particulièrement attachante. Il réfléchit quelque peu à la question qu'on lui pose et, durant sa réponse, ne cesse de regarder son interlocuteur avec un appui qui se fraye un chemin jusqu'au plus profond de lui-même, comme

Igor Stravinski, Jean Gascon et Jean-Louis Roux
à l'hôtel Mont-Royal
1945

souvent dans son orchestration, les glissandos des cuivres pénètrent en vrille jusqu'à notre âme, qu'ils laissent émue et frémissante.

«Ses théories musicales font sursauter sans doute beaucoup d'amateurs, mais il ne les professe pas pour surprendre ou par plaisir du paradoxe. Toutes ses opinions paraissent raisonnées et il semble ne jamais procéder par impression. L'idée clef, qui peut en faire comprendre une foule d'autres, est la prédilection de Stravinski pour la mélodie, et donc pour les auteurs qui possèdent le génie mélodique. Il ne faut pas, dès lors, être surpris de l'entendre dire que "Tchaïkovski est le plus russe des musiciens russes. Ce n'est pas l'opinion générale, explique-t-il, parce qu'on se représente toujours les Russes avec une grande barbe, un costume de boyard, un verre de vodka à la main et les joues ruisselantes de larmes..."

«Au sujet de l'opéra : "J'aime le vieil opéra : les premiers Verdi, Donizetti, Rossini, Mozart. L'opéra en général jusqu'à Aïda. Après, il y eut le drame musical de Wagner, qui ne m'intéresse pas du tout." Sans rien d'officiel ni de guindé, il nous communique son opinion sur maints autres sujets. Il va jusqu'à blaguer les critiques : "Les critiques sont rarement à la page. Il leur arrive de louanger l'œuvre d'un compositeur qu'ils disaient exécrer. Mais déjà le compositeur, poursuivant son évolution, a dépassé cette œuvre. Et alors les critiques, au lieu de dire c'est nouveau disent ce n'est plus la même chose."

«En écoutant Stravinski nous parler si simplement, nous avons l'illusion de faire partie déjà du cercle de ses amis. Son accueil fut si chaleureux et le caractère de la rencontre si intime que, sans hésiter, nous sollicitons une nouvelle entrevue, cette fois avec un groupe de jeunes mélomanes qui désiraient ardemment le connaître. Il accepta aussitôt et — mais peut-être nous faisions-nous illusion dans notre enthousiasme — avec empressement.

«Le dimanche suivant, une vingtaine de jeunes gens et de jeunes filles faisaient cercle autour du Maître dans le mess des officiers du CEOC que nous avions choisi de préférence à un salon de l'Université, où il nous eût été interdit d'offrir de l'alcool à notre hôte. Les premiers moments furent empreints de malaise, et consacrés justement aux rafraîchissements.

«Que pouvons-nous vous offrir?

«Avez-vous du *Haig & Haig*? Après vérification, réponse affirmative. C'est mon whisky préféré. On n'en trouve pas aux États-Unis.

L'atmosphère se détend et les questions fusent. Mon compte-rendu de cette heure inoubliable semblera sans doute cahoteux. Les hasards capricieux d'une conversation peuvent seuls servir de liens aux divers propos qu'on y aborde. Reproduite sur le papier, elle paraît décousue et perd de moitié le charme et la vitalité que lui communique un personnage aussi captivant que Stravinski.

«Il nous décrit d'abord Hollywood où, nous dit-il, il se sent maintenant chez lui. Il nous parle de ces ballons captifs, réunis par d'énormes filets qui ont pour but d'intercepter d'éventuelles attaques aériennes en provenance du Japon. "Soudain un fil se rompt et un ballon s'élève, s'élève, s'élève... jusqu'à disparaître on ne sait où..."

«La conversation se dirige naturellement vers la musique et vers un sujet cher à notre hôte : l'opéra. Il précise l'antipathie qu'il porte à Wagner : "Le drame musical s'arrête au texte. La musique de Wagner, par exemple, ne peut pas exister indépendamment du texte qu'il a lui-même écrit, douteux, vaguement poétique. À l'opposé, Mozart ne faisait qu'établir une sorte d'atmosphère autour du texte. Sa seule préoccupation était de faire chanter le mot. Et moi, poursuit Stravinski, je vais plus loin : je considère le mot comme une entité littéraire, et non comme une entité musicale. Je le coupe en deux ou trois et je fais chanter la syllabe. Selon, d'ailleurs, la coutume de l'Église dans ses chants liturgiques."

«En réponse à l'un de nous qui lui fait remarquer que ce n'est pas le cas de Debussy : "J'ai connu Debussy et j'avais pour lui une grande tendresse, que je conserve. Mais Debussy et les musiciens de son époque n'étaient opposés à Wagner qu'en paroles." À l'écouter et à le voir, toute la personne de Stravinski respire son opposition à cette musique ultra-allemande de Wagner, trouble et massive, lui qui incarne précision et clarté dans ses gestes, dans sa physionomie et dans son œuvre. En conséquence, nombreux sont ceux qui, ne pouvant distinguer émotion et confusion, jugent sa musique sèche et aride. Avec une pointe d'ironie satisfaite, il nous répète le mot d'un général russe à l'endroit des stratèges allemands : Ils sont forts, mais leurs méthodes sont désuètes. "Jugement qui me ravit, ajoute-t-il, et qu'on pourrait appliquer à l'art allemand ou... boche, pour employer une expression plus déplaisante."

« Revenant à son sujet, il exprime l'opinion que l'opéra est aujourd'hui un genre suranné. Selon lui, Prokofiev, Richard Strauss et Hindemith, pour ne nommer que ceux-là, ont composé des drames musicaux, à l'exemple de Wagner. Il mentionne quelques exceptions : entre autres, *La Chartreuse de Parme* d'Henri Sauguet, dont il a feuilleté la partition. « Pour rescaper le genre, il faudrait... *make the bridge* entre hier et aujourd'hui. J'ai composé un opéra, *Le Rossignol,* inspiré du charmant conte d'Andersen. C'est un opéra à numéro dans le style traditionnel. Il y a l'air de l'empereur, l'air du pêcheur, etc.» Il nous explique qu'il veut une intrigue réduite à sa plus simple expression, qu'il exècre les livrets qui ont la prétention de rénover l'art théâtral. "Il faut une action conventionnelle. Sinon, mieux vaut aller au cinéma où on nous présente une réplique exacte de la vie. Voilà pourquoi dans mon oratorio *Œdipus Rex,* j'ai choisi un sujet connu de tout le monde. Et encore, je le fais raconter par un narrateur en *full-dress.* Au début du spectacle, chacun des personnages a sa place dans le décor, masqué par un petit rideau. Lorsque vient le tour de la reine Jocaste de chanter, le petit rideau s'écarte, la reine Jocaste apparaît, chante son numéro et le petit rideau se baisse. De cette façon, il ne peut y avoir d'hérésie. Car je suis sûr de la voix de Jocaste, mais je ne suis pas du tout sûr de son jeu. Et l'on traite ainsi tous les personnages. C'est l'égalité démocratique, quoi!"

« Quelqu'un s'enquiert : *Œdipus Rex* pourrait-il être présenté aux États-Unis par le Metropolitan Opera, par exemple? "C'est une boîte archaïque où l'on joue toujours la même chose : Puccini. Récemment on a demandé à Milhaud de composer un opéra. Mais, pour qu'il soit joué, il aurait fallu qu'il dépose 50 000 $." Milhaud aurait-il pu créer un lien entre l'ancien et le nouvel opéra? Stravinski répond avec un air comiquement découragé : "Il aurait écrit un drame musical. Sinon le Met aurait exigé un dépôt de 125 000 $! Et même à ce compte, je crois qu'il aurait opté pour un drame musical."

« De l'opéra, la conversation bifurque vers la musique russe et, en particulier, vers celle du "groupe des Cinq." Stravinski nous parle de l'ascendant de Balakirev sur ses amis; puis de Rimski-Korsakov qui lui succéda comme mentor de ces musiciens qui débutèrent en amateurs, mais qui n'en dominèrent pas moins la musique de la fin du XIXe siècle.

« Il parle de son maître avec un grand respect : "J'étais très lié avec la famille de Rimski-Korsakov. Nous avions une grande amitié, l'un pour l'autre. En dépit de cela, il était très sévère à mon endroit. Jamais ne m'a-t-il adressé un compliment. Je n'aime pas beaucoup sa musique; mais comme pédagogue académique, il était extraordinaire. Je n'ai rien contre l'académisme. Ce que je n'aime pas, c'est le conservatisme. Qu'est-ce qu'ils conservent, les conservateurs? Ce que l'on veut conserver, on le met au musée. Elles sont charmantes, les choses qui se trouvent dans un musée. Mais le musée lui-même est ennuyeux. Moi, je bâille au musée. Il faut choisir entre le musée et la vie. Je choisis la vie. L'œuvre de Saint-Saëns, par exemple, est l'œuvre d'un conservateur; celle de Rimski-Korsakov, d'un académiste."

« Pour illustrer combien son maître était sans nuances dans ses jugements, Stravinski mentionne celui qu'il portait à l'endroit de Moussorgski, qu'il taxait d'amateurisme. "Il ignorait que ce qu'il prenait pour de l'amateurisme, c'était précisément le nouveau." Au sujet de l'arrangement de *Boris Godounov* : "Rimski-Korsakov a doré la partition de *Boris*, exactement comme je recouvrirais un meuble d'une feuille d'or. Il aimait beaucoup dorer. Il dorait tout ce qu'il faisait. Dans *Boris*, il a accentué exactement le défaut que possédait la partition originale : l'ennui. Pour la bonne raison que le rôle de Boris, d'anecdotique qu'il était dans le conte de Pouchkine, a été démesurément allongé pour plaire à monsieur Chaliapine."

« À propos d'arrangements, on lui demande ce qu'il pense de ceux de Stokowski. Faisant mine de soupeser de la main droite, puis de la main gauche, Stravinski répond : "Stokowski... Chostakovitch... Je ne vois pas de différence." Son interlocuteur en profite pour s'informer de ce qu'il a à dire de la musique soviétique. "Rien qui vaille la peine, répond-il. Ils n'ont pas encore terminé leur révolution. Il leur reste trop de travail dans le domaine politique pour qu'ils puissent vraiment s'occuper d'art. Ils n'ont pas le temps." Par contre, il semble confiant dans l'école américaine. "Il y a de jeunes compositeurs de grande valeur : Walter Piston, Aaron Copland... Malheureusement beaucoup d'entre eux cèdent à la tentation des *movies*. Il y en a qui résistent, mais je crois bien qu'ils finiront par succomber au péché... mortel."

« Quant au Brésilien Villa-Lobos, il le juge trop différent de lui pour qu'il risque d'en donner une opinion : "Il est de ces compositeurs qui croient au pittoresque en musique. La musique descriptive est beaucoup plus facile que la musique constructive." Avant de nous quitter, il se dit satisfait de l'Orchestre symphonique de Montréal, où il constate beaucoup de bonne volonté. Il nous parle du programme de son concert : "Je joue *L'Oiseau de feu*. Le public adore qu'on lui joue des choses connues : ça le réconforte. Je crois que c'est de la paresse."

« Notre hôte ne devait rester avec nous qu'une trentaine de minutes. Il ne prit congé qu'après plus d'une heure un quart. "C'est le temps qui manque, dit-il en souriant. Le temps est implacable. Et pas tant le temps que l'heure. Et pas tant l'heure que l'aiguille." Et il indique sa montre. "Une seule vie est trop courte pour accomplir tout ce qu'on a à faire." »

« Quelques jours plus tard, j'assistai à sa dernière répétition avant le concert. Une serviette de bain autour du cou, Stravinski dirigeait, le nez dans sa partition. Soudain, il arrête tout et s'adresse aux musiciens : "Plus chantant et plus énergique…" Me frappa alors que tout l'œuvre, tout le caractère, toute la personne de Stravinski tenaient dans ces deux épithètes : mélodieux et énergique. Mélodieux comme la courbe, et divin à force d'être mélodieux. Énergique comme la droite, et puissant à force d'être énergique. »

Voilà ce que j'écrivais, il y a près de cinquante ans. Et sauf quelques maladresses de style, je n'en changerais que peu de choses aujourd'hui. Après son concert, nous l'attendions à la sortie du Cinéma Saint-Denis et le portions littéralement en triomphe jusqu'à sa limousine. Visiblement très ému, il nous déclara que cet accueil lui rappelait ses jours d'épreuve et de gloire parisiens, à l'époque du *Sacre du Printemps*.

SCÈNE IX
Retour à mon père

Ces occupations culturelles et artistiques laissaient peu de place à mes études. Mon père se désespérait de ce que je sois toujours absent de la maison lorsqu'on me convoquait par téléphone à assister à un accouchement, comme l'exigeait le programme du cours de médecine. Un midi, il m'offrit de me conduire en voiture à l'université. Proposition inusitée, dont je compris immédiatement qu'elle masquait une démarche bien étrangère à toute bienveillance. En effet, à peine assis derrière son volant, mon père, sur un ton solennel, entama une semonce, m'offrant le choix en conclusion entre mettre un terme à ma «vie de débauches» — mes allées et venues nocturnes lui avaient facilement laissé deviner une liaison amoureuse — et me vouer exclusivement à la médecine, ou quitter le foyer familial. À la vérité, son ultimatum ne me laissait guère d'option. Dépendant entièrement du soutien paternel, si j'abandonnais la maison, je devais renoncer à l'université et me voir immédiatement conscrit par l'armée. J'avais, étant dans la vingtaine, l'âge idéal d'une bonne chair à canon. Je me rendis donc aux arguments paternels et amendai plus ou moins ma conduite, jusqu'à ce que l'Allemagne nazie, à son tour, capitule devant les Forces alliées, en 1945.

Au mois de mai de cette année-là, je retrouvais ma liberté, puisque le Canada n'engageant pas d'infanterie dans le conflit qui opposait toujours les USA et le Japon, la menace de conscription était écartée. Liberté relative pourtant : sans autonomie matérielle, j'étais encore tributaire de la bourse — en même temps que toujours assez respectueux de l'autorité — de mon père. Si bien qu'ayant pris la décision de me lancer dans la carrière théâtrale, je n'osais cependant pas lui annoncer moi-même la nouvelle. J'allai donc trouver l'abbé Robert Llewellin, aumônier de l'université, que l'on dénommait le *padre* sous l'influence de la coutume militaire, et je le persuadai — facilement, du reste — de se faire mon interprète.

Je connaissais la date de leur rendez-vous. Comme d'habitude, en fin d'après-midi ce jour-là, la famille était réunie au salon en attendant le repas du soir. Installé dans un canapé, mon père lisait son journal. Quand maman nous pria de passer à table, d'un tacite et commun accord, lui et moi nous fîmes sourds à l'invite. Nous voilà donc seuls. Suivit un long silence. Mon père m'était toujours caché par son journal, dont il se servait sans doute comme d'un écran, étant probablement aussi embarrassé que je l'étais d'avoir à aborder le sujet. Je finis par me jeter à l'eau : «Tu as vu l'abbé Llewellin?» Mon père replia enfin *La Presse* puis, sans me regarder, lança laconiquement, sur un ton légèrement guindé : «Oui... Tu es assez vieux pour savoir ce que tu fais!» Et il passa dans la salle à manger.

Lui restait à mettre la famille au courant, tâche devant laquelle il devait éprouver la même timidité que moi, lorsqu'il s'était agi de l'informer de ma détermination. Nous étions tous là, sauf mon frère René, retenu par son internat à l'Hôtel-Dieu. Notre éducation familiale était tolérante. À table, contrairement à l'habitude répandue, tout le monde avait le droit de parole et personne ne s'en privait. En résultait, la plupart du temps, une assez joyeuse cacophonie. Pendant qu'il dépeçait savamment un jambon, à moins que ce ne fût un rôti de bœuf, mon père profita d'un bref moment d'accalmie pour s'adresser à un interlocuteur qui ne pouvait être que ma mère, gardant cependant les yeux fixés sur la pièce de viande : «Tu sais que ton fils a quitté sa médecine, aujourd'hui ?...» On entendit quelque ustensile choir dans une assiette, puis plus aucun son. Mon père poursuivit alors, avec une certaine emphase : «Oui... Il veut faire du théâtre!»

Le cas était, de la sorte, réglé. Me furent ensuite posées de nombreuses questions, toutes sur un ton bienveillant; mais elles manifestaient l'inquiétude générale quant à la façon dont j'entendais «gagner ma vie». Je répondis qu'à l'instar de ceux et celles qui exerçaient le métier à Montréal, j'entendais faire de la radio, pour les sous, et du théâtre, par passion. C'est ainsi que la famille Roux admit en son sein un artiste dramatique. Pour ce qui est de mon père, même si ces événements aplanirent nos rapports, je ne m'en sentis pas rapproché pour autant.

Je renouai avec lui à Paris, en 1947. J'y habitais déjà depuis plus d'un an. Mon frère René, chirurgien frais émoulu de la Faculté, y était également en stage dans une clinique privée. À ses frais : c'est tout à son honneur. Nos parents et notre sœur Annette étaient venus nous rendre visite. L'une des sœurs de mon père, la tante Maria, leur avait donné une somme d'argent assez rondelette pour nous permettre de nous offrir un bon repas en famille au restaurant. En tant que *vieux* parisien, m'en incomba le choix. J'optai pour Le Caneton, rue de la Bourse, établissement qui a, depuis, fermé ses portes, mais qui offrait alors l'une des meilleures tables de la capitale de la gastronomie. J'y étais un peu connu : Ludmilla Pitoëff, généreuse malgré son état de fortune précaire, y invitait parfois ses amis. L'accueil chaleureux du personnel contribua à agrémenter cette soirée déjà très délectable.

Mon père ne buvait pas. Tout au plus l'avais-je vu, en de rares occasions, avaler une goutte de vin ou de cidre. Il prétendait d'ailleurs que cela finissait par lui causer des contractions désagréables de la mâchoire. Mais ce soir-là — faut-il croire que la qualité du vin avait rendu le mal plus supportable? —, il en avait bu quelques verres avec un plaisir marqué. À un moment avancé du repas, je l'aperçus, les yeux fermés, qui évoquait manifestement des souvenirs en fredonnant l'une des mélodies qu'il avait l'habitude de chanter, le dimanche midi au retour de la messe, accompagné par ma mère au piano. Le clou de cette heure de concert était le grand duo des *Pêcheurs de perles*, qu'il interprétait avec René. Mais ce soir-là, à Paris, devant les reliefs d'un bon repas, ce qui lui revenait en tête, c'était un air sentimental :

Hélas! si vous l'aviez compris,
Le secret, dans mes yeux,
Hélas! si vous l'aviez compris,
Nos cœurs unis seraient heureux...

Cher papa! Je crois ne m'être rendu compte de son émotion qu'à trois autres occasions dans toute sa vie. Je ne dis pas qu'il n'était jamais ému, mais — pour le meilleur ou pour le pire — il n'en montrait rien, ou presque. La première fois remonte à mes 9 ans. Un matin, il me voiturait de la maison au Couvent d'Hochelaga, lorsqu'un autre véhicule entra en collision avec le sien. Ma tête fracassa la glace de la portière, côté passager, et je fus grièvement blessé à la joue gauche. Après l'accident, un camionneur était monté avec nous et m'avait pris sur ses genoux : j'ai encore, dans la bouche, le goût fade du sang coagulé dans lequel ma langue s'engluait. Nous nous dirigions vers l'Hôtel-Dieu où l'un de mes cousins, Rolland Roux, était chirurgien. Une fois sur les lieux, papa sortit de la voiture et la contourna, s'approchant de la portière de mon côté. Pensivement, il se mit à arracher quelques éclats de vitre brisée. Il finit par murmurer, d'une voix altérée, qu'il préférait somme toute rentrer à la maison et y faire venir le cousin Rolland. Je fus ainsi «recousu» à domicile...

La deuxième occasion se rapporte à des circonstances similaires. Durant les vacances, que nous passions à Laval-des-Rapides, alors lieu de villégiature des Montréalais, ma sœur Annette, traversant la route en courant, s'était violemment heurté le visage contre la poignée de portière d'une voiture qui filait à bonne allure. On nous a longtemps dénommés elle et moi, à cause de ces accidents, les deux «balafrés». Elle, joue droite; moi, joue gauche. Le lendemain, j'accompagnais papa à l'hôpital où reposait ma sœur, saine et sauve. Et j'ai vu couler ses pleurs lorsqu'il constata que sa fillette était hors de danger, mais qu'elle afficherait, de toute évidence, pour le reste de ses jours, une longue cicatrice au visage.

Enfin, à la mort de ma mère, avant qu'on ne ferme le cercueil, mon père se pencha et embrassa sur le front celle qui avait partagé sa vie pendant plus d'un demi-siècle. Lorsqu'il se redressa, un long sanglot lui échappa. C'est tout ce que je puis dire des manifestations extérieures de ses états d'âme. Rien d'étonnant à ce qu'il passât pour un homme froid.

Ce soir-là au restaurant, rue de la Bourse, de l'apercevoir ainsi vulnérable à la nostalgie des années passées, provoqua chez moi sourire en même temps qu'attendrissement. Cela ne suffit certes pas à ranimer la connivence d'autrefois, mais les liens affectueux étaient-ils du moins en partie rétablis par cette larme à l'œil que nous tentions, l'un et l'autre, de dissimuler. Et puis, le problème du baiser sur la bouche était réglé puisque, dès ce moment, j'introduisis dans la famille l'habitude européenne de la bise sur les deux joues. Autre temps, autre lieu, autres mœurs !

Après la mort de maman, en 1962, ma sœur Jeanne hébergea papa dans la maison familiale de son mari, Philippe McComber, à Châteauguay. C'était extrêmement généreux de sa part. La cohabitation ne devait pas toujours être facile, vu l'habitude qu'avait prise notre père, pendant plus de cinquante ans de vie commune avec une femme qui en fut passionnément amoureuse jusqu'à la dernière seconde, de tout régenter autour de lui.

Approchant 80 ans, ses forces n'étant plus ce qu'elles étaient, il avait finalement avisé Simone, sa fille cadette enceinte pour la troisième fois, d'avoir à se trouver un autre accoucheur, nonobstant le fait qu'il eût mis au monde ses deux premières filles, les onze enfants de deux autres de mes sœurs, sans compter les six que ma mère lui avait donnés. Ce doit être assez inusité que d'être extrait des entrailles maternelles par son propre géniteur ! Il n'avait pas jugé bon de réduire pour autant l'envergure ni la quantité de ses travaux manuels. Dans le grand terrain où était sise la maison McComber, à Châteauguay, il s'employait, entre autres choses, à émonder les arbres. Lors d'une visite que nous lui faisions, ma femme Monique, mon fils Stéphane et moi, il nous racontait, riant aux larmes, que s'étant assis du mauvais côté sur la branche morte qu'il sciait, il avait fait une chute de plus de deux mètres, la branche ayant fini par céder sous son poids. Devant notre affolement à l'idée qu'il aurait pu se blesser gravement, voire se tuer, il nous montrait, en s'égayant, les quelques ecchymoses que ce malheureux accident lui avait values.

Pour qu'il occupe son temps à des emplois moins périlleux, ma sœur Jeanne avait réussi à le convaincre de s'inscrire au Club de l'Âge d'or de la paroisse. Il ne s'y rendit qu'une seule fois, déclarant qu'il ne se retrouvait là qu'avec des vieux. Car il était non seulement intellectuellement, mais aussi physiquement d'une jeunesse remarquable. Il assistait assez régulièrement aux spectacles dans lesquels je jouais. Après son départ de la coulisse, où il était venu m'embrasser — sur les deux joues ! — je m'amusais à demander à mes camarades quel âge ils pouvaient bien lui donner. Immanquablement, ils le rajeunissaient de douze à quinze ans.

Le malheur voulut qu'avant d'atteindre ses 90 ans, il soit renversé par une voiture, et qu'il s'inflige ainsi une légère fracture du crâne. Apparemment, ce choc déclencha aussitôt le processus de vieillissement qu'on aurait dit jusque-là en suspens. Les défaillances de son cœur aidant, il finit par se retrouver presque impotent, tout en ayant gardé sa souplesse d'esprit. À sa mort, j'ai hérité une petite liasse de papiers personnels. J'y ai découvert une lettre adressée à « ses chers enfants ». Écrite quatre ans auparavant, il ne nous l'avait jamais communiquée… :

« Je sais que j'en suis à mes dernières heures. J'en ai été prévenu par le Dr Roger Gariépy, lors de son examen du 16 mars et, le 19, j'ai fait venir le Dr Jean Lafleur, qui m'a déclaré que mon pouls battait à 120, avec une tension de 230 sur 120. Après mon accident, on m'avait prévenu que mon pouls était rapide et ma tension, élevée. J'ai cru que c'était le résultat de mon traumatisme et je ne m'y suis pas arrêté.

« Plus encore, une nuit au Mexique, mon cœur s'est affolé : tachycardie et intermittences. Je n'en ai pas parlé pour ne pas les effrayer. (Il faisait allusion à sa petite-fille Ginette et à son mari, chez qui il habitait) Il était environ 23 heures et, vers 6 heures, tout est rentré dans l'ordre. Vers la même époque, j'ai confondu mes mots pendant quelques secondes.

« Le 16, j'ai pris huit comprimés de digitoxine ; le 17, cinq ; le 19, deux et quand le Dr Lafleur m'a visité, le rythme s'était sensiblement rétabli. Il a voulu me soumettre à un électrocardiogramme; ce à quoi je me suis refusé, lui déclarant que je l'avais appelé simplement pour régulariser la signature de mon certificat de décès. [...]

«En ce moment, le pouls est à 84; la tension à 230 sur?... je n'arrive pas à la prendre, seul.

«Si je n'ai voulu alerter personne, c'est que je crains que, dans l'énervement, on ne l'annonce à Jeanne et à Philippe qui couperaient court à leur voyage. *Requiescant in pace!*

«Ou plutôt, cette formule me convenant mieux à moi, qu'ils voyagent tout de même en paix!

«J'ai écrit à Alice, dimanche, mais je n'ai pas voulu l'effrayer inutilement, ayant déjà constaté le ralentissement du cœur.»

La lettre est écrite à la machine; elle comporte beaucoup de fautes de frappe, sans doute dues à l'agitation, de même que certaines impropriétés que je me suis permis de corriger. Elle se termine par ces mots, tracés à la main : *Adieu peut-être... Papa Louis.* On peut deviner l'émotion que me produisit la lecture de ce message posthume, empreint de sérénité et teinté de l'humour caractéristique qui était sien. Ses prévisions ne se réalisèrent pas à ce moment-là. Mais je me demande s'il ne faut pas le déplorer, car son état physique n'alla qu'en se dégradant; ce dont il souffrait, en ayant pleine conscience.

Ma sœur Jeanne l'entendit un jour, alors qu'il était en fauteuil roulant dans une pièce voisine, proférer un juron à voix éclatante : «Torrieu!» C'est le plus gros mot que je l'aie jamais entendu employer, et il le réservait pour de rares moments de violente colère. Le terme était, paraît-il, une contraction de *tort à Dieu!* et engendrait donc la terreur dans nos jeunes esprits. De façon assez curieuse, selon une tradition séculaire, les chrétiens ont toujours employé la contraction pour masquer la façon dont ils évoquaient en vain le nom de Dieu. À l'époque élisabéthaine, par exemple, après qu'un interdit de Jacques Ier eût banni l'emploi des jurons sur les scènes de théâtre, c'est par ce moyen que les comédiens contournaient la difficulté, marquant leurs phrases de sonores *Swounds!* (pour *God's wounds!*), ou *Sblood!* (pour *God's blood!*), etc.

Alertée donc par ce *torrieu!*, Jeanne survint en courant, pour apercevoir notre père, les bras arc-boutés sur les deux accoudoirs de son fauteuil, parvenir à se lever, et à se diriger péniblement vers la salle de toilette, lui faisant signe de ne pas venir à son aide. Ce fut la dernière manifestation de fierté et de révolte contre son sort de vieillard impotent.

À la fin, il fut cloué au lit, entièrement tributaire des autres pour les besoins physiologiques les plus élémentaires. Monique s'installa à Châteauguay pour aider Jeanne et Alice à prendre soin de lui, y mettant autant de sollicitude que ses propres filles. J'en vins à me dire que, si j'avais été le seul concerné en cette conjoncture, j'aurais cherché à mettre terme à son pitoyable état. Aussi, le matin du 17 mai 1977, lorsque Jeanne m'appela pour m'apprendre que papa s'était éteint durant la nuit précédente, j'en éprouvai autant de soulagement que d'affliction.

Aujourd'hui, papa aurait eu 108 ans! Je me prends à me demander, n'eût-il pas été victime de ce malheureux accident, s'il ne serait pas toujours là, vert patriarche, en train d'émonder un arbre, sifflotant joyeusement, assis du mauvais côté de la branche...

SCÈNE X
Une obsession : Le Roi Lear

Le vendredi 16 juillet 1993

Depuis plus d'un an que je l'ai joué, avec ce que j'appellerais par euphémisme un succès d'estime, *Le Roi Lear* est devenu presque une obsession. À mon âge, on s'investit totalement dans un rôle de cette envergure. En fin de compte, on ne peut que décrocher le gros lot, ou perdre toute sa mise. Pas de coup de revanche qui permette de jouer quitte ou double. Le résultat est sans appel. Il faut savoir l'accepter, aussi pénible que ce soit.

On peut pourtant essayer d'analyser le résultat de son travail, en espérant qu'une telle entreprise fasse effet d'exorcisme. C'est ce à quoi je m'applique souvent, à un moment ou l'autre de la journée, ou avant de m'endormir, sans jamais pourtant épuiser l'examen. Puisqu'en ce moment, mon temps de loisir me le permet, je fais une nouvelle tentative. Même une réussite partielle m'aiderait peut-être à me dépêtrer l'esprit de cette hantise. Qu'il soit total ou relatif, l'échec d'une interprétation d'acteur peut s'expliquer par des raisons de trois ordres : l'inadéquation de l'interprète au personnage, les difficultés inhérentes au rôle ainsi qu'à l'œuvre elle-même, et les défauts de la production en cause.

D'abord, les défauts de production. J'ai évidemment assez d'expérience pour avoir pu les déceler, au fur et à mesure du travail. J'en ai discuté à l'occasion avec le metteur en scène Jean Asselin, à qui je porte, par ailleurs, une très grande estime. Il avait dirigé, l'année précédente, une superbe production de *La Célestine*. Des correctifs ont parfois été apportés. Pas toujours. Mais dès que le rideau est levé sur la première représentation, j'abandonne délibérément tout esprit critique et je plonge, les yeux fermés. Au théâtre, si l'on ne veut pas risquer de s'entraver soi-même, il faut croire à ce qu'on fait jusqu'à la mauvaise foi. Ce n'est que durant les répétitions, ou lorsque tout est terminé, qu'on peut se permettre d'être lucide. J'insiste sur le fait qu'il ne s'agit ni de blâmer qui que ce soit, ni de trouver des coupables. Je me livre plutôt à une autothérapie : obligation m'est donc faite d'une franchise absolue et totale envers moi-même.

En ce qui concerne la conception du spectacle, le metteur en scène avait expliqué, en début de répétitions qu'il ne cherchait pas à recréer, pour *Lear*, quelque vérité historique que ce soit. Il n'entendait pas se référer à la période celtique de l'Angleterre, bien qu'un roi Leire eût réellement existé, 3000 ans avant notre ère. Il préférait imaginer un temps *historique* tout à fait fictif, qui se situerait dans un futur postapocalyptique (le terme est de lui). L'action de *Lear* se déroulerait donc après un cataclysme à l'issue duquel l'humanité aurait dû tout recommencer à zéro, à l'exception de quelques vestiges d'une civilisation hautement technicienne, épargnés par les caprices du hasard. Mais pour atteindre une totale efficacité, il aurait fallu que ce choix de metteur en scène, aussi intéressant et légitime pût-il être, devienne d'emblée perceptible au public. Dans le métier, quelle que soit la démarche qu'adopte l'artiste, si elle exige une note au programme pour être déchiffrée, il faut savoir la modifier ou l'abandonner. L'ésotérisme est fatal au bon rendement d'un spectacle. Or, il ne suffisait pas, avant que l'action de *Lear* ne débute, que des serviteurs de scène fassent jaillir des faisceaux de lumière électrique par une simple pression des paumes sur les murs, pour que s'éclaire également l'esprit des spectateurs, et que les intentions du metteur en scène leur soient révélées. De sorte que, un peu plus tard, lorsque se faisaient entendre les premiers vrombissements de moteur de motocyclettes et les premiers appels de trompe d'automobiles, en remplacement des galops de chevaux et des sonneries de trompette indiqués par Shakespeare, les rires fusaient immanquablement. Et en représentation, rien n'est plus dévastateur qu'un rire intempestif, aussi isolé soit-il.

Le décor aussi faisait problème, malgré l'énorme talent de Danièle Lévesque, sa créatrice. Le sol de terre battue s'accordait parfaitement avec l'aspect barbare et primitif de la pièce : très bien. Il permettait, notamment à Lear, au lieu d'utiliser une carte géographique pour illustrer la façon dont il divise son royaume, d'en faire le tracé sur le sol, avec la pointe de son épée : heureuse invention de metteur en scène. Les parois hermétiques des murs soulignaient le caractère presque incestueux de cette société étroite, refermée sur elle-même. Espace clos muni d'une unique ouverture : une saignée verticale au lointain, débouchant sur le cosmos et sur le monde supérieur des dieux impitoyables. Parfait.

Mais ces originales inspirations étaient presque invalidées par la teinte et la texture du matériau employé pour délimiter la scène, sur trois de ses côtés : un *arborite* noir et semi-lustré. Or le noir mange la lumière et découpe mal les comédiens, tandis que le semi-lustre, du moins selon moi — et pour être brutal —, me rappelle trop les tuiles des cuisines, des toilettes ou des laboratoires, pour qu'il soit admissible dans un palais royal. Détails que le public ne perçoit évidemment pas en toute lucidité, mais qu'il enregistre, et dont le cumul peut finalement créer un effet négatif.

Aux costumes, pour sa part, François Barbeau ne bénéficiant que d'un budget restreint, avait réalisé un travail étonnant. Puisant à toutes les ressources de son imagination, fouillant dans le stock de costumes usagés du TNM et transformant des objets, presque ridiculement banals, pour les faire servir à un usage tout à fait insoupçonné de leur inventeur. Par exemple : qui, à part lui, aurait pensé à utiliser ces treillis de petites boules de bois que les chauffeurs de taxi tendent sur le dossier de leur banquette afin d'amenuiser la fatigue de leur dos, pour les transformer en cottes de mailles d'une totale crédibilité ? Ça, c'est du théâtre : une illusion si parfaite, un leurre si subtil qu'ils prennent momentanément aspect de vérité. L'artifice accède ainsi au grand art.

Autre aspect de la production : la distribution, qui constitue une des responsabilités les plus importantes d'un metteur en scène. Réussie, elle peut faire le succès d'un spectacle. Boiteuse ou erronée, elle risque définitivement de le compromettre. J'ai pu moi-même le constater avec, entre autres, d'heureux résultats comme celui de *Tête à tête* de Ralph Burdman, ou des échecs comme le *Dom Juan* que je montai, en 1979. À mon humble avis, la distribution du *Roi Lear* n'était pas parfaite, loin de là. Pour Edmond et Edgar, par exemple, j'aurais personnellement troqué les deux interprètes, l'un pour l'autre. Shakespeare est réputé, à juste titre, être un romantique avant la lettre. Chez lui, l'utilisation de l'antithèse est courante. Il eût été intéressant que le physique de l'un et l'autre personnages soit en parfait contraste avec leur caractère respectif. La consonance des deux prénoms ne constitue-t-elle pas déjà une indication dans ce sens? Edmond : douceur; Edgar : rugosité. Celui-ci est le fils légitime de Lear, la bonté, l'humilité, la loyauté incarnées; Guy Nadon aurait dû lui prêter ses traits irréguliers, sa lourde morphologie. Tandis que la grâce, l'élégance et la finesse de Marc Béland, préfigurant Dorian Gray, auraient servi de masque à la cruauté, l'ambition, la grossièreté et l'égoïsme de l'autre, le bâtard du roi octogénaire. Dans la distribution de Jean Asselin, par leur aspect physique, Edgar et Edmond annonçaient d'emblée leurs couleurs. Dans la mienne, le public aurait eu la surprise de découvrir, petit à petit, leur vraie nature sous leurs dehors mensongers.

Pour certains autres rôles, Jean Asselin avait fait appel à des comédiens et des comédiennes qu'il avait l'habitude de faire travailler dans sa troupe des Mimes Omnibus. Durant les répétitions, son option créa effectivement un climat tout à fait exceptionnel. Ces filles et ces garçons se comprenaient sans avoir besoin de se parler, et inspiraient à toute l'équipe une ferveur extraordinaire. En représentation, cette cohésion n'a pas eu la même portée qu'en période de travail. Certaines faiblesses se faisaient apparentes et créaient un fâcheux déséquilibre par rapport à d'autres interprètes, dans certains cas plus aguerris et plus expérimentés... Je n'aime pas dire de telles choses. Je sais que je vais blesser, chagriner quelques camarades si, par hasard, ils lisent ces lignes ou en entendent parler. J'en ai un profond regret et je les prie de m'en excuser. Je le répète : l'analyse dans laquelle je me suis engagé ne peut m'être personnellement bénéfique que si je ne m'impose aucune censure.

L'œuvre elle-même présente d'énormes écueils. Si bien que quelques commentateurs réputés de Shakespeare prétendent que *Lear* est une pièce géniale, à la lecture, mais de réalisation quasi impossible, mentionnant entre autres, la scène de l'énucléation de Gloucester, celle de l'orage, et celle de la folie vers la fin de l'acte III. Effectivement, l'une et l'autre de ces scènes sont périlleuses à jouer, pour des raisons différentes. La première peut facilement tomber dans le mélo de mauvais goût. On explique qu'à l'époque élisabéthaine, les cruautés étaient choses courantes au théâtre ; mais que, par ailleurs, l'espace scénique était organisé de telle sorte qu'elles pouvaient être partiellement masquées au regard des spectateurs par le rideau à moitié tiré d'une aire de jeu située au lointain, quelquefois dénommée *study*. Avec le temps, cette scène devint presque insupportable. Dès la moitié du XIXe siècle, les spectateurs étaient horrifiés par de tels excès. De nos jours, le problème est tout autre : voir un homme se faire arracher les deux yeux risque de déclencher des rires moqueurs, ou nerveux. Jean Asselin n'a pas voulu contourner la difficulté : il y est allé à fond, demandant aux deux bourreaux, Régane et Cornouailles, de jouer l'excitation sadique en *crescendo*. C'était assez puissant.

Traitement moins heureux de la scène de l'orage, qui présente une difficulté presque insurmontable : le juste équilibre entre les effets sonores et visuels, d'une part, et la bonne audition du texte, d'autre part. Pour l'éviter, certains metteurs en scène ont même été jusqu'à imaginer, du reste sans véritable résultat, que l'orage se déroule dans la tête du personnage, renonçant ainsi à tout effet, quel qu'il soit. Jean Asselin avait manifesté l'intention d'utiliser de la vraie pluie à l'aide de tuyaux percés, pendus au cintre. Cet effet réaliste me plaisait, concordant parfaitement avec la vraie terre utilisée au sol. Mais à l'usage, la terre saturée d'eau risquait de devenir dangereusement lourde pour le vétuste plancher de scène. Il fallut donc, durant le passage d'une scène à l'autre, étendre une toile cirée par dessus la terre battue et installer à l'avant une rigole de métal par laquelle l'eau s'écoulait. De nombreux spectateurs m'ont cependant confié que le fait de voir les acteurs sous la douche froide, pendant un long moment, leur faisait éprouver un certain malaise. Outre cela, le bruit de l'eau sur la toile cirée forçait à amplifier le volume des effets de tonnerre, couvrant d'autant la voix des personnages. Je suggérai de faire tomber, à l'avant-scène, un simple rideau de pluie qui pourrait être recueillie par cette rigole déjà installée. Il aurait suffi que les comédiens soient trempés en coulisses, avant de faire leur entrée, pour que l'illusion soit parfaite. Je n'inventais rien : j'avais vu ce subterfuge employé ailleurs avec la plus grande efficacité. Malheureusement, restrictions budgétaires obligeant, mon idée ne fut pas retenue.

Fait étrange, les photos en blanc et noir de cette scène sont magnifiques. J'en ai une sous les yeux où, en compagnie du roi Lear défiant les éléments, Kent déguisé en Caius a l'air sorti d'un bas-relief moyenâgeux. C'est de toute beauté. Le malheur est que, *en mouvement*, l'effet était tout autre. Lors des représentations, je luttais inutilement contre les éléments déchaînés, pour arriver à ce que mon texte soit perçu. Et il n'y a rien de plus désagréable que d'entendre un acteur s'égosiller en vain...

Quelques atténuations furent apportées après la première représentation. Par exemple, les haut-parleurs avaient d'abord été placés au fond de la salle. L'expérience montre que, parvenant d'une telle source, les effets sonores ont priorité sur la voix des comédiens, dans l'oreille des spectateurs. Je conseillai de les installer plutôt à l'arrière-scène. Les sons étant, de la sorte, directement perçus par l'interprète, un réflexe physiologique provoque une adaptation automatique du volume de sa voix et lui permet de les dominer. Pour améliorée qu'elle en fût, l'audition du texte resta pourtant imparfaite. Je suis persuadé plus que jamais que cette seule scène de l'orage aurait nécessité plusieurs jours supplémentaires de répétition au théâtre. Tous les effets, aussi bien visuels que sonores, auraient dû être réglés comme une partition musicale, de sorte qu'ils deviennent ponctuation plutôt qu'accompagnement du texte. Mais cela aurait impliqué une majoration de budget, et hélas ! dans la pratique de tous les arts de la scène sans exception, lorsque le monétaire et l'artistique s'affrontent, c'est toujours le premier qui l'emporte, même si en souffre la qualité du résultat. Situation révoltante à laquelle il faut se soumettre, à moins de renoncer à l'exercice de son métier.

Troisième scène piégée, celle de la folie : difficulté inhérente au personnage lui-même, tel que créé par Shakespeare. On serait porté à croire que la folie est relativement facile à jouer, puisque tout devrait y être permis. Il n'en est rien. Peut-être encore plus qu'ailleurs, le plus petit geste, la moindre attitude et la plus subtile intonation doivent y être maîtrisés à la perfection. Nous avons travaillé cette scène avec acharnement, Jean Asselin et moi, tentant de nombreuses expériences dans un sens ou dans l'autre, pour en arriver à un résultat qui me sembla assez satisfaisant. Nous avons fini par surmonter la difficulté de cette scène en nous inspirant de la formule utilisée par Cordélia pour qualifier le roi dément : «... ce père fait enfant» (... *this child-changed father*). C'est là que se trouve la clé : le vieillard de 80 ans agit, intellectuellement et physiquement, comme un tout petit enfant, fraîcheur et espièglerie comprises.

Dès son entrée en scène, l'interprète de Lear se trouve confronté à un obstacle majeur, que d'aucuns considèrent une incohérence du personnage : comment expliquer qu'un roi, par ailleurs aussi rusé, aussi astucieux que lui, puisse se conduire aussi bêtement, renier sa fille préférée pour une broutille, et répudier son courtisan le plus fidèle sur le simple fait qu'il prenne la défense de cette fille? Incapables de concilier cette apparente contradiction, certains acteurs renoncent à jouer Lear. Pour sa part, Laurence Olivier y est parvenu; mais seulement après en être arrivé à la conclusion suivante : «*He is a turd!*» L'expression est terriblement crue : «C'est un étron!»

Sans prétendre faire figure de pionnier à ce chapitre, je crois avoir trouvé solution au problème, non sans l'aide d'un commentaire révélateur cité dans les notes de l'édition *Variorum* : «Ayant à son origine des causes mentales et morales, la démence, au cours de son évolution, se manifeste souvent de façon fragmentaire chez le sujet qui en est victime, [...] par un état d'égarement et d'émotion excessive, irrégulièrement accompagné d'actes violents mais sans qu'il y ait de désordre psychique. Et ce, jusqu'à ce que se produise un choc de nature physique : traumatisme, ou accident, ou exposition à une souffrance corporelle. La maladie mentale en évolution se transforme alors en franche aliénation, caractérisée par une plus ou moins profonde affection de l'intelligence, en proie aux hallucinations et à l'incohérence. C'est évidemment le fait du roi Lear; [...] et nous ne pouvons douter que, dans l'esprit de Shakespeare, la rude épreuve de cette nuit d'orage, ajoutée à la souffrance physique qui en résulte, constitue l'amorce de la première crise aiguë que subit le personnage.» En termes plus simples, la démence de Lear serait latente dès le début, d'où ses accès de colère et son comportement émotif imprévisible. Elle n'atteindrait son stade aigu que lors de la nuit de ce terrible orage. Loin de moi l'idée d'expliquer Lear comme un cas clinique. Je partage pourtant cet avis. Pour que ce roi, majestueux à sa manière, se comporte de façon si irrationnelle avec Cordélia et Kent en début d'action, il faut qu'il soit déjà en déséquilibre mental. Ce sont les symptômes de ce déséquilibre dont se plaint Gonerille : coups de tête, indomptable entêtement, humeurs changeantes, etc. Durant la première scène, je soulignais donc le reniement de sa fille préférée et la répudiation de son courtisan le plus fidèle, par un soudain vertige qui lui faisait, pendant quelques secondes, douter de l'espace, du lieu et du moment. Au delà du facile artifice, cette perte de stabilité initiale me permettait d'observer jusqu'à la fin une logique implacable de l'absurde, dans lequel menace de basculer à tout instant le roi Lear, pièce et personnage confondus.

Au terme de mon autopsie, me reste à parler de la question de l'adéquation de l'interprète au personnage; autrement dit, à me demander si j'avais le talent suffisant pour jouer le rôle du roi Lear. J'ai toujours prétendu que beaucoup d'artistes, surtout dans notre métier, ne savent pas vivre avec leurs dons propres et veulent à tout prix accéder au génie. «L'esprit qu'on veut avoir gâte celui qu'on a», fait très justement dire l'auteur Gresset à l'un des personnages de sa pièce, *Le Méchant*. Je ne veux pas jouer au grand modeste en dénonçant ma témérité et en avouant que je n'avais pas les qualités nécessaires pour endosser la personnalité du roi Lear. Ce n'est pas la façon de poser la question. Sans dire que j'ai visé *trop haut*, peut-être en réalité ai-je mal visé. Il se peut que Lear n'ait pas été fait pour moi; ou que je n'aie pas été fait pour Lear. Si tel est le cas — et je ne saurai jamais le dire moi-même —, je serais le seul à blâmer.

Jean-Louis Roux dans le Roi Lear
1993

PHOTO : André LeCoz

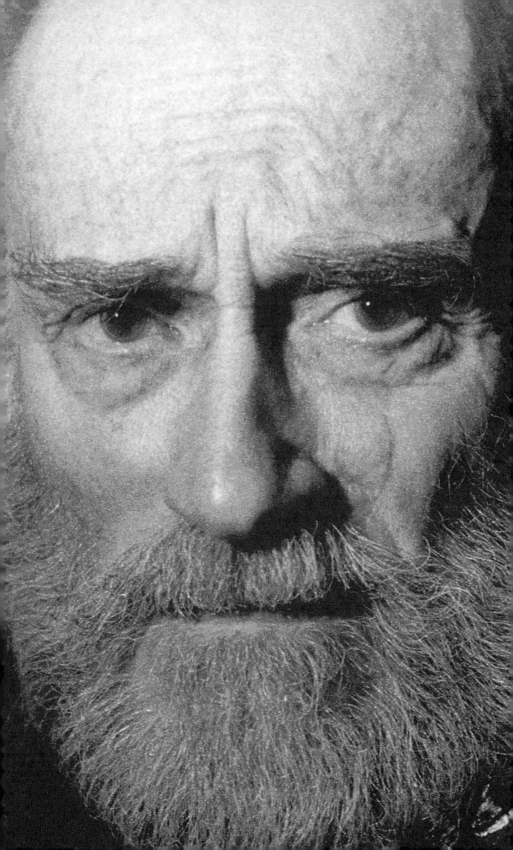

Le soir de la première, le critique Robert Lévesque accueillit la fin de la pièce par des huées. Le metteur en scène Jean Asselin, par hasard dans les parages, s'avança sur lui en lui déclarant, d'une voix blanche, qu'il se promettait de lui «préparer une sortie.» Lévesque retraita prudemment sous la protection d'un de ses confrères du *Devoir*, en se plaignant que «ce monsieur l'agressait». Reste que de sa part, une telle manifestation sonore faisait redondance puisque, deux ou trois jours plus tard, il avait tout loisir d'éreinter le spectacle dans les colonnes de son journal, en titrant : *Beaucoup de bruit pour rien.* À supposer que sa sévérité fût justifiée, il eût été plus fin, plus avisé d'utiliser le titre d'une autre œuvre de Shakespeare : *Peines d'amour perdues*, témoignant ainsi de son respect pour le travail passionné de toute l'équipe responsable de la production. Le public avait des réactions beaucoup plus sympathiques, beaucoup plus civilisées ; en un mot, beaucoup plus humaines. De nombreux bravos accueillaient la fin des représentations. Et je crois qu'il n'y en eut qu'une seule où il n'y eut pas d'ovation debout, aux derniers saluts. Mais le théâtre était rarement plus qu'à moitié plein... ce qui constitue le critère irréfutable.

Après chacun des spectacles, je retournais dans ma loge exiguë en proie à une sorte d'accablement, dont il m'était impossible de m'ouvrir à qui que ce soit. L'usage de la scène apprend à jauger la qualité des acclamations et des applaudissements. Ceux que je venais d'entendre me laissaient percevoir que j'étais loin du triomphe escompté. Entendons-nous : ce n'était pas une question de vanité, mais une affaire de cœur. J'éprouvais le même genre de désarroi que lorsque, plus jeune, il m'arrivait de me présenter, tout frémissant, à un rendez-vous d'amour et que l'*autre* n'y vienne pas, ou qu'elle refuse de se donner ou se donne en mesurant son plaisir, comme par «bienséance». Cela fait mal. Cela blesse, d'une blessure qui est longue à se fermer. Il faut savoir être patient : on ne s'en remet qu'avec le temps, ce grand guérisseur.

Voilà : tout est dit. Je me tais. Je n'en parlerai plus. Ou... presque plus !

SCÈNE XI
Aimez-vous les bêtes ?

Le mardi 20 juillet 1993

Je ne suis pas seul à mon chalet du lac Saint-Mathieu ; j'ai une adorable compagne, toute blonde, aux grands yeux ambres fendus en amande. Elle s'appelle Zoé et... elle a quatre pattes.

Les gens qui n'aiment pas les bêtes ne savent pas de quoi ils se privent. Je peux en parler en connaissance de cause puisque, jusqu'à mon mariage, je n'avais d'attirance ni pour les animaux de compagnie, ni pour ceux qui vivent à la ferme ou dans la nature à l'état sauvage. Ma mère avait peur des chiens, au point de changer de trottoir si jamais elle en apercevait un à l'horizon. J'en avais donc peur, moi aussi. Avec l'âge, la peur fit place à l'indifférence. Jusqu'à ce que ma femme m'apprenne à avoir de l'affection pour tout ce qui vit : insectes, oiseaux, chiens, chats, tigres, chameaux, éléphants, écureuils, tamias, etc.

Elle m'a d'abord un peu forcé la main. J'avais pour principe qu'un chien ne pouvait vivre heureux en appartement : je me donnais donc ainsi l'apparence d'aimer les bêtes au point de savoir, pour leur plus grand bien, me priver de leur présence. Mais il y a plus de quinze ans, au retour d'un voyage au Pérou, je trouvai un nouveau pensionnaire au foyer : un teckel noir et fauve qui, dès lors, devait partager notre vie pendant les seize années suivantes. Monique m'avait inoculé le virus. Mon unique condition, pour garder le teckel, fut de le baptiser Chan-Chan, selon l'appellation d'un site archéologique que je venais de visiter, au nord du Pérou. À cause de la consonance, beaucoup de gens croyaient qu'il s'agissait là d'un nom d'origine chinoise... C'était trop compliqué de les tirer d'erreur.

Comme tous ses congénères, Chan-Chan finit par devenir très fragile de la colonne vertébrale. Si bien qu'avec l'âge, il commença à manifester certaines difficultés de démarche et d'équilibre. Il montait avec peine la chaîne du trottoir. Monique et moi avions convenu que nous ne laisserions jamais souffrir Chan-Chan. Notre vétérinaire, le Dr Lubrina, nous mentionna qu'il existait toutefois des prothèses qu'on assujettissait au train arrière des animaux, leur permettant de se mouvoir même lorsqu'ils étaient atteints de paralysie partielle. Ce n'était décidément pas notre fait. La mort dans l'âme, nous avons pris la décision de faire euthanasier notre Chan-Chan. Nous l'avons tenu dans nos bras jusqu'à la dernière seconde. Ceux qui n'éprouvent aucune tendresse pour les bêtes ne comprendront évidemment pas l'épreuve que constitua pour nous la mort de ce petit chien. Monique et moi sommes sortis de la clinique vétérinaire, contenant à peine notre chagrin. Deux jours plus tard, attablé seul devant mon déjeuner, j'éclatai en sanglots, éprouvant tout à coup cruellement l'absence de ce compagnon si amical.

N'eût-ce été que de moi, j'aurais attendu quelques semaines avant de remplacer Chan-Chan. Je réclamais une trève. Car la présence d'un chien implique un certain esclavage, ne serait-ce que sous forme de promenades régulières. Mais je souhaitais... disons, une pause.

C'était compter sans ma Monique. Profondément attristée par la perte de Chan-Chan, elle ne songeait qu'à le remplacer. Elle m'entraîna donc aux locaux de la SPCA, pour entreprendre un lèche-vitrine qui devint vite pénible. Toutes ces bêtes vivent dans les meilleures conditions qu'on puisse leur fournir, mais ne jouissent tout de même que d'un confort minimal et d'une sollicitude forcément distraite. Elles semblent tellement solitaires, délaissées, abandonnées, qu'on voudrait toutes les adopter et les couvrir de caresses. Surtout ma femme.

Nous allions d'une cage à l'autre. Un danois tout noir attira l'attention de Monique, mais je parvins à lui faire comprendre que sa taille poserait quelques problèmes. Un husky fut éliminé, quand on nous mentionna que, laissé seul, il avait la malheureuse habitude de hurler. Nos propriétaires, qui avaient déjà tenté vainement d'exclure les animaux de compagnie de notre immeuble, auraient eu cette fois trop beau jeu. Nous allions quitter les lieux, lorsque notre attention fut attirée par des gémissements pitoyables, provenant d'une des cages que nous n'avions pas remarquées. Nous retournant, nous avons découvert une charmante petite bête, en partie colley, en partie husky ou peut-être berger allemand, qui nous faisait signe, de sa patte tendue. Ce fut le coup de foudre. Les formalités furent vite remplies et, après une visite chez le Dr Lubrina, nous rentrions à l'appartement avec notre petite bâtarde, qui n'avait pas plus de cinq à six mois. Dans la voiture, après l'avoir zieutée longuement, Monique avait déclaré : «Toi, tu t'appelles *Zoé*.»

C'est donc avec Zoé, maintenant de taille adulte, que je passe l'été. J'avais commencé par l'amener au théâtre, jusqu'à ce que j'apprenne que ma camarade Louison Danis, qui n'osait pas me le dire parce qu'elle adore les bêtes, leur était allergique. Depuis, je quitte donc le chalet vers 19 heures, déclarant à Zoé que je lui en confie la garde. À mon retour, elle me manifeste une joie folle, se livrant à des cabrioles d'acrobate et faisant entendre d'éloquents petits aboiements qu'elle garde les plus discrets possible. Cela dure un bon deux ou trois minutes. Il n'y a que les enfants pour être aussi démonstratifs; ou peut-être une amante, durant la période la plus ardente de sa passion. Bien sûr, dans l'un ou l'autre de ces derniers cas, l'être ainsi accueilli ne trouve que très rarement des marques de désolation suscitée par son absence, sous forme d'une couverture ou d'une taie d'oreiller déchiquetées, ou d'un paillasson aux contours mordillés. Cela est unique aux jeunes bêtes, comme Zoé. La pauvre, je la trouve tellement courageuse d'endurer, sans plus de dégâts, sa solitude quotidienne de près de cinq heures que je la gronde sans grande conviction. Avec l'extrême gentillesse qui le caractérise, le curé Rosaire Dionne, propriétaire du chalet, déclare stoïquement, pour sa part, qu'on ne peut empêcher une bête de vivre sa vie. J'en serai quitte pour faire quelques achats en fin de séjour. Ce n'est pas trop cher payer cette présence de tous les instants qui égaie mon foyer du moment.

SCÈNE XII
Au théâtre comme dans la vie

Le jeudi 22 juillet 1993

Ce soir au tableau de service, une coupure de presse prise dans *Le Devoir*. La dépêche provient du service espagnol de l'*Agence France-Presse* et est datée de Santiago du Chili. J'en donne ici quelques extraits : on comprendra vite pourquoi, en pensant à la pièce qui tient l'affiche du Théâtre les gens d'en bas :

«Le président chilien, Patricio Aylwin, a entamé l'étape finale de sa recherche de "la vérité et de la justice" face aux violations des droits de l'homme, attribuées à l'ancien régime du général Augusto Pinochet (1973-1990)...

«Mais avant de prendre sa décision finale, [...] M. Aylwin s'est réuni à quatre reprises ces six dernières semaines avec le général Pinochet, qui conserve toujours son mandat de chef des forces armées. *(On l'avait presque oublié : incroyable, mais vrai!)*

«[...] La dernière rencontre [...], s'est déroulée au milieu de versions officieuses affirmant que le dialogue entre le Gouvernement et l'Armée piétinait.

«[...] L'origine de ces piétinements [...] réside dans le refus des militaires [...] de reconnaître leur responsabilité dans des assassinats, séquestrations et disparitions concernant plus de 950 détenus politiques, dont on ignore toujours les lieux où ils ont été emmenés.

«[...] une telle reconnaissance permettrait d'établir définitivementt "la vérité", afin d'appliquer ensuite "la justice"...

«[...] Près de 200 procès en cours et quelque 600 jugements classés aux archives dans les tribunaux confirment le cumul des accusations et des témoignages contre des membres des forces armées et des ex-agents secrets du gouvernement Pinochet. [...] M. Aylwin cherche des "chemins appropriés" pour résoudre le problème militaire.

«[...] (On) ne prévoit néanmoins aucune "loi de point final", comme celle promulguée par le président Carlos Menem en Argentine, pour en terminer avec ce genre de procès.

«Le Chili n'aura pas non plus d'amnistie en faveur des militaires coupables de crimes...»

Si quelqu'un s'avisait de contester l'actualité de *La Jeune fille et la mort*, cette dépêche suffirait à lui opposer démenti. À tel point qu'un novice pourrait croire qu'Eudore Belzile a eu le nez long en choisissant cette pièce. C'est un phénomène qui se produit assez fréquemment au théâtre, que celui de la coïncidence de l'action fictive avec des événements réels, même si le choix de la pièce concernée leur est antérieur de longtemps.

SCÈNE XIII
Octobre 70 : Jeux de massacre

Ainsi en fut-il de *Jeux de massacre,* de Ionesco, que j'ai monté au TNM à l'automne 70, et qui a pris l'affiche après les événements dramatiques qui ont marqué le début de ce qu'on a par la suite appelé la Crise d'octobre. Rappelons quelques faits qui permettront de mieux comprendre ce qui va suivre. En 1963 naît le Front de libération du Québec, mouvement révolutionnaire qui se livre à la propagande et au terrorisme dans le but de faire accéder les Québécois à un État indépendant et socialiste. L'action du FLQ — selon l'appellation courante — atteint son point culminant lorsque, le 5 octobre 1970, certains de ses membres enlèvent, de jour et à son domicile, le commissaire britannique au commerce, James Cross. En échange de sa libération, les ravisseurs exigent, entre autres, celle de tous les felquistes alors détenus en prison. Cinq jours plus tard, le 10 octobre, c'est au tour de Pierre Laporte, ministre québécois du Travail, à être enlevé par une deuxième cellule du groupe terroriste. Le 15, le gouvernement provincial réclame l'aide des forces armées. Le lendemain, s'autorisant d'un état «d'insurrection appréhendée», Ottawa met en force la loi dite des «mesures de guerre», qui permet de procéder à des perquisitions sans mandat et à des arrestations sans que soient portées des accusations précises. Impossible de faire abstraction des drames personnels authentiques qu'entraînèrent ces événements; sinon, on aurait pu s'amuser de l'aspect étonnamment cocasse des militaires en treillis de combat, fusil mitrailleur en mains, qui patrouillaient les rues paisibles de Montréal. Mais l'absurde, comme il arrive souvent, tourna au sinistre lorsque, le 17, on découvrit le cadavre de Pierre Laporte dans le coffre d'une voiture stationnée près de l'aéroport de Saint-Hubert...

C'est dans ces circonstances et ce climat tragiques que débutèrent les représentations de *Jeux de massacre.* L'un des thèmes principaux de la pièce est celui de la mort; mort violente de centaines de citoyens d'une ville, au sein de laquelle fait rage la mystérieuse épidémie d'un mal qu'on n'ose nommer de son vrai nom : la peste (ou le terrorisme, si l'on est tenté par les allégories). Devant cette calamité, les autorités prennent des mesures extrêmes.

Les croque-morts font de nuit la cueillette des cadavres, en cachette. Un couvre-feu draconien est appliqué, et les forces de l'ordre empêchent les gens de sortir de leur maison ou d'y entrer, si l'un de ses résidants présente le plus petit soupçon d'un symptôme. Des barrages sont érigés, d'un quartier à l'autre, entravant la liberté de circulation des citadins.

Les coïncidences étaient tellement flagrantes, les thèmes de la pièce, jusques et y compris certains détails précis, collaient tellement aux événements dramatiques de l'heure que nombre de gens étaient persuadés que je l'avais sélectionnée inten-tionnellement. Comment cela eût-il été possible, puisque le répertoire de la saison 1970-71 avait été décidé en 69? Et puis, le premier enlèvement avait eu lieu le 5 octobre. Si donc il y avait eu modification en catastrophe pour profiter des circonstances, il aurait fallu monter la pièce en moins de dix jours pour pouvoir ouvrir le 15 octobre suivant. Nul besoin d'être un praticien de théâtre chevronné pour comprendre qu'un tel tour de force est inconcevable. Mais, outre que la note révélant le lieu où se trouvait le cadavre du ministre Laporte avait été découverte dans un des présentoirs du théâtre Port-Royal, où *Jeux de massacre* était à l'affiche, un des personnages de la pièce — caricatural, du reste — terminait une harangue publique par le slogan que le Front de libération du Québec placardait partout, à Montréal, et par lequel il concluait tous ses communiqués : «Nous vaincrons!» C'est, je l'avoue, assez troublant, et je suis persuadé qu'il en existe toujours pour croire que la pièce avait été choisie à la suite du déclenchement de la Crise et qu'ils n'en démordront jamais.

SCÈNE XIV

Gaga, le papi

Le samedi 24 juillet 1993

Depuis mercredi dernier, j'ai des visiteurs : mon fils Stéphane, son épouse Martine et leur adorable petit garçon, Gabriel, qui a environ l'âge de Zoé, c'est-à-dire un an et demi. Ce rapprochement me rappelle un passage du journal de l'écrivain suisse Ramuz, auteur de *L'histoire du soldat*. Grand-père comme moi, il avait vu naître son petit-fils en même temps qu'un renardeau dans un terrier voisin de sa ferme. Il s'était dès lors passionné à observer, jour après jour, l'évolution parallèle des deux nouveau-nés. Il avait constaté qu'au début, la bête se développait, à tous points de vue, beaucoup plus rapidement que l'enfant, jusqu'à ce que l'un et l'autre atteignent environ dix-huit ou dix-neuf mois, je crois. La croissance du petit d'animal s'était alors arrêtée, arrivée à son apogée, alors que celle du petit d'homme ne cessait de se poursuivre, jusqu'à ce qu'il rattrape le renardeau et le distance de plusieurs longueurs, sinon en force physique, du moins en aptitude intellectuelle.

De même âge donc, Zoé et Gabriel en sont pourtant à des stades bien différents de leur évolution. Elle, est presque adulte ; mais lui, bien que précoce — c'est le grand-père qui l'affirme ! — est encore un petit bébé. Gabriel marche, bien sûr, mais sans la belle hardiesse de Zoé. Et même si elle y met toute la douceur dont font preuve les chiens qui aiment les enfants, ses manifestations d'affection risquent de le faire basculer sur son menu derrière ; surtout lorsqu'elle lui pose ses deux grosses pattes sur les épaules !

On manifeste sa tendresse aux petits enfants en les affublant de toutes sortes de sobriquets et de diminutifs. C'est ainsi que je surnomme Gabriel mon petit *ouistiti*, mon *bout-d'homme* qui devient à l'occasion mon *boudoumme*... Je n'ai pas la prétention d'inventer, ni de rénover l'art d'être grand-père. Ce serait assez prétentieux depuis que Victor Hugo y a consacré un recueil d'immortels poèmes, pleins de tendresse, de douceur, de compréhension, dans lesquels, à près de ses 80 ans, il se révèle sous un jour entièrement nouveau. En osant quelques sacrilèges, je pourrais parodier celui dont André Gide a dit — à moins que ce ne soit un autre, car nombreux sont ceux auxquels on a imputé la paternité de cette boutade et qui s'en sont trouvés flattés — que c'était hélas ! le plus grand poète français :

Gabriel parle ; il dit des choses qu'il ignore ;
Il envoie au lac agité, au bois sonore,
À la nuée, aux fleurs, aux nids, au firmament,
À l'immense nature un doux gazouillement,
Tout un discours, profond peut-être, qu'il achève
Par un sourire où flotte une âme, où tremble un rêve,
Murmure indistinct, vague, obscur, confus, brouillé.
Dieu, le bon vieux grand-père, écoute émerveillé.

Quelle spontanéité, quelle innocence, de la part de ce patriarche exilé à Guernesey par un pouvoir abusif. Il va même, à la manière de monsieur Tout-le-monde, jusqu'à citer des mots de sa petite Jeanne et de son petit Georges dans un charmant dialogue versifié. En visite tous deux au Jardin des Plantes, ils observent les animaux. D'emblée le plus jeune déclare : «Les lions, c'est des loups.» Et, apercevant un tigre, il commente : «Encore un loup!» Devant les serpents, il déclare, en les examinant : «C'est en peau.» Enfin, regardant l'éléphant : «Il a des cornes dans la bouche.»

Un petit-fils ou une petite-fille, qu'on soit Victor Hugo ou simple mortel, nous donne l'impression de redécouvrir la vie. C'est avec un plaisir attendri qu'on se prête à leurs espiègleries ou qu'on partage leurs jeux. Je suis devenu très habile à transvaser inlassablement des épingles à linge, d'un récipient dans un autre. Je me livre également, avec une incommensurable curiosité, à la lecture de circulaires de toutes sortes avec une prédilection marquée pour ceux de Canadian Tire. Et ce, jusqu'à ce que Gabichon (c'est le surnom préféré que lui donne sa mère) décide de la fin de l'exercice par un *ni-ni* péremptoire.

Aujourd'hui samedi, nous sommes allés déjeuner dans le parc du Bic, malgré un temps légèrement maussade. Puis, nous nous sommes quittés. Je les ai suivis dans ma voiture jusqu'à Saint-Simon, où j'ai viré sur la gauche pour descendre dans les terres, les regardant poursuivre leur route en direction de Québec.

Me voici au chalet où je me sens soudain la gorge serrée, triste comme un écolier lors de sa première entrée en classe. Ces trois derniers jours me semblent, tout à coup, si lointains! J'erre d'une pièce à l'autre : elles me font l'effet d'être toutes terriblement vides. Zoé partage mon désarroi, privée de la présence de ce petit animal à deux pattes, dont le cri résonnait si bizarrement. Que faire? Vivement la représentation de ce soir, pour y noyer ma langueur, du moins pendant quelque temps.

L'anesthésie de la scène est un phénomène bien connu des comédiens. Elle leur permet de jouer, malades ou déprimés, allégés de leurs maux ou de leurs indispositions, s'en déchargeant sur la peau d'un autre, qui n'en souffre pas. Tous les gens du métier ont

Gabriel et Jean-Louis Roux

leurs anecdotes à ce sujet. Pour ma part, entre plusieurs, je me rappelle une matinée et une soirée de *L'Otage* durant lesquelles, victime d'une crise aiguë d'occlusion intestinale, j'ai joué dans un état second, sous l'effet d'une dose massive de démérol. Et qu'on n'aille pas crier à l'héroïsme : ce sont les circonstances normales de l'exercice du métier. Une seule fois, durant une représentation des *Femmes savantes*, la médecine n'a pas agi. Surmené, en proie à un accès de *tachycardie paroxysmique* (docte expression apprise, par la suite, à l'hôpital), j'ai vraiment cru que j'allais mourir, et je suis sorti de scène. C'est sûrement ce qui me reste de plus angoissant comme souvenir de théâtre.

Ce soir, le mal est quand même plus facile à chasser : pour la durée de la représentation donc, et pour éviter qu'il ne se laisse distraire des circonstances du drame de sa vie, le Dr Miranda n'aura aucune pensée pour le *boudoumme* de son interprète. Sinon ce tortionnaire fondrait de tendresse, et pourrait bien s'attirer toutes les sympathies des spectateurs.

SCÈNE XV

Pour l'honneur de la langue française

Le mardi 27 juillet 1993

Hier, je suis rentré de Montréal, où m'avait rappelé une obligation professionnelle. J'ai ramené une quantité considérable de courrier non dépouillé. Un premier tri rapide m'avait pourtant permis d'écarter sollicitations importunes ainsi que documents publicitaires variés (on parle de toutes sortes de pollution, mais rarement de la pollution par le courrier, qui est pourtant inquiétante). Parmi les périodiques qui ont survécu au tri : *L'Union Express*, publication de l'Union des artistes, livraison de juin. Je m'y découvre, sans surprise d'ailleurs, pris à partie en deux endroits.

Au mois d'avril dernier, je faisais une intervention au sujet de l'état de la langue parlée et écrite au Québec, lors d'un des dîners de *Cité libre*. (La revue *Cité libre* avait, dans les années cinquante, lutté contre l'orthodoxie duplessiste ainsi que le monolithisme religieux et, depuis sa renaissance, il y a un peu plus de deux ans, elle combat une nouvelle orthodoxie, celle du nationalisme québécois, tout en essayant de garder la plus grande largeur de vue et d'esprit possible.) Dans cette communication, je déplorais l'état lamentable — c'est mon avis : j'y ai droit — du français québécois. Je soulignais le fait que, dans le métier que j'exerce, parmi les plus ardents défenseurs d'un Québec indépendant — et ils constituent la grande majorité des membres de l'Union —, se trouvent ceux et celles qui parlent la langue la plus dénaturée — toujours à mon sentiment. Et je plaidais pour la cause d'un français normatif qui nous donnerait un meilleur accès à la francophonie internationale.

Il n'en fallait pas plus pour que je devienne la cible de la nationaliste publication de la nationaliste Union des artistes. L'un des auteurs des deux articles me cite au texte, mais hors contexte. J'ai effectivement dit que je respecterais même l'opinion de ceux qui, en se fondant sur la proportion déclinante des francophones en Amérique du Nord, réclameraient l'abandon de l'enseignement et de l'usage du français pour celui de l'anglais. La signataire de la chronique m'accuse conséquemment de « plier l'échine », employant un vocabulaire affectionné par ce milieu selon lequel, si on dévie de son orthodoxie, on devient « traître », on ne se tient pas « debout », on « rampe », etc.

La nuance qu'aurait dû souligner ma chère camarade, c'est que je faisais cette affirmation comme preuve de toute absence de fanatisme chez moi : je me disais prêt à discuter d'une prise de position opposée à la mienne et, pour énoncer telle prise de position, j'employais le pronom *on* qui, en français bien parlé et bien compris, exclut la personne qui s'exprime. Elle aurait dû également avoir l'honnêteté de dire que, vers la fin de mon intervention, je déclarais que, pour ma part, quel que soit le destin du français sur le Continent, je continuerais à le défendre et à le parler dans ce que je juge être sa meilleure forme, c'est-à-dire le français normatif. Si elle avait rapporté mes paroles dans le contexte, elle aurait rapproché la première citation de cette deuxième : « ... je crois en la vertu d'une langue bien parlée et bien écrite, quelles que soient les conditions sociales, politiques, démographiques et géographiques dans lesquelles elle se parle. Qu'il s'agisse du français, de l'anglais, ou... du chinois. » Cela aurait tout de même jeté une tout autre lumière sur les propos qui me sont reprochés...

Quant à la deuxième chronique, son auteur commente ma communication d'après ce qu'elle en a perçu, ou d'après ce qu'elle en a entendu dire. En sous-titre, elle me fait déclarer : «Notre langue française s'abîme... à cause des nationalistes québécois.» Or je la défie de trouver semblable allégation dans mes propos du 8 avril dernier. Rien, *absolument rien*, à voir ni avec l'esprit, ni avec la lettre de ce qu'elle appelle «ma thèse». En réalité, je ne doute pas de sa bonne foi et c'est cela qui est le plus alarmant : elle a saisi quelque chose qui n'allait pas dans le sens de ses convictions (donc de son orthodoxie), et elle a réagi en conséquence. Elle me fait ainsi dire, à l'encontre de toute règle non seulement de bon journalisme, mais de stricte honnêteté, ce que je n'ai jamais dit.

Car je n'ai jamais dit, non plus, que je considérais les nationalistes québécois «coupables» (et elle prend la peine de mettre le mot entre guillemets comme si elle le cueillait de ma bouche même) du succès de l'œuvre de Michel Tremblay. J'ai plutôt dit exactement ceci : «Si la pièce (*Les Belles-sœurs*) avait été bien comprise à sa création, si elle était bien comprise de nos jours, spectateurs et spectatrices en sortiraient fouettés et furieux. Furieux de se voir peints sous de telles couleurs, affichant de telles mœurs, et de s'entendre parler une telle langue. Et, en même temps, fouettés dans leur respect d'eux-mêmes, sans doute se diraient-ils, à l'instar des Russes devant la peinture que Tchekhov en faisait : "S'il en est réellement ainsi, il faut en changer!" Mais tous et toutes croient en totale certitude que c'est le voisin qui est de la sorte représenté et se tapent sur les cuisses avec des éclats de rire sonores. Ou pire, on se reconnaît bien et on se trouve irrésistiblement drôles.»

Y a-t-il là-dedans la moindre allusion aux nationalistes? En quoi ai-je mérité les foudres de *L'Union Express*? J'en connais très bien les raisons : c'est que je n'ai jamais cherché à masquer ma préférence pour le Canada, avec tous les paradoxes qui en font d'ailleurs la richesse, sur un Québec sécessionniste. Et ça, ça ne se pardonne pas aux yeux de certains séparatistes. Qu'on ne se méprenne pas : je leur reconnais évidemment le droit à leurs convictions, tout autant que celui de la défense et de la promotion démocratiques de ces convictions. Ce que je crains, c'est que les plus intolérants d'entre eux — et il y en a — ne dominent les autres, et qu'advenant un Québec indépendant, aucune déviation à l'orthodoxie n'y soit tolérée.

SCÈNE XVI
Où s'arrête le champ du possible ?

Le mardi 3 août 1993

Chaque soir en rentrant du théâtre, un peu avant minuit, je lis quelques pages d'un livre de Gérald Messadié intitulé : *Histoire générale du diable.* C'est passionnant et, pour employer l'expression courante, ça se dévore comme un roman. L'auteur y démontre, souvent avec humour, que, en tant qu'ennemi du Dieu suprême, le diable a d'abord été une invention politique. D'après lui, dans sa conception moderne, ce dernier est né en Mésopotamie au VIe siècle avant notre ère, où son invention était destinée à renforcer le pouvoir du clergé. Si l'on songe que la Mésopotamie devait plus tard devenir, pour quatre siècles, province iranienne, cette allégation donne un fondement historique ancien au fait que, de nos jours pour les ayatollahs, le diable est figuré par tout ce qui n'est pas l'Islam... Dans le même esprit, pour Reagan, le diable a longtemps été Moscou, alors que pour Khrouchtchev, c'était l'impérialisme américain. Plus près de nous, pour certains Québécois — et pas des moindres : Jacques Ferron en était —, le diable, c'est l'*autre*, l'Anglo. En somme, le diable sert toujours à étayer une idéologie ou un pouvoir dominant, ou qui prétend le devenir. En situation de conflit, en plus de crier *Dieu est avec nous !* (le fameux *Gott mit uns !* prussien), chacun se doit de dénoncer l'ennemi comme étant le diable. Le plus étonnant, c'est que cela est généralement reconnu comme vérité et mis en pratique par tous. Lorsque nous partons à la défense de nos convictions, même sans en être conscient ou sans le déclarer, nous ne faisons jamais qu'opposer un certain bien à un certain mal. C'est de soi-même qu'il faut d'abord être méfiant en cette matière.

En cours de lecture de cet ouvrage captivant, je trouve un vers admirable de Pindare : « Ô mon âme, n'aspire pas à la vie éternelle, mais épuise le champ du possible. » Je ne prétends pas connaître Pindare ; je ne me rappelais que son nom pour l'avoir entendu prononcer durant mon cours classique. Le dictionnaire, dont la consultation m'est toujours précieuse, m'apprend que c'est le plus grand poète lyrique grec, caractérisé par l'élévation de ses idées. Dans l'article qui le concerne, on mentionne une délicieuse légende, appliquée également, dit-on, à Platon : durant son enfance, les abeilles seraient venues faire leur miel sur ses lèvres, ce qui expliquerait la grâce et la douceur de sa poésie... Cette maxime est d'une telle noblesse, en même temps que d'une telle humanité qu'après l'avoir lue, j'en demeure tout troublé. Je la relis et la relis encore; puis je ferme le livre et j'y réfléchis longuement avant de m'endormir. «Ô mon âme, n'aspire pas à la vie éternelle, mais épuise le champ du possible.»

À ne pas s'y tromper, on se trouve en présence d'un poète qui croit à l'existence de l'âme, c'est-à-dire la composante spirituelle de l'être humain, sans croire à son éternité. Le dictionnaire me le confirme : pour lui, «... les qualités de l'âme sont de même ordre que celles du corps, dont elles sont inséparables.» Tant que nous vivons, il nous faut donc, par notre âme — c'est-à-dire par notre intelligence, notre cœur, notre sensibilité, notre raison, notre imagination, par toutes nos facultés mentales donc, en même temps que par nos sens — appréhender tout ce qui est accessible en expérience, en connaissance, en observation, en relations humaines. Il nous faut «épuiser le champ du possible...» Quel programme stimulant !

SCÈNE XVII
Dans le Bas-du-Fleuve

Le samedi 7 août 1993

Comme toutes les semaines, je vais faire mes provisions à Rimouski. Lorsqu'il est en tournée ou en représentation loin de son lieu de résidence, le comédien accorde une primordiale importance à la bouffe. Je me rappelle, en France à la fin des années quarante, une longue tournée des stations balnéaires et des villes d'eau, avec *Maison de poupée*, d'Ibsen. Au hasard du souvenir, c'était Enghien, Deauville, La Baule, Dax, Arcachon, Bagnères-de-Bigorre, Luchon, etc. Tous noms qui évoquent encore, pour moi, les images d'une vie de liberté et de découvertes. Mais aussi d'une période éreintante. Car, pour arrondir le cachet, je jouais le rôle de Krogstad en même temps que j'exécutais les tâches de régisseur. La France n'était pas encore parfaitement remise des dégâts de la guerre et, par mesure de prudence, les trains devaient franchir certains ponts à la vitesse de la tortue pour éviter les vibrations qui auraient pu entraîner leur écroulement. Ce qui occasionnait des écarts d'horaire, parfois de plusieurs heures. Je pouvais ainsi descendre d'un train, au milieu de la nuit, et devoir me présenter au théâtre peu après le lever du soleil, pour le montage du décor. Je m'en plaignais bien un peu, à ce moment-là. Mais je recommencerais tout sans hésiter.

À bord des trains, la dernière demi-heure avant l'arrivée en gare était consacrée à la lecture du Guide Michelin, chapitre des spécialités culinaires de la ville où nous allions jouer. C'était devenu un rituel, et il se peut même que nos papilles gustatives aient sécrété davantage à la description des mets succulents qu'on nous annonçait, que durant leur véritable ingestion, une fois attablés au restaurant.

Le lac Saint-Mathieu est soumis à semblable tradition : l'approvisionnement hebdomadaire, à Rimouski, est donc marqué du même caractère que la lecture des menus, à bord des trains qui sillonnaient la province française, il y a plus de quarante ans.

Je ne le dis ni par bienséance ni par flatterie mais, chaque fois que je descends à Rimouski, je suis frappé par la gentillesse des gens. Un mécanicien a même refusé de me facturer la réparation — mineure, il est vrai, mais tout de même ! — que nécessitait mon rétroviseur brinquebalant. Du jamais vu dans un garage ! Et puis, à cause de la différence de densité des populations, un comédien est forcément reconnu et abordé beaucoup plus souvent dans une ville de l'envergure de Rimouski qu'à Montréal. Mais alors qu'à Montréal il arrive fréquemment que le «fervent admirateur» ou la «fervente admiratrice» semble s'imposer et d'une certaine façon exiger l'attention de sa «vedette préférée», ici on agit avec une simplicité et une délicatesse remarquables. Sans insister, sans s'appesantir. Il arrive que comédiens et comédiennes se plaignent d'être ainsi «importunés». Mais il suffira que se passe un jour sans qu'ils ou elles ne soient reconnus en public pour que naisse l'angoisse secrète d'être oublié à plus ou moins brève échéance.

SCÈNE XVIII

Une vraie tribu

Le dimanche 16 août 1993

Brunch d'adieu au chalet, puisque demain nous entamons la semaine de prolongation de *La Jeune fille et la mort,* et que c'est donc le dernier week-end pendant lequel nous pouvons tous nous réunir. Tout le monde est là : même Eudore Belzile et Louison Danis qui doivent pourtant partir pour Montréal, cette après-midi ; même Denis Mercier qui se voit obligé de déménager aujourd'hui à Matane, ce qui n'est pas une sinécure, mais qui tient à venir nous offrir un immense plat de petites crevettes, agrémentées d'une succulente sauce préparée par sa femme, Suzanne. Malheureusement, Martine Beaulne est retenue par son travail à Montréal, où elle monte le prochain spectacle du Théâtre les gens d'en bas, *Garry Gilmoure,* histoire vraie et stupéfiante d'un condamné à mort qui, devant les nombreux sursis dont il est l'objet, finit par réclamer avec obstination qu'on exécute la sentence (décidément, les gens d'en bas ne font pas dans la facilité).

On ne peut souhaiter plus beau temps : grand soleil accompagné d'une brise légère, comme j'en ai été gratifié presque constamment durant mon séjour dans le Bas-du-Fleuve. Les tables sont installées en plein air ; les plats sont abondants ; les vins, de crus honnêtes ; les convives, enjoués et, en partant, ils m'assurent que la fête est réussie. Quel bonheur d'assembler, dans une joyeuse atmosphère de célébration et de repas pris en commun, des camarades qui ne sont pas nécessairement intimement liés, mais qui ont tous contribué, à un titre ou à un autre, au succès de la production d'un spectacle et qui, pour cette raison, ont développé sur une période plus ou moins longue un esprit d'équipe, un sentiment de solidarité. Mon ami Jean-Pierre Ronfard dirait avec ravissement que c'est le genre d'événement qui fait ressortir le caractère tribal de l'activité théâtrale !

SCÈNE XIX
Mort d'un cinéaste

Le lundi 17 août 1993

J'apprends, par la télévision, la mort du cinéaste Francis Mankiewicz. Je ne le savais pas malade : la surprise m'en est d'autant plus pénible. Après hésitation, je me décide à me manifester auprès de sa compagne, mon exquise camarade Monique Spaziani. Elle m'informe que Francis était atteint d'un cancer depuis plus d'un an et que, malgré le moral extraordinaire qu'il affichait, ces derniers mois ont été très pénibles. Étant donné la situation, elle venait d'annuler un tournage à Toronto et, comme elle doit en septembre partager avec Marc Béland la vedette d'un film (dans lequel je tiens également un petit rôle), *La Beauté des femmes,* réalisé par Robert Ménard, Francis lui a récemment déclaré qu'il allait bientôt la laisser libre de se consacrer entièrement à son rôle. Ce qu'il a fait.

J'ai travaillé une seule fois pour Francis Mankiewicz, dans *Les Portes tournantes*, un film plein de tendresse où Monique jouait le principal personnage féminin. Tout s'est déroulé de façon idéale dans une complète détente. Tournage qui m'a permis de vérifier le doigté et la précision avec lesquels Francis savait s'adresser aux comédiens — ce qui n'est pas courant parmi les réalisateurs d'ici. Son premier film, *Le Temps d'une chasse*, avait été très remarqué. Mais on est généralement d'avis qu'il a signé sa meilleure réalisation, en 1980, avec *Les Bons débarras*, un véritable chef-d'œuvre. À cause du scénario de Réjean Ducharme — mais, on sait qu'un bon réalisateur travaille étroitement avec son scénariste —, à cause d'une impeccable technique de la caméra et de l'image, à cause aussi d'une magistrale direction de comédiens, *Les Bons débarras* sera, à coup sûr, considéré comme un grand classique du cinéma québécois. Ce n'est pas un hasard si, plus de vingt ans après en avoir vu la projection, je me rappelle encore de façon très vivace l'homogénéité et la justesse de jeu d'artistes comme Marie Tifo, la jeune Charlotte Laurier, Germain Houde, Roger Le Bel, Gilbert Sicotte et Louise Marleau. J'ajoute que Francis Mankiewicz avait également réussi le tour de force de traduire, en images, l'atmosphère troublante et équivoque des romans de Réjean Ducharme, tout autant que la qualité du regard tendre et implacable qu'il jette sur les enfants.

Que dire devant la mort? Pour employer un mot à la mode, exceptionnellement de façon juste, elle est « incontournable ». Survient-elle, prévue ou subite, les regrets sont de mise mais superflus. Et vaine toute révolte. Reste qu'à 49 ans, Francis Mankiewicz n'avait pas signé de très nombreux longs métrages et qu'on peut croire qu'il aurait donné d'autres œuvres de la qualité des *Bons débarras*. Sans avoir été l'un de ses intimes, j'en garde le souvenir d'un travailleur acharné, d'un passionné de son métier et d'un homme discret, affable et raffiné.

SCÈNE XX
Nostalgie de dernière

Le dimanche 22 août 1993

C'était hier la quarantième et dernière de *La Jeune fille et la mort*. Après la représentation, une ultime petite fête nous a rassemblés chez Louison Danis. Dans mon agenda, j'ai noté que Zoé était invitée, malgré l'allergie de notre hôte! Nous nous sommes montrés peut-être un peu trop bruyants, façon de masquer notre vague à l'âme...

Pour les comédiens, un séjour prolongé comme celui-ci, loin de chez soi, revêt un caractère singulier. Une fois les représentations en cours, à la condition bien sûr qu'elles obtiennent du succès, on se sent presque en vacances durant le jour, mais, le soir venu, liés dans la complicité d'une entreprise inusitée, quasi furtive. Heureuse occasion de se rejoindre en coulisses comme sur scène, le travail couronne naturellement une journée de liberté entière, vouée à tout ce qu'interdisent les contraintes de la vie citadine : lecture, écriture, flâneries, promenades. Moments privilégiés de camaraderie, particulièrement quand se découvrent entre membres de l'équipe des atomes crochus, selon l'expression qu'employait ma belle-mère, Odette Oligny, et quand cette camaraderie se transforme petit à petit en sentiments de réelle amitié. Deux mois pleins, cela suffit à créer des habitudes.

Inutile de s'attendrir. Ce matin, après les derniers préparatifs de départ, je m'attarde un peu à contempler le lac, le jardin fleuri, les potagers, la ruche d'abeilles, augmentée de deux rayons depuis le jour de mon arrivée. Je ferme le chalet, je vais en porter la clé chez la sœur du curé Dionne, et je m'engage sur la route du retour au volant de ma voiture, sans doute heureux à la perspective de retrouver Monique et de réintégrer le domicile, mais tout de même... Assise à mes côtés sur la banquette, Zoé pose sur mon avant-bras une patte compatissante.

SCÈNE XXI
Chronique du temps de guerre

Le vendredi 3 septembre 1993

Il y a cinquante-quatre ans aujourd'hui, débutaient officiellement les hostilités avec l'Allemagne nazie. Les vacances d'été n'étaient pas encore terminées. Le matin, j'avais quitté Laval-des-Rapides, où était située notre résidence secondaire, pour venir passer la journée à Montréal. J'éprouvais chaque fois une sensation bien particulière, à retrouver la ville après un séjour prolongé à la campagne. L'odeur d'asphalte et de gaz carbonique, la moiteur de l'atmosphère, le bruit de la circulation automobile me procuraient une impression de dépaysement assez agréable, qui ne durait toutefois que quelques heures. Au delà de ce délai, le citadin reprenait ses habitudes.

Je revenais du cinéma. Au cours des actualités filmées, présentées par *La Presse, le plus grand quotidien français d'Amérique*, j'avais justement vu les chars de la Wehrmacht renverser triomphalement des barricades, lors de l'invasion de la Pologne sans déclaration de guerre, quelques jours plus tôt. À mon retour à la maison, on m'apprit la nouvelle. Je comprenais qu'il s'agissait d'un événement extrêmement grave pour le monde entier. Sans compter que, à 16 ans, j'approchais l'âge de la bonne chair à canon. Histoire de sonder l'opinion publique et d'affirmer sa souveraineté envers Londres, le Canada fit sa propre déclaration de guerre, six jours plus tard. Pour ne pas heurter les Canadiens français (on ne disait pas encore Québécois), le premier ministre

Mackenzie King avait en même temps promis qu'il n'y aurait jamais de conscription pour service militaire hors des frontières canadiennes. Mais au Québec, on appréhendait l'avenir à ce sujet.

En général, les jeunes Canadiens français avaient, en politique comme en beaucoup d'autres choses, des réactions très conservatrices. C'est avec enthousiasme qu'ils avaient vu Salazar pousser le zèle jusqu'à appliquer, au niveau de la nation, l'enseignement des encycliques en matière sociale, et faire du Portugal un État corporatiste. Moi aussi, j'admirais ce régime autoritaire, nationaliste et catholique. Durant la guerre d'Espagne, ces mêmes Canadiens français étaient en majorité franquistes; entraîné par les commentaires du *Devoir* et de nos éducateurs, j'en fus. Franco ne s'érigeait-il pas en rempart contre la montée du communisme? Un jésuite, récemment de retour d'Espagne, était venu, vers 1943, prononcer une conférence à l'Université de Montréal. J'y fis écho dans *Le Quartier latin*, rapportant sans sourciller ce qu'il nous avait raconté au sujet de la propagande mensongère dont le Caudillo était victime. Selon lui, la presse internationale avait publié une photo montrant les cadavres de Républicains fusillés par les forces loyalistes et abandonnés sans sépulture au bord d'une route. La réalité était tout autre, nous avait affirmé notre jésuite. Il s'agissait simplement de cantonniers faisant leur sieste du midi au bord du chemin qu'ils étaient en train de terrasser... Pour gober si grossière allégation, il fallait être bien naïf et dûment endoctriné. Nous l'étions, au point d'aller chahuter Bethune lorsqu'il vint à Montréal solliciter le soutien de ses compatriotes à la cause des Républicains espagnols! Pour les mêmes raisons que dans le cas de Salazar et de Franco, j'emboîterai le pas à la majorité de mes compatriotes lorsque, après la défaite de la France en 1940, ils opteront pour le maréchal Pétain et adhéreront à sa devise : *Travail, Famille, Patrie.*

En 1939, la plupart d'entre eux refusaient de se sentir concernés par le conflit qui opposait Hitler aux Alliés. J'étais du nombre. Pas uniquement par esprit pacifiste, hélas!, mais en grande partie parce que nous étions viscéralement antibritanniques. Cette aversion emportait tout, et nous aveuglait au point de nous empêcher

Jean-Louis Roux
1939

de condamner les coups de force répétés du Führer : occupation de la Rhénanie en 1936, annexion de la région des Sudètes, et *Anschluss* en 1938.

À l'automne 1940, les sentiments antibritanniques et antimilitaristes des jeunes Montréalais francophones allaient pouvoir s'exprimer avec fracas. Un grand rassemblement fut organisé au marché Saint-Jacques pour protester contre la menace de conscription. Des milliers de manifestants répondirent à l'appel, si bien qu'ils débordaient largement la salle jusque sur la place où on avait installé des haut-parleurs. L'orateur principal, Henri Bourassa, s'attira les huées de la foule lorsqu'il déclara, froidement réaliste, que la conscription serait sûrement décrétée malgré le désaccord de la province de Québec. Il dit à peu près textuellement : « Vous ne voulez pas la conscription. Vous l'aurez quand même. » À l'extérieur, où je me trouvais, sa voix fut d'ailleurs rapidement couverte par les cris des jeunes gens que provoquait la présence d'une imposante force de l'ordre. Michel Chartrand, juché sur un kiosque à journaux, narguait les policiers qui tentaient vainement de l'en faire descendre. Naturellement angoissé par la violence, je le regardais d'un œil mi-réprobateur, mi-admiratif.

Les discours n'intéressèrent bientôt plus personne, et la manifestation se transforma en défilé. On prit la direction de la rue Sainte-Catherine, vers l'ouest, et de nombreuses vitrines de boutiques, dont les propriétaires portaient des noms à consonances étrangères — juive de préférence —, volèrent en éclats. Chez certains, les sentiments antibritanniques ne le cédaient qu'à une sérieuse aversion pour les juifs. Je n'étais pas du petit nombre de ceux qui se livrèrent à ce saccage... Je ne dis pas que je ne nourrissais aucune xénophobie ; ce serait mal témoigner de l'isolement où se complaisait la société canadienne-française de l'époque. Toutes les campagnes d'*Achat chez nous* étaient essentiellement de caractère ethnique : le Français contre l'Anglais ou le juif. Dupuis frères contre Eaton et Morgan ; P.-T. Légaré contre Woodhouse. Mais en cette soirée du 29 novembre, je sentais confusément que des activistes essayaient de récupérer la manifestation à leurs propres fins et, sans être fin stratège, je me rendais compte que cela ne pouvait que nuire au véritable objectif visé par les opposants à la conscription.

Au moment d'atteindre la rue Bleury, quelqu'un cria : « À la Gazette ! » Le quotidien anglophone du matin réclamait un effort total de guerre pour appuyer la Grande-Bretagne, y compris la conscription pour service outre-mer. Une telle position soulevait évidemment l'ire de ceux qui estimaient que la guerre était une machination des impérialistes anglais et qu'elle ne concernait que les belligérants européens. Fonçant à motocyclette, les policiers se mirent alors à scinder le défilé en deux et à refouler les groupes fractionnés dans des rues transversales opposées. En recommençant ce manège, ils parvenaient à réduire les manifestants en formations de moins en moins importantes. Je fus des quelques derniers marcheurs à parvenir à la rue Craig (actuelle rue Saint-Antoine). Je me rappelle la pétarade des motocyclettes qui doublaient notre petit groupe et la charge de policiers à pied. Mes souvenirs, dès ce moment, sont fractionnés. Je me revois, soutenu par mon camarade de collège Jean-Maurice Bailly, me rincer la bouche à un abreuvoir de la gare Windsor. Dans le tramway, sur la route du retour au foyer paternel, je m'entends poser des questions aux autres passagers au sujet de ce qui avait bien pu se passer, ce soir-là. Une fois rentré, espérant retracer mon emploi du temps, je me mis à feuilleter fébrilement les journaux, sachant vaguement que j'avais pris part à un événement qui pouvait y être annoncé. Réveillé par le bruit des pages tournées et retournées, mon père constata que je saignais de la bouche. Devant mes propos incohérents, il me conseilla d'aller me coucher et d'attendre au matin pour évaluer la gravité de la blessure.

À l'hôpital le lendemain, le chef des services de chirurgie de l'Hôtel-Dieu, le Dr Hingston, et mon cousin, le Dr Rolland Roux discutaient ferme. Ce dernier prétendait que j'avais une fracture ; l'autre pas. Pour l'en convaincre, mon cousin exerçait une pression sur les deux branches montantes du maxillaire inférieur, amenant la partie antérieure de l'os à se disjoindre. Devant le scepticisme de son patron, il renouvelait la démonstration en l'accompagnant chaque fois d'un impatient : « Vous voyez bien, monsieur ! » J'avais peine à retenir des cris de douleur. Le Dr Hingston finit par *bien voir* et concéda que j'avais la mâchoire fracturée, sans déplacement toutefois. Le choc — peut-être celui d'un coup-de-poing américain — avait causé une amnésie temporaire. J'en fus quitte pour un régime liquide pendant les six semaines suivantes, car la moindre pression sur les dents m'était intolérable. Même des petits pois en conserve me semblaient grenailles d'acier.

Ce mélange d'antisémitisme latent, d'animosité envers la Grande-Bretagne et d'aveuglement devant la montée du national-socialisme, nous le devions en grande partie au ton des journaux que nous lisions et à l'éducation qu'on nous dispensait. Par exemple, dans le Carnet du grincheux du *Devoir*, on affichait toujours une méfiance manifeste envers les juifs. Omer Héroux ou Georges Pelletier, qui en étaient les auteurs présumés, y signalaient que Jules Romains, de passage à Montréal, s'appelait en réalité Farigoule, nom qui trahissait ses origines et le rendait suspect. Dès que nous avions l'âge, on nous enseignait l'histoire du Canada dans le manuel des Frères des Écoles chrétiennes, où étaient mises en valeur les thèses patriotiques et partisanes de François-Xavier Garneau, au détriment de celles de Thomas Chapais, plus scientifiques et plus libérales. Tout y était teinté d'aversion envers l'Anglais. Par ailleurs, certains de nos professeurs parlaient souvent, sans masquer leur enthousiasme, de l'œuvre de Mussolini dans l'Italie fasciste. Nous a-t-on assez seriné le refrain de l'assainissement des Marais Pontins et de la ponctualité des trains depuis l'avènement du *Duce*! Avec Hitler, on était plus prudent, mais reste qu'on ne le condamnait pas en termes nets et précis, suivant en cela l'attitude ambiguë du Vatican et de Pie XII. Il était oublié le temps où son prédécesseur condamnait le nazisme dans son encyclique *Mit brennender Sorge* (1937).

En août 1942, un sondage de l'Institut canadien de l'opinion publique révélait que 90 pour cent des Canadiens français s'opposaient à la conscription — ce qui ne devrait étonner personne — et que 31 pour cent d'entre eux accepteraient la paix avec Hitler, s'engageât-il à respecter le *statu quo* — ce qui peut sembler plus surprenant, surtout si l'on considère qu'en ce temps-là les moins de 21 ans n'avaient pas le droit de vote et qu'ils ne devaient donc à peu près jamais être consultés dans les sondages. L'eussent-ils été, le pourcentage aurait probablement augmenté de plusieurs points. Que l'on y songe un peu : le *statu quo* en 1942,

Jean-Louis Roux
1942

c'est-à-dire à l'apogée des puissances de l'Axe! Au moment où même le sud de la France était occupé, comme la presque totalité de l'Europe, et que les armées allemandes campaient près de Stalingrad et de Moscou. Quel beau territoire pour les fanatiques du IIIe Reich! Aujourd'hui, pareil aveuglement semble inconcevable. Il était pourtant alors partagé, si l'on en croit l'Institut canadien de l'opinion publique, par près du tiers des Canadiens français, après trois ans de guerre.

L'un de nos principaux maîtres à penser était alors l'abbé Lionel Groulx dont la doctrine avait contribué, au cours des années trente, à un important retour de la vague ultra-nationaliste. À vrai dire, je connaissais mieux l'abbé Groulx comme romancier que comme historien. Vers l'âge de 14 ou 15 ans, la lecture de son *Appel de la race*, écrit sous le pseudonyme d'Alonie de Lestres, m'avait profondément marqué. Le héros de ce roman, Jules de Lantagnac, dont l'épouse est anglophone, finit par abandonner sa famille par loyauté à sa race : tout un programme. C'était également la race qui était chantée dans des œuvres comme *Menaud maître-draveur*, de Félix-Antoine Savard, et jusqu'à un certain point dans *Trente arpents,* de Ringuet, pseudonyme du Dr Philippe Panneton. La prépondérance de la race et l'aversion de l'Anglais constituaient les thèmes les plus chers à ces écrivains, dont nos éducateurs nous parlaient avec ferveur. En particulier pour beaucoup de jeunes gens ayant fréquenté le Collège Sainte-Marie et subi l'influence de son préfet de discipline, le père Thomas Migneault, les Canadiens français réaliseraient leur destin dans une Laurentie dont serait bannie toute domination anglaise. Cette terre de prédilection permettrait à Lantagnac, à Menaud et à Eucharisle Moisan de *Trente arpents* de former une nation homogène, de devenir maîtres chez eux et de trouver solution à tous leurs maux.

Dans cette atmosphère saturée de nationalisme, grandissait et se développait la jeunesse canadienne-française, celle qui allait atteindre la vingtaine au tournant des années quarante. En conséquence, lorsque Hitler et Mussolini célébraient l'État-nation, leurs propos réveillaient-ils de multiples harmoniques dans nos cœurs. Existait aussi une littérature teintée de romantisme, dont le fleuron était *La Gerbe des forces*, de l'écrivain français Alphonse de Chateaubriant, ancien prix Goncourt plus tard condamné à mort par contumace, et décédé en Autriche où il s'était exilé. Dans cet ouvrage, l'auteur chantait la félicité des Jeunesses hitlériennes et l'enchantement du Travail dans la joie, heureux sort réservé à la population allemande depuis que Hitler avait pris le pouvoir. J'essaye en vain de me rappeler qui m'avait conseillé la lecture de *La Gerbe des forces*, mais elle fit grande impression sur moi qui rêvais, comme beaucoup d'autres, d'un *nouvel ordre social*.

En 1942, une fois terminé mon cours classique, j'entrai en médecine à l'Université de Montréal. En année prémédicale, consacrée à l'étude de la physique, de la chimie et de la bactériologie (P.C.B.), j'affichai une croix gammée dessinée à la mine de plomb sur la manche de ma blouse de laboratoire. Mélange de bravade et de défi ? Profession de foi d'un jeune homme qui rêvait de régénération ? Provocation à l'encontre de la lourde propagande des Alliés, qui nous présentait Hitler sous l'aspect d'un porc ou de Satan, alors que, dans nos esprits naïfs, il pouvait incarner la récusation de ceux qu'on nous avait appris à abhorrer : les Anglais ? En tout cas, aucun de mes professeurs, aucun de mes camarades ne m'en tinrent rigueur. On s'en amusait ou, au pire, s'en étonnait, sans plus. Pourtant, un délateur zélé aurait pu provoquer l'intervention de la Gendarmerie royale (la Police montée, comme on disait à l'époque) qui n'entendait pas à rire sur ce sujet. Jamais les autorités de l'Université ne m'enjoignirent d'effacer ce symbole d'un régime totalitaire, que j'arborais par ailleurs avec une fière inconscience.

Cette fanfaronnade de mauvais goût n'était du reste inspirée par aucune idéologie. C'est bien plus tard que, par besoin de documentation, je m'imposerai la lecture de l'ennuyeux *Mein Kampf*. Cette malheureuse croix gammée n'avait rien à voir avec l'obsession raciste d'Adolf Hitler. Je n'avais pas la moindre idée des persécutions et des exactions auxquelles les nazis se livraient à l'encontre des juifs. Au moment où les dirigeants alliés en découvraient l'existence, sans toutefois (par une étrange et bien discutable pudeur) la révéler tout de suite à leurs populations respectives, l'opinion publique canadienne était-elle alertée au sujet des camps de la mort ? En était-il question dans nos journaux en 1942 ? Dans le prosoviétique *Jour* de Jean-Charles Harvey, notamment ? Le commentateur radiophonique Louis Francœur, ardent défenseur de la cause des Alliés, en parlait-il dans sa chronique quotidienne, *La situation ce soir*, à Radio-Canada ? J'en doute. Même à supposer que ce fût le cas, il était facile, pour des esprits candides, de considérer ces révélations comme le résultat de la propagande de guerre. On ne voit, on ne perçoit, on n'admet jamais que ce qu'on veut bien voir, percevoir et admettre. À la fin de la guerre, René Lévesque entra dans le camp de la mort de Dachau avec les avant-gardes de l'armée américaine et y vit le spectacle horrifiant de victimes qui avaient survécu à l'extermination des juifs, orchestrée par les nazis de 1939 à 1945. De retour au Canada, il en fit l'objet de reportages, sans parvenir à provoquer l'indignation de ses compatriotes. Propagande, disait-on. Il fallut des images filmées pour qu'on finisse par se rendre à l'effroyable évidence.

Combien de temps m'obstinai-je à garder cet emblème du nazisme sur la manche de mon sarrau? Je ne saurais le dire exactement. Quelques semaines? Quelques mois, avant que les lavages successifs ne l'effacent? Ce dont je suis sûr, c'est que l'année suivante, en première médecine, elle était disparue. Ma sotte bravade, ma mauvaise blague de carabin avait fait son temps, dénuée de répercussion. Et, fort heureusement, de conséquence pour mon évolution personnelle. Sans évidemment m'en vanter, je ne m'en cachai jamais, l'évoquant à l'occasion comme exemple d'ignorance coupable, et pour engager les jeunes, cible de tous genres de propagandes, à une vigilance de chaque instant.

D'abord et avant tout individualiste, je n'étais pas attiré par les regroupements ni les associations. Né en 1923, je n'avais d'ailleurs pas l'âge d'adhérer à des mouvements nationalistes comme celui des Jeune-Canada. Encore moins à celui du soi-disant lieutenant de Hitler au Québec, Adrien Arcand, qui avait du reste été interné en 1940 et qui était l'objet des brocards de mon milieu. Mais à la fin de mon cours classique, pendant une brève période, je fis partie d'une «société secrète», parfaitement loufoque, qui s'appelait Les X et qui prônait l'indépendance du Canada français. Dans la hiérarchie de ces X, nous ne devions connaître que deux personnes : notre supérieur immédiat, qui nous donnait les ordres, et notre subalterne direct à qui nous les transmettions. Les X se prenaient très au sérieux. Dans leurs rangs, circulait un document

Jean-Louis Roux
étudiant en médecine

dans lequel était expliquée la tactique à suivre, le jour où serait décidé l'investissement des postes de police et de pompiers, ainsi que l'occupation des stations radiophoniques de la ville. Chacun des X avait un certain nombre de membres à recruter. Dans ma liste, figuraient les noms de Jean-Marie Gauvreau, fondateur de l'École du meuble, et d'Édouard Montpetit, secrétaire général de l'Université de Montréal. Le premier se trouvait être mon cousin par alliance. Mais, outre que son lorgnon lui donnait un aspect sévère qui m'avait toujours inspiré une déférence quelque peu craintive, il se trouvait mon aîné d'une bonne quinzaine d'années. Quant au deuxième, il frayait dans les hautes sphères du monde universitaire que je ne fréquentais pas et, à mes yeux, faisait figure de patriarche. Lorsque Pierre-Louis Gélinas, qui me précédait dans la hiérarchie du groupe, me communiqua ces noms, je me trouvai confirmé dans les doutes que j'entretenais au sujet du caractère sérieux des X...

Une nuit de Noël, l'identité du Grand X, chef suprême, devait être dévoilée lors d'un important rassemblement. La rumeur circulait déjà qu'il s'agissait de François Hertel, pseudonyme du père Rodolphe Dubé, jésuite aux idées plutôt originales, professeur à Jean-de-Brébeuf où il était devenu le mentor des Pierre Trudeau, Roger Rolland, Pierre Trottier et Charles Lussier, futurs camarades d'université. Un collégien plus vieux que moi, François Lessard, me transmit la convocation. Outre mon scepticisme de plus en plus prononcé, l'infrangible tradition du réveillon familial m'interdisait d'y donner suite. J'annonçai donc à mon interlocuteur mon intention de démissionner du mouvement. Silence à l'autre bout de la ligne. Puis, de sa voix de basse profonde, Lessard me déclara qu'«on ne quittait pas les X comme ça», son ton solennel laissant soupçonner de graves mesures répressives à mon endroit. Et il raccrocha. Je ne fus pas inquiété outre mesure, mais bien plutôt curieux du traitement qui m'allait être infligé. Les jours, les semaines, les mois passèrent. Rien ne se produisit. J'attends encore.

Les effets sont quelquefois sans proportion commune avec certaines de leurs causes. Ainsi la Deuxième Guerre mondiale n'est-elle pas étrangère au fait qu'en 1942, j'entrai en médecine à l'Université de Montréal. À deux occasions pendant notre séjour au Collège, nous allions au Sault-aux-Récollets, dans le noviciat des jésuites, faire une retraite de cinq jours. C'était plutôt agréable, même si nous devions suivre l'horaire des novices, nous lever et nous coucher tôt, assister à un nombre considérable d'offices religieux, et nous livrer à des méditations sur quelque maxime d'Ignace de Loyola ou de l'un ou l'autre des Pères de l'Église. Mais nous pouvions aussi faire de longues et agréables promenades dans les ombreuses allées du grand jardin à l'arrière du noviciat. Pour ma part, c'est là que je passais le plus clair de mon temps, quelque peu ennuyé par la présence d'un chaperon, jésuite en devenir, dont le rôle était de nous entretenir des vertus célestes. Son monologue finissait par être relégué à l'arrière-plan du chant des oiseaux printaniers. Durant les repas pris en commun, le silence était de rigueur. C'est uniquement par gestes qu'on pouvait prier son voisin de passer le beurre. Au sujet de tout ou de rien, on était soudain pris de fous rires, devenus légendaires de génération en génération de collégiens. Nos aînés nous en prévenaient. Même à cela, nous ne pouvions les maîtriser, tant ils étaient nerveux, presque hystériques.

À la fin de la première retraite, en cours de rhétorique, nous devions décider si nous entrions en religion ou si nous restions dans la laïcité. J'avais tranché la question d'avance : l'Église allait devoir se passer de mes services. J'eus pourtant à lutter d'arrache-pied avec le père Beaulieu, qui avait charge de mon âme durant ce séjour. Ce bon vieux papa nous servait d'aumônier, au camp scout, et il me voyait déjà portant la robe et le ceinturon des jésuites. Je m'évertuais à lui dire que je n'étais pas fait pour la vie communautaire, que j'avais mauvais caractère, que j'étais coléreux et impatient. Il n'en démordait pas. Moi non plus. Il a dû mourir, persuadé qu'il avait raté sa mission.

L'autre retraite avait lieu à la fin de la Philo II. Nous devions y choisir notre futur métier ou profession, que nous dévoilions officiellement plus tard, lors d'une cérémonie plutôt joyeuse : la prise des rubans. Nous en sortions, affichant nos couleurs au revers de notre veston. J'arborai, pour ma part, le jaune et le blanc de l'Architecture. Notre chef scout Hervé Benoist, architecte lui-même, avait-il été pour quelque chose dans cette option ? Peut-être. Peut-être aussi était-elle due au fait que la profession d'architecte n'était pas aussi traditionnelle, dans notre société, que la médecine, le droit ou la prêtrise, et qu'elle pouvait s'apparenter aux arts. D'un inconscient humour, le conseiller spirituel des élèves, le père Joseph

Bélanger, avec ses sifflantes qui auraient fait sursauter un ingénieur du son, m'avait félicité de mon choix, m'assurant qu'une fois la paix venue, les dévastations causées par la guerre allaient fournir beaucoup de travail aux architectes !...

Quelques jours après cette prise de ruban, la voix tremblante d'émotion, ma mère demanda à me parler. C'est que le 27 avril 1942, les Canadiens avait été appelés à voter, lors d'un plébiscite à l'occasion duquel le premier ministre Mackenzie King leur demandait de le relever de sa promesse de ne jamais décréter la conscription pour service outre-frontières. À la question posée en ces termes : «Consentez-vous à libérer le Gouvernement de toute obligation résultant d'engagements antérieurs restreignant les méthodes de mobilisation pour le service militaire ?», la province de Québec dans son ensemble, sans égard aux diverses origines ethniques, avait voté *non* à 72 pour cent; dans certaines régions, ce pourcentage excédait même les 90. Mais les autres provinces avaient répondu *oui* à 80 pour cent. La campagne précédant le plébiscite n'avait été pratiquement faite que dans un sens. Les interventions du camp des non étaient limitées à l'extrême. Mon âge m'empêchait de voter, alors que j'avais celui d'être conscrit ! Aussi m'étais-je fabriqué de petits cartons sur lesquels j'avais inscrit, à la machine à écrire : «À bas la conscription ! — *Down with conscription !*» J'en déposais partout où j'allais, après avoir prudemment vérifié que personne ne me remarquait. Précaution qui n'était pas que puérile : le maire de Montréal, Camilien Houde, n'avait-il pas été interné, deux ans auparavant, pour avoir exhorté ses concitoyens à la désobéissance civile, lors de l'immatriculation nationale du mois d'août 1940 ? Selon lui, il s'agissait là d'une première mesure qui mènerait inévitablement au service militaire obligatoire outre-mer. Ce qui était assez clairvoyant de sa part. Plus naïve son opinion selon laquelle les Canadiens français refuseraient d'aller se battre en Italie, sous prétexte que le Vatican se trouvait à Rome...

Expérience plus personnelle, après une représentation des Compagnons de saint Laurent dans un camp militaire à Saint-Jérôme, les membres de la troupe avaient été invités au mess des officiers. Au cours de la réception, l'un de nos hôtes déclara qu'il n'enlèverait son uniforme que le jour de la défaite d'Adolf Hitler. Je lui avais demandé, toujours suivant mes penchants frondeurs : «Et si l'Allemagne remportait la victoire?...» Mon insidieuse question avait provoqué, dès le lendemain matin, la visite de la GRC auprès du directeur des Compagnons. On ne rigolait pas en haut lieu avec l'allégeance due à la Couronne britannique.

Advenant la conscription, les jeunes gens de 18 ans et plus se trouvaient les premiers visés, ce qui angoissait ma mère à juste titre : j'en avais 19. Deux facultés universitaires étaient considérées comme essentielles à l'effort de guerre : la médecine et le génie. Les étudiants qui y étaient inscrits se trouvaient donc à l'abri de la conscription pour la durée de leur cours. On n'exigeait d'eux qu'un entraînement militaire réduit à quelques soirées par semaine et à un camp de quinze jours, l'été. Ma mère me supplia donc de suivre les traces de mon père, de mon frère et de nombreux oncles et cousins, en m'inscrivant à la faculté de médecine. Je ne tenais pas outre mesure à l'architecture et, par ailleurs, pour les raisons déjà mentionnées, j'étais du grand nombre de ceux qui estimaient que la croisade contre le nazisme ne les concernait pas. Je me rendis donc aisément aux arguments maternels et, en septembre 1942, j'inaugurai le tout nouveau campus de l'Université de Montréal sur les flancs du Mont-Royal. J'entreprenais un cours de médecine qualifié d'*accéléré*, puisqu'il était ramené de six à quatre ans, en vue de répondre promptement aux besoins grandissants de praticiens dans les hôpitaux de campagne.

Ma participation à la Deuxième Grande guerre se limita donc à m'*enrôler* dans la réserve de l'aviation (University Air Training Corps) et de l'armée (Corps école des officiers canadiens). Dans ce dernier effectif, plus communément désigné sous son sigle anglais, «la» COTC, se trouvaient également Jean-Pierre Masson, Jean-Paul Mousseau, Roger Garand, Georges Groulx et autres *militaires* du même genre, proprement empruntés aux comédies de Courteline. Entre nous, nous avions l'habitude de nous vanter en blague de notre participation aux campagnes de Saint-Hubert et de Farnham, lieux où se déroulaient les camps d'été des réservistes de l'aviation et de l'armée. À titre d'étudiant en médecine, je m'étais fait bombarder caporal médical; à ma grande satisfaction, ce grade m'interdisait quelque maniement d'armes que ce soit. J'arborais une croix rouge sur le bras, entre mes deux chevrons de caporal. Usage innovateur sans doute; car les officiers de l'*Active* que je saluais dans la rue avaient tous un léger sursaut à l'aspect de ces insignes. Je m'en dépouillai sans regret après la reddition inconditionnelle de l'Allemagne en 1945.

Cette chronique du temps de guerre n'a rien de glorieux. Pour certains, mon attitude semblera méprisable, celle d'un planqué. En 1944-45, il y en avait du reste plus de deux milliers dans les forêts des Laurentides, où la Gendarmerie royale allait, de temps en temps, effectuer des raids. On peut me juger très sévèrement, eu égard aux malheureux et aux malheureuses qui combattirent en Europe, volontairement ou non, et, en grand nombre, y trouvèrent la mort. J'ai souvenir qu'un matin, notre professeur de philo nous annonça celle d'un camarade, Claude Brais, dont la mère devenue veuve s'était subitement trouvée dans l'impossibilité de payer ses frais de scolarité. Il avait dû abandonner le Collège et avait aussitôt été conscrit et versé dans l'armée active. Il venait de tomber sur la place d'un petit village des Pays-Bas, victime d'un franc-tireur allemand. J'en fus profondément attristé, sans songer pour autant à m'enrôler. En bon Canadien français, je vivais entièrement replié sur moi-même, et mon regard ne s'étendait guère au delà de mon étroit horizon.

Bientôt mes yeux devaient se dessiller et mon esprit s'épanouir, grâce à un long séjour en France. Pourtant aujourd'hui encore, je ne m'engagerais dans semblable conflit que sur le plan humanitaire. Je refuserais probablement, serais-je en état de le faire, de porter les armes. Mais pour d'autres motifs et considérations que le simple refus de risquer ma vie dans une lutte qui me serait étrangère. Je crois en effet que tout ce qui touche mes semblables, et où qu'ils se trouvent, me regarde, toujours convaincu cependant que le recours aux armes n'a jamais réglé et ne réglera jamais quelque problème que ce soit.

SCÈNE XXII
Temps et lieux de théâtre

Le vendredi 10 septembre 1993

Aujourd'hui, inauguration officielle du Gesù rénové. La profondeur de la salle a été réduite, et le nombre de fauteuils ramené de 1250 (alors qu'il servait de salle académique au Collège Sainte-

Marie) ou de 850 (lorsqu'il commença à être utilisé par des troupes de théâtre de l'extérieur) à 427. C'est une capacité inusitée à Montréal. Nul doute que le Gesù sera en grande demande, ayant conservé toute son ambiance chaleureuse et même, quelque relent de son parfum, mélange d'odeurs de terre humide, de bois moisi et de poussière ajoutées à celles de la serge des robes noires portées par les générations de jésuites qui l'ont fréquenté.

La scène n'a pas été modifiée pour la peine, à part l'heureuse élimination des deux colonnettes centrales. Le dégagement du jardin a été réduit, pour des raisons que j'ignore — il n'était déjà pas très spacieux —, et l'escalier du fond rendu inutilisable. Dommage : il pouvait servir à des scènes de grand déploiement.

Le Collège Sainte-Marie a fermé ses portes en 1969, pour être démoli en 76, faisant place à deux tours commerciales. Lorsque fut organisée une cérémonie à l'occasion de laquelle on rappela les beaux jours de l'institution, j'étais de passage au Shakespearian Festival de Stratford, et je n'ai donc pu y assister. À moins que je ne me trompe, à ce moment-là, peu de voix se sont élevées pour protester contre une telle démolition. Il me semble qu'on a fait considérablement plus de bruit autour de celle de l'hôtel Laurentien, considéré comme un rare spécimen de l'architecture des années quarante-cinquante. Pourtant, rien n'était plus vide d'histoire, plus anonyme que cet hôtel ; alors que le Collège Sainte-Marie était habité, muni d'un cœur battant au tempo de souvenirs, de rumeurs, de fantômes familiers et de réminiscences d'un passé de plus de cent ans.

Heureux hasard que celui qui a épargné la salle du Gesù. C'est en effet l'église, dont elle constitue en quelque sorte le soubassement, qui fut d'abord déclarée monument historique par le ministère des Affaires culturelles, probablement là aussi en raison de sa valeur architecturale. À ma connaissance, elle représente un des rares spécimens, à Montréal, d'un style jésuite assez pur. Sauf erreur, ce n'est que par une deuxième ordonnance que la salle du Gesù fut également classée, en 1975.

Dans son cas, on ne pouvait évidemment pas invoquer de considérations architecturales. C'est le bon sens et l'histoire qui ont prévalu. Le Gesù a servi de lieu de réunion à des dizaines de générations de collégiens ; sa scène a été arpentée par des centaines de comédiens amateurs qui devaient accéder à des postes importants en politique active, dans le milieu des affaires, de l'éducation et des arts; il a accueilli les productions de nombreuses entreprises culturelles, à commencer par les Anciens du Gesù jusqu'à la Nouvelle compagnie théâtrale et les Jeunesses musicales du Canada, en passant par L'Équipe, les Compagnons de saint Laurent, la Compagnie Ludmilla Pitoëff, le *Tit'Coq* de Gratien Gélinas, le Théâtre d'essai de Montréal, la Compagnie V.L.M. (Vien, Leclerc, Mauffette), le Théâtre du Nouveau Monde, le Théâtre du Rideau Vert, la Compagnie du Masque, etc. C'est là que se déroula une célèbre *Nuit de la poésie*, durant laquelle Claude Gauvreau intervint avec la fougue et la passion qui l'habitèrent jusqu'à la fin. Il convient de souligner que, pour une rare fois à Montréal, un lieu théâtral important a été épargné. Ce ne fut pas le cas du théâtre Her Majesty's, qui fut rasé au début de la décennie 60, cédant lieu à un terrain vague sur lequel il n'y a toujours rien de construit; ce ne devait pas être celui du théâtre Orpheum, disparu en 1966. Sur son emplacement, s'élève aujourd'hui un des plus hideux immeubles à bureaux de la ville.

En 67, un colloque sur le lieu théâtral fut organisé par le défunt Centre canadien du théâtre. Y assistèrent des centaines de délégués de nombreux pays, membres de l'Institut international du théâtre. À cette occasion, je fus étonné et profondément ému lorsque l'un d'eux, le Français Paul-Louis Mignon, sollicita la faveur de visiter le Gesù. Curieux de l'évolution et de l'activité théâtrales dans toutes les régions du monde, il avait connu les Compagnons par des articles de journaux et de revues. Il avait assisté plus tard au triomphe du Théâtre du Nouveau Monde, en juin 55, dans trois farces de Molière, sur la scène du Théâtre Hébertot. Le mot « triomphe » n'est pas trop fort. Dans *Libération*, le journaliste Pierre Marcabru terminait sa critique en déclarant que le public y manifestait une telle joie que « c'en était un scandale ». Après la première, j'avais copié les mentions suivantes dans le cahier de régie du Théâtre :

« 22 h 30 (après *Le Mariage forcé)* : sept rappels;
« 23 h 07 (après *Sganarelle)* : onze rappels;
« 23 h 45 (après *La Jalousie du barbouillé)* :
« quinze rappels;
« nombreux cris "bravo" dans la salle.»

Trois ans plus tard, en mai 58, il avait revu la troupe dans *Le Malade imaginaire*, sur la scène du Théâtre des Nations, et dans *Le Temps des lilas,* de Marcel Dubé, sur celle de la Comédie des Champs-Élysées. Se retrouvant à Montréal, il tenait à faire un pèlerinage au lieu qui avait vu évoluer ces deux groupes à un stade ou à un autre de leur existence.

J'ignore si mon invité fut déçu. Il eut, en tout cas, la délicatesse de ne pas le laisser voir. Mais pour ma part, quand je sortis de ce sombre et humide soubassement, un sentiment de tristesse m'étreignait le cœur. À vrai dire, le lieu que nous venions de visiter était assez sinistre. Impression peut-être toute subjective, je m'étais retrouvé comme dans un bâtiment à l'abandon où le passé, si glorieux eût-il été, ne rendait même pas d'écho. Le fait que je n'aie aucun souvenir des propos que Paul-Louis Mignon et moi avons pu échanger, à la sortie de ce pèlerinage, doit être révélateur de l'état d'esprit dépressif dans lequel nous nous trouvions...

À la suite de la fermeture du Collège Sainte-Marie, les jésuites frappèrent le Gesù d'interdiction de théâtre. La bibliothèque et la salle furent consacrées à la cause de l'œcuménisme. Je crois savoir que, lorsqu'il fut question de rénovation et que les pouvoirs publics furent sollicités, le Ministère exigea, avant d'accorder son appui financier, que le lieu fût rendu à l'activité culturelle. C'est ce qui nous vaut ce matin cette conférence de presse, à l'occasion de laquelle on m'a demandé d'évoquer quelques souvenirs personnels.

Évocation qui aurait pu faire l'objet d'un long chapitre, voire d'un ouvrage entier. J'ai d'abord fréquenté le Gesù (appellation empruntée de l'italien) comme lieu de réunion des élèves du Collège Sainte-Marie. Au début de mon cours classique, nous étions plus de huit cents : il fallait donc une aussi vaste salle pour nous accueillir au complet. C'est là que se déroulaient la distribution des prix et les séances de classe, sortes de revues annuelles pour lesquelles les élèves avaient pratiquement carte blanche. La troupe des Scouts du Sainte-Marie, dont je faisais partie, y donnait quelquefois des récitals de musique et de chant sous la direction d'Hervé Benoist, leur scoutmestre. C'était également le lieu de certains événements exceptionnels : on y accueillait des visiteurs de marque, presque toujours de hauts dignitaires ecclésiastiques ;

occasionnellement, on y procédait à des projections de films :
Charlot, en vedette, ou (chose plus singulière) quelque opérette
viennoise ; on allait y entendre des conférenciers invités.

Bien sûr, nous ne pouvions échapper aux Pères blancs
d'Afrique, venus nous entretenir de lointaines missions, leurs
édifiants propos pimentés de nombreuses anecdotes où les grands
fauves et les mœurs exotiques des populations indigènes tenaient
la vedette. De quoi nourrir notre imagination et, qui sait ?, susciter
des vocations chez les plus aventuriers d'entre nous. Outre ces
sujets aisément prévisibles, il arriva, surtout dans les dernières
années de mon cours classique, qu'on nous surprenne par des
matières ou des conférenciers moins banals. J'entends encore Jean
Riddez, coiffé de son imposante chevelure blanche et du haut de
sa taille majestueuse, nous parler de diction et de pause de voix.
De souffle aussi. Et il nous démontrait la façon d'utiliser son souffle
avec la plus grande économie, prenant une profonde inspiration,
puis se posant l'index sur le nombril et laissant échapper l'air de
ses poumons avec un « pss... » retentissant, qui durait au delà d'une
minute. Ce pss... était devenu sujet de raillerie pour tout le Collège :
on l'entendait résonner quand les élèves défilaient en rang, le long
des couloirs, à l'entrée ou à la sortie des classes. Signe évident du
peu de sérieux accordé aux leçons de monsieur Riddez. Il n'y a
pas eu grande évolution à cet égard, hélas !, maintenant que se sont
écoulés plus de quarante ans. Allez donc parler de rigueur de
langage devant les élèves d'un CEGEP !

Dans d'autres domaines pourtant, les choses ont bien bougé
et peut-être seraient-ils plus nombreux, aujourd'hui, ceux et celles
qui écouteraient Maurice Gagnon les initier à un nouveau style de
peinture. S'amorçait en effet, à l'époque, la grande ferveur du non-
figuratif. Le pauvre devait être évincé *illico*, lorsqu'on découvrit
qu'il était homosexuel ! Sort qui lui serait sûrement épargné,
de nos jours.

C'est encore dans la Salle du Gesù que se donnaient les
lectures mensuelles de notes. On distribuait des cartes imprimées
en or, pour les premiers de classe ; en rouge, pour les récipiendaires

Jean-Louis Roux
chez les scouts

des prix d'excellence; en bleu, pour les prix de diligence. Un triplé constituait un événement! Un élève en Philosophie, Charles-Édouard Campeau, réussissait assez souvent cet exploit. Il était régulièrement accueilli par les applaudissements et les rires ébahis de la salle entière, lorsqu'il montait sur scène trois fois de suite. La même chose dut m'arriver à l'occasion, au moins tout au début de mon cours; mais je n'en ai pas de souvenir exact. Au Jardin d'enfants, j'étais un premier de classe quasi indélogeable. Après mes Éléments français, année imposée aux plus jeunes avant de commencer leur cours classique, je glissai souvent en deuxième et en troisième place; quelquefois même plus bas. C'est que la compétition se faisait plus vive : je me rappelle, entre autres, un Jean-Joseph Villeneuve qui me damait facilement le pion en mathématiques, matière dont il avait littéralement le génie. C'est aussi que les foyers d'intérêt se multipliaient : pour moi, avec le temps, les études cédaient de plus en plus devant les loisirs, les sorties amicales. Devant... le théâtre.

Car c'est comme lieu théâtral que le Gesù devait exercer une influence déterminante sur ma vie. Je n'étais pas encore élève au Collège Sainte-Marie, quand j'y pénétrai pour la première fois; les religieuses du Mont Jésus-Marie nous y avaient amenés voir une pièce jouée par les Anciens du Gesù. C'était, je crois, la première fois que j'assistais à un spectacle de théâtre...

Ce « je crois » trahit une hésitation. Je ne sais plus, en effet, si c'est avant ou après que j'avais vu un récital des élèves de madame Audet au Monument-National, avec une petite cousine, Gisèle Bissonnette, fille de mes parrain et marraine. De toute façon, ni l'un ni l'autre spectacle ne m'ont laissé de souvenirs vraiment révélateurs. Au Monument-National, je me rappelle la timidité que j'éprouvais à accompagner, pour la première fois, une fille d'ailleurs ravissante : cheveux châtain foncé, grands yeux sombres, traits réguliers, teint mat, bouche fine ondulée et souriante. Après lui avoir offert une boîte de chocolats Moirs, que mes parents m'avaient remise pour me permettre d'honorer mes devoirs de galanterie, j'étais davantage préoccupé par les silences que ma timidité laissait flotter entre nous, à l'entracte, que par le spectacle lui-même. La représentation du Gesù n'avait pas eu, ou ne devait pas avoir, selon la suite chronologique des deux événements, plus grand impact; une petite recherche m'a remis en mémoire qu'il s'agissait du

Procureur Halers, œuvre d'un certain Paul Lindau, écrivain et directeur de théâtre allemand de la fin du siècle dernier. Il y était question d'un cas de dédoublement de personnalité. Le grand Firmin Gémier, qui l'avait créée en France, y recourait chaque fois qu'il lui fallait renflouer sa trésorerie. Au Gesù, le rôle-titre était tenu par Bernard Hogue qui, sous le pseudonyme de Clément Latour, devait être plus tard connu surtout pour son interprétation du camarade bourru de Tit'Coq, dans la pièce du même nom. Je me rappelle mon amusement à voir cet honnête procureur, métamorphosé en truand, entrer par effraction chez lui pour se cambrioler lui-même; ainsi que mon étonnement devant les maquillages. J'ignorais qu'on pût se grimer le visage, et je me demandais comment des masques pouvaient être dotés d'une telle mobilité. Chose certaine, ni l'un ni l'autre de ces événements n'ont contribué à ma décision, quelque quinze ans plus tard, de devenir comédien.

Pour peu que je m'interroge sur les influences des «petits faits» de jeunesse dans cette décision, j'évoquerais deux autres épisodes que je baptiserais l'un, *Les Épousailles du Cid et de Chimène*, l'autre, *L'Enlèvement du prince par les romanichels*.

SCÈNE XXIII

Les Épousailles du Cid et de Chimène

Sans être mondains, mes parents menaient une certaine vie sociale au sein d'un groupe d'une douzaine de confrères médecins. Le nom de certains d'entre eux m'est resté en mémoire pour des raisons diverses. Le Dr Robert, parce qu'il se prénommait Herménégilde et qu'il était d'une agréable cordialité avec les enfants. Le Dr Lesage, échevin de la ville de Montréal, parce qu'il avait lui aussi un prénom pour le moins inusité, Zénon, et parce que, le jour des élections municipales, la voiture paternelle, munie d'un chauffeur en la personne de mon frère René, était mise à sa disposition pour aller quérir les électeurs à domicile et les emmener au bureau de votation et, enfin, parce qu'en période de crise, il devait aider mon père à entrer au service de *Concordia*, selon l'expression qu'on employait alors pour désigner la ville de Montréal, à cause de sa devise : *In Concordia Salus*. Le Dr Noël, parce que sa femme portait d'impressionnants chignons qu'on aurait dit soufflés sous pression. Le Dr Lussier, parce que c'est du balcon de son bureau, place privilégiée rue Sherbrooke, près de Saint-Denis, qu'on assistait au grand défilé de la Saint-Jean-Baptiste, et qu'à chacune de ces occasions j'apercevais, placée en évidence sur un guéridon du couloir, sa photo couleur sépia en uniforme d'officier de la guerre 14-18. Le Dr Thibodeau, parce qu'il avait une fille surnommée Gracieuse et un fils surnommé Chou-Chou, ce dont nous faisions des gorges chaudes. Le Dr Goudreau, parce que la finesse de ses traits attirait mon attention, mais que je confonds peut-être avec le Dr Lamarche, dont le nom me revient sans autre raison que celle des caprices de la mémoire qui, sollicitée, finit par livrer des réponses quelquefois incomplètes, quelquefois en partie fantaisistes.

Je me plais à croire qu'on découvrira, un jour, une méthode scientifiquement rigoureuse qui permettra de retracer les souvenirs gravés dans la mémoire des êtres vivants, hommes ou bêtes. Tout comme, dans un avenir prochain, on parviendra à remonter dans la mémoire de l'univers, jusqu'à la fraction de seconde qui a suivi le *big-bang* initial, au moment où l'univers en expansion avait déjà atteint des proportions justement qualifiées d'astronomiques. La perspective de l'un et l'autre phénomène me fascine. Ne dit-on pas que ni les ondes sonores, ni les ondes lumineuses ne se perdent, qu'elles continuent à se propager et qu'on parviendra, tôt ou tard, à les ressaisir? Fantastique d'imaginer entendre la voix des grands poètes tragiques de la Grèce antique! Ou, dans un registre plus modeste, résoudre de façon définitive l'énigme des visages confondus des docteurs Goudreau et Lamarche!

Ce groupe de confrères, accompagnés de leurs épouses, se réunissait régulièrement chez l'un ou chez l'autre pour jouer au bridge. En fin de soirée, lorsque les plus jeunes enfants des hôtes étaient couchés, on se permettait d'entonner discrètement quelque chanson prétendument leste. À cette époque, tout propos sur le sexe était tabou. Ainsi, paradoxalement, alors qu'en famille mon père parlait assez librement de sa profession d'accoucheur sans ménager ses termes, il avait oblitéré, de façon à les rendre absolument illisibles, plusieurs passages de l'exemplaire de *Don Quichotte* qui ornait l'un des rayons de sa modeste bibliothèque. Il y a soixante ans, les récits de Cervantès faisaient figure de littérature osée!

Par souci identique, il avait modifié le texte de *Valentine*, qui figurait au programme des concerts dominicaux après la messe, en alternance avec le grand duo des *Pêcheurs de perles*. La chanson de Maurice Chevalier était interdite à la radio : on ne risquait donc pas de découvrir la mutilation à laquelle mon père s'était livré sur une œuvre du patrimoine mondial, en remplaçant le mot *téton* par *chignon,* et *piton* par *petons*. En réalité, on en était parfaitement conscient mais, par convention tacite, on feignait de ne pas se rendre compte de ses manipulations moralisatrices.

Un jour, je dénichai une de ces chansons fredonnées *sotto voce*, de nuit, derrière les portes closes. L'exemplaire en avait été dissimulé parmi des rangées de flacons de remède, dans un réduit du sous-sol. En ce temps-là, les médecins faisaient provision de médicaments, qu'ils étaient autorisés à fournir aux patients venus les consulter. Ils pouvaient même se faire apothicaires : mon père avait mis sous brevet un tonique que, sur le conseil de son beau-frère sulpicien, il avait baptisé *Carnovec* (à vos postes, étymologistes : *je porte chair*!) La chanson louche était intitulée *La Fille du bédouin* : amoureuse d'un chamelier, la demoiselle en question finissait par lui accorder ses faveurs, après avoir suivi «nuit et jour, cette caravane». Ce n'était pas bien méchant, à moins que le double sens ne m'en ait échappé. Comme m'avait échappé celui d'une expression inscrite dans un menu, découvert dans la commode de mon père alors que je venais innocemment y chercher quelque objet. L'énumération des plats était agrémentée de commentaires. J'avoue ne pas avoir compris alors la drôlerie de ce «un trou : une cheville», intercalé entre poire et fromage !

D'autres réjouissances de ce club de confrères médecins étaient plus originales. Par exemple : ce bal masqué qui donnait à ma mère l'occasion de se déguiser en bergère, tandis qu'en médecin de Molière, mon père se parait d'une toge noire et d'un chapeau pointu. En cette circonstance, il s'était coupé la moustache : pendant une quinzaine je croisai dans la maison un intrus qui agissait comme si j'étais son petit garçon.

Il leur arrivait aussi de fréquenter la Société canadienne d'opérette. À table, le lendemain, papa et maman discutaient des qualités vocales de Caro Lamoureux ou du jeu outré de Gaston Saint-Jacques. Et pendant plusieurs jours, papa fredonnait, en interprétant les deux rôles, le fameux duo de *La Mascotte* d'Audran :

> J'aim' bien tes mouton-on-ons ;
> J'aim' bien tes dindon-on-ons ;
> Quand ils font glaou, glaou, glaou ;
> Quand ils font bêê...

Ces soirs de sortie, une ou deux fois par mois, la garde de la maison était confiée à mes deux sœurs aînées, Alice et Jeanne, ainsi qu'à mon frère René lorsqu'il n'était pas lui-même absent, en âge de rentrer tardivement, puisque c'était un garçon... Ainsi laissés à nous-mêmes, il nous arrivait d'entendre, en provenance du sous-sol inhabité, quelque bruit insolite qui nous glaçait d'effroi. En réalité, un tuyau qui se dilatait ou une boiserie qui craquait. René allait dénicher un revolver miniature de calibre 22 (évidemment non chargé) dans un petit tiroir de la commode paternelle, celui du haut à droite. Téméraire et tremblant, il descendait, suivi à bonne distance des cinq autres enfants par ordre d'âge. Nous remontions de notre expédition bredouilles, bien entendu, mais soulagés et secoués de petits rires nerveux.

Pour occuper ces soirées d'autonomie enfantine, Alice et Jeanne avaient imaginé une distraction à l'intention des trois plus jeunes, Annette, Simone et surtout moi-même qui, a titre de benjamin, était le petit préféré. Elles animaient une lecture du *Cid,* dont le clou était la cérémonie de mariage de Rodrigue et de Chimène, conclue par un défilé dans les dix pièces de l'appartement, chandelle à la main. Ce rituel m'enchantait, et j'en redemandais, aussitôt que mes parents annonçaient une nouvelle sortie.

SCÈNE XXIV

L'Enlèvement du prince par les romanichels

Quant à *L'Enlèvement du prince par les romanichels*, il s'agit d'une courte pièce montée par les sœurs du Couvent d'Hochelaga, et dont elles me confièrent le rôle principal. J'avais huit ans. Je me revois, très précisément, assis sur le perron, rue Maisonneuve (aujourd'hui Alexandre-De Sève) en face de l'église Sainte-Brigide. En uniforme bleu marine à boutons dorés et à culottes courtes, j'apprends mon rôle recopié sur du papier ligné, de la belle écriture calligraphiée des religieuses de ce temps-là. Je me sentais investi d'une lourde responsabilité. De l'unique représentation, je ne garde presque aucun souvenir. Sauf de la fin, lorsqu'on découvrait la véritable identité de l'enfant soustrait à ses royaux parents. Je me rappelle en avoir eu le cœur serré d'émotion. De même nature que celle que j'éprouvais lorsque, avant de m'endormir, je m'inventais les pires drames familiaux, avec méchants parents à l'appui, soit pour les punir d'une injustice dont je me prétendais victime de leur part, ou uniquement pour avoir le plaisir de sécher mes pleurs au terme de l'intrigue, rassuré de me retrouver au chaud dans mon petit lit pliant, installé dans un coin de la salle à manger.

Je ne crois pas abusif de considérer que ce premier rôle, sur scène, et ces soirées de « théâtre à domicile » ont eu leur importance — quelque part présents dans mon inconscient — dans la décision que je devais prendre plus tard, au printemps 46.

SCÈNE XXV
Vers le théâtre professionnel

Aucune hésitation, par contre, en ce qui concerne la douzaine de personnages que j'incarnai sur la scène du Gesù, comme élève du Collège Sainte-Marie. En toute logique et par enchaînement de circonstances, ils me menèrent tout droit au théâtre professionnel.

Dans l'externat de la rue Bleury, qui constituait le pendant *prolétarien* du *chic* pensionnat Jean-de-Brébeuf du chemin de la Côte-Sainte-Catherine, les pères jésuites accordaient grande importance à une activité qui n'était pas inscrite au programme d'études : la pratique théâtrale. Cela semblait généralement accepté sans discussion. À une exception près, celle du professeur d'algèbre, de géométrie et de trigonométrie, monsieur Émile Gérard (un Belge de son vrai nom, Guéguen), par ailleurs éducateur et pédagogue tout à fait remarquable. Lorsqu'il voyait une brochure de théâtre dépasser de la poche de mon veston, il me demandait, sur un ton où perçaient l'ironie, le dédain et une certaine bonhomie : « Qu'est-ce que vous avez là, le petit Roux : de la fumée ?... » Croisé beaucoup plus tard dans une librairie, alors que j'exerçais le métier avec passablement de succès, il me fit valoir qu'à l'époque, ses réserves venaient de ce qu'il craignait que je ne tente de mener double vie, l'une au théâtre et l'autre dans une profession plus lucrative. Et il se déclara en accord avec le choix clair et net auquel j'en étais venu. Je crois tout de même qu'il eût préféré me voir ingénieur...

Au Sainte-Marie donc, sans égard pour l'âge et la classe fréquentée, on montait une ou deux pièces par année, parfois avec le concours d'anciens élèves. On prêtait sans doute quelque vertu formatrice à la pratique théâtrale. Assez, en tout cas, pour exempter ceux qui s'y livraient de l'examen annuel de mémoire, avec l'octroi de la note maximale (si mon souvenir est bon : 30 points sur les 800 que comptait le total de toutes les matières), et pour les autoriser à sécher (on disait *foxer*) quelques cours, le lendemain de répétitions qui s'étaient indûment prolongées.

Car, comme au vrai théâtre, il arrivait que des difficultés imprévues entraînent la prolongation d'une générale au delà de minuit. Ainsi de *La Vierge au grand cœur*, par exemple. J'étais en classe de Méthode, j'avais 14 ans. Une fois la répétition tardivement terminée, je fus cueilli avec empressement, avant que je ne franchisse la porte du Gesù, par le père Millette, procureur du Collège, c'est-à-dire chargé de l'administration. Il m'était toujours apparu cassant et quelque peu désagréable. Mais ce soir-là, toute gentillesse déployée, il m'entraîna au réfectoire et m'offrit une généreuse pointe de tarte, accompagnée d'un verre de lait. Après quoi, il appela un taxi et me donna l'argent nécessaire pour la course jusqu'à la maison. Une fois rentré, me fut révélée la cause de ces frais inattendus. Ma mère ne s'est jamais couchée qu'une fois le dernier enfant rentré. Encore fulminante, elle m'expliqua que, rongée par l'inquiétude à cause de l'heure avancée, elle avait finalement réussi à rejoindre un père du Collège, au téléphone, et qu'elle lui avait passé un sérieux savon. Infortuné procureur ! L'ire maternelle avait eu raison de sa dure écorce. À compter de ce jour, il me parut plus aimable.

J'étais le sixième enfant, que mon père destinait aux études dans une institution religieuse. C'était onéreux, surtout en période de débâcle financière, et compte tenu du fait que les cinq premiers avaient été pensionnaires. Aussi, lorsqu'il fut question du Collège Sainte-Marie pour mon cours classique, m'inscrivit-il à un concours organisé par l'institution. Les candidats lauréats étaient exemptés de frais de scolarité pendant un an. Ce n'était pas négligeable : il était tout de même question de dix dollars par mois. Cent dollars par année, il y a plus de soixante ans !

Le matin du concours, je franchis le seuil du Collège, le cœur en émoi. J'entrai dans une salle de classe (que je devais plus tard identifier comme la salle des cours de physique) où s'amassèrent bientôt les postulants. Je reçus la feuille de questions et en disposai rapidement, sauf pour l'arithmétique. Penché sur le pupitre de bois patiné où étaient inscrites au couteau toutes sortes de graffiti, je peinai en vain pendant de longues minutes pour trouver solution aux problèmes soumis. Je ne possédais pas les notions suffisantes pour y réussir, ayant quitté le Jardin d'enfants après le cours préparatoire et les trois premières années seulement. Lorsque je rendis ma copie, je savais que j'avais échoué. Expérience désagréable, toute nouvelle pour moi.

Ce fut le premier, et l'un des deux seuls échecs de mes dix-sept années d'études, de 1929 en cours préparatoire du primaire, jusqu'en 1946 en troisième médecine à l'Université de Montréal. En prémédicale, par défaut de préparation adéquate, je dus en effet reprendre un examen de chimie organique. À ma grande honte. Outre cela, sans doute ai-je considéré comme un nouvel échec le fait de ne pas avoir terminé mon cours de médecine. Inconsciemment du moins... Il m'arrive encore d'en faire des cauchemars de temps en temps. Je ne compte évidemment pour rien mes résultats tout à fait nuls aux examens qui nous étaient imposés dans la réserve de l'aviation ou de l'armée. On comprendra que je me faisais presque un devoir d'y être recalé.

Malgré ce concours raté, je n'en fus pas moins accepté comme élève payant au Collège Sainte-Marie. J'avais 10 ans ; c'était en 1933. Cette année-là, l'activité théâtrale relevait de la responsabilité du père Brossard, frère d'un avocat réputé, Roger Brossard, qui deviendra juge et dont les recommandations, une vingtaine d'années plus tard, entraîneront l'emprisonnement de Jacques Hébert pour outrage à la magistrature, à la suite de la publication de ses ouvrages sur l'affaire Coffin. Les hasards s'accumulent souvent : Me Roger Brossard occupait un appartement dans l'immeuble dont mon père avait fait l'acquisition, deux ans auparavant, boulevard Saint-Joseph à l'angle de la rue des Carrières (aujourd'hui rue Berri). Son frère jésuite venait l'y visiter, à l'occasion.

Ce père Brossard eut l'idée de monter *Le Malade imaginaire* de Molière, avec de jeunes élèves, et c'est à moi qu'il confia le rôle d'Argan. Pourquoi? Je ne saurais dire à coup sûr. Peut-être avais-je une élocution plus déliée, plus châtiée que celle de mes camarades? À la maison, mon père surveillait de très près notre façon de nous exprimer. Mon grand-père était Français, paysan savoyard arrivé ici à l'instigation de son oncle, lui-même émigré et devenu le premier curé de la paroisse des Cèdres. Pourtant papa ne parlait pas «comme un Français», selon l'expression couramment employée, et qui se veut péjorative. Mais il corrigeait nos «a» trop graves, nos «è» trop ouverts, nos «ou» et nos «i» trop mous; il relevait nos fautes de grammaire et de construction; il nous indiquait le mot juste en remplacement des *choses* et des *affaires*, termes auxquels nous avions recours par paresse ou par ignorance. Il le faisait avec bonhomie, comme s'il s'agissait d'un jeu, et aucun des six enfants ne s'en est jamais plaint. Au contraire, nous lui en avons toujours été reconnaissants. Reste qu'au Collège, du moins durant les premières années, il m'arrivait de me faire traiter de «fifi», à cause de la nature apparemment précieuse de mon langage. Juste retour des choses, il se peut que ce soit à cela que je doive en partie le fait d'être monté pour la première fois sur la scène du Gesù, comme interprète du rôle d'Argan.

Les filles ne fréquentaient pas encore le Collège Sainte-Marie, et il n'était pas question d'en inviter, d'un couvent ou d'un autre, pour jouer les rôles féminins dans les pièces qu'on y montait. Il y avait donc deux façons de procéder : ou ces rôles étaient joués par de jeunes garçons travestis, selon la grande tradition élisabéthaine, ou on les masculinisait. Pour *Le Malade imaginaire*, on utilisa la deuxième méthode. La servante Toinette était devenue Toinet, joué par Gilles Lefebvre, fondateur des Jeunesses musicales du Canada et actuel président du Conseil des Arts de la région métropolitaine de Montréal. L'épouse d'Argan, Béline, était devenu un neveu, etc. Je ne me rappelle plus comment l'intrigue avait été aménagée, ni ce qu'étaient devenues les relations amoureuses de Cléante et d'Angélique. J'ai l'impression que l'adaptateur s'arrangeait pour que tout se conjugue au masculin, sans trop se soucier de la vraisemblance. Certains des ballets indiqués par Molière avaient été conservés. Y évoluait Jacques Hébert, qui siège maintenant au Sénat : il portait cérémonieusement, présenté sur un coussin, le chapeau de médecin dont Argan allait être coiffé; de même que Lomer Gouin, promis à une brillante carrière politique brutalement interrompue par son suicide, quelques quinze années plus tard.

Comment me suis-je senti sur scène? Heureux? Traqué? Inconfortable? Inspiré? En vérité je l'ignore : aucune réminiscence de ce qui se passa durant la représentation. Par contre, je me souviens des coulisses; en particulier de l'odeur du vernis dont on se servait pour coller ce qu'on appelait le *crêpé*, sorte d'étoupe qui se présentait sous forme d'un cordon tressé et qu'on effilochait pour en faire de la barbe. Cela me fut déjà au plus haut point désagréable. Et intolérable, la sensation de cette poix adhérant à la peau et qui la fige, qui la ratatine en quelque sorte. Aujourd'hui le crêpé a été remplacé par les implantés; mais on utilise toujours le même vernis. Quand il m'arrive de devoir me coller une barbe postiche, mon odorat me transporte instantanément dans les coulisses du Gesù, en train de me faire maquiller en Argan par Monsieur Authier.

Louis Authier était propriétaire de la boutique Joseph Ponton inc., où on louait tout ce dont on avait besoin au théâtre : accessoires, meubles, costumes, etc. Ponton avait un seul concurrent : Mallabar ltée, succursale d'une entreprise de Toronto. Pour *Le Malade,* le père Brossard y avait loué une partie des costumes, insatisfait de ce qu'on lui offrait chez Ponton. Monsieur Authier ne s'en était rendu compte que tardivement, une fois au théâtre pour la générale. C'était l'époque des grandes campagnes d'« achat chez nous ». Il en était livide de fureur. Il m'appliquait le vernis rageusement avec une générosité excessive, bougonnant entre ses dents : « Chris! Y peut ben y avoir des communiss!... » Car c'était également l'époque où le communisme constituait à la fois la terreur et le bouc émissaire de la Province. Ainsi en 1937, Duplessis promulguait la Loi du cadenas, avec ses mesures répressives contre toute propagande communiste ou *bolchévique.* Mais en revanche, un pont s'écroulait-il, il était ravi d'en attribuer la responsabilité au sabotage des communistes, alors que cette catastrophe était imputable au fait que, pour faire des économies qu'il empochait, l'entrepreneur — un protégé du régime — utilisait des matériaux de construction de seconde qualité. Quant à monsieur

Authier, pendant l'espace d'une soirée, il avait sans doute entrevu la possibilité d'une victoire de l'idéologie marxiste au Québec, simplement pour punir les jésuites de leur trahison! C'était, du reste, un homme cordial et charmant. Lorsqu'on allait essayer les costumes à sa boutique, il avait toujours quelque friandise pour les élèves et, pour le père qui les accompagnait, une bière ou un verre de petit blanc, qu'il lui servait en douce, à l'abri de quelque paravent de toile peinte. Nous étions parfaitement conscients de cette anodine supercherie, mais nous détournions nos regards, comme tous bons élèves de jésuites...

Après *Le Malade imaginaire*, le père Brossard fut remplacé par le père Georges-Henri d'Auteuil, professeur en classe de Belles-Lettres. Il sera préposé au théâtre jusqu'après ma deuxième année de Philo. Je le retrouvai plus tard recteur de l'Institution, remplissant le désagréable office de censeur auprès des troupes qui louaient le Gesù.

C'est le père d'Auteuil qu'on apercevait à 11 heures 15, après les cours du matin, sur le palier du premier étage, les bras chargés de brochures, debout sous le tableau où étaient affichés l'heure des exercices religieux du jour ainsi que l'horaire des répétitions du chœur de l'église du Gesù. Impassible à son poste, le père d'Auteuil faisait un léger signe aux élèves qui devaient faire partie de la prochaine pièce, et leur remettait une brochure. Il procédait souvent sur l'heure à une première lecture dans un local voisin. Ce n'est pas impunément que j'avais joué Argan. Ni que, les années suivantes, j'avais incarné un petit brigand dans l'adaptation du roman de Dickens, *David Copperfield*, avec Pierre Dagenais dans le rôle-titre; ou un jeune lycéen dans *Merlusse,* de Pagnol, ou un voyou dans *Notre-Dame de la Mouise*. Le virus du théâtre s'était infiltré en moi, et il commençait à y exercer ses délicieux ravages. Quand, du palier du deuxième étage, j'apercevais le père d'Auteuil au premier par les barreaux de l'escalier, mon cœur se mettait à battre un peu plus rapidement. Et s'il se contentait de me saluer d'un petit sourire plutôt que de me faire signe d'approcher, je m'en sentais instantanément déprimé, masquant ma frustration avec peine et éprouvant une vive jalousie envers les élus qui feuilletaient déjà le texte qu'on venait de leur remettre, chacun lorgnant, bien sûr, le rôle principal.

Plus souvent qu'autrement, mes attentes étaient comblées, et l'index du père d'Auteuil se pointait dans ma direction. Un rôle m'attendait. En classe de Méthode : *La Vierge au grand cœur*, de François Porché, dont la femme, Madame Simone, connut son heure de gloire sur la scène française. J'y jouais le personnage principal. C'était une pièce en cinq actes, écrite en alexandrins (eh, oui !), dont l'héroïne n'était nulle autre que Jeanne d'Arc (oui, oui !). Et comme il ne pouvait être question de travestir la sainte en *Jean d'Arc*, je dus porter perruque et endosser une jupe, après qu'une fausse poitrine m'eût été ajustée par le père d'Aragon. Était-ce son expérience d'avant vocation, ou son embonpoint et ses rondeurs personnelles qui en faisaient un expert en la matière ? Reste que c'est lui qui m'attachait les cordons d'un coussin rectangulaire derrière le cou et dans le dos, l'assujettissant à un crédible niveau. Dans une des scènes les plus dramatiques de la pièce, paysans et soldats, groupés autour de Jeanne, entonnaient un martial chant de départ sur une musique des plus pompeuses, composée par nul autre que Charles Gounod :

Dieu le veut, Dieu le veut, Dieu le veut, Dieu le veut!

Dieu le veut, oui, tous pour la France,

Nous combattrons à tes côtés...

Une photo a fixé cet instant : on y voit, au milieu d'une figuration de petits mômes quasi aussi nombreuse que pour un film de Cecil B. De Mille, Jeanne, alias moi-même, toute engoncée dans son armure, poitrine de traviole tombée, dans le feu de l'action, presque jusqu'au niveau de la taille !

Au début de la pièce, lorsque sainte Catherine et sainte Marguerite apparaissent à la Pucelle pour la première fois, j'étais vêtu en petite paysanne et coiffé d'une perruque à chignon. Je ressemblais à s'y méprendre à ma sœur Alice : une autre photo en témoigne. À l'occasion d'une des dernières répétitions, maquillé et costumé, en file d'attente avec les autres élèves comédiens devant un buffet préparé pour nous éviter de rentrer manger à la maison, j'entendis pour la première et unique fois de tout mon cours classique, certains commentaires de mes aînés, dans le genre : «Sais-tu que tu fais une belle petite fille...» qui trahissaient leur émoi. Sans expérience, je réagis cependant de la seule façon convenable : je fis comme si je n'avais rien entendu, et leurs avances firent long feu.

Au cours d'une représentation de *La Vierge au grand cœur*, je connus mon premier trou de mémoire sur scène. Le rôle comptait des milliers de vers, autant qu'un grand rôle shakespearien. La période de répétitions était relativement courte : on ne pouvait trop longtemps nous distraire de nos études. J'appris mes dernières répliques, quelques heures seulement avant le lever de rideau initial. Quand je bloquai au milieu d'une phrase, absolument incapable de poursuivre, j'éprouvai un tel désarroi que j'aurais préféré être foudroyé sur place et que se terminât ma misérable existence, plutôt que de continuer à vivre cette déroute, cette chute vertigineuse dans le vide, exposé aux regards de centaines de voyeurs. En semblable épreuve, un comédien d'expérience finit par maîtriser son affolement ; il reprend pied, s'agrippant à un mot qui lui revient, quitte à sauter un passage plus ou moins long. Moi je restais là, les yeux au sol, immobile, impuissant, désemparé, malheureux comme un enfant abandonné. La voix du père d'Auteuil me ranima. De la coulisse, je l'entendis me dire, d'un ton badin : « T'as l'air fin, là ! » Au Collège, tous les professeurs sans exception vouvoyaient les élèves. De m'entendre soudain tutoyer de cette façon presque paternelle me permit de retrouver un peu d'équilibre. Je levai les yeux et j'aperçus le père d'Auteuil : il cherchait tranquillement, dans la brochure, l'endroit où nous en étions du déroulement de la pièce. Il finit par me souffler mon texte sur un ton parfaitement intelligible pour tous, autant dans la salle que sur scène, et la représentation reprit.

Que je lui ai aujourd'hui de reconnaissance d'avoir su maintenir ce petit incident dans ses justes proportions, sans en faire un drame ! L'attitude contraire m'eût peut-être traumatisé ; qui sait si j'eusse persévéré dans la profession. Tandis que sa façon d'agir me fit comprendre que, pour cet instant du moins, le théâtre n'était pas une fin en soi, qu'il n'était qu'un moyen entre autres — un peu inusité — de nous doter de cette formation générale, fleuron des institutions qui dispensaient à l'époque le cours classique.

Dans la vie professionnelle, inutile de dire qu'il en va autrement. Un trou de mémoire ne doit évidemment pas être pris à la légère. Un comédien qui ne s'en soucierait aucunement

Jean-Louis Roux
dans La Vierge au grand cœur

manquerait de conscience. Jouer la comédie n'est pas chose anodine, bien sûr. J'ai pourtant une sainte horreur des gens qui mythifient le théâtre, qui parlent de sacerdoce, de religion... C'est un métier qui doit s'exercer avec soin, avec passion même, avec âme ; mais il faut surtout y éprouver du plaisir et éviter de se prendre trop au sérieux, de se croire le nombril du monde parce qu'il arrive qu'on se fasse reconnaître chez l'épicier. Un médecin pose un diagnostic erroné, et le patient en souffre, en meurt peut-être ; un ingénieur commet une erreur de calcul, et l'édifice s'écroule sur ses occupants ; un avocat prépare mal sa cause, et son client passe inutilement trois ans en prison. Mais qu'un metteur en scène trahisse un auteur et son œuvre ; qu'un décorateur utilise une mauvaise palette de couleurs ; qu'un comédien manque de dynamisme... Bon, c'est vrai : le succès du spectacle en est compromis, peut-être même l'avenir de la compagnie qui le produit. Mais tout se solde par un éreintement plus ou moins féroce dans les journaux et par un froissement d'amour-propre. Pas un seul des spectateurs ni des spectatrices n'en dormira plus mal, et la Terre continue de tourner.

Cela dit, je ne veux que remettre les choses dans la perspective qui leur convient. Je ne cherche pas pour autant à minimiser le rôle de la culture et des arts dans l'épanouissement d'une société. Ils nourrissent l'esprit, et si l'esprit ne souffle pas, il n'y a plus que la plate matérialité de la routine quotidienne répétée, répétée, répétée *ad nauseam*. Il n'y a plus, comme l'écrit Claudel, que «... cette vile et monotone après-midi qu'occupe la digestion...» Fort de cette conviction, j'ai toujours cru que le théâtre bien conçu devait être un service public, et que ceux et celles qui offrent ce service à leurs concitoyens doivent le faire avec joie et conscience, mais sans confondre le sérieux avec la fatuité. Ces considérations, j'aurais été bien incapable de les formuler au moment de ma première défaillance de mémoire sur scène. Mais à supposer qu'une

---

1. Pierre Juneau
2. Pierre Dagenais
3. Jean-Louis Roux
4. Jean Gascon
dans L'Aiglon

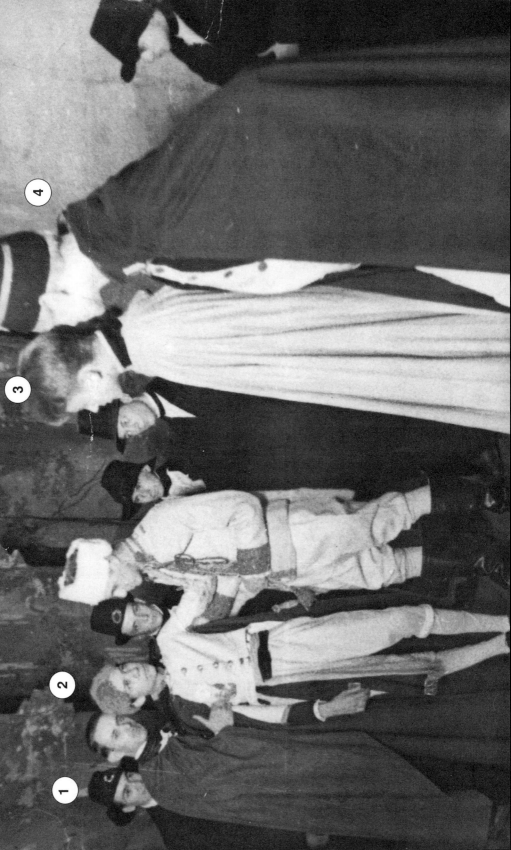

lucidité précoce me l'eût permis, elles n'auraient sûrement pas empêché le théâtre de devenir, un an suivant l'autre, la plus grande préoccupation de ma vie.

Dans *La Vierge au grand cœur*, Jean Gascon était le duc d'Alençon, personnage secondaire. L'année précédente, il avait joué le rôle principal des *Trois sagesses du vieux Wang*, d'Henri Ghéon, spectacle dont je ne faisais pas partie, à mon infinie tristesse. Mais son premier grand rôle devait être celui de Flambeau dans *L'Aiglon*, d'Edmond Rostand. Je voyais Jean régulièrement aux répétitions du chœur de l'église du Gesù, dirigé par le père Lefebvre, toujours coiffé de sa barrette inclinée vers l'arrière sur la nuque, et chaussé de bottines de feutre. Jusqu'en Méthode ou Versification, j'y chantai les parties de soprano. Pour sa part, Jean était doté d'une très belle voix d'alto et avait eu l'insigne et unique honneur d'un solo dans l'*Adeste Fideles* d'une messe de minuit. Il était de dix-huit mois mon aîné et me précédait d'un an au Collège. Au moment de *L'Aiglon*, il avait plus de 17 ans; je n'en avais que 16. J'étais en Belles-Lettres; il était en Rhétorique. Ces écarts suffisaient à établir une distance appréciable entre nous. Rostand, Flambeau et le duc de Reichstadt nous permirent un rapprochement.

Jean avait repris le rôle quelques jours seulement avant la première, à cause de la défection d'un ancien du Gesù, Paul Guévremont (le futur papa Plouffe), qu'un contrat professionnel empêchait de tenir les engagements contractés envers le Collège. Jean fut exempté de tous les cours, enfermé dans une classe désaffectée et «condamné» à apprendre son texte (près de cinq cents vers) en un temps record. Pour *L'Aiglon*, on avait masculinisé les rôles féminins, mais sans trop modifier le texte, en raison des alexandrins. Les tendres relations du Duc et du personnage dit «de la petite source» revêtaient ainsi une teinte assez curieuse. Le père d'Auteuil ne pouvait pas ne pas en être conscient. Sans doute se dit-il que personne n'oserait le souligner. Il eut raison.

Avec le rôle de Jeanne, vaguement investi par une présence étrangère, j'avais commencé à éprouver une certaine exaltation en scène. Celui de l'Aiglon contribua à accentuer cette sensation.

Jean-Louis Roux dans L'Aiglon
1939

Encore un peu, je me serais considéré comme un être à part, je me serais «pris pour un autre». Dans le tramway, j'avais presque envie de crier : «C'est moi qui joue l'Aiglon!» Heureusement, sans me ménager ses compliments, ma famille ne me traitait pas en jeune star. Et inutile de dire qu'au Collège, une fois le rideau baissé, on était ramené exactement au même niveau que tous les autres. Ces saines attitudes me gardèrent du piège du cabotinage, toujours dangereux à cet âge tendre. On en voit aujourd'hui qui deviennent de véritables petits monstres, après un film ou une série télévisée à succès.

De la nombreuse distribution de *L'Aiglon*, je retiens plusieurs noms de camarades. D'abord celui d'Irénée Goudreau, qui jouait l'attaché français Schutz, parce qu'on l'avait surnommé le *négus* à cause de sa grande ressemblance avec «le roi des rois». L'actualité internationale nous fait parfois découvrir avec fracas des pays et des individus qui, autrement, seraient relégués à l'arrière-plan de notre mémoire. Ainsi le nom d'Hailé Sélassié avait-il été sur toutes les lèvres, lorsqu'en vertu de la théorie de l'espace vital, Mussolini envahissait l'Éthiopie sans déclaration de guerre, y semant la mort avec une armée d'opérette de plusieurs centaines de milliers d'hommes appuyée par les blindés et l'aviation. Se battant contre un ennemi divisé et mal équipé, il aurait dû vaincre en quelques jours; il n'y parvint qu'au bout de six mois. Durant la campagne, il se plaignait que les Éthiopiens émasculaient ses soldats et pendaient leurs couilles, comme des trophées, à des cordes à linge. Loufoquerie certes d'une très grande cruauté; mais il oubliait de mentionner que, de son côté, il avait recours aux gaz de combat interdits par les conventions internationales. Après cette victoire peu glorieuse, il délégua le maréchal Italo Balbo, chef des forces italiennes de l'air, en tournée de propagande en Amérique. Son escadrille survola Montréal. Je vis passer les avions en formation dans notre ciel paisible, qu'ils déchirèrent d'un vrombissement assourdissant. Bel homme, qui donna son nom à la barbiche qui lui pointait au menton, Balbo jouissait d'une popularité gênante pour le Duce, qui le fera abattre par la DCA italienne au-dessus de Tobrouk, en 1940, déplorant hypocritement que l'appareil de son as aviateur n'ait pas été correctement identifié...

Les Italiens n'étaient pas les seuls à courtiser les États-Unis et le Canada. Deux ans après la visite de Balbo, ce sera au tour des Allemands à y dépêcher leur dirigeable géant, le Hindenburg, en promenade de séduction. J'avais déjà vu un autre dirigeable amarré à un mat de l'aéroport de Saint-Hubert, le R-100, celui-là même qu'allait célébrer la Bolduc :

> *M'a t'changer d'nom, mon Jean,*
> *Pis m'a t'appeler l'R-100...*

Mais le Hindenburg me sembla incomparablement plus gros lorsque, avec un sifflement à peine perceptible, il passa à si basse altitude au-dessus de notre balcon du boulevard Saint-Joseph, qu'il avait l'air de déboucher de la rue Saint-Denis. Peu après, il devait s'enflammer en faisant ses manœuvres d'amarrage sur un aéroport du New Jersey. Tous ses passagers périrent de la mort atroce qu'on peut imaginer.

Des autres camarades de *L'Aiglon*, outre Irénée Goudreau qui m'inspire ces évocations, je retiens les noms de Pierre Juneau, qui devait occuper divers postes dans la haute fonction publique ; celui de Lomer Gouin, qui deviendrait brillant avocat et connaîtrait la fin tragique que l'on sait ; celui de Jean-Maurice Bailly, qui devait s'identifier aux émissions sportives de Radio-Canada ; ceux d'Alphonse Campeau, de Gaston Gauthier, de Pierre Labelle, de Roger Demers, de Guy Girardin, de Gabriel Phaneuf, de Pierre-Paul Julien (transsexuel archiduc), de Jean-Pierre Labrecque (qui gardait le nom de Fanny, mais portait tout de même culotte) : je devais, tous les huit, les retrouver en médecine à l'université. Belle couvée de *Knock* en puissance ! Contrairement à moi, et pour le plus grand bien de la population, chacun d'eux devait recevoir son parchemin de doctorat. Seuls Pierre Dagenais, Jean Gascon et moi-même devions faire carrière au théâtre professionnel. De même qu'André Gascon, futur administrateur du TNM pendant plus de douze ans.

Que valait notre jeu ? Je me le demande. Il devait être d'une totale sincérité, sans aucun doute ; mais malhabile aussi, inégal, quelque bonne volonté qu'y pût mettre le père d'Auteuil. Rien de comparable, il va sans dire, au résultat d'un travail effectué sous la direction d'un metteur en scène en pleine possession de sa vision, et qui jouit d'assez de charisme pour la faire partager à ses interprètes. Disons-le sans prétention : nous devions donner l'impression d'amateurs « bourrés de talents ». En tout cas, de talent, Jean et moi en avions assez pour que le père d'Auteuil nous demande de former avec lui un comité de sélection. Nous devions dépister les élèves aptes à faire du théâtre, après les avoir entendus en audition. Il nous arriva de devoir nous tenir à quatre — bien que nous ne fussions que trois ! — pour ne pas exploser de rire. Je me souviens des imprécations de Camille, personnage de l'*Horace* de Corneille, dites par un élève justement homonyme du grand tragique français, qui n'avaient rien à envier au meilleur artiste de cabaret. Avec un accent d'une préciosité extrême, notre vierge pacifiste s'écriait :

> *Reume, l'unique objiet de mon ressintimint !*
> *Reume à qui vient ton bras d'immolier mon amint !*

Il termina la tirade sans que nous ayons la force, le courage, ni la compassion nécessaires pour l'interrompre. Il n'est jamais monté sur scène...

Pendant les deux ans qu'il lui restait à passer au Collège, Jean Gascon allait évoluer régulièrement sur la scène du Gesù. Nous étions devenus les deux vedettes des productions des élèves du Collège Sainte-Marie. Je m'interroge souvent sur ce qu'aurait été sa carrière n'eût-il pas remplacé Paul Guévremont au pied levé, dans ce rôle de Flambeau qui lui permit de se distinguer. Futile devinette, bien sûr.

Cet *Aiglon* date de la fin de l'hiver 39. Au début du printemps, je reçus un coup de fil de Mario Duliani, émigré italien qui sera plus tard mis en camp de concentration, soupçonné d'avoir émargé à même la cassette du Duce par l'entremise de La Casa d'Italia de Montréal. Mario avait été adopté par la communauté théâtrale locale, où il faisait même figure de leader. Il venait de fonder une nouvelle troupe, le MRT français, homologue francophone du Montreal Repertory Theatre de Martha Allan, longtemps porte-étendard du théâtre anglophone dans la métropole. Il montait *L'Aiglon*. Il m'avait vu, me dit-il, jouer le rôle quelques semaines plus tôt et, flatteur comme pas un, il me couvrit d'éloges pour finir par me demander de doubler l'interprète du duc de Reichstadt, Andrée Basilières. Pour cette production, on suivait en effet la tradition instituée par Sarah Bernhardt, la créatrice du rôle, en faisant incarner le fils de Napoléon par une femme. Mais «pour que je ne perde pas mon temps», il m'offrait de surcroît d'interpréter le personnage de Prokesch. Ce rôle de moyenne importance s'accommodait mal de la doublure ; advenant une défaillance de la comédienne, qui donc m'aurait remplacé dans Prokesch ? Je ne m'embarrassai pas de ces considérations et m'empressai d'accepter, poussé par l'enthousiasme du néophyte. Mal faillit m'en prendre.

Le samedi, les cours du Sainte-Marie se prolongeaient jusqu'à 16 heures 10, couronnés par le chant des *Litanies de la sainte Vierge* à l'église du Gesù. Cet horaire entrait en conflit avec les représentations de *L'Aiglon* en matinée. Je poussai l'effronterie jusqu'à m'autoriser à m'absenter quatre semaines de suite, en dactylographiant une lettre au bas de laquelle je forgeai la signature de mon père, à l'aide d'un tampon qu'il utilisait pour authentifier les copies de documents circulant dans son service de l'Hôtel de Ville. Évidemment à son insu, il y déclarait avoir besoin de moi précisément les samedis où je devais jouer en matinée. Je me fis volontairement aveugle et sourd au fait qu'il était facile, ces jours-là, de constater ma présence sur scène dans le rôle de Prokesch. *L'Aiglon* ne jouissait pas d'un grand battage publicitaire, mais les journaux en faisaient tout de même état. La chose aurait mal tournée sans l'intervention du père Paré, que Mario Duliani appela à la rescousse. Quelle influence occulte fit-il jouer, auprès des autorités du Collège ? À quelle restriction mentale eut-il recours ? Je l'ignore. Mais le tout fut étouffé sans que mon père eut vent de mes prouesses de faussaire.

L'Aiglon du MRT était présenté dans le sous-sol de la Bibliothèque Saint-Sulpice, actuelle Bibliothèque nationale du Québec. Pendant quelques secondes, et pour la première fois de ma vie, j'y fus gratifié du spectacle d'une femme entièrement nue. Divisés selon leur sexe, bien entendu, les comédiens et les comédiennes partageaient deux loges, qui s'ouvraient sur un couloir commun. Seule Andrée Basilières disposait d'une loge personnelle, à laquelle on avait accès en traversant celle des hommes. Ma table de maquillage était située près de la porte du couloir. C'est donc à moi qu'on s'adressa tout naturellement, un soir, pour remettre un billet à l'interprète féminin de *L'Aiglon*. Un coup d'œil me permit d'apercevoir un nommé Jean-Louis Laporte en conversation avec elle, sur le seuil de sa loge. Ce Laporte servait en quelque sorte de *factotum* à Mario Duliani. Je me le rappelle très bien à cause d'une déformation — de naissance ? — qui lui faisait porter une épaule plus haute que l'autre et lui conférait une allure quelque peu inquiétante. Son attitude détendue me laissait croire que la comédienne était « visible ». Je frappai quelques coups rapides au mur mitoyen des deux loges, et j'entrai sans attendre qu'elle m'y invitât. Mon irruption la fit se retourner vers moi. Elle était en train de se coiffer, debout devant un miroir, les bras haut levés au-dessus de la tête, dans l'appareil le plus naturel qui soit. Elle ne fit aucun geste pour masquer ses trésors. Avant de détourner les yeux, ému jusqu'aux entrailles, j'eus le temps de constater qu'elle était agréablement potelée, que ses rondeurs étaient d'une fermeté remarquable et... fausse, sa blondeur. Je balbutiai quelques mots inintelligibles et tendis le billet à Jean-Louis Laporte. Plutôt congestionné, je regagnai ma table de maquillage. Durant les semaines qui suivirent, le souvenir de ce spectacle voluptueux, tout de blanc et de rose, relevé d'un triangle sombre en son milieu, me valut quelques rêves érotiques, entrecoupés d'insomnies.

L'Aiglon fut un énorme succès : dix-neuf représentations... il y a près de cinquante-cinq ans ! Une fois terminée la série de spectacles, Mario Duliani reprit contact avec moi ; il n'entendait pas, me dit-il, m'avoir fait travailler bénévolement et m'avisait qu'une enveloppe m'attendait à son bureau. Je m'y précipitai. Toujours charmeur, il me complimenta pendant plus de quinze minutes, avant de me remettre enfin l'enveloppe promise. Aussitôt sorti, j'attendis d'être suffisamment éloigné pour qu'il ne me vît pas si, par hasard, l'idée lui était venue de m'observer, et je l'ouvris. Elle contenait cinq dollars. J'avais gagné vingt-six cents et trois dixièmes par représentation ! Mais, peu importe : j'avais reçu mon premier cachet. J'étais dorénavant engagé dans la pratique professionnelle.

SCÈNE XXVI

Maîtres et éducateurs

La même année, sur la scène du Gesù, le père d'Auteuil monta *Mithridate* de Racine. Jean Gascon y tenait le rôle-titre ; j'étais un de ses deux fils, Xipharès. Le personnage de Monime avait gardé son sexe ; il était interprété par Gilles de la Rochelle qui, au début des répétitions, avait une musicale voix de rossignol.

Hélas, il eut le mauvais goût de muer en cours de route. Si bien qu'en représentation, le roi Mithridate et ses deux fils princiers se disputaient une dulcinée à voix de rogomme !

Après une des représentations de *Mithridate*, dans un sincère élan d'enthousiasme, le père Pierre Angers, professeur de Rhétorique, nous déclara, à Jean Gascon et à moi, que nous étions «meilleurs que les Compagnons (de saint Laurent)». À nos yeux, son opinion revêtait une réelle valeur car c'était un éducateur, un vrai, comme j'en ai peu croisé tout le long du cours classique. Ce dernier commentaire mérite explication : la formation de tous les aspirants jésuites comportait un stage en «régence». En d'autres termes, ils devaient faire de l'enseignement pendant une période de un à trois ans. Il est normal que, sur le lot, il n'y en eut qu'un petit nombre qui fussent dotés des qualités nécessaires à un bon éducateur. Chose étonnante, s'ils donnaient satisfaction, ils retournaient le plus tôt possible au noviciat du Sault-aux-Récollets, *l'usine à jésuites*, d'où ils revenaient la plupart du temps — dois-je souligner — à l'enseignement. Mais les autres, qui formaient la grande majorité, ceux qui n'avaient pas de disposition pour la pédagogie, doublaient ou même triplaient leur période de régence !

Ainsi, de la Syntaxe à la Rhétorique, nous eûmes le même professeur de grec qui essaya vainement, pendant tout ce temps, de nous faire vibrer en nous lisant des passages de l'*Odyssée*, dans le texte. Quand il récitait :

Ἦμος δ' ἠριγένεια φάνη ῥοδοδάκτυλος Ἠώς...

cet admirable leitmotiv d'Homère : *De son berceau de brume, à peine était sortie l'Aurore aux doigts de roses...* , il était en extase. Il répétait ῥοδοδάκτυλος et en jouissait littéralement. Les larmes lui venaient aux yeux. À nous, pas. Cela nous laissait indifférents, provoquait même nos ricanements. Cancres stupides ! C'est lui qui voyait juste. Mais il avait le grand tort d'être incapable de nous communiquer son ardeur. Contrairement à son successeur, le père Vigneault, qui accomplit la prouesse de faire aimer le grec à des garçons de 15 ans ; il était bien à sa place, lui, devant une classe de collégiens. Ses anciens élèves, dont je ne fus malheureusement pas, chantent encore sa louange.

À la loterie de mes souvenirs associés au Collège Sainte-Marie et au Gesù, je tire le visage débonnaire de mon professeur de Philo I, le père Lamarche. Non qu'il m'ait passionné pour l'étude des vingt-quatre thèses de saint Thomas d'Aquin en latin de cuisine (*concedo… nego…*), mais parce qu'il me confia une heure de cours, un matin d'avril, pour me permettre de disserter, devant mes camarades, de *L'Échange* que je jouais à L'Ermitage avec les Compagnons de saint Laurent. Marque d'une largeur d'esprit dont je continue toujours à lui savoir gré.

C'est pour des raisons plus intimement reliées à la pédagogie que je me souviens de mon professeur de Syntaxe, le père Saint-Laurent. Grand, nerveux, anguleux, les épaules légèrement voûtées, il savait maintenir l'intérêt de ses élèves et exciter leur curiosité. Il faisait également de louables efforts pour ne pas perdre contact avec la réalité environnante. Par une après-midi ensoleillée, il transforma son cours en promenade dans le quartier. (De telles libertés étaient admises chez les jésuites.) En passant devant les affiches criardes d'un cinéma de la rue Saint-Laurent, il murmura plutôt qu'il ne nous posa vraiment la question : « Comment faites-vous pour rester purs devant de telles images ? » Ses regards se dirigeaient de biais vers les courbes grossièrement exagérées de vedettes féminines des mauvais films, bien anodins, qu'on offrait en pâture à la soif érotique de la population, à raison de quinze cents pour une séance de cinq heures. J'essaye aujourd'hui d'imaginer sa réaction si l'un de nous avait eu le culot de lui rétor-quer : « Nous récupérons notre pureté à confesse, après nous être livrés aux plaisirs délectables du fruit défendu !… »

Du père Lachance, mon professeur de Versification, je me rappelle qu'il louchait et que son visage aurait pu être dessiné par Picasso. Il me surprit un jour en train de lire un Arsène Lupin, dissimulé sous mon pupitre. Ce qui me valut d'être expulsé pour le reste du cours, punition qui comportait un inconvénient majeur : le risque d'être surpris par le préfet de discipline, alors qu'on faisait le pied de grue dans le couloir. Au sortir des élèves, le père Lachance me prit à part. Je m'attendais à ce qu'il me reproche la fréquentation du célèbre personnage de Maurice Leblanc. Pas du tout. Plein de sollicitude, il m'enjoignit de prendre soin de ma santé, étant donné la quantité énorme de sang que j'avais perdue lors de l'accident d'automobile dont attestait ma cicatrice au visage. Sans notions suffisantes de physiologie, il ignorait évidemment que le sang se régénère complètement en quelques mois. Puis il me donna ma liberté après m'avoir solennellement prédit le plus grand avenir : «Vous serez un des chefs de notre pays!» Chez quel mauvais regrattier était-il allé dénicher sa boule de cristal?

En Belles-Lettres, le père d'Auteuil était apprécié de ses élèves pour son esprit ouvert et sa jovialité. À cette époque, la condamnation des auteurs et de leurs œuvres, par les autorités vaticanes, était rigoureusement respectée. Un ouvrage faisait bible : celui d'un certain abbé Bethléem, où étaient compilées toutes les mises à l'index en littérature. On y retrouvait Voltaire, Flaubert, Stendhal, Zola (sauf *Le Lys dans la vallée*), Balzac (sauf *Le Cousin Pons* et *La Cousine Bette*), Anatole France (sauf *Le Livre de mon ami*), et compagnie... Permission était pourtant accordée de lire des extraits des œuvres interdites. Le père d'Auteuil s'en autorisait et nous initiait largement à *Madame Bovary*, à *La Chartreuse de Parme* et à d'autres chefs-d'œuvre. Rien moins que stupide, il devait bien se douter que certains de ses élèves n'auraient de cesse qu'ils n'aient intégralement pris connaissance de ces romans.

Nous ne pouvions nous adresser à la Bibliothèque municipale où les livres étaient notés, suivant leur degré de moralité, d'un ou de plusieurs petits «o». Ceux que condamnait l'abbé Bethléem en comportaient au moins quatre et ne sortaient qu'avec la dispense du conservateur ou une lettre écrite par une autorité religieuse. Paradoxalement, nous avions entière liberté d'acheter les œuvres de notre choix à la Librairie Pony, rue Sainte-Catherine, où l'on ne s'embarrassait pas de scrupules. Largeur d'esprit qui était mal notée des autorités religieuses. Pour moins de un dollar, on se procurait tous les grands auteurs classiques dans la collection Nelson. En période de vaches maigres, j'avoue qu'il m'est arrivé d'en piquer. Un certain jour, je réussis l'exploit d'entasser, à l'intérieur de la vareuse bouffante de mon uniforme militaire, les quatre volumes des *Misérables* de Victor Hugo, reliés en similichagrin bleu sombre. La conscience me tiraillait, mais ma soif de beaux textes parvenait à lui imposer silence. Pardon Henri Tranquille, et consorts!

En plus de nous initier aux grands textes, le père d'Auteuil essayait également de corriger le détestable accent de certains de ses élèves. Par exemple, il traçait, au tableau noir, le mot politique, l'orthographiant *polètsèque*, dans l'espoir que cette caricature provoque une amélioration du langage parlé des collégiens. Je ne sais s'il y réussit; il avait au moins le mérite de s'y employer.

Un laïc, Hervé Benoist, contribua lui aussi à la formation d'un grand nombre d'élèves. Non pas en classe, où il enseignait l'arithmétique. La vertu des bassins qui se vident d'eau à mesure qu'on les remplit m'a toujours échappée. Mais il avait fondé une troupe de scouts d'un genre assez exceptionnel. Les locaux de cette troupe avaient un aspect de caverne : situés en sous-sol, ils avaient été récupérés sur ce qu'on appelait les catacombes du Collège. C'est là qu'en plus de nous livrer aux activités habituelles de jeunes scouts — la science des nœuds marins, l'identification des espèces animales et végétales, etc. —, on écoutait de la musique et on apprenait comment le spermatozoïde féconde l'ovule. Pour le moins inusité et audacieux. Mais le «Chef», comme on appelait Hervé Benoist, jouissait de l'entier appui du père Thomas Migneault, préfet de discipline.

Drôle de jésuite que celui-là! Il avait pourtant le physique de l'emploi : grand, mince, droit, osseux, les cheveux grisonnants taillés en brosse, le regard perçant qui savait se faire rieur. Sa mâchoire était d'acier. Il en donnait une démonstration dans toutes les classes à l'occasion de la lecture de notes hebdomadaire. Ces notes n'étaient pas calculées en pourcentage, mais figurées par des lettres ou groupes de lettres. Excellent : *a*; très bien : *ae*; bien : *e*; médiocre : *ei*; mauvais : *i*; très mauvais : *io*; chacune des lettres étant prononcées et le *e*, accentué comme en latin. Il fallait entendre le père Migneault débiter à toute vitesse : *a,ae,a,ei,e,ae...* Après quoi, il s'appliquait lui aussi à bonifier notre langage soulignant, par exemple, que les deux «l» ne doivent pas être doublés dans «collège», «collègue» et «Hollande»; ou que, par exception, ils ne sont pas mouillés dans «distiller» et «osciller». Ajoutées à la vigilance paternelle, ces leçons m'ont sans doute inspiré le goût d'une langue bien parlée et bien articulée.

Séparatiste ardent, le père Migneault chantait la gloire de notre future patrie, la Laurentie. Même lorsqu'il infligeait quelque sévice corporel, encore d'usage chez les jésuites. On y donnait la pétoche ou, comme on disait, la *sly*, déformation du mot allemand *schlag*, c'est-à-dire qu'on frappait la paume de la main ouverte à l'aide d'une épaisse lanière de cuir assujettie à un manche. Plus grave était la faute, plus nombreux les coups. Je ne sais plus quelle peccadille me valut d'être soumis à ce traitement, dont les plus coriaces sortaient les yeux secs. Ils revenaient en classe en affichant un air de triomphe et de provocation. Pour ma part, j'offris à mes camarades le spectacle de mes yeux rougis par la douleur et par l'humiliation. Chaque coup était dédié : pour la Vierge, vlan! pour la Laurentie, vlan! Cela pouvait à la rigueur correspondre à l'orthodoxie de la Compagnie de Jésus...

C'est par d'autres aspects qu'en déviait le père Migneault. Ainsi, après une distribution de prix, conseilla-t-il à la très jolie sœur d'un élève de devenir vedette de cinéma, alors que la règle eût voulu qu'il l'encourageât à entrer chez les religieuses. Toutefois, ce qui entraîna sa perte, c'est qu'il eut l'idée de fonder un lycée laïc, en plein foyer confessionnel et en pleine période de ferveur religieuse. Ses démarches étaient allées jusqu'à approcher certains professeurs éventuels, comme André Laurendeau, et à visiter certains immeubles pour loger la nouvelle institution. Chacun des scouts de la troupe d'Hervé Benoist avait, de plus, été prié de sonder ses parents : envisageraient-ils la possibilité d'y transférer leur fils? Avant que son projet pût se développer, il fut donc prestement exilé au Collège de Saint-Boniface, où les autorités des jésuites envoyaient réfléchir leurs mauvais sujets. S'y plut-il ou ne s'amenda-t-il point? Il y passa de nombreuses années, et ne revint à Montréal que pour y mourir.

Je revois également le père Taché, professeur de sciences naturelles. On n'en parlait que sous le sobriquet de Bibitte. À l'étage des deux classes de Philo, il disposait d'un vaste local où s'entassaient divers instruments hydrographiques, des serres miniatures, des vitrines débordantes de papillons multicolores et d'insectes étranges, ainsi que de nombreux aquariums. On pouvait y admirer d'extraordinaires *Betta splendens*, ces petits poissons siamois si ardents au combat. Bibitte avait l'air d'un professeur Tournesol avant la lettre. J'ai la conviction qu'avec son poil unique sur le sommet du crâne et ses lunettes de myope, c'était un savant authentique. Pour cette raison peut-être, tout en nous en moquant, nous ne pouvions nous empêcher de lui vouer affection.

En Rhétorique, le père Angers m'ouvrit de nombreux horizons. Durant les périodes libres du samedi après-midi, il nous parlait d'astronomie; il nous faisait connaître des écrivains qui

n'étaient pas au programme : Saint-Exupéry, Gide, etc. Oui Gide...
contre lequel il se sentait obligé de nous mettre en garde,
le qualifiant d'*incarnation du mal*, tout en nous vantant son
style classique. C'est encore lui qui suscita mes premières
rencontres avec Shakespeare, avec Claudel, m'inspira de l'affection
pour Molière, dont il m'amena à goûter autant les farces que les
grandes comédies.

Durant l'été, nous pouvions, si le cœur nous en disait,
consacrer du temps à des devoirs de vacances. J'en ai fait de
nombreux en algèbre, en géométrie et en trigonométrie, piloté par
l'étonnant monsieur Gérard. Le père Angers m'en proposa un sur
Molière. Je serais bien curieux de pouvoir le consulter maintenant,
à plus de cinquante ans de distance, histoire de vérifier si je n'avais
fait que répéter les propos du maître, ou s'il y avait là quelque
idée personnelle. Malheureusement, avant d'atteindre la vingtaine,
dans un geste symbolique de rupture avec mon jeune passé,
j'ai jeté à l'incinérateur tout ce qui pouvait me le rappeler :
compositions françaises de collégien, bulletins mensuels de notes,
cahiers de classe... Et bien que j'aie comme principe de ne jamais
avoir de regrets puisqu'ils m'apparaissent totalement vains, il
m'arrive de m'en vouloir de cet autodafé.

C'est peut-être le père Angers qui parvint à influencer le père
d'Auteuil dans son choix de répertoire pour la scène du Gesù. Car,
après un douteux *Tartarin de Tarascon*, où Jean Gascon et
moi nous escrimions à prendre l'accent marseillais, il y eut
ce *Mithridate*, dont j'ai déjà parlé, bientôt suivi du *Jules César* de
Shakespeare où il nous fit respectivement jouer Brutus et Cassius
(rôle que je reprendrai trente ans plus tard au Théâtre du
Nouveau Monde).

Ce premier contact scénique avec le grand Will ne me laisse
à peu près que le souvenir d'une anecdote. Après leur défaite, sur
les plaines de Philippes, les deux conjurés se suicident. Le soir de
la répétition générale, cette mort violente me valut une chute dont
je me relevai avec de sérieuses ecchymoses à une jambe et un
avant-bras. Plein de sollicitude, le père d'Auteuil me conseilla
d'éviter de tomber raide comme une barre de fer, mais de plier
d'abord les genoux, comme dans la vie quoi ! Technique qui m'évita

de nombreuses marques et douleurs, par la suite ! Ce fut la dernière fois que Jean Gascon et moi devions évoluer ensemble sur la scène du Gesù, en tant qu'élèves du Collège Sainte-Marie.

SCÈNE XXVII
Du père Legault à Ludmilla Pitoëff

Je n'avais pas encore 16 ans lorsque le père Émile Legault vint assister à une représentation de *Mithridate*. Il n'était pas jésuite, mais de la Congrégation de Sainte-Croix. Passionné d'art dramatique, il avait obtenu une bourse du Secrétariat de la province de Québec pour aller explorer la situation du théâtre à Paris. C'est de ce ministère que relevaient alors les affaires culturelles et artistiques. L'à-propos de ses interventions dépendait exclusivement de l'ouverture d'esprit de son titulaire. Ceux de cette époque (Athanase David, Hector Perrier, Jean Bruchési) ont laissé le souvenir d'hommes éclairés.

À Paris, le père Legault avait côtoyé surtout les auteurs Henri Ghéon et Henri Brochet, ainsi que l'animateur Léon Chancerel. Se réclamant de Jacques Copeau, ce dernier avait fondé les Comédiens routiers, groupe marqué au coin de la mentalité scoute, dont il s'inspirait pour redonner vie au théâtre de tréteau à l'aide d'improvisations, de parades, de jeux, de masques, de pantomimes, etc. Les deux premiers prônaient un « théâtre chrétien ». Ils écrivaient — Ghéon avec infiniment plus de talent que Brochet — des pièces inspirées du théâtre du Moyen Âge, remis à l'honneur grâce aux recherches d'un érudit professeur de la Sorbonne, Gustave Cohen. Pièces d'une certaine fraîcheur, mais qui n'évitaient que rarement le ton de la prédication et du prosélytisme.

Le père Legault avait également profité de son séjour à Paris pour fréquenter, en spectateur assidu, les théâtres du Cartel des quatre, association qui regroupait, sans statut officiel, Pitoëff, Jouvet, Dullin et Baty. Les dictionnaires nous apprennent que ces quatre grands directeurs ne partageaient aucune autre esthétique commune que le refus du naturalisme brut, ni aucune autre doctrine politique ou philosophique que la révolte contre la commercialisation de plus en plus inquiétante de l'art théâtral. Le Cartel exerça une grande autorité morale, depuis sa fondation, en 1926, jusqu'à

la fin de sa suprématie, qui coïncida avec la mort de Georges Pitoëff
et le déclenchement de la Seconde Guerre mondiale. À l'époque
où le père Legault assistait à leurs spectacles, Baty, Jouvet, Dullin
et Pitoëff connaissaient leur apogée. De nos jours, on dirait que le
père Legault était allé suivre un cours d'immersion en réforme de
théâtre à l'école du Cartel et des Comédiens routiers.

Nourri de tous ces modèles, il rentra au Canada pour devenir
le directeur des études théâtrales au Collège de Saint-Laurent. Il
fonda par la suite une troupe qu'il baptisa les *Compagnons de saint
Laurent*. Il insistait à ce moment-là (nuance qui lui échappera plus
tard à lui-même lorsqu'il écrira ses *Confidences*) sur le fait que
« saint » devait s'écrire avec une minuscule et « saint Laurent » sans
trait d'union. Histoire de souligner que ses Compagnons n'étaient
issus ni du Collège, ni de la municipalité du même nom, mais
qu'ils se réclamaient du patronnage du martyr mort sur le gril, au
IIIe siècle de notre ère, et qui donnera son nom au fleuve qui sillonne
l'est du Canada. La fondation de cette troupe eut lieu au moment
où la situation économique, conjuguée à l'avènement du cinéma
parlant quelque dix ans plus tôt, avait eu un effet désastreux sur
l'activité théâtrale locale. Si bien que les Compagnons vinrent
combler un vide relatif dans ce domaine. Ce n'est que l'année
suivante que Gratien Gélinas signera ses premières *Fridolinades*.

Qui était donc ce religieux venant à point nommé renflouer
un art qui, à l'exception de mélodrames de tournée et de manifestations à caractère nettement populiste et clownesque (La Poune,
Tizoune, etc.), ne survivait que dans l'essoufflement? Le portrait
que j'en trace ici n'est pas le fait d'un historien objectif (est-ce
possible? est-ce même souhaitable?); il s'agit plutôt d'un dessin
esquissé par quelqu'un qui a « pratiqué » le père Legault, au total
pendant sept ans, porté d'abord par un dévouement exubérant,
mais qui, avec le temps, ne sera plus inspiré que par un zèle
un peu forcé.

Je ne crois pas que le père Legault ait abordé le théâtre après
une préparation, ou une formation théorique ou pratique particulière.
Il y est venu comme presque toujours et comme presque tous par

*Jean-Louis Roux
et le père Émile Legault*

goût, attiré par l'éclat et le lustre d'un métier qui peut avoir de très nobles buts — entre autres, le divertissement et l'édification des spectateurs —, mais qui, de façon très étrange, n'atteint ce but qu'en créant des illusions, des artifices, qu'en racontant des fictions... pourtant si belles, si profondément inspirées de l'être humain et de ses élans, qu'elles ont apparence plus vraie que la réalité.

C'était un intuitif qui possédait un pouvoir d'assimilation extraordinaire et qui bénéficiait d'un charme dont il jouait à la perfection, c'est-à-dire sans en avoir l'air. Plutôt bel homme, doté d'une élégance naturelle, il était favorisé d'une remarquable facilité d'expression, dont il se servait pour convaincre et pour recruter. Le père Legault était essentiellement un animateur et un organisateur. Il savait s'encadrer des bons sujets, dans le bon poste, au bon moment et susciter, pour un temps, leur indéfectible fidélité. Il y avait du reste autour de lui, en plus ou moins grand nombre suivant l'époque, non seulement des comédiens et des comédiennes, mais tout un personnel, incluant secrétaires, techniciens, artisans, qui s'occupaient aussi bien de l'entretien des lieux que de la préparation des repas, au besoin. Son ardeur était communicative. Tout cela mis à son crédit. N'est-ce pas le propre de tout bon directeur de théâtre ?

À cause de la mentalité de l'époque, son état de religieux l'empêchait évidemment d'évoluer sur scène comme comédien. Contrariété qui constituait sans doute son regret le plus intimement ressenti. Il en avait développé une façon de diriger les interprètes qui était entièrement fondée sur la démonstration. Il prenait leur place et leur indiquait comment faire, allégeant d'autant la frustration qui le rongeait lorsque, durant le spectacle, il était réduit à le regarder de la coulisse et à souffler, quasi comme un bœuf, lorsqu'il était mécontent du tempo de son déroulement !

Mais le port de la soutane n'avait pas que des aspects négatifs. Il lui permettait de s'attirer des générosités dont il n'aurait pas été comblé, eût-il été laïc : privilèges divers, prêts de maisons, d'automobiles, de chalets d'été, etc. De plus, entérinée par sa congrégation, son activité théâtrale lui permettait d'échapper à ses triples vœux en toute impunité. Je le dis sans méchanceté. Dans notre milieu, c'était à la longue devenu secret de Polichinelle : le père Legault aimait le commerce des jeunes femmes. Ce n'est pas

moi qui vais le lui reprocher. Vivant la majeure partie du temps
hors communauté, il jouissait d'une énorme liberté et disposait
des revenus — si modestes fussent-ils — que généraient les
représentations de la troupe. Car Compagnons et Compagnes étaient
tenus à l'anonymat comme à la gratuité des services. En tournée,
cependant, leur logement et leurs repas étaient à la charge du père
Legault. Nous étions à un âge où nous savions nous satisfaire de
peu et où ces exigences d'austérité, de dépouillement et de modestie
ne pouvaient que provoquer notre adhésion.

Son affranchissement, le père Legault éprouvait toutefois le
besoin de le compenser par un zèle constant à l'égard de la moralité
et de la dévotion des membres de sa troupe. En tournée, la messe
et la communion quotidiennes étaient obligatoires. Après l'office,
désignés un à un par le Père, nous devions exprimer quelque pensée
dévote. L'abstention était mal notée. Il ne se passait pas de semaine
sans ce qu'il appelait une récollection, séance au cours de laquelle
il tentait de stimuler l'esprit de la troupe, s'il le jugeait chancelant,
et rappelait dans le rang les brebis égarées. Toutes pratiques qui
me devinrent lassantes avec le temps.

Mais après la représentation de *Mithridate*, en 1939, lorsque
le père Legault me demanda de me joindre à une tournée des
Compagnons, l'été suivant, j'exultais. Cet état de béatitude ne peut
être bien saisi qu'à la condition de comprendre qu'à ce moment-
là, pour un adolescent qui rêvait inconsciemment d'une carrière au
théâtre, l'idéal des Compagnons constituait ce qu'il y avait de plus
beau et de plus élevé à atteindre.

Dans un manifeste, évidemment écrit par leur animateur, ils
se déclaraient « un groupement d'avant-garde mixte, qui s'est donné
comme idéal de servir la foi par le théâtre ». Ce préambule ne
justifiait pas un débordement d'enthousiasme. La suite, bien
davantage. On y soulignait que « ... le théâtre à son origine, si loin
que l'on remonte avec lui dans l'histoire de l'Homme, fut un facteur
d'élévation morale. Bien spécifié dans son objet, le théâtre doit être
d'abord divertissement. L'homme de la rue réclame de lui une
émancipation de la fournaise quotidienne. Un divertissement encore
qui soit aussi artistique que possible : le peuple le moins décortiqué
cède plus qu'on ne croit à l'incantation de la Beauté. Ce n'est qu'en
troisième lieu, et comme une conséquence qu'on n'a pas paru
chercher, que s'insère l'édification. Ainsi rétablie la hiérarchie des

valeurs en fonction de l'art dramatique, il y a une certitude que l'action des Compagnons pourra s'exercer sans risque de rebuter même les mécréants, perméables à la beauté informée de sincérité et voiturés à petits pas, insensiblement et à leur insu, jusqu'à certains climats d'élévation morale et de culture spiritualiste.»

Je ne m'attarde pas au style emprunté : il ne me gênait pas, alors, pas plus que ne me frappait le paternalisme du ton. C'est la générosité du propos qui me faisait vibrer, et l'exigence du programme. Je me serais engagé à le réaliser avec ardeur, l'occasion m'en fût-elle donnée. L'offre du père Legault ne pouvait donc venir plus à propos : elle me procura une joie incommensurable. C'était comme si le ciel s'était ouvert et que Dieu le Père, en personne, m'eût invité à prendre place parmi ses élus. L'accord de mes parents m'étant pratiquement acquis puisqu'il s'agissait d'un groupe d'amateurs portant la caution d'un religieux, j'acceptai sans chercher à masquer mon émotion. Par la suite, j'ai toujours plaisanté Jean Gascon du fait que le père Legault m'avait d'abord sollicité. Ce n'est, en effet, qu'une fois la tournée commencée qu'il devait être recruté à son tour.

Avec Georges Groulx, Roger Garand, Albert Ledoux, Jean-Pierre Masson, Thérèse Cadorette — qui aurait sûrement connu une belle carrière, eût-elle persévéré dans le métier — et quelques autres, nous composions la deuxième équipe de la jeune histoire des Compagnons. La première avait réuni surtout des garçons et des filles qui ne devaient pas persister au théâtre : Roger Varin, dont le rôle ne saurait être exagéré dans la création de la troupe, Marie Lambert, Marguerite Groulx, François Zalloni, François Bertrand, et bien d'autres. Mais il y avait Pierre Dagenais, futur fondateur de L'Équipe ; il y avait aussi Paul Dupuis, qui allait faire une brève percée au cinéma britannique, avant de revenir évoluer sur les scènes de Montréal. Je compris plus tard que le père Legault était extrêmement jaloux de son ascendant sur ses Compagnons et ses Compagnes ; il rejetait — ou faisait rejeter par les autres — quiconque laissait poindre l'ombre d'une tendance à l'émancipation. Ce qui explique cette succession d'équipes avec des transfuges de l'une à l'autre — surtout des femmes —, tout le long de l'existence des Compagnons, jusqu'à leur disparition en 1952.

Lors de mon recrutement, le père Legault avait 33 ans. Il était donc notre aîné de plus ou moins quinze ans. Mais jamais ne mentionnait-il cet écart dans l'exercice de ses fonctions. Son autorité n'avait rien d'accablant ; elle était absolument cordiale. Si ses jeunes recrues le vouvoyaient, c'était davantage par égard pour sa robe que par respect pour son âge. Car, par ailleurs, toutes et tous se montraient avec lui d'une extrême familiarité, le surnommant plus souvent qu'autrement Toto ! Chez les Compagnons, sauf pour ces maudites récollections qui avaient le don de me hérisser, l'atmosphère générale était à la détente, souvent à la rigolade avec blagues scatologiques à la clé, signe de bonne santé morale, insistait Toto, lorsque la délicatesse de l'un ou l'autre s'en trouvait blessée. Certains séjours prolongés à Saint-Adolphe-d'Howard ou au lac Sept-Îles, près de Saint-Raymond-de-Portneuf, n'évoquent dans ma mémoire que des souvenirs de grande fête et de chaude camaraderie.

En 1939, le directeur des Compagnons ne s'était pas encore libéré de l'influence de Chancerel et de Brochet, et s'en tenait à sa formule de théâtre chrétien. Il y avait au répertoire beaucoup de jeux dramatiques avec meneur de jeu obligé (*Le Jeu de Celle qui la porte fit s'ouvrir*, *Le Jeu de saint Laurent du fleuve*, *Le Jeu de Robin et de Marion*), voire des mystères (*Le Mystère de la Messe*) et un nombre considérable de pièces d'Henri Ghéon, auteur maison prolifique s'il en fut.

Le père Legault était l'unique metteur en scène, guidé, en cela comme ailleurs, par son intuition. Je ne me rappelle pas l'avoir une seule fois entendu expliquer sa conception d'un spectacle ou sa vision d'une pièce. Ni justifier une indication de jeu. Nos gestes, nos attitudes et jusqu'à nos intonations devaient constituer une imitation la plus servile possible de ce dont il nous faisait la démonstration. La difficulté qu'on éprouvait à y parvenir lui causait quelquefois des crises de colère qui provoquaient immanquablement les larmes de sa pauvre victime. Je me rappelle, Compagnon néophyte, avoir épanché mon chagrin sur les pierres tombales du cimetière de Yamaska derrière l'église paroissiale, dont le parvis nous servait de scène pour un jeu marial.

Sous sa direction, Compagnes et Compagnons devaient surtout faire preuve de souplesse corporelle. C'est l'aspect physique qui primait : beaucoup de mouvements, de cabrioles, de sauts, d'attitudes et de gestes plastiques, adoptés pour leur unique beauté formelle. On plaisantait Toto en lui parlant de ses « jeux de pieds ». Le tour consistait en ce qu'un groupe de personnages assis aient le pied gauche croisé sur le droit et que, avec un ensemble parfait, ils en changent subitement. Cette gymnastique provoquait immanquablement le rire. On le constate : la subtilité n'était pas souvent au rendez-vous. Mais on parlait beaucoup de sincérité et de «stylisation». Ce dernier terme servait de clé, de passe-partout même, à tous problèmes et difficultés. Il ne fallait pas faire *vrai*, mais *stylisé*.

J'ai toujours été préoccupé par la clarté indispensable des termes; aujourd'hui plus que jamais! Mais même alors, c'était une sorte d'obsession. Un soir, j'exigeai des éclaircissements. Cela se passait à la «permanence» des Compagnons, une magnifique et vaste résidence mise gracieusement à la disposition du père Legault, angle Côte-des-Neiges et Decelles, tombée depuis sous le pic des démolisseurs pour faire place à un anodin ramassis de logements en copropriété. Mais enfin, qu'est-ce qu'on voulait dire par *stylisation*? Ce ne fut pas le père Legault qui me répondit, mais un jeune camarade français arrivé depuis peu à Montréal, Jean de Rigault, dont l'aura parisienne et le vernis de culture nous en imposaient, bien qu'il fût du même âge que nous. Sa réponse me parut embrouillée. Je restais décidément sur ma faim...

Avec le recul, je crois comprendre que stylisation était l'antonyme de réalisme. Styliser, c'était en somme simplifier, transposer, schématiser, tout autant dans le dessin des décors et des costumes que dans le mode de jeu. Styliser, c'était modifier l'aspect réel des choses en magnifiant leur pouvoir évocateur. Par exemple : pour le *Noé* d'André Obey, les perruques n'étaient pas faites de cheveux mais de gros brins de laine; pour le meilleur effet du reste. Toujours dans un esprit de stylisation, au maquillage on préférait le masque ou le demi-masque, afin de grossir le trait, d'amplifier la vertu du signe. Par économie, on les empruntait si possible plutôt que de les fabriquer à nos mensurations. Avec le résultat qu'à la lettre, nos yeux n'arrivaient pas toujours en face des trous!

Dans Léandre des *Fourberies de Scapin*, un tel masque au front, je poursuivais de mes élans amoureux Zerbinette, interprétée par Charlotte Boisjoli, qui elle, pourtant, jouait à visage découvert. La stylisation se soumettait aux contraintes du budget. À la scène finale, lorsque pères, filles et fils découvrent leurs liens de parenté, pour le plus grand bonheur de tous, je m'élançais vers ma bien-aimée. La vue gênée, je butai contre la rampe d'un escalier qui coupait la scène en diagonale sur une bonne partie de sa profondeur. Je décrivis alors un saut périlleux complet de toute beauté, pour me retrouver sur mes pieds aux côtés de ma dulcinée. Ma cascade fut accueillie par un tonnerre d'applaudissements. Mais je ne me risquai jamais à la reprendre.

Avec cette cabriole, j'accédais à la plus pure stylisation, donnant préséance à la forme sur l'idée et le concept. Si on pousse cette notion à son extrême, le jeu ne peut faire autrement que d'aboutir sur la pantomime. Il y en avait, en effet, beaucoup dans tout ce que faisaient les Compagnons à ce stade de leur évolution. C'était ce qu'on pourrait appeler leur marque de commerce. À la moindre occasion, on dénichait, d'une panière, quelques éléments de costumes, quelques accessoires, quelques instruments de percussion — dont l'indispensable jazz-o-flûte —, quelques masques aussi, et on présentait, toujours avec le même succès, *Le jeu de la belle en son jardin*.

Ces jeux, comme l'option trop contraignante du théâtre chrétien, finirent par trahir leurs limites. Si bien qu'on commença à annexer, sous la bannière du christianisme, tout ce qui était reconnu comme grands auteurs classiques. Corneille n'avait-il pas écrit *Polyeucte*? Racine, *Athalie* et *Esther*? Ils ouvrirent la voie à Molière, à Shakespeare, à Beaumarchais et à Musset. Petit à petit, tout en jouant des auteurs dramatiques mineurs qui se déclaraient chrétiens, comme André Obey, Gilbert Cesbron et Pierre Emmanuel, on relégua le qualificatif dans l'ombre, et on finit par jouer tout le répertoire passé ou présent, hors ce qui était considéré comme théâtre de boulevard.

Il y avait tout de même quelques grands auteurs qui adhéraient encore heureusement, bien qu'à leur insu, à la première devise des Compagnons : « Pour la foi par l'art dramatique ; pour l'art dramatique en esprit de foi. » Tel T.S Eliot, dont on donnera *Meurtre dans la cathédrale*, en 1950. Tel également Claudel. Son *Échange*, jouée à L'Ermitage en 1940, eut une influence déterminante sur mon évolution personnelle et sur celle de ma carrière.

Pour cette pièce, le père Legault avait exceptionnellement fait appel à Ludmilla Pitoëff, épouse de Georges Pitoëff, l'un des quatre du Cartel. Georges et Ludmilla constituaient, en Europe, le couple de théâtre le plus fameux de l'entre-deux-guerres. Leur famille respective avait quitté la Russie, peu après la Révolution, pour émigrer d'abord en Suisse, puis en France. Georges y était devenu un metteur en scène, dont les productions suscitaient des querelles passionnées. Louis Jouvet déclara un jour à son propos : «Pitoëff se trompe deux fois sur trois, mais de nous quatre, lui seul a du génie.» À ses côtés, Ludmilla était considérée, par certains critiques, comme une comédienne inspirée; la plus grande, allaient jusqu'à affirmer ses plus fervents admirateurs.

Dès le début de la guerre, Georges s'était replié sur la Suisse, où il allait bientôt être emporté par une crise cardiaque. Seule avec ses deux plus jeunes enfants, Ludmilla décida d'aller rejoindre une autre de ses filles, Varvara, qui vivait à New York, divorcée d'un premier mari américain. Ayant eu vent de sa présence aux États-Unis, la Comédie de Montréal, compagnie qui n'allait connaître qu'une brève existence, lui demanda de venir monter et jouer *Le Vray procès de Jeanne d'Arc*, pièce basée sur les procès-verbaux des comparutions de la Pucelle devant le tribunal de Rouen. Ludmilla y avait triomphé, à Paris, avant la guerre. Profitant du fait que son voyage jusqu'à Montréal se trouvait ainsi payé, le père Legault se mit en rapport avec elle, et l'invita à venir travailler ultérieurement chez les Compagnons. Elle accepta sans hésiter : d'un naturel curieux, elle se sentait plus attirée par ce groupe de jeunes exaltés que par l'autre compagnie, formée de professionnels d'expérience. Son travail avec la Comédie de Montréal s'avéra du reste très pénible. Elle dut y affronter l'animosité presque générale d'artistes qui craignaient qu'elle ne leur enlève le pain de la bouche, et pour qui elle devint la cible d'attaques des plus mesquines. Son origine russe leur fournit évidemment le prétexte idéal pour railler son accent. En vérité, elle n'avait pas d'accent étranger à proprement parler. Son phrasé était particulier, certes, ainsi que sa façon de dire le texte, presque comme une mélopée. Mais dans sa bouche, le phonème français atteignait une pureté tout à fait exceptionnelle.

Chez les Compagnons, Ludmilla se retrouva dans un milieu qui lui était éminemment sympathique. Lorsque le père Legault nous annonça sa venue, ne l'ayant jamais vue en photo, j'imaginai

Jean-Louis Roux et Ludmilla Pitoëff
dans les rues de Montréal
1942

que j'allais me trouver en présence d'une femme d'âge respectable, à l'allure sévère et impressionnante. Or j'eus la surprise de voir arriver une très jolie femme, d'une fraîcheur étonnante, mise coquettement, de façon — faut-il le dire — un peu désuète d'après nos barèmes nord-américains, et dégageant un charme irrésistible. Dans son style lapidaire, Jean Cocteau disait qu'elle avait «une ravissante petite tête de mort». Le dictionnaire Larousse lui donnait 45 ans; elle en avouait 40, et sa prétention était plausible. Je fus conquis. Si c'était ça la réforme du théâtre, j'en étais!

Le père Legault avait fait la distribution des rôles de *L'Échange*. Normal, puisque Ludmilla Pitoëff ne connaissait personne. Elle jouait Marthe, évidemment, en plus de mettre la pièce en scène; Jean-Pierre Masson était Thomas Pollock et moi, Louis Laine. J'avais accueilli la nouvelle sans débordement de joie extrême. Cela me semblait naturel. Malgré mes cheveux blond roux, je ne voyais personne hormis moi, parmi les Compagnons, qui puisse jouer ce personnage d'Indien. C'était bien davantage candeur que fatuité. Aujourd'hui, je n'aurais pas cette tranquille audace. Le travail de répétitions me fut d'ailleurs l'occasion d'une très bonne leçon de modestie...

Ludmilla Pitoëff souhaitait que sa fille Varvara fasse ses débuts sur scène dans le rôle de Léchy. Avec sa crinière rousse de lionne et ses yeux bleu vert, elle avait au moins le physique de l'emploi. Mais le père Legault opposa son veto: la présence d'une divorcée parmi les Compagnons était incompatible avec leur idéal chrétien! Ce serait donc, comme prévu, Marguerite Groulx qui serait Léchy. Même à 17 ans, et malgré les préjugés qui régissaient notre société, je fus outré par cette attitude. Non que j'eusse quoi que ce soit contre l'excellente camarade qu'était la sœur de Georges Groulx, mais parce qu'une telle attitude révélait une excessive étroitesse d'esprit. Ou bien, était-il possible que le directeur des Compagnons se méfiât déjà de l'emprise qu'exercerait sur son entourage une femme encore jeune, manifestant une aussi remarquable vivacité d'intelligence, et qu'il lui procurât dès lors un motif de ne pas s'éterniser au sein de sa troupe? Qui sait?

Le début des répétitions de *L'Échange* me fut fort éprouvant. C'était peu après la manifestation du Marché Saint-Jacques, et ma mâchoire inférieure fracturée me rendait des plus douloureux tout effort d'articulation. Mais plus inquiétant, cette femme exquise, aimable et rieuse que me semblait être jusque-là Ludmilla Pitoëff, fit soudain place à un metteur en scène exigeant, intraitable, rigoureux, ne laissant passer aucune faiblesse, requérant reprise sur reprise des mêmes quelques répliques, tant que nous ne parvenions pas à en extraire tout le sens et toute la vérité. Si quelqu'un s'en plaignait, elle faisait remarquer que ce n'est pas autrement qu'un pianiste parvient à améliorer son jeu, remettant cent fois sur le métier les mêmes quinze mesures. Pour la première fois de ma jeune existence de comédien, j'éprouvai une répulsion viscérale pour les répétitions. Je me gendarmais, je ruais dans les brancards. Rien n'y faisait. J'avais affaire à un dompteur patient et entêté qui ne se satisfaisait plus de bonne volonté et de dévouement, aussi francs puissent-ils être, et qui réclamait, de ses interprètes, une disponibilité totale ainsi qu'une présence de tous les instants, à chacun des stades des répétitions. Il n'était plus question de l'esprit de foi, mais du pur et simple exercice professionnel d'un métier.

Le travail se prolongea sur une période interminable, et il me demeura aussi épuisant à la fin qu'au début. Mais reste que, lorsque je déclare n'avoir jamais fréquenté d'école de théâtre, ce n'est pas tout à fait vrai. Car ce fut réellement cela, mon école : ce travail acharné auquel je fus contraint pour *L'Échange*, d'abord, puis pour *L'Annonce faite à Marie*, *Le Pain dur*, *Phèdre*, *Orphée* et, plus tard à Paris, *Maison de poupée* et *Le Vray procès de Jeanne d'Arc*. Sur une période de dix ans, jusqu'en 1950, cette femme, véritable incarnation du théâtre, m'a tout appris du métier. En premier lieu, les techniques : diction, pause de voix, respiration, projection, expression corporelle ; mais surtout, elle m'a permis de découvrir avec patience la façon de concilier deux états depuis toujours recherchés par tous ceux et celles qui évoluent sur scène : la concentration intellectuelle et la détente physique, même s'il est impossible d'invariablement y arriver de manière absolue.

Grâce à elle, je sais à peu près aborder un texte, cerner un rôle, lui prêter forme, découvrir ses relations avec les autres personnages et la façon dont il s'insère dans l'œuvre en question, travailler en équipe, etc. Et je sais écouter. Pour la première fois de ma jeune carrière, j'entendis un metteur en scène me prier d'être attentif à ce que me disaient les autres personnages, de les écouter comme si je ne les avais jamais entendus. Savoir écouter, art subtil pour le moins aussi important que de savoir dire un texte. En somme, le père Legault m'avait inspiré l'enthousiasme, l'ardeur ; Ludmilla Pitoëff me montrait, sans cesse dans la recherche de la vérité la plus profonde, de la sincérité la plus totale, comment me servir de mes dons naturels, tout en préservant la même ardeur et le même enthousiasme.

L'Échange fut accueilli chaleureusement : plutôt que les seules cinq représentations initialement prévues, nous devions jouer une semaine entière. J'étais encore maladroit en scène. J'effectuais certain déplacement, notamment, avec une telle raideur qu'il provoquait le rire. Mais je découvrais la vertu d'un grand texte, et je connaissais ma première réelle exaltation de comédien. Un soir, en rentrant de la représentation, je trouvai un mot de ma sœur Simone sur mon oreiller. En termes simples, elle m'exprimait son admiration et son envie, elle qui désirait passionnément devenir artiste lyrique. Ce souvenir m'est resté à la fois très cher et douloureux, car la pauvre ne put jamais réaliser son rêve, quelque acharnement qu'elle y mît.

Ludmilla Pitoëff revint à Montréal en 1942, pour y monter L'Annonce faite à Marie, dans le cadre des célébrations du 300ᵉ anniversaire de fondation de la Métropole. Elle y jouait Violaine et, cette fois, elle fit débuter sa fille Varvara dans le rôle de Mara. Pas question, pour lors, de produire le spectacle chez les Compagnons. Le calcul du père Legault, si calcul il y avait eu, s'avérait juste : tout danger de compétition interne était conjuré. Fut alors fondée la Compagnie Ludmilla Pitoëff avec l'aide d'un jeune mécène, Georges Amyot, fils d'un riche industriel de Québec, fabricant de corsets... La grande comédienne devenait productrice de ses spectacles. À ses côtés, j'interprétais le rôle de Jacques Hury.

Car après un peu plus de trois ans à son service, j'avais décidé de quitter le père Legault, non sans en éprouver beaucoup d'affliction. Le climat de bondieuserie dont il s'entourait m'était devenu intolérable. La voix onctueuse qu'il employait pour faire ses sermons me faisait grincer des dents. De plus, en même temps qu'il écartait une artiste trop encombrante, le père Legault allait procéder à l'une de ces « purges » dont il était coutumier. Cette fois, la personne visée était Gilles Corbeil, ancien élève du Collège de Saint-Laurent et neveu du poète Émile Nelligan.

Le statut de Gilles Corbeil chez les Compagnons n'était pas explicite. Doué d'une intelligence exceptionnelle, d'un humour malicieux, d'un goût raffiné, possédant une vaste érudition littéraire et musicale, il s'occupait un peu de tout : choix du répertoire, choix de la musique de scène, distribution, conseiller en lecture, critique. Il s'imposait auprès de presque tous ses camarades, et commençait à jeter sur le père Legault, dont il lui arrivait de percer les intrigues, un regard teinté de scepticisme. Il représentait l'aile «progressiste» du groupe et avait fini, petit à petit, par exercer un pouvoir d'autant plus dangereux qu'il n'avait rien d'ambitieux. Il fallait donc l'éliminer. Raison invoquée : mauvaise influence sur les autres Compagnons et Compagnes. La sentence était sans appel. Or, de solides liens d'amitié s'étaient tissés entre Gilles Corbeil et moi. Il finit d'ailleurs par me vouer une affection extrêmement possessive dont je dus me défaire, quelques années plus tard. En 1942, en grande partie à cause de sa disgrâce, je passai des Compagnons chez Ludmilla Pitoëff.

Quelques jours après ma décision, je surpris le père Legault en visite auprès de ma mère. Dès qu'il me vit entrer, il manifesta un certain embarras et s'éclipsa comme un faux jeton. Maman me révéla qu'il était venu la mettre en garde contre Gilles Corbeil, selon lui un garçon que ses liens de parenté avec le poète Émile Nelligan prédisposaient aux troubles mentaux. Ma pauvre mère essuya ma sainte colère, alors que j'aurais dû m'en prendre à ce religieux qui usait de moyens indignes pour évincer celui qu'il considérait être un rival, comme s'il s'agissait d'une joute amoureuse. Dans les relations du père Legault avec ses Compagnons et ses Compagnes, il y avait toujours un peu d'amour latent. Comme ce doit être le cas, j'imagine, entre un gourou et ses adeptes. Plus tard, histoire de lui rendre la monnaie de sa pièce, je confiai au père Legault que l'excès de son zèle pieux m'avait définitivement éloigné de toute pratique religieuse, sûr en cela de toucher un de ses points les plus sensibles. C'était enfantin et, advenant que le coup eût porté, passablement cruel.

Avant son départ de Montréal, je jouai avec Ludmilla Pitoëff dans deux autres spectacles : *Phèdre*, présentée à l'Université de Montréal, et *Le Pain dur*, qui marqua un retour au Gesù. Dans *Phèdre*, j'étais Hippolythe et Jean Gascon, Thésée. Car il avait fini, lui aussi, après les tergiversations qui lui étaient coutumières, par prendre ses distances des Compagnons.

Je me rappelle toujours avec émotion l'extraordinaire musique du vers racinien dans la bouche de cette comédienne incomparable :

N'allons point plus avant. Demeurons, chère Œnone.
Je ne me soutiens plus, la force m'abandonne...

On aurait dit qu'elle allait défaillir à chaque syllabe. C'était d'un dépouillement, d'une simplicité qui trouvaient sans détour le chemin du cœur. Dans son rôle de Phèdre, dans celui de Lumîr, comme dans tous ceux où je l'ai vue, elle dégageait une charge d'émotion inconcevable et, par ailleurs, déployait une énergie étonnante pour une femme d'apparence aussi délicate.

Dans la vie, elle savait quelquefois se faire mordante, sans pour autant élever le ton. Georges Amyot jouait l'apprenti dans *L'Annonce faite à Marie*. Ludmilla lui exprima un jour les griefs du public : on ne saisissait son texte qu'avec peine à cause de sa voix défaillante. Vexé, il lui rétorqua : « Vous non plus, madame, on ne vous entend pas. » Et c'était en partie exact. Alors qu'elle pouvait parler, au besoin, sur un timbre éclatant, il lui arrivait, surtout dans les moments d'intense émotion, de s'exprimer en scène avec un filet de voix. Elle conclut tout uniment : « Eh bien justement : deux interprètes qu'on n'entend pas dans le même spectacle, c'est un de trop. Parlez plus fort ! » Une autre fois, à un comédien qu'elle n'estimait guère et qui se réjouissait des progrès qu'il avait accomplis, elle rétorquait : « Vous faites bien de me le souligner : je ne m'en étais pas aperçue. »

Elle traitait son métier de façon très simple, très réservée. Consciente de son art exceptionnel, elle exécrait la fatuité tout autant que l'affectation. Charlotte Boisjoli jouait Sichel dans *Le Pain dur*. Elle venait de fonder avec son mari, Fernand Doré, la Compagnie du masque. Tous deux y professaient des principes d'une très grande austérité, presque monastiques. Par exemple, on devait s'exempter de saluts après les spectacles, cette pratique relevant, d'après eux, du plus pur cabotinage. Lorsqu'elle vit Ludmilla Pitoëff s'apprêter à régler les rideaux de rappels, après

Ludmilla Pitoëff
et Jean-Louis Roux,
Le Pain dur
1945

l'une des dernières répétitions de la pièce de Claudel, elle marqua son désaccord. Ludmilla n'en termina pas moins tranquillement ce qu'elle avait commencé. Plus tard, sans pour autant blâmer Charlotte, elle me confia : «Cela m'importe peu de me faire applaudir, mais je tiens à saluer le public. Après tout, il n'est pas forcé de venir nous voir. Il faut bien lui en témoigner notre reconnaissance.» Qui dit mieux? Charlotte ne m'en voudra pas de rappeler ce souvenir. Elle a évolué, depuis. Comme nous tous. Comme moi. Heureusement.

Avant de quitter Montréal pour l'Europe, malgré mes relations un peu altérées avec le père Legault, je jouai deux autres fois sur la scène du Gesù avec les Compagnons de saint Laurent, comme «artiste invité». D'abord Sébastien dans *La Nuit des Rois* de Shakespeare, habillée et décorée par Alfred Pellan : une véritable jubilation visuelle. Jean Gascon et moi avions fait la connaissance de Pellan dès son retour de Paris d'où l'invasion allemande l'avait chassé. Une étonnante camaraderie s'établit aussitôt entre nous, bien qu'il fût de près de vingt ans notre aîné. Il rayonnait de vigueur. On avait toujours l'impression de le voir mordre dans la vie, comme dans un fruit juteux. Il pouvait nous donner des leçons d'énergie et de jeunesse. C'est Jean qui proposa sa collaboration pour *La Nuit des rois*. Le père Legault accepta, mais nous demanda de lui servir d'intermédiaires, reconnaissant de bonne grâce ne pas avoir, avec le peintre, les mêmes relations privilégiées que nous.

Nous voilà donc dans l'atelier de Pellan, rue Sainte-Famille. Il était devant son chevalet. À l'époque, il concoctait des mélanges de tabac pour essayer de retrouver le goût des cigarettes Gauloises. Nous le vîmes avec étonnement en prendre une pincée et la mêler à sa pâte, sur la palette. Il obtenait ainsi une curieuse matière qui, appliquée sur la toile, créait une surface grumeleuse inusitée, dont la texture produisait un relief étonnant.

Pellan n'était rien moins qu'un intellectuel. Il avait déclaré ne pas avoir le temps de lire la pièce. Tout en buvant du mauvais vin rouge sud-africain, Jean et moi nous sommes donc mis à la lui raconter, en lui décrivant les personnages. Pellan posait de brèves questions et prenait quelques notes. Le signalement de Sir Tobie se résumait par *ivrogne*; celui de Festé : *fou*; Malvolio : *précieux et pédant*; Sir André : *idiot*. Mais il était tout oreilles et, de son crayon, traçait des lignes : silhouettes, profils ou arabesques.

Malvolio portait déjà ses bas à jarretières croisées; Sir André, que Tobie manipulait à sa guise, prenait une allure de marionnette dont les membres étaient articulés comme des pièces de Meccano. Et les doubles visages de ces personnages ambigus commençaient à se révéler. Éblouissantes maquettes qui prenaient forme sous nos yeux, et dont nous ne nous doutions pas qu'elles préfiguraient, deux décennies avant le fait, l'explosion de la peinture *pop* et de l'art psychédélique.

Pellan s'occupa en personne de la réalisation de ses toiles de scène, de ses meubles, de ses accessoires et de ses costumes. Accroupi devant un comédien ou une comédienne, il peignait directement sur la redingote, sur le haut-de-chausse ou sur la robe. Il tatillonnait sur une infime différence de degré dans la couleur, appliquant lui-même les maquillages, afin d'obtenir exactement le masque désiré. Pour moi le souvenir de *La Nuit des rois* des Compagnons, c'est d'abord et avant tout Pellan. Ce Pellan que je retrouverai, plus de vingt ans après, lorsque je déciderai de reprendre ses maquettes et ses plans pour remonter la pièce au Nouveau Monde.

Après *La Nuit des rois*, je jouai finalement le Chœur dans *Antigone* de Anouilh, toujours au Gesù et toujours pour les Compagnons. Jean Gascon incarnait Créon, et Thérèse Cadorette y faisait une admirable Antigone, noiraude, anguleuse et sculpturale. Jean Coutu jouait le bel Hémon. Je me sentais pourtant étranger à la Compagnie. Je ne faisais que passer. Mon cœur était ailleurs.

Les Compagnons fermèrent leurs portes en 1952. Le père Legault se consacra à la prédication radiophonique et mourut en 1983, encore auréolé pour bon nombre de gens de son prestige d'antan. Et il est vrai que l'influence de son action sur l'évolution de notre théâtre est incontestable, malgré mes réserves au sujet du personnage. Il a donné l'élan à plusieurs artistes — comédiens, comédiennes, metteurs en scène, décorateurs, directeurs et directrices de théâtres — qui avaient plus ou moins 20 ans vers 1940, leur inspirant la fierté du métier et la dignité de leur personne. Dépassant quelquefois les bornes de son apostolat chrétien un peu encombrant, il a sorti de l'oubli un répertoire presque abandonné au profit du boulevard et du mélodrame. Bien inconsciemment, les troupes du jeune théâtre d'aujourd'hui reprennent souvent, dans son esprit, l'entreprise généreuse des Compagnons du père Legault. Sans lui, sans eux, nous ne serions pas exactement ce que nous sommes.

SCÈNE XXVIII

La paix du monde

Le lundi 13 septembre 1993

À Washington, face à face historique du premier ministre d'Israël, Yitzhak Rabin, et du président de l'OLP, Yasser Arafat. La gorge étreinte d'émotion, j'ai écouté la retransmission radiophonique de la cérémonie dans ma voiture. Lorsque les deux hommes se sont serré la main, l'assistance entière a poussé une exclamation de stupeur, avant que ne retentissent ses applaudissements et ses cris de joie. Qui aurait pu prédire qu'un jour, on entendrait à peu près les mêmes mots sortir de la bouche de ces deux ennemis, naguère irréconciliables : « Assez de violence ! Assez de tueries ! Assez de sang répandu ! Essayons de la paix ! *Let's give peace a chance !* » Ce que n'avaient cessé, avant eux, de répéter les pacifistes, pour se voir qualifier d'idéalistes et de rêveurs inconscients.

Les raisons sont sans doute complexes, qui ont amené Rabin et Arafat à reconnaître, l'un, le droit de l'État israélien à vivre en paix et en sécurité, l'autre, celui de l'OLP à représenter le peuple palestinien. Les considérations d'ordre économique ont dû y être pour beaucoup. Il est ruineux de faire la guerre. La fabrication et l'achat d'armes de plus en plus sophistiquées, comme le maintien en état de combat d'importants effectifs militaires ou de hordes de terroristes, ont contribué largement à l'écroulement de l'économie mondiale. Aussi, Israéliens et Palestiniens sont-ils forcés de mettre fin à ce gaspillage désastreux qui grève l'avenir de générations et de générations d'êtres humains.

Mais j'espère, j'aime croire qu'en définitive, c'est l'opinion publique de leur peuple respectif qui a poussé Rabin et Arafat à franchir ce pas décisif vers la paix au Moyen-Orient. Les fanatiques parlent fort et ne sont heureux que s'ils appuient sur la détente d'une arme à feu. Mais il n'est pas possible d'imaginer que la majorité des hommes et des femmes de notre planète acceptent de voir leurs enfants, leurs parents et leurs amis se faire froidement assassiner, pour quelque cause que ce soit. J'espère, j'aime croire que ce sont les peuples israélien et palestinien qui ont forcé leurs chefs à se serrer la main.

Tous les commentateurs, tous les hommes politiques soulignent que l'heure n'est pas à l'allégresse béate, que le chemin vers la paix sera ardu et qu'il faudra une volonté collective inflexible pour y persévérer. Et certes, les extrémistes juifs ou arabes vont redoubler de violences et de provocations pour faire échouer l'entreprise. Il faut que ce soit peine perdue, quelles que soient les tactiques employées. Ce processus vers la paix doit être irréversible. Il servira peut-être de modèle partout où la violence meurtrière fait rage sur le globe, encouragée par les nationalismes exacerbés et le fanatisme religieux : au Liban, en ex-Yougoslavie, en Irlande et ailleurs. Les dirigeants du monde entier pourront alors s'attaquer aux véritables problèmes de l'humanité : la pauvreté, l'accumulation excessive de richesses et de capitaux dans certaines mains, la faim et les injustices sociales.

Acte II

SCÈNE I
Enfin libéré !

Le jeudi 30 septembre 1993

À cette même date en 1946, je montais à bord d'un train en direction de Halifax, où je devais m'embarquer sur un cargo et voguer vers l'Europe. J'emploie à dessein ce terme romantique, car cette traversée couronnait un rêve depuis trop longtemps caressé.

Comme tous les jeunes de ma génération, qui avaient eu le privilège de fréquenter les institutions d'enseignement jusqu'à leur baccalauréat, j'avais reçu une éducation centrée sur l'Europe, et plus particulièrement sur la culture française. J'avais vécu les années les plus importantes de mon évolution comme être humain, de 1939 à 1946, coupé de mes sources culturelles par un conflit qui ne me concernait pas — c'était malheureusement ma conviction à l'époque : j'en ai déjà expliqué les raisons sans chercher à m'en justifier —, un conflit que je rejetais instinctivement, aveuglément, que je détestais, dont je me refusais à reconnaître les enjeux cruciaux, qui me frustrait des richesses inépuisables de cette vieille Europe déchirée, dont nos maîtres et nos aînés nous avaient tracé une si séduisante image. Dans mon immense pays aux frontières étroites, j'attendais impatiemment de pouvoir fuir ce qui me paraissait être l'atmosphère suffocante de ma famille, de mon milieu, de ma province, où je me voyais condamné à vie à la médiocrité. L'Europe, la France, Paris m'étaient d'autant plus attrayants qu'ils m'avaient été interdits depuis près de six interminables années.

Pendant cette période, toute évocation de la vie culturelle parisienne nous mettait en allégresse, mes amis et moi, pour ensuite nous plonger en mélancolie. Il fallait nous voir écumer les librairies françaises de livres usagés, jusqu'à Sherbrooke où l'on nous en avait signalé une, débordante de trésors, jusqu'à New York même, pour nous y procurer les derniers exemplaires disponibles de *Si le grain ne meurt*, ou de *Thomas l'imposteur*, ou de *À la recherche du temps perdu*, au complet en seize tomes. Dès mon entrée à l'université, je pus me permettre ce genre d'acquisitions. Car, en plus de rédiger des fiches de lecture pour les Éditions Fides, je participais, une fois la semaine, à un programme radiophonique extrêmement populaire : Radio-Carabins. Imaginée et réalisée par Paul Leduc, cette émission réunissait Jean Gascon, Jean Coutu, Roger Garand, Georges Groulx, Claudine Thibodeau, Cherubina Scarpalegia, Éloi de Grandmont, qui y poussait la chansonnette, et d'autres. C'était un fourre-tout où côtoyaient musique populaire, grande sonate au piano ou au violon, drame et, surtout, numéros comiques. L'esprit y volait bas. J'éprouvais une honte refoulée d'ainsi me « prostituer », mais j'empochais tout de même les dix-sept dollars de cachet que valait cette heure d'antenne. Je quittai, deux ans plus tard, quand on me refusa une augmentation de trois dollars...

J'ai mentionné New York! New York était notre fenêtre ouverte sur le monde, notre source d'oxygène. Nous ne pouvions nous payer le voyage qu'en de très rares occasions puisqu'en plus des économies accumulées, il exigeait le recours au subside paternel ou maternel. Notre bref séjour y était entièrement consacré aux films de cinémathèque (*Alexandre Nevski*, *Le Sang du poète*), aux musées (Guernica au Musée d'Art moderne, les grands maîtres classiques au Metropolitan Museum), au théâtre (Laurette Taylor dans *Glass Menagerie*, Catherine Cornell dans *Antigone*), aux promenades dans le Village ou dans le Parc, aux flâneries chez les libraires.

Nous allions à New York, de préférence, durant la Semaine sainte. Parce que le soleil y resplendissait, parce que nous étions en vacances (j'étudiais toujours la médecine), parce que la Easter Parade était éblouissante de couleurs et assourdissante de bruits, parce que les rues débordaient de piétons radieux, parce qu'enfin, c'était une grande ville.

Un Vendredi saint, nous nous trouvions dans la Librairie française de la Rockefeller Plaza. Je m'enquérais de la traduction d'une nouvelle intitulée *Lady into Fox*. Une voix se fit alors entendre derrière nous : « C'est moi qui ai traduit cette œuvre de David Garnett sous le titre de *La Femme changée en renard*. » Et nous vîmes s'avancer un homme d'une parfaite distinction, portant magnifiquement bien la soixantaine. Il se présenta : André Maurois (de son vrai nom, Maurice Herzog; *Le Devoir* ne l'avait pas dénoncé, celui-là!). De réputation, nous connaissions très bien l'auteur des *Silences du colonel Bramble* et des *Discours du docteur*

O'Grady, ces fameux récits que lui avait inspirés son séjour en Angleterre, comme officier interprète, en 14-18. Par cette fête de Pâques de fin de guerre, nous n'en revenions pas de le voir là, devant nous. Et notre stupéfaction grandit encore lorsque, après les présentations d'usage, il nous invita à prendre le thé chez lui, le lendemain après-midi.

Il habitait un luxueux appartement de la 5ᵉ Avenue. Nous y fîmes connaissance de sa femme, Simone Caillavet, dont le père était l'un des membres du célèbre tandem d'auteurs de comédies de boulevard, de Flers et Caillavet. Nous nous retrouvions dans une délicieuse France de rêve. La conversation s'engagea naturellement autour de la littérature, ainsi que de la colonie française de New York. Notre hôte parlait un excellent anglais. Ce n'était pas le cas de tous les Français réfugiés aux USA. Ainsi d'Antoine de Saint-Exupéry, qui jugeait peut-être inutile de l'apprendre puisque, ayant pourtant dépassé la limite d'âge, il n'avait qu'un seul désir : rejoindre les Forces de l'air. Par permission exceptionnelle, il devait se remettre à piloter dans l'aviation américaine, comprenant à peine les ordres qui lui étaient communiqués, et c'est à bord d'un *Lightning* américain qu'il disparut quelque part au-dessus de la Méditerranée, en 1944. Maurois nous raconta que Saint-Ex venait de lui passer un coup de fil, quelques jours auparavant, et qu'il lui avait lancé, sans aucune introduction : «Dites à cet idiot que c'est la cravate rouge à pois blancs que je veux; celle que porte le mannequin dans la vitrine de gauche!» Ce *five o'clock tea* fut l'un des épisodes mondains les plus délectables que j'aie connus.

Après la libération de la France, aussitôt les premiers journaux parisiens arrivés à Montréal, je me précipitais à la Librairie Pony, en compagnie de trois amis : Gilles Corbeil, Gérard Gauthier et Roger Lamoureux. En ayant acheté autant que nos moyens nous le permettaient, nous partions en balade à la campagne. Nous disposions presque toujours, les poches à peu près vides, d'une des trois automobiles des Corbeil, dont le *paterfamilias*, Émile Corbeil, avait fait fortune dans la fabrication de chaussures. Tétreault Shoe, c'était lui. Slater Shoe, c'était encore lui. Corbeil Limitée, toujours lui, par frère interposé. Multimillionnaire. Quelques amis privilégiés de Gilles en profitaient, dégustant à l'occasion de bonnes bouteilles, «empruntées» à sa cave encore bien garnie malgré les années de guerre, et roulant voiture. Jean Gascon, qui affectionnait les calembours, l'avait baptisé Émile Piastres!

Ce jour-là, la Cadillac et la LaSalle n'étaient pas disponibles. Nous roulions dans une «modeste» Chevrolet. Au volant, à peine Gérard Gauthier avait-il de regards pour la route : il lorgnait plutôt les journaux épluchés par ses trois passagers, porteurs de nouvelles presque fraîches de Paris. À tout moment, l'un de nous lisait à haute voix une information ou un entrefilet qui avait provoqué son ravissement ou sa surprise. Fut-ce émotion ou maladresse, Gérard Gauthier trouva moyen d'étouffer le moteur en plein sur les rails d'un passage à niveau. Levant distraitement les yeux, nous aperçûmes une énorme locomotive se diriger vers nous, sombre, menaçante, sifflant de toute sa vapeur. La Chevrolet refusait toujours de redémarrer et la locomotive toujours approchait, approchait... Soudain, toutes les portières de la voiture s'ouvrirent et quatre jeunes gens en sortirent, les jambes à leur cou, trois d'entre eux serrant des journaux en liasses sur leur poitrine. Nous ne nous retournâmes qu'une fois assez éloignés pour éviter d'être blessés par les morceaux de la carrosserie que nous imaginions déjà voler dans toutes les directions sous l'impact de la collision. La locomotive s'arrêta tout doucement à petite distance de notre véhicule : l'engin était en manœuvre de changement de voie et se déplaçait à une allure de tortue vagabonde. Le mécanicien riait à s'en décrocher les mâchoires. Sous son œil narquois, nous remontâmes en voiture. Le moteur se remit facilement en marche. Notre frayeur vite dissipée, nous replongions déjà le nez dans nos journaux, pour renouer avec notre cher Paris.

Mais les liens rétablis à distance ne me suffisaient évidemment pas. Je voulais, coûte que coûte, physiquement me retrouver dans la capitale culturelle du monde. Une demande de bourse auprès du Secrétariat de la province resta sans réponse. Je m'en plaignis en public. Un auteur de feuilleton radiophonique, Jean Desprez — pseudonyme de Laurette Auger — me prit à partie dans les colonnes de l'hebdomadaire *Radiomonde*. Je n'avais pas à solliciter les pouvoirs publics pour aller en Europe : mon médecin de père pouvait sans doute largement y pourvoir. Jean Desprez avait fait l'objet des brocards du journal des étudiants, *Le Quartier latin*, pendant tout le temps que j'y avais occupé le poste de rédacteur en chef. Car, en plus d'avoir été l'une des plus acharnées dans la campagne de dénigrement organisée, au début des années quarante, contre Ludmilla Pitoëff, elle représentait à mes yeux tout ce contre quoi s'élevaient les «purs» de la profession comme moi.

J'eus pourtant le culot de l'appeler au téléphone pour lui signaler son erreur : mon père, médecin de famille à l'ancienne, n'était rien moins que riche. Il avait élevé six enfants, procurant à chacun d'eux la meilleure éducation possible, et ne gagnait qu'un modeste salaire de fonctionnaire municipal. Mon interlocutrice réagit de façon imprévue, se montrant sincèrement navrée. Elle me rappela peu après, et m'annonça qu'elle m'avait dégoté une chronique dans *Radiomonde*. Une fois à Paris, je pouvais écrire sur le sujet de mon choix et en retirerais un cachet de dix dollars. Ce n'était pas le pactole, mais la démarche n'en était pas moins généreuse. Du reste, plus tard, nous devions tous deux devenir d'excellents amis et je lui découvris un cœur large comme une cathédrale. J'emploie la métaphore à dessein puisque ce devait être le titre d'une de ses pièces dans laquelle j'allais jouer, une fois de retour à Montréal. J'intitulai ma chronique *Soirées de Paris*. J'y parlais de théâtre, de cinéma, de concerts, de récitals, de musées, de promenades, de tout et, sans en faire une collaboration hebdomadaire, je la signai assez régulièrement. Grâce à quoi je pus prolonger mon séjour au delà de ce que m'auraient permis mes autres ressources.

Cependant, pour gagner ces dix dollars, encore fallait-il que je sois à Paris et, pour le moment, je n'avais même pas les moyens de me payer le transport. Je vécus alors un véritable conte de fées. Parmi les dix-huit enfants de la famille dont il était le cadet, mon père avait une sœur, la tante Maria, elle-même gouvernante auprès d'un autre frère, curé de la paroisse de Saint-Henri. Saint-Henri était un quartier pauvre mais très populeux. L'oncle Maurice, le curé, y avait amassé un petit capital qu'il avait légué par testament aux pères des Missions étrangères, en laissant l'usufruit, tant qu'elle vivrait, à sa sœur Maria. Célibataire, celle-ci se satisfaisait de peu, et j'avais entendu dire qu'elle venait souvent en aide à l'un ou l'autre de ses neveux et nièces. En 1946, elle vivait aux Cèdres, à une trentaine de kilomètres de Montréal, où elle s'occupait de la famille de Lionel Bissonnette.

Lionel était le fils d'Élisabeth Roux, une autre sœur de mon père, et d'Arcade Bissonnette, deux magnifiques patriarches à haute et droite stature et à tête blanche, parents d'une nombreuse progéniture. Lionel était l'un de leurs rares enfants à ne pas être entré en religion. La vocation d'au moins douze d'entre eux avait valut à leur père d'être décoré, par le Vatican, de l'Ordre du Saint-Sépulcre. La mère avait été laissée pour compte : telles étaient les mœurs de l'époque... Lionel s'était établi au Cèdres avec son frère Armand. Ils y étaient mariés, le premier à Honorine, le deuxième à Gilberte, et avaient fini par devenir propriétaires de toutes les entreprises lucratives du village : magasin général, couveuse, pompes funèbres, compagnie de téléphone, dragage du canal Soulanges, etc. Nous allions souvent passer les dimanches aux Cèdres, où il n'était pas rare de nous retrouver plus de quarante convives en plusieurs tablées pour le repas du midi, préparé par la vaillante Honorine. Il fallait entendre les fougueuses discussions qui s'y déroulaient !

Lors d'un de ces repas, Armand et Lionel débattaient de quelque plan d'expansion du magasin général. Leur père, Arcade, tentait de leur donner conseil. Mais il ne parvenait qu'à se faire rabrouer. Il finit par se lever et quitta la table, déclarant d'un ton dramatique : «Mes garçons ne m'écoutent plus !» Il approchait de ses 80 ans, et eux avaient dépassé la cinquantaine...

Mais quand la politique s'en mêlait, les échanges devenaient épiques. Lionel était libéral, plus rouge qu'un coquelicot ; la tante Maria, Union nationale aussi bleue que pervenche. C'est géné-ralement eux qui éperonnaient les troupes en lançant leurs cris de guerre : «Taschereau !», «Duplessis !» C'est à peu près tout ce qu'on entendait des apostrophes et des charges lancées d'un bout à l'autre de la table, pendant que la cousine Honorine veillait à ce que tout le monde soit abondamment servi. Prudent, papa se retranchait derrière son statut de fonctionnaire municipal pour éviter d'être pris à témoin. Quant à moi, je lançais de timides œillades à ma petite cousine Marie-Ange, que je trouvais bien jolie.

L'après-midi, on allait se promener dans les champs, y examiner les cultures, ou à l'étable, voir les animaux. Les jeunes citadins s'empêchaient de respirer pour ne pas être suffoqués par les odeurs de fumier, moqués en cela par les petits campagnards plus nombreux. Le plus grand plaisir d'un des enfants Bissonnette,

André, était de nous attirer vers la grange, dont il ouvrait subitement la porte pour nous offrir le spectacle du cadavre de quelque noyé, repêché du matin dans le canal Soulanges. Il arrivait en effet très fréquemment que, quittant la route étroite sans parapet longeant le canal, une voiture y plongeât et qu'un ou plusieurs de ses passagers ne puissent s'en dégager. On les couchait là, sur la paille, en attendant de les embaumer. Le petit cousin André jubilait lorsque les cadavres dataient, que leurs vêtements étaient en partie arrachés et qu'on pouvait voir leur peau blanchie et gonflée. En criant, mes sœurs se précipitaient sur moi pour me masquer la vue.

Ces images morbides me revinrent en mémoire le jour où j'appris que la voiture du cousin Lionel s'était, à son tour, engloutie dans l'onde assassine. Un passager l'accompagnait : sa femme. Il réussit à remonter à la surface. Pas la cousine Honorine. Je ne pus m'empêcher de me demander si on l'avait, elle aussi, couchée sur la paille de la grange...

À la suite de cet accident, la tante Maria s'était installée chez Lionel, pour prendre soin de la famille et de la maison. Un lundi, je me décidai à lui écrire. Je lui expliquais qu'ayant quitté la médecine, je voulais faire du théâtre et qu'il me fallait absolument aller à Paris, retrouver mes racines culturelles. Je n'ai pas conservé copie de cette lettre. Je ne peux donc en citer les termes exacts. Je me rappelle pourtant que je lui demandais précisément mille dollars, que je m'engageais à lui rendre... un jour. Le mercredi suivant, elle sonnait à la porte du foyer paternel et me tendait un chèque pour la somme requise. Heureux été que celui de 1946!

SCÈNE II

La hantise de Paris

Je m'employai aussitôt, fébrilement, à la préparation de mon voyage. On nous disait de tout emporter, puisqu'en Europe, après six ans de guerre, on manquait de tout. Ce n'était pas toujours le cas... J'offris ainsi à un cordonnier parisien des semelles de fabrication canadienne coupées à l'avance, pour faire ressemeler mes chaussures. Après un coup d'œil, l'artisan me fit remarquer que mon cuir était du carton et il m'en offrit de première qualité, dont il avait une bonne réserve sur ses tablettes. Mais le fait est qu'il valait mieux emporter les articles de toilette, les produits de beauté, les vêtements, les lainages, les draps, les serviettes. Volumineux bagage à assembler.

Deuxième préoccupation : le transport. Sans parler du fait que les voyages aériens outre-Atlantique n'étaient pas encore passés dans les mœurs, le nombre de mes malles et valises m'obligeait à la traversée en surface. Pas si simple : les grands paquebots, transformés pour les mouvements de troupes durant la guerre, n'avaient pas encore repris le parcours. D'autres, de plus faible tonnage, partaient presque tous de New York, et les cabines devaient en être réservées des mois à l'avance. Il fallait donc se rabattre sur les cargos, d'ailleurs moins coûteux. Certains transportaient du bétail. On pouvait s'y embarquer en s'engageant comme palefrenier ou vacher. Perspective qui ne me souriait guère. Restaient les cargos mixtes. Ils étaient en grande demande et en assez petit nombre : les flottes marchandes des pays alliés, décimées par les U-Boats, n'avaient pas encore été entièrement reconstituées.

Un matin de septembre, je me présentai cependant aux bureaux de la Canadian Steamship, rue Saint-Jacques. Le préposé m'exprima immédiatement ses regrets. Pour le moment, il n'avait rien. Fussé-je venu quelques heures plus tôt, il aurait pu m'offrir une cabine à bord d'un cargo en partance de Halifax, au début d'octobre. Il avait l'air sympathique, et moi, chaleureux. Il devinait mon impatience à partir ; je sentais son désir de me venir en aide. La conversation s'engagea. J'appris que la personne qui m'avait fauché la dernière cabine n'était nul autre qu'Éloi de Grandmont, un élève des Beaux-Arts qui frayait dans le cercle des Compagnons. Il n'avait fait qu'une réservation, sans verser d'arrhes... l'imprudent ! Ô tentation de Paris, que de crimes n'ai-je pas commis en ton nom ! Je sortis mon carnet de chèques, réglai sur-le-champ la somme entière de la traversée, aller simple (quelque trois cents dollars), et quittai les bureaux de la Canadian Steamship, billet en poche. Éloi ne m'en voulut pas trop : il trouva une autre cabine à bord du même cargo, et nous fîmes le voyage ensemble.

L'Eucadia jaugeait vingt mille tonneaux. Il transportait des pommes, et devait quitter Halifax le 1ᵉʳ octobre, à destination d'un port britannique. Habitude de guerre peut-être, on faisait encore des mystères au sujet des parcours maritimes. Le matin du lundi 30 septembre, je quittais Montréal. Des amis et des parents avaient organisé une manifestation joyeuse à la gare centrale. Pellan en était, avec Jean Gascon, Gilles Corbeil et ceux de ma famille qui avaient pu se libérer : papa, maman et trois de mes sœurs. Je serrais les mains, je donnais des accolades, les yeux embués, car je caressais l'intention secrète de ne jamais revenir. Une fois à bord du train, en compagnie d'Éloi de Grandmont, l'atmosphère tourna rapidement à la fête. Les toasts se succédaient à même une bouteille qu'on venait de nous offrir. Une légère ivresse nous gagnait agréablement, prélude à la félicité que nous réservait le Vieux Continent.

Halifax n'était pas alors l'assez coquette ville qu'elle est devenue. On n'éprouvait aucun goût de s'y attarder. Nous passons la nuit dans une chambre à bon marché et, dès le lever du Soleil, nous allons au port nous enquérir de l'heure de départ de notre Eucadia. Nous avons la bonne surprise de trouver un cargo de très belle allure, et la déception d'apprendre qu'il a écopé d'une avarie, en montant de New York : son départ est retardé *sine die*.

Que faire pour occuper le temps ? Une petite promenade à la Citadelle. Une visite du Lobelia, navire de guerre français amarré dans le port. Au mess des officiers, nous retrouvons un amateur de théâtre de Montréal, Bernard de Massis, représentant en produits pharmaceutiques. Agréables moments, consacrés à casser du sucre sur le dos des Anglais et des Américains. Passe-temps obligé entre Français de l'Ancien et du Nouveau Monde ! Et après ? Flâneries à la faveur desquelles nous faisons connaissance de deux autres passagers, en attente comme nous. L'un est acadien ; il s'appelle Léger mais prononce son nom à l'anglaise. Il ne parle d'ailleurs qu'anglais. Je comprends pourquoi quand je l'entends jurer en français, le jour où il répand une tasse de thé sur son veston. L'autre est un grand garçon blond, genre joueur de football. Ils nous invitent chez des amis de Leger (sans accent aigu) en banlieue d'Halifax. Pendant toute la soirée, le footballeur me fait des avances. Je ne sais plus dans quel coin prendre refuge. Mais mon bon ange veille. En sortant de la maison, au moment du départ, il rate une marche du petit perron, s'étale de tout son long et ne se relève qu'avec peine. Pendant le trajet, dans l'automobile qui nous ramène à Halifax, il ne cesse de geindre. « *It's sore !... It's sore !...* » Et c'est avec un plâtre à la jambe droite qu'il s'engagera sur la passerelle de l'Eucadia, en début d'après-midi du vendredi suivant.

Enfin, mes pieds foulaient le pont de ce cargo à bord duquel allaient voguer vers la côte européenne, en même temps que sa cargaison de pommes, tous mes rêves et toutes mes illusions de jeune homme. Dans mon minuscule journal à couverture de moire verte, il y a trois entrées pour les neuf jours que dura la traversée. Je les transcris ici, telles que je les y retrouve :

> «Le vendredi 4 octobre 1946. Montés à bord de l'Eucadia vers 14 heures, nous décollons du quai vers 20 heures. L'Amérique s'éloigne, et l'Europe se fait plus voisine.

> «Le samedi 5 octobre 1946. Debout dans ma cabine, je vois la mer et le ciel se disputer l'espace vital du hublot. Il suffit de m'asseoir pour que le ciel soit vainqueur. La destinée du ciel est entre mes mains.

> «Le lundi 7 octobre 1946. Ce que je trouve le plus inouï, c'est de me sentir en route pour l'Europe : le rythme régulier des moteurs m'assure que, vingt-quatre heures par jour, je m'approche de la Terre promise, et mon cœur bat des mêmes pulsations que le bateau. Je me sens une grande affection pour lui qui me porte avec assurance vers ces contrées dont j'ai toujours rêvé, sans jamais savoir quand il me serait permis de m'y rendre.»

Après trois jours en mer, je souffre de claustrophobie. C'est très beau, l'océan, mais un peu répétitif. Cette première traversée fut quand même agréable. Nous avions un service impeccable : quatre garçons de cabine s'occupaient de douze passagers. Outre Leger, le footballeur, et un vieux couple on ne peut plus *british*, je me rappelle une très belle juive, à la chevelure abondante, presque noire. Il m'arrivait de la serrer d'un peu près alors que vous devisions, appuyés au bastingage, sans qu'elle en semble le moindrement offensée. Un soir après le repas, je lui offris un cognac, habile façon de m'introduire dans sa cabine. Et ma foi, tout s'annonçait très bien, quand la mer du Nord, qui n'est jamais très calme, commença à faire des siennes. La nausée m'obligea à quitter abruptement ma conquête et à me réfugier, seul, dans mon lit étroit. Par la suite, elle me battit froid. Nous occupions des cabines voisines et, la dernière nuit, je ne pus que grincer des dents en l'entendant prendre ses ébats avec nul autre que mon footballer. L'animal à la jambe de plâtre était à voile et à vapeur !

C'est à Glasgow que nous devions aboutir, le samedi matin 12 octobre 1946. Cette ville minière d'Écosse me parut encore plus triste qu'Halifax. À fuir le plus rapidement possible. Quelques heures plus tard, le train nous amenait à Londres, où nous arrivions vers 19 heures. Un samedi soir! Impossible de trouver une seule chambre dans cette ville partiellement détruite par les V2 allemands. Sachant que je devais passer par la capitale anglaise, mon beau-frère Émile Boucher, fonctionnaire fédéral, m'avait conseillé de m'adresser, en cas de besoin, au Haut Commissariat du Canada où travaillait un de ses anciens collègues d'Ottawa, Jules Léger. Mais allez donc trouver qui que ce soit dans un bureau, un samedi soir... Je réussis pourtant à établir la communication avec un concierge de la Canada House, à qui j'expliquai mon problème. Avec une extrême gentillesse, il me conseilla de m'adresser au Cadogan Hotel, «on Sloan Square». C'est là que nous passâmes la nuit, Éloi de Grandmont et moi. Je me rappelle la chambre avec ses lambris de bois, ses lourdes tentures de velours rouge et ses meubles recouverts d'une laque sombre. Quelque trente-cinq ans plus tard, j'y retournai. Je me plais à ce genre de pèlerinage. Je retrouvai un hôtel luxueusement restauré, et ce n'est qu'à ce moment que j'appris que Oscar Wilde l'avait souvent fréquenté. Il y avait même dormi sa dernière nuit de liberté, avant d'être incarcéré dans la désormais célèbre prison de Reading. Aux murs du bar, des photos en témoignaient.

En 1946, Londres ne m'intéressait pourtant pas. Comme le dit la chanson de Joséphine Baker, ce qui m'ensorcelait, c'était *Paris, Paris tout entier...* Dès le lendemain matin, dimanche, j'étais aux bureaux du train maritime qui transporte ses passagers directement dans la capitale française, franchissant la Manche à bord d'un traversier. Je réussis sur-le-champ à me procurer deux places, alors qu'on m'avait assuré qu'en principe, il fallait faire ses réservations plusieurs jours, voire des semaines à l'avance. Probablement une annulation de dernière minute. Seule ombre au tableau : le train partait dans moins d'une heure. Retour à l'hôtel en vitesse, pour y reprendre Éloi et nos imposants bagages. Malheur! Dans le taxi qui nous amenait à la gare Victoria, le cœur me flancha lorsque je me rendis compte que je ne retrouvais plus les précieux billets. Changement de cap : direction bureaux du train maritime. M'y voyant entrer, le préposé me les tendit aussitôt : «You left them on the desk!». Il allongeait le bras à l'extrême, afin de me faire perdre le moins de temps possible. Chemin à rebours sur les chapeaux de roues : heureusement, à l'époque et par un dimanche matin de surcroît, les rues de Londres étaient quasi désertes. Sur le quai de la gare, le douanier nous posait les questions d'usage et tamponnait les papiers officiels en courant à côté du charriot où étaient entassés nos bagages, qu'il nous fallait nous-mêmes disposer dans le fourgon, avant de gagner notre compartiment. Nous y avions à peine pris place, essoufflés et suants, que le train s'ébranlait.

Je relate ce dernier incident parce que, depuis le premier instant où je décidai de quitter Montréal, j'ai l'impression d'avoir plus ou moins partagé le sort de ces héros d'anciennes légendes qui devaient sortir victorieux de toute une série d'épreuves, avant de mériter l'objet de leur désir. Il faut croire qu'ayant dominé tous les obstacles qui m'en séparaient, je finis par être digne du mien, puisque enfin, le dimanche 13 octobre 1946, peu après 18 heures, je descendais du train maritime à la gare du Nord. La gare Saint-Lazare, où j'aurais dû normalement arriver, avait été touchée par une bombe alliée avant la libération de la ville et n'était pas encore rouverte aux trains de grandes lignes. L'ami Jean de Rigault nous accueillit et nous amena manger chez lui, rue de Rome. Il y habitait avec son oncle, le professeur Louis Allard, et sa mère, à la famille de qui il avait emprunté son nom. En réalité, il s'appelait Cusson. Jean Cusson ! Peut-il se trouver consonance plus canadienne ? Il estimait que Jean de Rigault se prêterait mieux à la carrière d'imprésario qu'il comptait entreprendre.

Quant à monsieur Allard, alors à la retraite, il avait quitté la France pour le Québec, dans les années trente, comme professeur de français officiellement délégué à l'étranger par le ministère de l'Éducation nationale, statut qui témoignait de son exceptionnelle compétence en la matière. D'abord en poste à l'Université Laval, il était ensuite muté à Harvard, où le surprit la déclaration de guerre. Il décida alors de s'établir à Montréal avec sa sœur et son neveu, pour regagner Paris aussitôt le conflit terminé. Très vieille France, d'une incroyable érudition littéraire, il fréquentait un cercle des plus sélects qui tenait ses assises hebdomadaires, tous les jeudis, chez le bâtonnier Maurice Garçon, le plus célèbre avocat de Paris. Pour quelques-uns des Canadiens qui avaient connu la famille Cusson-Allard à Montréal, l'appartement de la rue de Rome devait devenir, pendant leur séjour parisien, une sorte de port d'attache. Peut-être n'y allions-nous pas très souvent; mais nous savions que nous pouvions y être accueillis en toutes circonstances.

Jean, sa mère et son oncle formaient un trio des plus pittoresques. Le jeune homme y régnait sereinement, servi par la première et adulé par le second. Comme toutes les personnes vieillissantes, les deux aînés se nourrissaient d'idées fixes qui prenaient, à l'occasion, forme de hantises. Ainsi en était-il de l'ordre, même dans ses applications domestiques, et de la morale bourgeoise, qu'elle concerne la famille ou la société. Débordant de leurs étroites limites, des détails infimes acquièrent soudain une importance vitale; ils deviennent des événements majeurs, voire même des cataclysmes. Anticipons un peu. Je déjeunais, rue de Rome, le lendemain du lancement du film *Manon*, du réalisateur Henri Georges Clouzot, soirée très mondaine où Jean avait entraîné ses parents. Ces derniers avaient été choqués par certains aspects de cette version moderne du roman de l'abbé Prévost. Particulièrement par le langage cru que le scénariste prêtait à ses personnages. «Jean-Louis, me déclara monsieur Allard sur un ton scandalisé qu'il se plaisait à exagérer, vous ne me croirez pas : dans ce film, on prononce le mot c-o-n clairement et distinctement!» En effet, à la recherche de sa Manon (Cécile Aubry), Des Grieux (Michel Auclair) fait irruption dans le bordel où il la soupçonne de travailler et y provoque un esclandre. En refermant la porte sur lui, la maîtresse des lieux (Gabrièle Dorziat), jusquelà d'une politesse de grande dame, murmure entre ses dents un parfaitement audible : «Petit con!» Devenue de nos jours affreusement banale, cette liberté avait, à l'époque, de quoi couper le souffle à deux bourgeois du VIIIe arrondissement de Paris, nés une bonne vingtaine d'années avant le tournant du siècle.

Une autre fois, la mère et l'oncle quittaient l'appartement. «Jean, avant de partir, tu n'oublieras pas de fermer la fenêtre de ta chambre», lui recommandaient-ils. «Oui, parrain...» répondait Jean sur son ton nasillard qui trahissait l'ennui et frisait l'insolence. Renonçant à l'émouvoir, monsieur Allard s'adressait à moi. «Figurez-vous, Jean-Louis, que la semaine dernière, Jean a quitté les lieux en laissant sa fenêtre ouverte.» Devant la difficulté évidente que j'éprouvais à comprendre le danger d'une telle conduite, lorsqu'on se trouvait au cinquième étage d'un immeuble en plein Paris, le vieillard insistait : «Un chat de gouttière pourrait entrer, se promener dans les pièces, déchirer le châle de Venise sur le piano, faire tomber le cristal de Lalique. Vous imaginez les dégâts!» Et me substituant à mon ami Jean, je concédais qu'il n'y avait rien de plus important au monde que de fermer la fenêtre de sa chambre, avant de quitter un appartement vide, fût-il situé à vingt mètres au-dessus du sol, devant la menace d'invasion de dangereux félins.

Lorsque Éloi de Grandmont et moi y débarquions en 1946, un sévère rationnement sévissait encore à Paris. Le soir de notre arrivée, madame Cusson avait pourtant réussi des miracles d'ingéniosité pour nous offrir un repas à trois services. Mais ni Éloi, ni moi n'y faisions honneur. Puisque nous nous y trouvions enfin, nous ne songions qu'à une seule et unique chose : prendre possession de notre ville. À peine avalée la dernière cuillerée de mousse au chocolat, nous nous précipitions sur le palier. L'ascenseur vétuste nous semblait trop lent. Nous dégringolions l'escalier, vers 21 heures, et ne devions rentrer que tard dans la nuit, malgré le fait qu'il n'y eût aucune illumination nocturne des rues, des monuments ni des édifices.

Le temps était d'une douceur particulièrement exquise. Nous descendîmes à pied la rue de Rome, puis la rue Tronchet jusqu'à la Madeleine; les Grands Boulevards jusqu'à l'Opéra; l'avenue de l'Opéra jusqu'à la Comédie-Française; les arcades de la rue de Rivoli jusqu'à la place de la Concorde. Puis ce fut la remontée des Champs-Élysées jusqu'à l'Étoile, et le retour par l'avenue de Friedland et le boulevard Haussmann. Impossible de décrire l'état dans lequel je me trouvais. Je connaissais, je reconnaissais absolument tout dans le moindre détail. J'aurais pu tout décrire de mémoire. J'avais contemplé tellement de photos, tellement lu de descriptions. Mais à ce moment précis, j'étais sur place. Je n'avais pas assez de mes deux yeux grands ouverts pour me délecter du spectacle : c'était du vrai, du réel, du dur, du trois dimensions, du tangible, du visible. En pierre, en marbre et en pavés, c'était Paris, Paris que j'absorbais de partout! Extase, excitation, volupté, possession charnelle. J'en avais le vertige. Depuis, lorsque j'y retourne, je retrouve toujours un peu de ce même état. Mais jamais au paroxysme que j'ai connu, la première nuit de mon séjour, en 1946.

Le plus étonnant, c'est que je n'ai pas été déçu. Ni au contact initial, ni par la suite. «Nathanaël, je te parlerai des attentes...» avais-je lu dans *Les Nourritures terrestres* de Gide. Et généralement, plus longue, plus prometteuse est l'attente, plus grand est le risque d'être déçu par l'étreinte, ou menaçant, le danger de n'en pas être à la hauteur. Mais non : jusqu'en 1950, Paris, la France, l'Europe d'alors m'ont parfaitement comblé. Je ne me lassais pas de voir Charles Dullin jouer Savonarole ou Harpagon ; d'entendre Gérard Philipe génialement déclamer Henri Pichette, ou s'amuser à incarner *Le Figurant de la Gaîté* ; de croiser Léautaud en traversant le Pont Neuf ; de voir le danseur Jean Babilée défier les lois de la pesanteur sur la musique d'un prélude de Bach ; de hanter les Galeries de la rue de Seine ; d'apercevoir le peintre Fernand Léger flâner, quai des Grands-Augustins, ou Sartre, attablé au Montana ; de deviner la silhouette de Jean Cocteau, par la vitrine d'une librairie du Palais-Royal. Je lui avais écrit et, ô surprise, il m'avait répondu :

Mon cher ami,

Votre lettre me retrouve à la campagne qui communique avec l'aquarium dans lequel vous m'avez vu. Il fallait y entrer et venir me serrer la main.

Pourquoi écrire sinon pour que l'encre nous fasse des amis entre lesquels je vous range.

Votre

Jean Cocteau
(signature ornée de la petite étoile familière)

À même ces rencontres fugitives et ces visions de rêve, à l'instar de Restif de la Bretonne, je me fabriquais toute une géographie parisienne dont la carte m'était seul connue ; bougeant, respirant, me soûlant d'oxygène, vivant de toutes mes facultés, libre, luxurieux, dépaysé, citoyen du monde ! Je mettais mon éducation à jour, je parachevais ma culture dans une vision incomparablement plus large, plus généreuse, plus libérale que je n'avais pu le faire dans ma ville natale. Mes frontières éclataient. Mes relations avec autrui, ma vision de l'univers s'en trouvaient transformées, métamorphosées. Tout commençait à prendre sa place dans une juste perspective. Et d'abord l'histoire récente : Hitler, son obsession raciste, sa doctrine de l'ethnie supérieure, le national-socialisme, l'holocauste.

SCÈNE III
Mon nouvel univers

Retrouvant la famille Pitoëff, je côtoyais naturellement leurs amis. C'était tous gens de gauche, quelques-uns même inscrits au Parti. Le communisme était encore bien porté par les intellectuels français : les crimes de Staline n'allaient être divulgués qu'une dizaine d'années plus tard. Avait cours, dans ce milieu, un langage entièrement différent de celui que j'avais l'habitude d'entendre à Montréal. À fréquenter ces nouveaux compagnons, à les écouter, à discuter avec eux, je commençais à saisir la portée de la lutte qui avait été livrée de 1939 à 1945.

Mussart, un Suisse, avait fait la guerre d'Espagne dans les Brigades internationales. Il en était revenu blessé par un éclat d'obus... à la fesse. Ce dont on se divertissait beaucoup. Mais sa parole bénéficiait du poids de l'expérience. Rouget, un ethnologue, travaillait au Musée de l'Homme. D'un esprit brillant, il avait une façon de manipuler la dialectique qui provoquait mon admiration. Aguirre, d'origine équatorienne, était le dilettante du groupe ; émigré de longue date, il possédait le génie de la langue française, mais la parlait, d'une voix éraillée, avec un accent espagnol digne d'un personnage de Feydeau. Son ironie et ses sarcasmes pondéraient le militantisme des deux autres. Avec une des Pitoëff, prénommée Ludmilla comme sa mère, il avait eu un fils qui portait le nom étonnant de Pribislav, emprunté à je ne sais plus quelle dynastie nordique. Aguirre connaissait tout de l'histoire universelle, depuis le fond des temps jusqu'à nos jours. Enfin Wallace, une sorte de tête brûlée d'agréable compagnie, n'appartenant à aucun clan, aucune chapelle, individualiste à tous crins, humoriste grinçant qui tenait à son élégance et regrettait le temps où, disait-il, les hommes avaient la galanterie de se masturber avant de faire l'amour. Je lui dois d'avoir jeté ma gourme grâce à des équipées dans lesquelles il m'entraînait, les unes amusantes, les autres, du plus mauvais goût. Mais elles avaient le mérite de faire exploser la gaine de ma timidité et de ma retenue excessives.

Wallace Gladstone Alward était un Canadien anglais, né à Montréal. Il balbutiait à peine lorsque ses parents s'étaient installés

à Paris. Il y avait reçu son éducation entièrement en français. Il
était donc parfaitement bilingue, parlant les deux langues sans le
moindre soupçon d'accent. Comédien sous le pseudonyme de Pierre
Gay (*glad stone*), il connaissait une modeste carrière. Il avait épousé
Svetlana Pitoëff, union dont étaient nés deux charmants enfants,
Christopher et Sebastian; ces prénoms avaient été soigneusement
choisis en vue de permettre leur traduction : Christophe et Sébastien.
Bilinguisme intégral! À la déclaration de la guerre, la famille de
Wallace regagna Montréal. Il décida, pour sa part, de rester en
France. Le gouvernement canadien ignorant apparemment son
existence, il pouvait sans doute se planquer quelque part et vivre
tranquillement sa vie jusqu'à ce que «ça passe». Mais en 1940, sa
conscience le poussa à s'engager. Sourire en coin, il prétendait avoir
jugé l'armée canadienne indigne de lui : il avait opté pour l'armée
britannique où il obtint le grade de capitaine. L'aisance avec laquelle
il parlait français et anglais lui avait valu d'être sélectionné avec
un groupe d'officiers d'élite pour aller mousser la propagande
britannique en Iran. Sa mission lui ouvrit les portes des familles
les plus aisées de Téhéran et lui procura vie facile. Une nuit, à
la sortie d'un bal, il s'aperçut qu'il n'avait plus son bracelet
d'immatriculation. Le lendemain, il alla le réclamer; on lui en
demanda une description détaillée et, quelques jours plus tard, on
lui en rendit une réplique... en or massif.

Après quelques mois de cette douce oisiveté, il apprit que
son unité, un bataillon de la 8ᵉ armée, venait de débarquer en
Afrique pour combattre le fameux Afrika Corps du maréchal
Rommel. Il demanda sa réaffectation, qui lui fut accordée : il devait
se rapporter par ses propres moyens et selon l'horaire de son choix.
Il se mit donc à faire du pouce, d'aéroport en aéroport, pour se
retrouver au Caire, quelques semaines plus tard. Il y vendit son
bracelet d'or massif et y passa ses derniers jours de bombance avant
de gagner le désert. Il s'en sortit sans une égratignure.

Toujours avec la 8ᵉ armée, il débarqua en Sicile en 1943,
pour rejoindre, peu après, la côte orientale de l'Italie. Sans plus
d'égratignures. Avec le temps cependant, les probabilités jouaient
contre lui. Il en avait développé une telle méfiance qu'il ne se
déplaçait, dans sa jeep, qu'avec un râteau muni d'un manche de
trois mètres de long dépassant largement l'avant et l'arrière de son
véhicule. Dès qu'au milieu de la route, il apercevait la moindre

petite bosse à l'allure suspecte de mine, il s'arrêtait et la grattait, de l'extrême bout de son long râteau, afin de la faire exploser sans dommage.

Il avait lié connaissance avec des châtelains, dans le voisinage de son camp, et passait d'agréables moments dans leur bibliothèque bien garnie. La présence constante de sa jeep, dans la cour du château, finit par provoquer un aviateur ennemi qui y lâcha quelques rafales de mitraillette. Wallace continuait à lire, recroquevillé au bas d'une encoignure. Mais au moment de prendre congé de ses hôtes, leur attitude lui fit comprendre qu'ils préféraient le voir mettre fin à ses visites culturelles un peu trop compromettantes.

La veille d'une attaque, il entendit un des hommes de sa compagnie jurer que, le lendemain, il irait se cacher dans une grange plutôt que de monter au front. Wallace l'avisa que s'il le voyait faire, il tirerait sur lui, justifiant son attitude du fait que les gradés constituaient la cible préférée des Allemands et que la défection d'un de ses hommes ne lui en paraissait que plus odieuse. Le gars tint parole. Wallace aussi, visant aux jambes. Le blessé porta plainte. Wallace fut jugé sur-le-champ. Les témoignages de tous les camarades de la victime lui furent à charge. À contrecœur, le tribunal militaire le déclara coupable. Mais la sentence se limita à ce qui s'appelle, en jargon de l'armée, une *Dishonourable Discharge*. On lui permit, en considération de ses services, de porter l'uniforme à bord du navire qui le ramenait en Angleterre avec tous les égard dus à son grade. Dès qu'il toucha terre, il redevint civil et, aussitôt la France libérée, regagna Paris.

Je ne connus les détails de cette histoire que bribe par bribe, en fouillis. Wallace en laissait échapper un fragment, ici et là, accoudé au zinc d'un bistrot, attablé dans un restaurant, flânant dans les Jardins des Tuileries ou dans les rues étroites du Marais. Si je la reconstitue ici, c'est qu'à quelques années près, mon compagnon m'apparaissait comme une réplique plausible de moi-même. Dans des circonstances identiques, j'imagine que j'aurais pu accomplir semblable cheminement. Je n'avais pas d'admiration pour le militaire, mais l'aventurier me fascinait. C'est d'ailleurs de cette manière que la guerre exerce un dangereux attrait sur les hommes. Voyez *Apocalypse Now*.

SCÈNE IV
Bohème et insouciance

Wallace éveillait en moi des instincts pas très méchants, refoulés par vingt-trois années de cloche familiale et d'éducation religieuse. Je m'engageais dans les frasques qu'il me proposait, comme un garçon mord pour la première fois dans le fruit défendu, frissonnant autant d'angoisse que de volupté. C'était toujours une sorte de jeu de steeple-chase, où les complications naissaient, les unes des autres, selon le choix de la manœuvre. Un soir, avec quelque argent en poche et de nombreux verres dans le nez, nous avions levé deux filles. C'est moi qui payais : je choisis la plus jolie. Au petit matin, nous avions invité nos deux compagnes d'occasion à prendre le coup de l'étrier dans un bistro endormi. Puis, bons princes, nous nous apprêtions à les raccompagner chez elles. Wallace roulait une petite Simca 5 qu'il avait stationnée, la veille, près du Rond-Point. Mais à l'heure où nous la regagnions, la vie laborieuse avait recommencé dans Paris et elle se trouvait dès lors en stationnement interdit. La clef était à peine dans la serrure, qu'un agent s'approcha, de son pas mesuré. Les filles s'éclipsèrent.

« Que pouvons-nous faire pour vous, monsieur l'agent ?

— Papiers... »

Docile, Wallace étala tous ses papiers sur le capot de la voiture : permis de conduire, carte grise, carte de résident permanent qui se déroulait comme un véritable accordéon, passeport canadien, carte syndicale... jusqu'à ses papiers de *Dishonourable Discharge* de capitaine de l'armée britannique. Cela débordait de partout. L'agent, flegmatique, choisit ce qui lui convenait et commença à dresser procès-verbal. Nous passions en duo des remarques sur sa mise : chaussures mal cirées, pantalons froissés, cheveux trop longs, etc. Silence de carpe de l'agent. La séance se prolongeait. Nous commencions à nous impatienter. Le représentant de l'ordre et de la loi se vengeait manifestement en nous faisant poireauter. Wallace éclata :

« Ah ! vous commencez à nous faire chier ! » (Sans doute ce qu'attendait l'homme en képi...)

— Insulte à un agent dans l'exercice de ses fonctions. Suivez-moi au commissariat.

— Avec plaisir, monsieur l'agent. »

Nous voilà au commissariat du VIIIe arrondissement. « Insulte à un agent… » Première déconvenue du flic : le commissaire ne pouvait être dérangé pour si peu. Mais derrière le comptoir, le greffier prit tout de même un air sévère. « Vos papiers… » Wallace recommença son manège. Je me contentai de ma carte de résident temporaire et de mon passeport. Constatant notre nationalité, le fonctionnaire accusa un peu d'embarras, mais il n'en commença pas moins à inscrire la plainte dans un imposant registre. Sans lever les yeux, il demanda : « Qu'est-ce qu'ils vous ont dit ?… » L'agent hésitait. Le gratte-papier le bouscula : « Enfin, quelles insultes ont-ils proférées ?… » L'agent répondit en marmottant : « Ils m'ont dit : vous commencez… à nous faire chier… » L'autre n'eut pas le moindre froncement. Il répéta lentement chacun des mots, en les inscrivant : « …nous… fai…re… chi…er… ». Puis il referma le registre, s'affairant à autre chose : « La prochaine fois, soyez plus polis. » L'affaire était close. L'air renfrogné, le plaignant se dirigea vers la sortie. Nous le rattrapâmes :

« Venez boire un verre avec nous, monsieur l'agent… »

Il faillit faire une crise d'apoplexie. S'il avait pu nous assassiner de son regard, je ne serais sûrement pas là, devant mon ordinateur.

Dans notre désœuvrement de mauvais garçons, notre passe-temps coutumier était tout bêtement de quitter un établissement sans payer les consommations. Champ d'action favori : La Rhumerie martiniquaise, boulevard Saint-Germain, qui regorgeait toujours de clients. Après avoir bu, nous sortions, sans nous presser, et allions nous poster dans la Simca 5 avec vue sur le « lieu du crime ». C'était une délectation de voir le garçon sortir, furieux, et scruter vainement l'horizon. J'avais bien eu quelque scrupule : c'était sans doute le pauvre employé qui devait finalement payer l'addition. Wallace en avait facilement triomphé en me faisant valoir que « ces larbins » avaient les moyens d'aller passer leur mois d'août sur la Côte d'Azur, alors que nous nous morfondions à Paris.

Ces fredaines n'étaient qu'enfance de l'art, gammes exécutées pour nous tenir en forme. Plus audacieux, le jeu consista, tard un soir, à vouloir aller trinquer sur la table d'autel de la basilique du Sacré-Cœur. Nous sautâmes les hautes grilles, non sans péril, chacun une bouteille de gros rouge dans la poche; mais, scrupuleusement sondés l'un après l'autre, tous les portails résistèrent à nos assauts. Ou encore, on se mettait à la recherche de mobilier, dont Wallace prétendait avoir besoin dans son appartement. Par une belle nuit d'été, nous entrons par effraction dans le hall d'une villa déserte près du Bois de Boulogne, pour y trouver exactement ce que nous cherchions : deux magnifiques chaises de noyer à haut dossier garni de feuilles d'acanthe. Manque de pot, nous tombons sur une ronde d'agents en remontant l'avenue Bugeaud, les encombrantes «commodités de la conversation» sous le bras. Les deux Canadiens que nous sommes s'en tirent de nouveau, sous la promesse d'aller reporter leur butin là où ils l'ont pris. Ce dont nous nous acquittons consciencieusement.

Une autre fois, c'est un clochard que nous invitons à la terrasse du café Chez Scotto, place Victor-Hugo. Il dit s'appeler Diogène, parce qu'il est à la recherche d'un homme introuvable. Pendant que nous ingurgitons tous trois moult cognacs, une élégante limousine s'arrête, devant le café, et en sort un chauffeur en livrée, se dirigeant vers le bureau de tabac. Sur nos instructions, Diogène se présente devant lui à sa sortie, et lui tend une pièce de cent sous : «Tenez, mon brave, pour vous aider à payer vos cigarettes». Le chauffeur se met à hurler et des agents de police interviennent, bousculant immédiatement notre infortuné clochard. Nous voyant nous avancer à sa rescousse, jeunes garçons bien mis, ils se montrent d'abord plus polis, puis tout à fait courtois sur présentation de nos pièces d'identité. Instruits de notre petite blague, ils s'éloignent non sans nous conseiller avec bonhommie : «Quand ça ne prend pas, laissez tomber...»

Autre jeu d'une nuit de Noël : coupant les fils de fer qui l'amarraient solidement, nous avions *emprunté* un sapin entièrement décoré à la porte d'un bistro, pour aller l'offrir à de parfaits

Jean-Louis Roux à Paris
1947

inconnus à l'étage d'un immeuble, quelque part près de la place Dauphine. Accueillis par des cascades de rires, nous avions terminé la fête en trinquant avec nos hôtes improvisés.

Mauvaises plaisanteries de mauvais sujets. Mais elles témoignent de l'insouciance et de la bohème auxquelles nous nous abandonnions. Quand donc les pratiquer si ce n'est à cet âge où nulle réelle responsabilité ne nous incombe? Pour le bonheur de l'humanité, j'espère que tous les adolescents attardés connaissent semblable période. Sinon quelle tristesse et quel ennui seraient le lot d'une société où l'on n'exigerait d'eux que correction et bienséance!

À la faveur de visites ultérieures à Paris, je revis Wallace quelques fois. Il avait dépassé la quarantaine. Il me sembla assombri plutôt que vieilli. Assez récemment, le camarade Jean Fontaine me fournit d'ultimes nouvelles à son sujet. Il avait fait connaissance de Wallace dans un studio de doublage où ce dernier était chef de plateau. Lui aussi avait d'abord été conquis par sa désinvolture. Quelque peu excessive toutefois: sa journée de travail se terminait à 14 heures. Après le déjeuner, il n'était plus en état de fonctionner. L'insouciance et la bohème se prolongeaient indûment...

Il avait hérité un vaste domaine à Malmaison. Je l'avais déjà visité à l'époque où ses parents montréalais en retiraient un revenu de location. Wallace rêvait modestement de récupérer ne serait-ce que le petit pavillon du jardinier pour y couler doucement ses derniers jours. Une fois propriétaire du domaine, il préféra le vendre et faire l'acquisition d'un mas en Provence, où il passait de longues retraites. Seul. Svetlana était allée rejoindre sa sœur Varvara en Inde, avec les deux enfants. On le trouva, un matin, le crâne éclaté: il s'était introduit le canon d'un fusil, dans la bouche, et avait appuyé sur la détente. Le jeu avait mal tourné... M'y aurait-il entraîné si notre amitié s'était maintenue? Ou l'en aurais-je dissuadé? Ce genre de question hante parfois mes moments d'insomnie. À quand la machine à remonter le temps avec sélecteur de futuribles?

Mais à la fin des années quarante, l'heure n'était pas au drame. J'étais tout simplement heureux. Je veux dire que cela eût-il été possible, c'est à Paris que je l'aurais été sans réserve. Pourtant, à 25 ans, romantique impénitent, mon bonheur dépendait presque exclusivement de mon parcours amoureux, au gré duquel je me trouvais quelquefois plongé dans des gouffres d'accablement pour être, le surlendemain, transporté sur des cimes d'allégresse. En entendant Camille, l'héroïne de Musset, s'écrier sur la scène de la Comédie-Française : «Je veux aimer mais je ne veux pas souffrir», l'angoisse me suffoquait. J'y percevais l'écho anticipé de ce que dit Macha, dans *La Mouette* : «Quand l'amour s'est installé dans le cœur, il faut l'en chasser.» J'avais le désespoir complaisant, mais profond. La moindre réserve, un soupçon d'indifférence m'engageaient à une rupture définitive et m'inspiraient des envies de suicide. Le samedi 1er novembre 1947, j'écrivais dans mon journal : «À certains moments, pendant quelques secondes, je me sens en complète disponibilité vis-à-vis de la mort... J'admire le courage des suicidés...» En revanche, consolation facile, un coup de fil inespéré, l'adresse d'un sourire prometteur suffisaient à me relancer en jubilante orbite. Quinze jours plus tard, je lis : «... je n'ose jamais être malheureux jusqu'au bout. Toujours je me réserve un espoir, une issue, et j'y ai recours presque aussitôt... Lorsque les circonstances me plongeront à fond dans le malheur, comment le supporterai-je?» États d'affliction amplifiés de la plus petite contrariété, états de liesse accrus du moindre agrément que me procurait le quotidien dans ma ville d'adoption.

Par exemple, je l'ai déjà souligné : en période de félicité, la rencontre fortuite de personnages célèbres, croisés dans la rue, me comblait de joie. À plus forte raison, quelle n'était pas mon exultation lorsqu'il m'arrivait de faire vraiment la connaissance d'un auteur ou d'un homme de théâtre qui avait naguère été l'une de mes idoles. Ainsi de Claudel.

SCÈNE V

Paul Claudel

Après sept ans d'absence, Ludmilla Pitoëff devait faire sa rentrée parisienne sur la scène de la charmante Comédie des Champs-Élysées. Un théâtre comme je les aime : compact, tout rouge sombre et or mat. Elle serait de nouveau la Marthe de *L'Échange,* qu'elle avait jouée au Théâtre des Mathurins, en 1937. Paul Claudel avait manifesté le désir d'assister à une répétition. Ce jour-là, assis dans un fauteuil de l'orchestre, j'attendais nerveusement l'arrivée du grand poète. C'est par le monte-charge, à l'arrière-scène, qu'il devait apparaître. Ce même monte-charge utilisé par Georges Pitoëff, il y avait un peu plus de vingt ans, pour faire surgir les six personnages de Pirandello, en quête de leur auteur. Par une soirée d'avril 1923, dans le rôle du metteur en scène de la pièce de Pirandello, Michel Simon les regardait surgir en provenance des dessous. Pirandello, mis au courant par courrier, avait manifesté des réserves à l'égard de cette entrée. Une fois sur place, il trouva l'idée proprement géniale.

Cette après-midi de décembre 46, Ludmilla (Marthe), son fils Sacha (Louis Laine), sa fille Vavara (Lechy), Pierre Risch (Thomas) et quelques spectateurs, dont j'étais, avaient les yeux fixés sur ce trou noir d'où provenait un sourd bourdonnement. Soudain comme au ralenti, on vit apparaître un crâne garni de quelques rares cheveux blancs, une immense paire de lunettes à monture de corne, une mâchoire de lutteur qui semblait maintenue par deux tendons tirant exagérément la peau du cou, des épaules larges et voûtées, un corps massif : c'était Paul Claudel. L'ascenseur de service était tombé en panne durant la guerre. Les pièces nécessaires à sa réparation n'étaient toujours pas disponibles et l'état de son cœur interdisait au vieux poète, bientôt octogénaire, de grimper les nombreuses volées d'escaliers qui menaient à l'étage du théâtre. Il se déclarait ravi d'avoir fait cette petite balade de monte-charge.

Son aspect me rappelle que, déjà dans son *Journal* de 1912, Gide disait de Claudel qu'il avait «l'air d'un marteau-pilon!...» La tête haute, la mâchoire agressive, il s'avance d'une démarche lourde que l'âge rend toutefois prudente pour embrasser Ludmilla. Il ne veut importuner personne. Il tient à ce que le travail se poursuive comme s'il n'était pas là. Installé dans une des premières rangées, de ses yeux grossis par des verres épais, il surveille les gestes des comédiens. La main posée en cornet derrière l'oreille tendue, il écoute leurs voix... ses paroles. J'observe le vieux dramaturge de trois quarts dos, dans la salle obscure. Il me faut faire effort pour prendre conscience que c'est lui, il y a plus de soixante ans, qui a donné naissance à cette jeune femme douloureuse, à ce jeune homme brûlé par l'égoïsme et la fièvre de la liberté, à cette actrice qui trompe l'aridité de son cœur en s'abreuvant de «lait noir» et qui finit par sombrer dans la torpeur du whisky, à ce Yankee, homme d'affaires sagace et froid qui se

laisse toucher par le triste charme de l'épouse émigrée de la vieille
Europe. « En résumé, c'est moi-même qui suis tous les personnages,
a-t-il dit au moment où il écrivait sa pièce : l'actrice, l'épouse
délaissée, le jeune sauvage et le négociant calculateur. » Ce vieil
homme se retrouve-t-il encore en eux ? J'ai peine à croire que c'est
également lui qui, dans la force tumultueuse et passionnée de l'âge,
lançait des bandits chinois à la poursuite de l'objet interdit de sa
passion charnelle. « Ah, qu'il la prenne déracinée et perdant l'âme
entre ses bras... » Claudel le baroque qui réalise, dans la même
œuvre, la jonction des styles les plus divers, comme dans le
même instant et la même personne, celle des morales les plus
opposées. Idolâtre du corps féminin. Épris du Christ. Fou de
Dieu. Chantre de la chair et du sang. Célébrant de la liturgie
catholique. Paradoxes qui me bouleversent, qui n'en finissent pas
de me fasciner.

Soudain le marteau-pilon s'ébranle. Il doit avoir recours au
monte-charge pour atteindre le huitième étage, mais cela ne
l'empêche pas d'enjamber une, deux, trois, quatre rangées de
banquettes pour s'approcher de la rampe et s'entretenir avec les
comédiens, leur livrer quelque indication. Il prend une voix
tremblante pour faire dire à Marthe : « Oh ! Laine que j'ai aimé ! »,
lui indiquant un geste d'accompagnement d'une grandiloquence
excessive. Il justifie, sinon le trémolo de la voix, du moins le geste
élaboré. C'est du théâtre oriental qu'il est inspiré. Et Claudel décrit
la façon dont les acteurs japonais étendent le bras avec lenteur,
jusqu'à ce qu'il soit tout à fait droit, dépliant d'abord l'avant-bras,
puis la main et enfin chacune des phalanges des doigts, pour en
arriver à une supination complète.

Il parle de Louis Laine, dont la sauvagerie le fascine. Le
mot anglais *wilderness* revient souvent dans sa bouche, mais il
le prononce mal, ouvrant le « i » : *weilderness*. Son élocution est
bien particulière : il garde ses mâchoires serrées, l'une sur l'autre ;
seules les lèvres bougent. La portée de ce qu'il dit s'en trouve
comme accentuée ; et sa force de persuasion, accrue. Mais peu
m'importe ses paroles. Je les entends à peine. Je suis hypnotisé par
rien d'autre que le son de sa voix. La voix d'un poète génial, de
celui qui s'apparente le plus à Shakespeare parmi tous les
dramaturges français de tous les temps. Il peut se soucier de ne

pas laisser échapper ses fausses dents! J'en rirai plus tard. Pour l'instant, je n'ai d'yeux et d'oreilles que pour ce monument vivant devant lequel je me sens un minuscule petit être ordinaire.

L'été suivant, en tournée à Lyon avec *Maison de poupée*, mes camarades et moi songions à pousser jusqu'à Brangues où Claudel passait la plus grande partie de l'année. Un soyeux de notre connaissance s'offrit à nous y conduire en automobile. Par une chaude après-midi du mois de mai, nous voilà donc sur la route longeant le Rhône, après avoir toutefois eu la prudence d'annoncer notre visite. Durant le trajet, notre chauffeur nous apprend que Stendhal aurait habité le même domaine que Claudel. Amusant comme rencontre à distance de siècle : l'un a déjà écrit que les œuvres de l'autre sont «dépourvues de toute valeur».

Enfin nous arrivons. Devant nous, non pas un château, ni un manoir; on dirait plutôt une longue maison de ferme avec deux corps de logis, un rez-de-chaussée, un seul étage, d'innombrables fenêtres très régulièrement disposées et, en coin, une tour aveugle, massive, coiffée d'un cône. Je me plais à imaginer qu'autrefois on y entassait le grain. Depuis, on y a ouvert une toute petite lucarne par laquelle les regards du poète s'envolent peut-être vers l'au-delà. Vaste demeure du notable le plus célèbre du département. Les terres s'étendent littéralement à perte de vue pour aller se noyer dans le lit du Rhône, nous dit Claudel. Me reviennent en mémoire quelques versets de ce *Cantique* que le père Angers m'avait un jour fait réciter devant mes camarades de rhétorique : «...les sonnantes eaux de ce fleuve armé qu'aucun rivage ne captive!... Salut, Rhône, buveur de la terre...» Le vieux poète nous accueille sur le seuil de sa retraite, où il nous invite à entrer, d'un large geste hospitalier. Intérieur sinon élégant, du moins très confortable. En traversant un petit salon, il nous indique un imposant vase chinois qui aurait valu une fortune, n'eût-il été fêlé. Sa voix trahit un regret. On nous offre un verre de vin de Noah bien frais. Notre hôte prend la peine de nous souligner qu'il ne s'agit pas de vin de noix, mais bien de Noah. Il insiste : les vignobles français furent presque totalement détruits par une invasion du phylloxéra, à la fin du XIXe siècle, et ne furent préservés que par l'emploi de vignes américaines. D'où cette traduction anglaise du nom de Noé. C'est avec une satisfaction évidente que le propriétaire terrien nous dispense ce petit cours d'histoire de viticulture.

En fermier cossu, Claudel nous parle de son domaine, s'étonne que nous n'ayons pas prévu nous munir d'appareil photographique par ce temps vraiment radieux. Nous dérogeons aux habitudes de ses visiteurs. Son verre de vin de Noah à la main, affichant un air débonnaire, il bavarde de choses et d'autres. Parachuté dans ce spacieux salon de bourgeois aisé, mon regard s'échappant par cette baie vitrée ouverte de plain-pied sur le jardin et, plus loin, la forêt, je fuis la réalité du jour et du lieu. Je rêve.

En présence de Ludmilla Pitoëff, peu probable qu'affleurent à la conscience du poète ces versets par lesquels il célébrait sainte Ludmilla, reine et martyr. À la mienne, oui : je les ai lus pour la première fois, il y a quelques mois seulement :

> *Tout ce qui a donné beaucoup et qui est fait pour le fruit,*
> *Tout ce qui a reçu beaucoup et qui est plein jusqu'aux bords,*
> *Tout ce qui sait beaucoup et ne livre rien au dehors...*
> *Tout ce qui contient complètement son âme, a Ludmilla*
> *[pour patronne.*

Ma songerie est interrompue par la voix de la comédienne : elle parle des droits de représentation du *Pain dur*, qu'elle convoite. Claudel esquive le sujet : les journaux annonceront bientôt que la trilogie sera jouée, la saison suivante, au théâtre de L'Atelier. «Je l'ai relue dernièrement : c'est une très bonne pièce. Vous savez, cette porte dérobée par laquelle on voit le pape dire sa messe durant *L'Otage*, je veux lui faire jouer un rôle dans *Le Pain dur*. À un moment, elle va grincer ou s'ouvrir toute seule.» Je souris doucement en moi-même de cet effet mélodramatique, me rappelant que les romanciers populaires Paul Féval et Eugène Sue comptent parmi ses écrivains préférés.

Mais le temps passe trop vite. Nous quittons le domaine où Claudel nous dit attendre, pour tous les mois d'été, une multitude d'enfants et de petits enfants. Ce n'est plus le poète, ni le paysan, ni le fermier prospère, mais véritablement le grand-père qui parle avec tendresse de sa jeune descendance. L'instant suivant, nous regardant nous éloigner dans l'avenue étroite qui conduit à la route, il brandit les deux bras en criant : «Au revoir ! Au revoir !» les mâchoires encore hermétiquement closes. C'est l'hôte parfait. Claudel aux multiples visages, ce n'est pas en deux brèves rencontres que je puis l'avoir saisi.

Tout à fait par hasard, l'hiver suivant, je le vis entrer dans la petite église Saint-Honoré d'Eyleau, toujours trapu, toujours ramassé sur lui-même. Je l'y suivis. Il s'agenouilla brièvement, puis s'assit, se perdant dans sa fervente méditation, les yeux fixés devant lui. Sur le tabernacle ou sur le vide? Ou sur cette statue de la Vierge en retrait? Est-ce hallucination? Il me semble entendre l'Angélus. «Il est midi. Je vois l'église ouverte. Il faut entrer. Mère de Jésus-Christ, je ne viens pas prier. Je n'ai rien à offrir et rien à demander. Je viens seulement, Mère, pour vous regarder.» Claudel le croyant. Depuis ce jour de Noël 1886, il y a plus de soixante ans, Claudel le néophyte. À quoi pense-t-il? «Savoir cela, que je suis votre fils et que vous êtes là.» Me sentant soudain me livrer à l'affreuse indiscrétion d'un voyeur, je m'esquive sans bruit pour aller attendre sa sortie sur la place. Au bout de vingt minutes, son recueillement aura raison de ma patience.

SCÈNE VI
Louis Jouvet

De Jouvet, malaisé de dire que j'en aie vraiment fait la connaissance. Je l'avais croisé dans un escalier en vrille de la coulisse de l'Athénée, un soir où j'avais été rendre visite à Jean Dalmain, tambour de ville dans *Knock*, la pièce à l'affiche. Jouvet était déjà maquillé et costumé. Tout au plus m'avait-il gratifié d'un regard légèrement inquisiteur glissé, de ses yeux globuleux, pardessus les lunettes de l'habile charlatan créé par Jules Romains. J'ai pourtant pu l'observer, à une occasion ou à une autre, sous différents aspects. D'abord de la salle, je l'ai vu sur scène. La première fois, dans *La Folle de Chaillot*, environ huit jours après être arrivé à Paris. Il y jouait le chiffonnier aux côtés de Marguerite Moreno, la magnifique. Jean Dalmain, qui m'était alors inconnu, y interprétait un petit rôle, celui du sauveteur. Me frappa d'emblée la différence du ton par rapport à ce que je connaissais de Jouvet au cinéma. À l'écran le plus souvent, Jouvet imitait Jouvet avec son incomparable talent. C'est ce que réclamait le public. Au théâtre, Jouvet n'était plus une vedette isolée : membre d'une équipe, il jouait un personnage qui ne parlait pas nécessairement avec son célèbre phrasé. Et cela seul fut une révélation, même dans un rôle relativement mineur comme celui du chiffonnier, où il n'atteignait évidemment pas la dimension d'un Dom Juan, d'un Tartuffe, d'un Arnolphe, ou l'allégresse communicative qu'il éprouvait en jouant Knock.

Puis de la salle, je vis Jouvet dans la salle. C'était lors d'une audition de fin d'année des élèves du Conservatoire, en 1947. Ces auditions, qui n'ont plus cours, se déroulaient dans la plus grande fébrilité, autant chez les élèves que dans le public. Pour un finissant ou une finissante, un premier prix signifiait l'accès à la Comédie-Française. S'entassaient, dans la salle, parents et camarades des concurrents qui, d'entrée, affichaient leurs couleurs, faisant l'éloge de leur favori, lançant son nom comme un cri de guerre avec moulinets à l'appui. Le jury entra. Il était présidé par le directeur du Conservatoire, Paul Abram, et composé, entre autres, de l'attachant comédien Jean Debucourt, de Jean Cocteau et de Louis Jouvet. De la loge où j'avais pu me faufiler, je les apercevais parfaitement. Pendant les scènes, Cocteau écoutait attentivement, coude appuyé sur la table et menton au poing, les revers des poignets de sa chemise repliés par-dessus la manche de son veston. Position — il le savait probablement — qui mettait en valeur la finesse de son visage et l'élégance de sa main. Il parlait peu et n'accusait presque aucune réaction. Tout au plus, à propos d'un comédien qui interprétait l'Ange du *Soulier de satin*, glissa-t-il à son voisin assez fort pour être entendu : «Jolie voix!...» Jouvet était décidément moins discret. Renversé dans sa chaise, le veston ouvert et une main en poche, s'il ne riait pas bruyamment aux gaucheries de certains concurrents, du moins voyait-on tressauter ses épaules de façon non équivoque. Il s'offrait en spectacle. Tout juste s'il ne vérifiait pas l'effet de ses facéties auprès de ses voisins. Soudain pourtant, pendant quelques secondes, il se penchait vers l'avant, s'immobilisait et devenait attentif. Une recrue éventuelle pour sa troupe... peut-être?

Le matin du deuxième jour d'auditions, se présente un concurrent dans le Shylock du *Marchand de Venise*, classé «comédie» d'après les normes du Conservatoire. À la fin de sa scène, il se retire en coulisse, salué par les plus vifs applaudissements. De toute évidence, ses partisans ont réussi à chauffer la salle. Après une courte interruption pour le déjeuner, le défilé continue jusqu'à la fin de l'après-midi. Moment solennel où le jury doit rendre son verdict. Pendant qu'il délibère, la tension monte.

On y va de son jugement, on s'exclame, on gesticule, on s'impatiente. On s'affronte, d'un clan à l'autre. Puis au signal, chacun regagne sa place.

Le jury fait son entrée. Chuchotements et rires nerveux parcourent l'assistance. Le président se lève et annonce : «Tragédie : aucun premier prix; aucun second prix...» Réaction négligeable dans le public, qui semble généralement d'accord. «Premier accessit : mademoiselle Unetelle...» Applaudissements polis. Le palmarès continue : «Comédie...» Murmures dans la salle. «Aucun premier prix...» Stupeur. Des interjections malveillantes commencent à monter vers le jury. C'est à peine si monsieur Abram parvient à annoncer que Michel Etchéverry — c'est le nom de l'interprète de Shylock — a obtenu un second prix. Lorsque le jeune comédien se présente en scène pour saluer, il est accueilli par une assourdissante ovation. On ne veut plus le laisser partir. On le plébiscite premier prix, même si le jury n'a pas cru bon de le lui décerner. Sur l'air des lampions, on scande : «Et-ché-ver-ry, Et-ché-ver-ry», empêchant le pauvre monsieur Abram de continuer la lecture du palmarès. Même quand il y parvient, après plusieurs minutes de chahut, le public n'endosse plus aucune des décisions du jury, et c'est dans le chaos que se termine la séance.

Ce n'est pas fini. Après le dernier mot du président, tout le monde se précipite dans le hall d'entrée. Lorsque Jouvet, Debucourt et Cocteau s'y présentent, les coups de pied dans les murs, les piétinements, les cris et les sifflements leur apprennent que la célébrité ne protège pas de la colère de la foule. Tous trois s'avancent, apparemment calmes, au milieu des quolibets hostiles. Jusque dans la rue Bergère, un vieux monsieur les précède à reculons, pour leur dire leur fait, les menaçant de son index pointé. Il y a peu de ville où un prix d'art dramatique, qu'on croit mal décerné, puisse créer un tel remous. Devenu plus tard comédien chez Jouvet, Etchéverry me confia qu'il n'osa jamais lui rappeler ce souvenir. Convention tacite d'armistice à perpétuité.

Finalement je vis, de la scène, Jouvet dans la salle. Jean Gascon et moi, pistonnés par Dalmain, avions réussi à obtenir une audition à l'Athénée. Comme tous les autres jeunes comédiens et comédiennes qui attendaient en coulisses, nous étions la proie d'un trac sans nom. Les uns après les autres, ils s'enfournaient sur scène. On entendait brièvement les échos d'un dialogue, le tintement grêle d'une clochette, sonnant comme un glas exécutoire, puis les malheureux « condamnés » revenaient, déclarant invariablement ne jamais avoir été aussi lamentables.

Ce fut enfin notre tour. Jean Gascon et moi passions sur scène. Aveuglés par l'éclairage, nous ne savions pas d'abord où nous diriger. Mais bientôt, au milieu de l'immense trou noir de la salle, se distinguait un faible point lumineux d'où nous parvenait une voix connue : « Dans quoi passez-vous ? » « *Le Pain dur.* » Nous ignorions hélas ! que, depuis que Claudel lui avait retiré *L'Annonce faite à Marie* pour la donner à la Comédie-Française, Jouvet ne le portait pas dans son cœur. « Vous n'avez pas autre chose ? » Effectivement nous avions préparé un extrait de *Britannicus*; mais dans l'énervement, l'un de nous répondit négativement. « Allez… » Ayant disposé une table et deux chaises, nous démarrions la troisième scène de l'acte II du *Pain dur*, qui se termine sur la mort de Turelure, provoquée par la fureur de son fils Louis.

Après les premières répliques, se firent entendre des bruits de pas feutrés et des chuchotements en provenance du faible point lumineux dans la salle. De toute évidence, quelqu'un discutait avec le patron, et il ne fallait pas être grand clerc pour savoir que ce ne pouvait être de notre audition. Nous avions la sensation horrible de jouer à vide. D'ailleurs, alors que les autres concurrents étaient sortis après trois ou quatre minutes, nous filions la scène, qui en dure plus de quinze, jusqu'à la fin. Après le bruit sec des deux coups ratés de pistolet et l'affaissement du vieux Turelure, nous restions plantés là sans trop savoir s'il fallait vider les lieux ou attendre, comme des accusés démunis devant leur juge, que tombe la sentence. Après quelques instants d'éternité, elle fut prononcée sous la forme d'un bref : « Merci ! »

Nous sommes sortis du théâtre comme des somnambules, pour nous écrouler à la terrasse du premier café où nous ingurgitions des litres d'eau de Vichy, sans parvenir à humecter nos gorges desséchées. Pendant une longue demi-heure, pas la moindre parole entre nous. Silencieux, attablés l'un en face de l'autre, le regard au sol, vidés complètement, sans besoin de nous le préciser, nous étions déterminés à ne plus jamais passer d'auditions de notre vie.

SCÈNE VII
Charles Dullin

Promesse qui ne fut pas tenue. Décidés, en effet, à nous trouver coûte que coûte un emploi dans une troupe, nous nous présentions, un peu plus tard, devant Charles Dullin. Dullin occupait une place unique dans le théâtre français de l'entre-deux-guerres. Sa carrière n'avait pas été facile. Des cafés de Lyon où il récitait des poèmes, jusqu'à la triste chambre de l'hôpital Saint-Antoine où il mourut dans la misère, peu de temps après avoir incarné Harpagon une dernière fois à Aix-en-Provence, un mot, un seul, peut résumer cette vie entièrement vouée au théâtre : lutte. Lutte de cinquante ans. Lutte pour la pureté de l'art. Lutte pour rencontrer les échéances de fin de mois. Lutte contre la routine du théâtre. Lutte contre l'embourgeoisement, l'empâtement, contre la sclérose, contre la bureaucratisation de la profession. Dullin, le pur, en constante poursuite de son idéal.

Le deuxième spectacle auquel j'assistai à Paris, à la mi-octobre 46, fut *La Terre est ronde* de Salacrou, jouée par Dullin au Théâtre Sarah-Bernhardt (aujourd'hui Théâtre de la Ville), que la persécution antisémite de l'occupation allemande l'avait obligé à baptiser provisoirement Théâtre de la Cité. Quand le rideau s'ouvrit, que j'aperçus les fines colonnettes et la mosaïque colorée du décor florentin du peintre Masson, quand je discernai la poursuite des premiers masques dans la pénombre des arcades élégantes, j'éprouvai un choc particulier que je connais bien : voilà un spectacle qui allait emporter mon adhésion pleine et entière. Au-dessus de la voûte des arcades, en avant-plan, se présentait l'angle aigu d'un étage. À la fin de la première scène, pendant que s'estompait l'éclairage général, s'écartèrent les deux battants de l'angle et apparut, éclairé par la lueur d'une lampe jaunâtre et vacillante, un personnage qui commença aussitôt à parler : « Je suis le prieur de Saint-Marc et le couvent San Marco se désole au milieu d'une ville pourrie… » La voix était nasillarde et le ton, uni. Le réquisitoire contre la corruption et les mœurs décadentes de Florence se poursuivit pendant presque dix minutes. Les spectateurs retenaient leur souffle. Le personnage : Savonarole, moine fanatique de la Renaissance italienne, ardent défenseur de la justice et de la vérité. Le comédien : Charles Dullin, un bras posé sur la petite table près de laquelle il était assis, l'autre, sur l'accoudoir de son fauteuil. Immobile, de ses yeux brûlants balayant lentement les rangées de spectateurs. «Dans mon regard, peut-être verront-ils un reflet de ton Paradis où tu m'ordonnes de les conduire. Ainsi soit-il.» Moment de grâce ineffable. Souvenir impérissable qui m'habitera ma vie durant.

Après la guerre, Dullin fut souvent la cible de la critique. On lui reprochait de s'être laissé tenter par les fastes d'un grand théâtre et d'y avoir perdu son âme ; on le déchirait à belles dents lorsqu'il jouait *Le Roi Lear* ; on lui faisait grief de se complaire dans des succès du passé, alors qu'en réalité, sur les vingt-trois spectacles des dix dernières années de sa carrière, seize furent des créations. Un jour il connut une revanche comme, seul, peut en donner le monde du spectacle. Par un beau dimanche de printemps, la jeunesse parisienne se donna le mot, par l'entremise d'associations comme TEC (Travail et culture) qui comptait des centaines de milliers de membres. Revenant de la campagne par train, à pied ou à bicyclette, les bras chargés de lilas odorants, des garçons et des filles envahirent le Théâtre Sarah-Bernhardt. Ils étaient plus de quinze cents. Dullin jouait *L'Avare*. À la fin du spectacle, ce fut l'ovation. Une ovation folle, une ovation par laquelle ces centaines d'adolescents voulaient rendre témoignage à Dullin, en qui ils reconnaissaient l'un des plus grands hommes de théâtre de son époque. Cela se prolongeait, se prolongeait... tellement que les machinistes curieux débouchèrent sur scène. Ils furent abasourdis : le plancher était entièrement couvert d'un épais tapis de verdure et de lilas blancs et mauves ; dans la salle, tous les jeunes spectateurs et spectatrices en shorts et en chemises ouvertes, debout, acclamaient Dullin. À l'avant-scène, la figure ruisselante de larmes, ce dernier les regardait, sans un geste, ému, joyeux et réprimant ses sanglots.

Par un jeudi ensoleillé de mars 1948, c'est devant cet homme quasi mythique que nous devions passer une audition. Nous l'attendions, Jean et moi, dans une antichambre obscure du Sarah-Bernhardt. Nous étions presque seuls ; pas de cohue comme à l'Athénée. Quand il arriva, c'est un vieillard agonisant qui se révéla à nos yeux. Depuis qu'une mauvaise arthrite lui avait donné l'aspect d'un bossu, Dullin se courbait de plus en plus vers la terre. Ce jour-là, il était littéralement ployé en deux. Il releva péniblement la tête et nous montra un visage creusé par la fatigue et la douleur. «C'est pour une audition? Revenez la semaine prochaine. Je suis épuisé.» Nous étions convaincus de n'avoir pas à revenir : ce pauvre Dullin serait sûrement hospitalisé, s'il n'était mort déjà. Pourtant, n'ayant rien reçu à l'encontre, nous revenions, le jeudi suivant. Nous étions cette fois un peu plus nombreux à voir, ô surprise, s'amener un grand-père guilleret : un nouveau Dullin. Toujours incliné, mais le regard pétillant. Me revint une anecdote entendue, quelques semaines plus tôt. Dullin et Jouvet se croisent dans la rue. Le premier s'adresse au deuxième :

«Tu joues toujours Giraudoux?»

Interloqué, le deuxième répond :

«Oui…

— Courbe la tête, fier Sicambre!» Ne voulant pas être en reste, Jouvet rétorque :

«Et toi, tu joues toujours *Volpone?*» Dullin monnayait en effet le succès de la pièce de Johnson, adaptée par Jules Romains.

«Eh, oui…

— Cambre la tienne, fier si courbe!»

Dullin nous examine tous en contre-plongée, passant de l'un à l'autre sans hâte, comme pour faire connaissance. «Qui est le premier?» C'est nous. Il gagne sa loge où nous le suivons. La loge de Sarah Bernhardt gardée dans l'état où elle se trouvait de son vivant, pleine de faux bijoux, de couronnes en fer blanc et de parures en toc. Dans un coin : une baignoire sur pieds. La loge qu'occupera Guy Hoffmann lorsque, dix ans plus tard, le Théâtre du Nouveau Monde viendra présenter *Le Malade imaginaire* dans ce même théâtre. Dullin disparaît dans le grand vieux fauteuil où il s'assied. Nous nous présentons en annonçant notre scène : toujours la même, celle du *Pain dur.* Pendant qu'elle se déroule, j'observe Dullin, d'abord du coin de l'œil puis, le voyant absorbé dans la contemplation de ses ongles, je finis par franchement le regarder. Une physionomie extraordinaire, à la fois celle d'un renard et d'un enfant; des yeux dans lesquels il est difficile de dire ce qui prédomine : la naïveté ou la ruse, la limpidité ou le trouble. Nous écoute-t-il ou est-il perdu dans des calculs et des projets? L'extrait de Claudel le reporte-t-il à ses débuts, au moment où il interprétait

Louis Laine chez Copeau? Peut-être en présence de deux jeunes hommes de 25 ans, revoit-il sa carrière, toutes les épreuves et les difficultés encourues depuis le temps où il jouait les mélodrames à deux louis par mois, jusqu'à ce jour, ce jour-même où il vient encore de se faire érailler à propos de *L'An mil* de Jules Romains. Ne va-t-il pas nous dire : «Arrêtez. Vous avez la vie devant vous : faites autre chose. Regardez-moi : je n'ai pas 60 ans et, cinq jours sur sept, j'ai l'air d'un vieillard rachitique. Arrêtez : il en est temps encore. Vous ne savez pas quel avenir pénible vous guette. Vous ne savez pas dans quel métier cruel vous vous engagez. Ce n'est pas parce que ceux-là même qui vous auront harcelés, votre vie durant, vous consacreront, à votre mort, que vous en serez plus heureux. Arrêtez!»

Après la fin de notre scène, c'est en termes extrêmement courtois qu'il nous explique qu'il doit sans doute temporairement abandonner sa troupe, mais que s'il a besoin de nous, un jour, il ne manquerait pas de nous faire signe. Et il nous serre cordialement la main. De cette audition-là, même si elle n'a pas été plus fructueuse que celle que nous avions passée chez Jouvet, nous sortions souriants.

SCÈNE VIII
André Gide

Celui de mes «monuments» que j'ai le mieux connu, c'est André Gide. J'eus même le privilège de travailler avec lui. Nous fréquentions, Jean Gascon et moi, Georges Pitoëff fils, qui était contractuel de la Radiodiffusion française. Il nous arrivait souvent de discuter ensemble de littérature et de philosophie. Curieux de tout, il s'intéressait, entre autres, aux religions et aux doctrines orientales. L'avait frappé, à la lecture du *Philoctète* d'André Gide, l'opposition marquée de trois morales : celle d'Ulysse, l'action; celle de Philoctète, la réflexion et celle de Néoptolème, la contemplation. Et surtout, son esprit mystique se plaisait à voir Philoctète atteindre le bonheur par le complet détachement de tout ce qui pouvait le lier aux hommes et à la Terre. Il nous parla d'un projet : réaliser, avec nous deux, une émission radiophonique de cette œuvre de Gide. Il obtint bientôt et l'assentiment du Studio d'essai de la rue de l'Université et celui de l'auteur. Quelle ne fut pas notre émotion quand Georges nous apprit que Gide était à ce point intéressé qu'il voulait nous entendre lire son texte, allant jusqu'à mentionner la possibilité de tenir lui-même le rôle de Philoctète.

La nuit précédant notre rendez-vous, la fébrilité m'empêcha de fermer l'œil. Dès le petit jour, en faisant ma toilette à même le broc et la bassine disposés dans un coin du salon qui me servait de chambre, j'essayais de m'imaginer l'instant où je contemplerais Gide en chair et en os. André Gide, cet écrivain réprouvé dont je m'étais délecté depuis l'âge de 15 ans, au point de pouvoir citer de nombreux passages de son œuvre. *Si le grain ne meurt*, *Les Nourritures terrestres*, *Les Caves du Vatican*, *L'Immoraliste*, tous livres d'évangile de mon adolescence.

Quelques minutes avant 10 heures, nous nous approchions de l'immeuble assez moderne qu'il habitait au 1bis de la rue Vanneau, lorsque Georges nous dit : « C'est lui ! » Au loin, un homme vêtu d'un pantalon gris foncé, d'un veston sport, d'une chemise rouge sombre avec cravate bleue, s'approchait lentement, cigarette aux lèvres. C'était effectivement Gide. Il venait, nous expliqua-t-il, d'acheter ses américaines, car il ne pouvait en fumer d'autres. Présentations. Échange de poignées de main. Puis il nous invite à passer le seuil du paradis. L'ascenseur étant très étroit et son appartement à un étage supérieur, Gide monte d'abord avec Georges, nous laissant, Jean et moi, attendre un deuxième voyage. Une fois l'ascenseur démarré, nous nous sommes regardés, l'air incrédule. Et subitement ce fut le rire... un fou rire que nous parvenions à peine à étouffer pour éviter qu'il ne se répercute dans la cage sonore de l'escalier. Nous nous tapions sur les cuisses, faisant le moins de bruit possible, nous écriant sur le souffle, l'index pointé vers les étages supérieurs où il venait de disparaître : « Le vieux Gide ! Le vieux Gide ! » Rire libérateur qui traduisait l'excès de notre émotion. Nous aurions tout aussi bien pu éclater en sanglots ou nous évanouir.

En entrant dans son appartement, j'aperçois d'abord, pendus à une patère, cette grande mante de berger et ce chapeau aux larges bords ondulants, dont j'avais vu Gide vêtu et coiffé sur plusieurs photos, ainsi que dans un documentaire sur Paris, déambulant avec Barrault, place de la Concorde. Ces effets se trouvent là, je peux les toucher : ce n'est donc pas un mirage. Nous nous engageons dans un étroit et long couloir où s'alignent jusqu'au plafond des rayonnages remplis de livres. À l'extrémité, deux portes. D'un côté, la chambre de Gide. Par l'entrebâillement, je peux constater qu'elle est de petite dimension et plutôt austère. Cellule de moine. De l'autre, son cabinet de travail. C'est là que nous nous installons. Au centre de la pièce, très imposant, un piano à queue. Je me rappelle avoir lu quelque part qu'il interprète Chopin de façon très sensible. Un pan de mur est entièrement revêtu d'une bibliothèque vitrée avec une petite passerelle sur roues pour atteindre les rayonnages les plus élevés. Dans un coin, une grande table recouverte de papiers et de manuscrits. À l'opposé, un bureau plus petit et une chaise étroite à haut dossier, dans laquelle Gide prend place pour nous écouter, après s'être muni d'un exemplaire de son *Traité des trois morales*.

Nous entreprenons la lecture, horriblement émus par le présence de notre unique auditeur. Georges donne les répliques du rôle de Philoctète. Gide suit, penché sur son texte. Le deuxième acte est presque entièrement constitué d'un dialogue entre Ulysse et Philoctète. Je peux donc observer à loisir le visage de notre hôte. Étonnamment ouvert, mobile, révélateur. Rien d'hermétique. Regard pétillant, malicieux ; lèvres minces, rectilignes ; deux sillons profonds tombent verticalement depuis les ailes du nez ; physionomie très chaleureuse qui semble s'adapter aux nuances de la pensée. Il a pris une brochure neuve pour la circonstance : il en découpe les pages avec minutie, au fur et à mesure de la lecture qui se déroule sans interruption. À la fin, notre auditeur lève les yeux, esquissant un sourire qui marque assez de satisfaction. Il exprime de nouveau son envie de tenir le rôle de Philoctète et se dit «pas mécontent du tout» de son texte, qu'il n'avait pas revu depuis l'époque de sa publication, cinquante ans auparavant. Deuxième lecture avec Gide, cette fois.

En date du 18 juin 48, je lis ce qui suit dans mon agenda de moire verte :

«Ce matin, à l'occasion d'un projet de radiodiffusion de son *Philoctète*, j'ai fait la connaissance d'André Gide. Incomparablement plus jeune que Claudel (bien qu'il soit presque exactement son contemporain). Très ému de le voir : c'était un de mes rêves les plus chers. Voilà qu'il se réalise dans des conditions idéales, puisque Gide a décidé de jouer lui-même Philoctète, que Jean jouera Ulysse, et moi, Néoptolème. Il a une façon à la fois un peu conventionnelle et extraordinaire de lire. Sa voix est forte et posée; en somme, la voix d'un homme qui a atteint sa pleine maturité. C'est assez flatteur de s'entendre dire par lui : «Ce n'est pas si mal que ça!»

Une fois terminée cette deuxième lecture avec Gide en Philoctète, nous devons rassurer le maître qui craint le ridicule de jouer un tel rôle, à son âge. Cette candeur peut sembler de la coquetterie. Pourtant, dès la séance de travail suivante, devait se produire un incident qui me persuada du contraire. Gide avait préparé quelques corrections dans son texte. Par exemple : par souci de naturel, il avait remplacé le mot *Troja*, écrit cinquante ans plus tôt, par Troie tout simplement. D'autres modifications impliquaient plus que la forme. Dans un monologue de Philoctète, notamment, les mots *actes* et *actions* devenaient *paroles* et *phrases*; le verbe *agir… parler*. Gide nous demande notre avis. Je ne sais lequel, de Georges, de Jean ou de moi, exprime son désaccord, faisant valoir que le caractère du personnage se trouve ainsi exclusivement tiré vers l'intellectualisme et privé d'une grande partie de sa vigueur et de ses impulsions. Gide réfléchit quelques secondes, puis biffe rapidement ses modifications, en bougonnant : «Vous avez raison.» Et même plus tard, quand nous aurons commencé à travailler, il répétera deux ou trois fois : «Vous avez raison; vous avez tout à fait raison.» Je ne vois pas beaucoup d'écrivains de 80 ans qui auraient la simplicité de se plier ainsi à l'opinion de trois jeunes blancs-becs.

Après que *Philoctète* fût gravé sur disque dans un studio de la rue François-Ier, la RDF profita de la présence de Gide pour lui faire enregistrer des extraits de son *Œdipe* et de son *Thésée*. Je lui demandai la permission de rester : elle me fut accordée. Lors d'une pause, je me décidai à lui parler du Canada : «Ah, vous êtes Canadien! me dit-il, le regard curieux. J'avoue que le Canada me fait peur.» «Pourquoi, maître?» «Je n'ai là-bas que deux genres de lecteurs : les révoltés et les apôtres. J'entretenais une correspondance très amicale, très ouverte avec un jeune Canadien, depuis plusieurs années. Il y a quelques mois, il est entré au séminaire : il veut maintenant sauver mon âme!… Vous permettez?» enchaîna-t-il, en m'indiquant son courrier du matin qu'il avait apporté avec lui. Il ouvrit une première lettre et marmonna : «Comme c'est curieux!» Et il répondit de lui-même à mon interrogation muette : «Vous vous rappelez, l'autre matin, le remarquable article de François Mauriac, que je vous avais signalé dans *Le Figaro*, et dans lequel il traitait de tolérance. Eh bien, voilà qu'il m'écrit...» Notre conversation est interrompue par la voix du réalisateur : il va faire entendre à Gide les enregistrements qu'il vient de terminer. Je ne saurai jamais le fin mot de l'énigme.

Pendant qu'il s'écoutait dire son propre texte, Gide manifestait son agacement : «Quelle emphase!» ne cessait-il de murmurer. Et il m'expliqua comme il aurait voulu arriver à un ton de lecture entièrement dépouillé. Pour ma part, je trouvais très prenante cette voix grave, cette façon de traîner un peu sur les mots. Gide était assis à une table où étaient éparpillés son courrier du matin et quelques exemplaires de ses œuvres. Lui parvenaient, du haut-parleur placé au-dessus de sa tête, les dernières paroles de Thésée : «Pour le bien de l'humanité future, j'ai fait mon œuvre. J'ai vécu.»

De ces cinq jours partiellement passés en compagnie d'André Gide, il me reste le texte de son *Philoctète* comportant les corrections de son cru, un exemplaire dédicacé du *Roi Candaule* : *Pour Jean-Louis Roux — j'inscris bien volontiers mon nom sur ce petit livre — en témoignage de sympathie attentive...*, et ces quelques images que je viens d'évoquer.

SCÈNE IX
Leonor Fini

Encore une rencontre, pour le coup, fortuite et fugitive : celle du peintre Leonor Fini. Nadia, la fille aînée des Pitoëff, vivait à Genève. À l'été 1948, elle loua une villa sur la Côte d'Azur près d'un petit patelin, Le Pradet, voisin de Toulon, pour y passer les vacances avec ses enfants. La villa était grande ; le loyer, assez élevé. Nadia y invita quelques amis en retour d'un modeste écot. J'en étais. En y arrivant, j'eus le plaisir de découvrir un vaste domaine planté d'eucalyptus, de figuiers et de pins pignons, avec une petite plage privée sur la Méditerranée. Près de la grille d'entrée, un arbre de proportions imposantes avait donné son nom à la propriété : Le Gros-Pin. L'habitation était de style provençal traditionnel. Durant la guerre, elle avait été laissée à l'abandon, mais des reliquats de son luxe original révélaient le rang et la qualité de son propriétaire : le comte Sforza, anti-fasciste notoire qui était devenu ministre des Affaires étrangères d'Italie, au moment de l'avènement de la république. Son fils, Sforzino Sforza, gérait ses biens en France.

Un jour, Nadia nous annonça sa visite, précisant qu'il serait accompagné d'une femme peintre d'origine italienne peu connue à cette époque, à l'exception d'un groupe restreint d'initiés. Il s'agissait de nulle autre que Leonor Fini auprès de qui le fils Sforza agissait comme chevalier servant, en tout bien tout honneur : elle était lesbienne; lui, probablement plus à homme qu'à femme. Leur venue était entourée de mystère : tous les occupants du Gros-Pin furent poliment invités à rester dans leurs quartiers. Au bout d'une heure, croyant les visiteurs depuis longtemps partis, je pénétrai dans la bibliothèque où je me réfugiais toujours avec le plus grand plaisir, entouré de rayonnages qui regorgeaient d'anciennes éditions de Jean-Jacques Rousseau et de Balzac.

Je me trouvai malgré moi en présence d'un jeune homme à la mise sportive, qui aurait pu être un Tedzio adulte du roman *Mort à Venise*, de Thomas Mann, et d'une femme d'une quarantaine d'années à l'allure insolite. Abondante crinière noire retenue par un bandeau blanc; formes qu'on devinait assez généreuses entièrement enveloppées dans une sorte de djellaba sombre; visage un peu empâté aux yeux immenses surmontés d'épais sourcils, bouche charnue, teint bistré, traits presque masculins. Rien qui pût être qualifié de joli. Mais malgré tout, au risque de paraître impoli, je ne parvenais pas à détacher mon regard de cette «apparition»... Dès mon entrée, la femme se leva et eut un mouvement de retraite. Je balbutiai un mot d'excuse et j'allais me retirer, quand Nadia me retint et fit les présentations. Comme je serrais sa main, Leonor Fini — car c'était elle —, se dit désolée de m'infliger le spectacle d'une dondon qui ne parvenait pas à perdre les douze kilos que lui avait fait prendre la cuisine provençale. Sa coquetterie était l'unique raison de tout le mystère qui entourait sa visite.

Quelques années plus tard, la renommée de Leonor Fini commençait à croître, mais on pouvait encore se procurer ses gravures à bon compte, dans les galeries parisiennes de la rue de

Seine et du quai Saint-Michel. Sur les conseils de ma femme Monique, j'en achetai quelques-unes, qui ornent toujours nos murs. Entre autres, peint sur fond ocre, un personnage féminin aux yeux clos, visage impénétrable, corps nu de couleur glauque recouvert de la tête aux pieds d'une féerique crinière de paille, me rappelle irrésistiblement cette fugace vision dans la chaude lumière d'une fin d'après-midi avec arrière-plan de Méditerranée.

SCÈNE X
André Pieyre de Mandiargues

Rencontre encore plus brève, celle d'André Pieyre de Mandiargues, le délicat poète du surréel et du fantastique, dont je n'avais pas la moindre idée de ce qu'il pouvait être au moment où je me retrouvai avec lui passager du même taxi, en direction de la place de la République. Accompagnés d'un groupe d'amis, nous allions nous joindre au défilé du 14 juillet 1949 : la guerre froide battait son plein. Les deux blocs s'affrontaient dangereusement. Un conflit armé semblait imminent, et toutes les occasions étaient bonnes pour manifester en faveur de la paix. Mon séjour en Europe et ce que j'avais connu des séquelles de la guerre 39-45 m'avaient ancré dans mes convictions à cet égard. Mon héros était un certain Garry Davis, qui avait eu le courage (le culot?) de déchirer son passeport américain, place du Trocadéro où se trouvait le siège de l'ONU avant son déménagement à New York. Comme lui, tous les fervents de la paix de l'époque se déclaraient fièrement citoyens du monde. Les militaires avaient alors lancé la mode de la force dissuasive. Mais les deux clans disposant de nombreuses bombes atomiques, comment ne pas craindre que la dissuasion n'aboutisse sur une démence destructrice? Bref, par ce joyeux anniversaire de la prise de la Bastille, nous allions proclamer notre volonté de voir la république mondiale prospérer en liberté, en égalité et en fraternité.

Dans le cours de la conversation, une allusion révéla ma nationalité. «Ah... un Canadien, me lança le poète; j'aurais dû deviner à votre accent que vous étiez étranger.» Insulte suprême : je mettais ma fierté à «parler français comme un Français». Aujourd'hui, on me traiterait de colonisé, puisque les Québécois tiennent à se faire partout identifier comme tels. Mon point de vue se situait à l'opposé : je voulais vivre sur un pied d'égalité avec les Français, discuter avec eux sans qu'ils usent avec moi du ton paternaliste dont on s'adresse au cousin d'Amérique. Le temps n'était pas encore venu où les Français se pâmeront sur tout ce qui vient du Québec, quitte à en rigoler sous cape lorsqu'ils se retrouvent entre Hexagonaux. Ma déconvenue devait être à ce point visible que mon interlocuteur s'empressa d'enchaîner : « Vous vous exprimez beaucoup trop bien pour être Français. » Nous devions nous perdre dans la foule entre la République et la Concorde. Je ne l'ai jamais revu pour vérifier si son commentaire était purement de circonstance ou s'il comportait quelque sincérité.

SCÈNE XI
Michel Simon

Autre rencontre de même type : Michel Simon. Tard un soir, à la porte d'un café, rue de Richelieu, deux camarades de longue date se tombent dessus par hasard, et les voilà dans les bras l'un de l'autre. Ils ne se sont pas vus depuis douze, quinze ans peut-être.

« Michel !...

— Ludmilla !... Quelle bonne surprise ! D'où sortez-vous ? Venez prendre un pot que nous bavardions.

— Je ne suis pas seule...

— Que votre jeune ami se joigne à nous : il ne refusera pas une coupe de champagne. »

Les souvenirs fusent, évocateurs d'une époque exaltante. Il y a vingt-cinq ans, à Genève, *Androclès et le lion* ; Michel Simon y faisait ses vrais débuts sur scène dans le rôle de César, après avoir joué quelque comparse dans *Mesure pour mesure* et à Paris, *Hamlet* : il se rappelle y avoir joué trois personnages ; suivra *Mademoiselle Bourrat,* d'un auteur obscur, Claude Anet, que les Pitoëff montaient chaque fois que Ludmilla était enceinte, comme la jeune héroïne abusée par le jardinier de la pièce, incarné par Michel Simon ; enfin, *Six Personnages en quête d'auteur*, où il jouait le directeur : il s'en souvient encore avec émotion... Et un jour, ce fut la rupture, pour d'obscures raisons que l'un et l'autre évitent d'évoquer.

Le bruit a récemment couru, semble-t-il fondé sur certains documents d'archives du KGB, que Michel Simon aurait servi d'agent de renseignements pour les Soviétiques durant les années trente. Or, la troupe des Pitoëff regorgeait de Russes blancs émigrés à Paris. La rumeur correspondrait-elle à la réalité, on peut présumer que l'«espion» aurait pu craindre d'être identifié par l'un d'eux, et qu'il aurait pris prétexte d'une brouille subite pour s'éclipser. Roman? Qui sait?

«Vous faites beaucoup de cinéma?

— De moins en moins. Ce ne sont pas les offres qui manquent. Le téléphone sonne : "J'ai un beau rôle pour vous. Un type dégueulasse, hideux, crotté, vicieux, dépravé... C'est écrit sur mesure!" (Ludmilla en a les larmes aux yeux. Du coup, elle se retrouve au temps où Michel Simon se livrait à ses bouffonneries et à ses imitations plaisantes, boute-en-train des coulisses de la Comédie des Champs-Élysées.)

«Au revoir, Michel. Il ne faut pas nous perdre de vue.

— À bientôt, ma chérie...»

SCÈNE XII

Jacques Copeau

Dernier trophée de ma chasse aux célébrités : Jacques Copeau. Copeau, nom fabuleux au même titre que celui de Gide et de Claudel. Copeau, les jours glorieux de *La Nouvelle Revue française* dont il fut l'un des fondateurs; porte-drapeau, s'il en fut, de la grande entreprise de rénovation du théâtre en France. Coup d'envoi : un jour d'automne 1913 sur les murs de Paris, quelques placards à l'en-tête du Théâtre du Vieux-Colombier :

«Appel à la jeunesse, pour réagir contre toutes les lâchetés du théâtre mercantile et pour défendre les plus libres, les plus sincères manifestations d'un art dramatique nouveau;

«Au public lettré, pour entretenir le culte des chefs-d'œuvre classiques, français et étrangers, qui formeront la base de son répertoire;

«À tous, pour soutenir une entreprise qui s'imposera par le bon marché de ses spectacles, par leur variété, la qualité de leur interprétation et de leur mise en scène.»

Cet appel devait se répercuter jusqu'après la Deuxième Guerre mondiale avec, notamment, la création des centres dramatiques en province — par cette extraordinaire et légendaire mademoiselle Laurent, directrice du service Arts et Lettres du ministère de l'Éducation —, et avec la renaissance du Théâtre national populaire, Vilar succédant à Gémier. Un homme avait su imprimer cet élan : Jacques Copeau, l'un des esprits les plus éclairés de l'intelligentsia française de l'époque.

De 1913 à 1924, Copeau s'épuisera à travailler sans relâche, inspiré par les plus hautes, les plus nobles ambitions. Après quoi, il se retirera à Morteuil en Bourgogne, où il poursuivra ses recherches pédagogiques avec un groupe de disciples fervents, surnommés les Copiaus. En 1936, on lui demandera, avec les membres du Cartel — sauf Georges Pitoëff : il était étranger! —, de signer des mises en scène pour la Maison de Molière. Il en deviendra l'administrateur peu avant la capitulation de la France, mais démissionnera, quelque dix mois plus tard, en désaccord avec les directives de l'Occupant. Il retourna alors à Pernand-Vergelesses, où il fit retraite jusqu'à sa mort.

Il montait rarement à Paris. Exception faite pour y aller voir sa fille, Marie-Hélène Dasté, dans le rôle de la reine d'*Hamlet*, monté par Barrault au Théâtre Marigny; elle en avait également signé les costumes. Jean Gascon et Mimi Lalonde, sa femme, s'étaient liés d'amitié avec Maïène, surnom familier de Marie-Hélène Dasté (leur première fille fut baptisée de son prénom). Copeau n'était pas dans la meilleure forme. En réalité, il était atteint de sénilité précoce, cruel sort pour cet homme qui, toute sa vie, n'avait été que lucidité et esprit. En la circonstance, le retour à Pernand posait problème. Or, avec la gratification reçue de l'armée

Marie-Hélène, Jean et Mimi Gascon
ainsi que Jean-Louis Roux
en compagnie de Jacques Copeau et de sa femme

américaine lors de sa démobilisation, Jean de Rigault avait fait l'acquisition d'une Chevrolet. Il fut donc convenu, avec Maïène, qu'il voiturerait Jacques Copeau et sa femme jusqu'à Pernand.

L'ami Jean de Rigault s'arrangeait toujours pour tirer le plus grand parti possible d'une situation. Tout en assistant à une pièce de théâtre, il trouvait moyen de récupérer le sommeil perdu de ses trop courtes nuits ; ce qui lui permettait d'ailleurs, en fin de spectacle, de s'extasier devant une toile de fond que les spectateurs, restés éveillés, voyaient descendre des cintres au moins pour la dixième fois... Un soir de fête chez des amis de Rueil, ne l'ai-je pas entendu se proposer pour aller chercher, rue de Rome à Paris, un disque de jazz que quelqu'un désirait entendre. Il en profita, cependant : 1) pour aller administrer son injection quotidienne à sa mère, et 2) pour aller donner l'accolade, durant l'intermission, à un ami pianiste en concert à la salle Pleyel, tout comme s'il avait assisté au récital. Le voyage à Pernand lui inspira, en complément, l'idée de vacances dans les Alpes. Nous quittâmes Paris à sept passagers dans sa Chevrolet cinq places : Copeau et sa femme, Jean Gascon et Mimi, sur la banquette arrière ; leur fille Marie-Hélène âgée d'environ deux ans, Jean de Rigault qui tenait le volant, et moi-même, à l'avant. Après avoir laissé les Copeau chez eux, nous devions obliquer vers Grenoble et poursuivre jusqu'à Saint-Benoît-en-Champçaur, où se trouve une petite station de sports d'hiver.

Quelques heures après avoir quitté Paris, nous profitions d'une halte près de Melun, pour faire une photo de groupe au bord de la route. Je garde précieusement ce document de mauvaise qualité, où l'on m'aperçoit un peu en retrait, le regard fièrement posé sur le grand réformateur du théâtre d'après-guerre, regagnant benoîtement son refuge bourguignon. Je retrouverai plus tard une déclaration qu'il avait faite en 1928, lorsqu'il allait atteindre la cinquantaine. Je l'annexai aussitôt en légende à cette photo : « Le jour où je sentirai mon pied faiblir sur le tréteau, le jour où la voix me manquera, où je ferai définitivement retraite entre ces trois collines d'où la vue s'étend jusqu'à la ligne du Jura, je voudrais qu'à ce moment-là, quelque chose encore de moi continuât de courir le monde, quelque chose de plus robuste, de plus jeune et de plus grand que moi, dont il me fût permis de dire : c'est pour cela que j'ai travaillé. »

Durant les deux jours de trajet, il n'y eut pratiquement pas de conversation, tout le monde s'ingéniant à distraire Marie-Hélène, débordante de vitalité, afin d'éviter qu'elle n'épuise le pauvre Copeau, tassé dans un coin de la banquette arrière. La nuit, dans un hôtel construit en carton, la petite, sans doute dépaysée, n'arrêtera pas de pleurer. Au matin, nous remontâmes en voiture, les yeux cernés par l'insomnie ; Marie-Hélène, elle, était en pleine forme ! Une fois à Pernand, madame Copeau nous pria d'excuser son mari, pour l'instant totalement à bout de forces. Elle nous invita à nous arrêter sur le chemin du retour.

Je n'en veux pas trop à Jean de Rigault d'avoir fait subir cette épreuve au fondateur du Vieux-Colombier : il nous permit ainsi de passer une semaine de rêve dans une petite auberge de la Haute-Savoie, là où nous apprîmes malheureusement la mort de Christian Bérard... Sans équipement ni pour le ski, ni pour l'escalade, nous occupons nos journées en explorations. Une après-midi, nous entreprenons l'ascension d'une pente qui nous avait paru assez douce. Pour monter, ça va ; mais lors de la descente, nous manquons plusieurs fois de perdre pied et de dévaler sur les rochers pointus et tranchants. Le danger est réel : particulièrement angoissé, Jean Gascon passe près de faire une crise nerveuse !

Nous sommes repassés par Pernand. Copeau nous reçut dans sa bibliothèque où s'entassaient livres et documents. Il y en avait partout : dans les rayonnages, empilés sur le parquet, sur les tables et sur les chaises, jusque sur le rebord de la fenêtre. Très affable, il nous questionna abondamment sur ce que nous faisions, se montra particulièrement intéressé par les Compagnons de saint Laurent, et ravi d'apprendre que Jean avait joué Noé, et moi, Cham, dans le *Noé* d'André Obey, pièce créée en 1931 par son neveu Michel Saint-Denis, alors fondateur de la Compagnie des Quinze. Avant le départ, il nous dédicaça chacun un bouquin. Mais légère confusion dans les idées : pour Jean Gascon, il fit allusion au rôle de Cham ; quant à moi, il inscrivit sur l'une des pages de garde de ses *Souvenirs du Vieux-Colombier* : « À Jean-Louis Roux, souvenir d'un voyage en auto, au mois de décembre 49. » Et il prononça distinctement la date en l'inscrivant, détachant chacune des syllabes. Or nous étions en février, et il devait mourir le 20 octobre suivant. Sa dédicace, chose rarissime, est donc posthume !

SCÈNE XIII
Vaches plus ou moins maigres

Durant la quarantaine de mois passés en tout à Paris, je vis probablement plus de spectacles qu'au cours du reste de ma vie. Quelquefois huit par semaine : il y avait régulièrement deux matinées hebdomadaires à la Comédie-Française. Les titres des pièces auxquelles j'ai assisté, ainsi que les noms de leurs auteurs, formeraient un imposant répertoire, du meilleur et du pire, du sublime au médiocre ; français et étranger ; classique et contemporain. La rédaction de ma chronique, *Les Soirées de Paris*, m'obligeait à un bilan périodique de tout ce que dévorait mon insatiable appétit : théâtre, cinéma, expositions, musées, concerts. Je me trouvais ainsi à trier et à classer cet énorme bagage, plutôt que de l'entasser pêle-mêle. J'y puiserai largement lorsque, plus tard, je deviendrai directeur de théâtre.

Au début de mon séjour, j'étais d'une parcimonie excessive, étirant le plus possible mes minces ressources. Je vivais à même les provisions apportées ou reçues de Montréal : sardines en boîte, bœuf de conserve, sirop d'érable, fromage cottage qui devenait un mets de choix, etc. Je ne fréquentais les restaurants qu'en cas de nécessité, et je me limitais à ceux de catégorie C (recommandation du parrain de Jean de Rigault), là où les règlements exigeaient qu'on offrît un menu à 45 francs, composé d'une salade de carottes ou de chou, d'un plat de boudin avec pomme purée et d'un yaourt nature. À quoi pouvaient s'ajouter, comptés en sus, 50 ou 100 grammes de pain que je tartinais avec de la moutarde, seul condiment gratuit, avec le sel et le poivre.

Ces 45 francs représentaient une dizaine de cents. Car, faisant taire ma conscience, j'échangeais mes dollars au marché parallèle, puisqu'on y obtenait trois, ou même quatre fois plus que le taux officiel. Quelqu'un m'expliqua d'ailleurs que le gouvernement français récupérait ces dollars à un point ou à un autre de leur cheminement, histoire de se créer des réserves de devises lourdes. Mon *bureau de change* se situait au Baby Bar, rue Saint-Honoré, et mon *agent*, un Nord-Africain, s'appelait monsieur Simon. Pour lui, j'étais m'sié Jean-Louis. Les premiers billets que je lui apportai embaumaient. Car pour éviter le change officiel, il fallait introduire les dollars en fraude, les ayant soustraits à la fouille des douaniers français. Pour ce faire, plusieurs méthodes étaient recommandées : les coudre dans une doublure ou les glisser dans une fausse semelle. J'avais opté pour la cache dans un contenant de poudre dentifrice. Mais, manque d'expérience, j'y insérai les billets directement plutôt que de les protéger d'abord par un préservatif. Une fois en France, quand je les en sortis après quinze jours de voyage, ils étaient blanchâtres et parfumés. Le dentifrice s'enlevait au brossage, mais l'odeur persistait.

Grâce à monsieur Simon, j'appris que ces modestes changeurs relevaient d'organisations structurées et qu'ils faisaient preuve, du moins envers leurs clients habituels, d'une assez rigoureuse éthique. Mon frère René me confia une somme de deux mille dollars en chèques de voyage, contresignés à l'avance, avec instruction de ne les changer que si l'on m'en offrait 500 francs au dollar. Monsieur Simon se dit incapable d'accorder un tel taux, sans consulter, et m'invita à l'accompagner à bord de sa voiture, une traction avant noire comme de bien entendu. Il me fit monter à l'étage, dans une salle déserte d'un café du quartier du Temple, et me demanda de l'attendre, me tendant sa main ouverte. J'y déposai les chèques et il me quitta. Une fois seul, la machine à réflexion se mit en branle : les chèques étaient contresignés, la somme était tentante et je ne savais même pas à quel endroit je me trouvais exactement… Plus le temps passait, plus j'étais persuadé que je ne sortirais pas de là vivant. Je n'étais pas encore affolé mais, Dieu ! que je me trouvais stupide d'avoir agi de la sorte. J'entendis enfin un pas lourd dans l'escalier : sans doute celui de mon exécuteur ! La porte s'ouvrit : mon monsieur Simon me rendait simplement les chèques, n'ayant pu opérer la transaction. Honnête truand !

En décembre 46, Léon Blum revint aux affaires, et son gouvernement inspira momentanément confiance. Le franc reprit du poil de la bête : le marché parallèle chuta. Monsieur Simon me confia : « Ça va mal, m'sié Jean-Louis, ça va très mal. Tellement qu'à dire vrai, entre vous et moi, je travaillerais !… » Il y eut un petit silence, pendant lequel je faillis pouffer. Mais il se reprit aussitôt : « Je veux dire : je travaillerais… dans un bureau… »

À peine un an après la fin de la guerre, les appartements vacants étaient réquisitionnés d'office, tant était sérieuse la crise du logement. Le peintre Julien Hébert en avait loué un, Cité des Fleurs, près de la place Clichy, mais son départ de Montréal avait été retardé. Il m'avait prié d'occuper les lieux pour éviter qu'on ne s'en empare. J'étais moi-même sans logis : j'acceptai avec plaisir. La Cité, très vieillotte et mal entretenue, n'était pourtant pas désagréable. Une grille à chaque extrémité en interdisait le passage à la circulation automobile. Certains ministres du Second Empire y avaient, paraît-il, entretenu leur maîtresse. J'emménageai dans un de ces anciens nids d'amour, un peu sombre, un peu poussié-reux. Luxe inusité, il y avait une salle de bain attenante à la chambre à coucher !

Dans une petite cuisine mal éclairée, donnant sur une cour intérieure, je préparais mes austères repas. Un dimanche soir, après une dizaine de jours de régime à portion congrue, je décidai de me payer un dîner décent. J'entrai dans le premier café d'apparence convenable, place Clichy, et y mangeai simplement le traditionnel bifteck pommes frites, sobrement arrosé. Au cours de la nuit, je faillis rendre l'âme. À compter de ce jour, j'abandonnai les menus des restaurants de catégorie C. À quoi bon *mourir* de faim, même à Paris, n'en déplaise à Parrain ?

Malgré ma détermination de ne jamais retourner au Canada, je n'avais pas rompu toutes les amarres avec mon pays natal. Ainsi, quelques mois après mon installation dans la capitale française, je participai à une série de conférences organisées par le fils du journaliste et éditeur Horace de Carbuccia, à ce moment-là condamné par contumace pour avoir soutenu le gouvernement de Vichy durant l'Occupation. Il devait du reste être plus tard acquitté de toute charge. L'événement fut présenté sous le nom d'*Images du Canada*. Parmi les conférenciers, Pierre Trudeau avait traité de politique fédérale et provinciale, ainsi que de notre système fédératif ; Roger Rolland, de littérature ; Ludmilla Pitoëff y avait lu des poèmes d'Alain Grandbois, d'Émile Nelligan et d'Éloi de Grandmont. Pour ma part, j'avais décrit la vie quotidienne dans la métropole cosmopolite du Canada. Je remportai un franc succès... auprès de mademoiselle Lysée, mon octogénaire logeuse de la rue Mollien, près de l'église Saint-Augustin, où je m'installai quand Julien Hébert prit possession de son appartement.

En une autre circonstance, bon nombre d'intellectuels et d'artistes de la communauté canadienne de Paris avaient adressé aux journaux de Montréal une lettre de protestation au sujet de l'interdiction, décrétée par Maurice Duplessis, du film *Les Enfants du Paradis*. Nous nous disions honteux de voir une conduite aussi ridicule et aussi mesquine faire la une des quotidiens de la Ville lumière. Parmi les signataires : Jean et Mimi Gascon, Louise et Charles Daudelin, Marthe et Maurice Blackburn, Andrée Desautels, le pianiste compositeur André Mathieu, Jacques Brunet, Jacqueline Deslauriers, Pierre Trudeau, Roger Rolland, Éloi de Grandmont, l'écrivain André Béland... Cette lettre nous valut une semonce à l'Assemblée législative du Québec sur un ton de paternalisme méprisant, coutumier à cette époque. L'orateur était René Chaloult, député indépendant ultranationaliste, ancien directeur d'une publication à tendance raciste, *L'Action nationale*. Même à près de cinq mille kilomètres de distance, sa voix me hérissait le poil. L'étroitesse d'esprit, l'intolérance, et le fanatisme à caractère religieux ou national me devenaient déjà insupportables.

Du point de vue matériel, sans être facile, le quotidien à Paris n'avait rien de vraiment pénible. Sauf en ce qui concerne le froid et l'humidité. La pénurie de charbon empêchait le chauffage des appartements et des lieux publics. On arrivait au théâtre très tôt, pour pouvoir s'asseoir dans la première rangée qui bénéficiait de petites plinthes électriques. Par ailleurs, on y offrait, à un prix pour moi inabordable, des programmes présentés sous forme de brochures minuscules de moins de dix centimètres de côté : le papier était sérieusement contingenté. Les journaux ne publiaient que sur quatre ou six pages. Après usage, je les brûlais dans le foyer de l'unique grande pièce que j'habitais, vaine tentative d'en tempérer l'atmosphère. J'avais bien apporté de Montréal un modeste radiateur, mais il suffisait à peine à me maintenir les pieds au-dessus du point de congélation. Des genoux à la tête, certains jours d'hiver — celui de 46 fut particulièrement rigoureux —, j'étais littéralement frigorifié. Je revêtais manteau et cache-col, et j'écrivais, les doigts gourds enfouis dans une paire de gants de laine.

J'ai toujours été, et je reste encore imprévoyant. J'aurais dû rapidement m'inquiéter de la possibilité d'être, un jour, à court de ressources pécuniaires. Heureusement pour moi, ce genre de préoccupation m'était étranger. Il me restait quelques centaines de dollars de la provision de la tante Maria, une fois payés les frais de transport et de préparation de mon séjour. Je recevais, lorsque j'expédiais ma chronique à *Radiomonde*, les dix dollars convenus. De plus, à l'occasion, surgissait une modique source inespérée de revenu. Ainsi en novembre 46, l'éditeur montréalais Paul Péladeau débarqua à Paris. Il était à la recherche d'un secrétaire : j'obtins le poste.

Paul Péladeau avait lancé, durant la guerre, les Éditions Variété. Constatant que les réserves des librairies françaises du Québec s'épuisaient rapidement après la reddition de juin 1940, il avait conclu une entente avec Louvigny de Montigny, représentant canadien des sociétés d'auteurs de France. Il put ainsi rééditer certains des auteurs les plus en vue de l'heure : Duhamel, Mauriac, Montherlant, etc. Une fois la guerre terminée, il restait en panne avec un nombre considérable d'invendus qu'il rêvait d'écouler en Europe. Il venait donc à Paris faire sa cour aux auteurs et aux éditeurs dont Louvigny lui avait cédé les titres. Son quartier général était situé au Ritz. J'y avais accès par la modeste rue Cambon, et non par la porte principale de la place Vendôme. Peu après mon entrée en fonction, Péladeau organisa un somptueux dîner pour ses poulains malgré eux, que j'accueillis d'abord dans un grand salon, veillant à ce qu'ils soient bien pourvus de champagne et de hors-d'œuvre. «Une autre coupe, Maître?» Quand ces messieurs furent invités à passer à table, à la demande expresse de mon patron, je me dirigeai vers les cuisines où je devais faire en quelque sorte office d'intendant et contrôler la consommation du Moët et Chandon. Dans de telles occasions, le personnel hôtelier a la réputation de s'approprier d'office un certain nombre de bouchons.

Je me présente et m'identifie. Aussitôt, léger remous. Un majestueux larbin en cravate blanche s'avance vers moi et m'accueille comme si j'avais été le prince de Monaco.

«Monsieur désire-t-il manger?

— J'ai déjà pris une gibelotte de lapin, dans un bistrot de la rue des Capucines.

— Ça ne suffit pas pour Monsieur.»

Claquement de doigts : on m'installe un couvert à l'écart, loin de la circulation du service. Comme un garçon apporte une flûte : «Ça ne suffit pas pour Monsieur, voyons!» Et voilà mon maître d'hôtel stylé qui se dirige vers un buffet et en sort un verre à eau qu'il installe devant moi. Nouveau claquement de doigts : un agréable liquide pétillant et doré remplit mon verrre jusqu'au bord : il en transpire. Parfaitement conscient du but des attentions dont on m'entourait, je m'en amusais et laissais mon larbin cravaté croire que j'en étais dupe. Je dégustai le repas gastronomique, sans me soucier du détournement des flots de champagne. Aucun scrupule. Pas plus que les académiciens et les prix Goncourt qui s'empiffraient à côté, sachant très bien que leurs éditeurs ne céderaient pas un millimètre de terrain à leur amphitryon canadien.

Je gagnais pourtant bien la trentaine de dollars par semaine qui m'étaient versés : mon manque de formation comme dactylo me forçait à taper l'assez volumineuse correspondance de mon patron, à deux doigts et à grand renfort de *corrector*. Péladeau s'absenta quelques jours, en voyage en Suisse. J'en profitai pour reprendre le retard accumulé dans ma besogne. Un matin, survient le garçon d'étage, un Italien dont le prénom avait été francisé en Joseph. Il rôde dans la chambre, manifestement sans but, pendant que je m'acharne sur ma machine à écrire. Soudain, il se décide :

«Monsieur travaille beaucoup...

— Pas mal, Joseph.

— Monsieur pourrait travailler moins... (Et devant mon silence.) Une cliente de l'étage au-dessus vous a croisé dans l'ascenceur. Elle serait très intéressée à bavarder avec vous. Elle n'a pas quarante ans...

— Merci, Joseph.

— Merci oui ou merci non?

— Merci non.

— Comme monsieur voudra... Dommage : elle est bien de sa personne, vous savez...»

Aurais-je eu du talent dans le rôle d'un gigolo?

À la fin de mon contrat, comme Péladeau se plaignait d'avoir dépensé beaucoup plus que prévu, je lui offris de régler mes émoluments à Montréal, en les versant à mes parents en devises canadiennes. L'entente faisait notre affaire à tous deux. Lui, parce qu'il était à court de liquidités; moi, parce que j'irais rendre visite à mon monsieur Simon. Mais lorsque les quelques trois cents dollars me parvinrent, le cours noir avait chuté : je réalisai une perte sèche, pour moi d'importance! Quelques mois plus tard, l'éditeur était de retour à Paris et réclamait de nouveau mes services. Avant d'accepter, je lui exposai mon problème et lui demandai de me verser la différence entre la somme que j'avais escomptée et celle que j'avais effectivement touchée. Paul Péladeau était loin d'avoir la bosse des affaires de son frère cadet, Pierre. Mais il connaissait la valeur de l'argent. Il refusa de se rendre à ma requête, prétextant qu'il avait des comptes à rendre à ses associés. Je quittai le Ritz par la grande porte. À mon retour à Montréal, je revis mon patron parisien. Il était propriétaire d'un restaurant de la rue Stanley, La Tour Eiffel. Il s'enquit des succès de ma *Rose Latulippe* que je venais de créer. Comme je lui confiais que j'avais accusé un déficit d'environ deux mille dollars, il conclut, d'un air attristé : «Décidément, l'argent ne vous réussit pas, vous!»

Je n'aime pas l'argent pour lui-même. Je l'aime pour ce qu'il permet de se procurer : biens matériels et insouciance de l'esprit. Le manque d'argent m'angoisse. On dirait pourtant qu'il me brûle les doigts et qu'il faut que je m'en débarrasse le plus rapidement possible. Ce n'était évidemment pas le cas à Paris. Il y eut des périodes où je dus me serrer la ceinture. Il m'arrivait de ressentir un petit creux à l'estomac. Sans compter que les produits alimentaires étaient sévèrement rationnés. L'ambassade ne nous fournissait aucun ticket de matière grasse (le fromage en vente libre en contenait 0 pour cent), ni de viande, ni de chocolat; alors que nous en avions à profusion pour le sucre et le pain. J'en distribuais plus de la moitié, à la plus grande joie de mes voisins de table, au restaurant et à celle de Mlle Lysée. Avec ce que je gardais de tickets, je me procurais du sucre brut : ça pouvait aller. Mais le pain…

Un hasard me permit de constater que j'avais oublié le goût du pain blanc. Pénurie de blé, le fameux *pain français* était pétri avec de la farine faite de maïs ou de pommes de terre, et avait

Thérèse Cadorette et Jean Coutu
dans Rose Latulippe
1950

une teinte grisâtre ou jaunâtre suivant l'ingrédient employé. Le goût était assorti à l'aspect. Une après-midi, la concierge me livra un colis expédié de Montréal par mon beau-frère, Maurice Bélanger : une boîte à chaussures. Je l'ouvris, pour y trouver quantité de papier journal froissé. Enfoui dans le papier, un pain de mie partiellement évidé dans lequel avait été introduite une bouteille de whisky. Technique qui avait l'avantage de protéger du bris et du vol ce précieux liquide introuvable dans le Paris d'après-guerre. Triple trésor : je fis un feu de foyer avec le papier journal, me servis une rasade de scotch, et me mis à contempler la blancheur de la mie de pain séchée. Puis, ayant minutieusement écarté les parties moisies par l'humidité au cours du voyage, je fis un petit tas de ce qui me paraissait mangeable. J'en pris une pincée que je déposai sur ma langue. Quelle communion, mes aïeux ! C'était absolument divin ! J'ai rarement pris collation plus savoureuse.

Ces jours de disette étaient compensés par des repas plus abondants, rue de Rome chez Jean de Rigault, et par de véritables festins chez mon frère René, après son emménagement, rue Georges-V, dans un bel appartement bourgeois. René venait parachever sa formation de chirurgien à la clinique parisienne du professeur Gaudard d'Allaine, une sommité dans sa profession. Oublié le temps où on devait éviter de nous asseoir côte à côte, à la table familiale, de peur que les ustensiles ne volent, de même que l'époque où René réprouvait sévèrement ma décision de quitter la médecine pour le théâtre. Nos relations étaient devenues aussi cordiales que fraternelles. René avait quelque argent et savait en profiter : bonne chère, bonnes bouteilles. La belle-sœur Pauline prenait des cours de haute cuisine avec le chef Pellaprat. Mes papilles gustatives salivent encore en songeant à tel plat mitonné, arrosé d'un Vosne-Romanée premier cru de grand millésime, qui laissait en bouche un léger arrière-goût d'olive. Voluptueuses oasis dignes du plus fin gourmet.

SCÈNE XIV
Le travail, c'est la liberté

Cependant, pour m'installer à Paris définitivement, comme j'en avais eu l'intention en quittant Montréal, il me faillait trouver un travail, et donc, en obtenir le permis; ce qui ne pouvait se faire à moins d'avoir un contrat; mais on ne pouvait signer de contrat sans permis! Chinoiserie bureaucratique dont on venait à bout en trichant un peu. J'obtins mon premier emploi au théâtre, comme régisseur de tournée pour *L'Échange* : dur apprentissage d'une tâche qui exige une énergie physique hors du commun. Changer de ville presque chaque jour, voyager par train en hiver jusque dans l'est de la France, ce n'est pas une sinécure. Non plus que, par un petit matin glacial de novembre, tirer un charriot surchargé, du théâtre municipal à la gare de Mulhouse. Mais l'idée ne m'effleurait même pas de me plaindre. Je me réjouissais d'être en France et de toucher ne fût-ce qu'un maigre cachet en travaillant dans mon métier. Et je découvrais de nouveaux visages, de nouvelles coutumes, de nouvelles mentalités.

Tout m'était occasion d'émerveillement. Dans mon journal, le samedi 21 décembre 46, ce commentaire en témoigne : «Je n'ai rien vu de plus beau jusqu'ici que la cathédrale de Strasbourg. Tout élancement et légèreté. Curieuse opposition de son opulence extérieure et de sa nudité intérieure. Le fidèle en prière ne doit pas être distrait, fût-ce par la beauté de l'architecture, et n'ayant aucune aspérité où accrocher son regard le long des murailles et des colonnes lisses, force lui est de rentrer en lui-même.» À Metz, j'étais littéralement enchanté du simple fait d'entendre les machinistes parler du côté Moselle et du côté Place, au lieu de côté cour et côté jardin. La disposition des Tuileries de Louis XIV avait imposé son vocabulaire à la fameuse Salle des machines, mais la géographie de Metz imposait le sien à son théâtre municipal. Cette petite trouvaille me procurait un plaisir extrême, pour moi comparable à la joie d'un chercheur devant une découverte imprévue.

Mon boulot provoquait des situations cocasses; par exemple, à Colmar, cet ophtalmologiste qui me lance d'abord un regard soupçonneux lorsque je lui dis avoir reçu dans l'œil des éclats de poudre d'un *pétard*, entendant ce mot dans son sens populaire de pistolet. «Avez-vous déposé plainte au commissariat?» — Non, docteur : c'est moi-même qui ai allumé la mèche.» Heureusement, amateur de théâtre, il comprit rapidement qu'il s'agissait d'un coup de feu simulé et que je faisais, en coulisses, office de franc-tireur... maladroit.

Une autre situation se trouva plus embarrassante pour toute la troupe. Comme régisseur, on me confiait le billet de groupe de la SNCF qui nous permettait de voyager à tarif réduit. Nous rentrions à Paris en provenance de Mulhouse. C'était la fin de la tournée. À bord des trains, il n'y avait encore aucun service de restauration quel qu'il soit. En cours de trajet, une halte. Les haut-parleurs annoncent : « Troyes : douze minutes d'arrêt ! » Je décide, avec un camarade, d'aller faire provision d'eau et de sandwichs au buffet de la gare. Pendant que nous réglons l'addition, nous voyons soudain notre convoi se mettre en branle. Nous nous précipitons. Je vois mon camarade se diriger vers les passages sous-terrains. À l'encontre de toute prudence, je préfère franchir les rails et sauter dans le train en marche, avec une pensée de regret pour le pauvre Sacha qui devra se procurer un billet individuel et attendre le prochain train. Je me mets à la recherche de notre compartiment, ayant la curieuse impression que les wagons présentent une disposition symétriquement opposée par rapport à ceux que je viens de quitter. Tout ce qui se trouvait à gauche est à droite et vice versa... Un doute se fait jour en mon esprit. J'avise le contrôleur : « Dites-moi, nous nous dirigeons bien vers Paris ? — Non, monsieur, nous allons à Mulhouse. » Que le *petit garçon à maman* se trouve tout à coup esseulé ! J'explique la situation, surtout inquiet pour mes camarades démunis de titres de transport. Le contrôleur me rassure : nous faisons halte à Bar-sur-Aube où je pourrai tout régulariser. En effet, le chef de gare s'y montre extrêmement courtois. Il expédie immédiatement un télégramme à Paris. « Quant à vous, nous n'allons pas vous faire payer deux fois votre trajet. » Il inscrit une note sur le billet de groupe et me le rend. J'y lis les mots suivants : « Voyageur dévoyé... »

Enfin, au début de l'année 1947, pour la première fois je montai sur scène comme comédien, dans le rôle de Krogstad de *Maison de poupée*. Je suffoquais de bonheur et de trac. JOUER À PARIS, DEVANT UN PUBLIC PARISIEN ! J'obtins même une bonne critique, notamment dans *Noir et blanc*, un hebdomadaire de l'époque. L'écho de mon « succès » atteignit Montréal, d'où Pellan me fit parvenir un dessin griffonné à la mine de plomb, sur une serviette de papier sans doute empruntée au restaurant Chez son Père. Y est représenté l'Opéra de Paris, avec son toit en rotonde et la statue qui le couronne. En marge, une bulle où mon nom est inscrit : *Jean-Louis*. Une flèche indique que ce n'est nul autre que moi qui ai remplacé l'effigie qui domine la place la plus célèbre d'Europe !

La pièce fut reprise au Théâtre Gramont, quelques mois plus tard. Les friands de petite histoire seront sans doute intéressés de savoir qu'avant de devenir théâtre, cet immeuble abritait un club, dont le propriétaire n'était nul autre que le mystérieux aventurier Alexandre Stavisky. La scène restreinte du Gramont est, paraît-il, celle-là même où se déroulait les spectacles présentés dans ce lieu sélect, au début des années trente.

Maison de Poupée partit pour une très longue tournée durant laquelle, pour arrondir mon cachet, j'occupai de nouveau le poste de régisseur, en plus de jouer mon rôle de Krogstad.

Tournée qui me fit visiter à peu près toute la France : j'en faisais la découverte dans sa richesse et son étonnante diversité. En quelques semaines, je connus le nord ingrat, l'opulente Provence, la Savoie escarpée, le littoral de l'Atlantique, la Bretagne orageuse et la douce Côte d'Azur. Je parcourus également un peu de la Belgique et de la Suisse, et poussai une pointe jusqu'à Tunis. Mais à part ces déplacements nécessités par mon travail, je n'ai guère voyagé durant ce séjour en Europe. La France, Paris me suffisaient. (Je le déplore, dans la mesure où j'avais l'âge de voyager à bon compte, sans souci de confort. Il aurait fallu en profiter !) Pourtant, un jour, je décidai de partir pour l'Espagne avec un groupe d'amis. À la dernière minute, j'y renonçai. On me trouvera sans doute naïf, mais je considérais que l'Espagne m'était interdite. Comme elle l'était à Picasso. Comme elle l'était à Casals. Et puis je me connaissais : je savais qu'à la moindre occasion, j'aurais maille à partir avec les services d'ordre et la police franquistes. Quelle métamorphose depuis le temps, pas si lointain, où, dans la publication des étudiants de l'Université de Montréal, je me portais à la défense du Caudillo et de ses troupes nationalistes !

Après *Maison de poupée*, je jouai des extraits du *Vray procès de Jeanne d'Arc* sur le parvis de la cathédrale de Rouen. Pour célébrer la fête de la Sainte, les autorités municipales avaient organisé une sorte de festival où furent invitées quelques-unes de ses plus fameuses interprètes. Se trouvèrent ainsi réunies, Madeleine Ozeray, Claude Nollier, Véra Korène et Ludmilla Pitoëff qui donnèrent des scènes du *Mystère de la charité de Jeanne d'Arc*, de *Jeanne au bûcher*, du *Vray procès* et autres *Sainte-Jeanne*. Madeleine Ozeray était accompagnée d'un Sud-Américain richissime qui fit scandale, se plaignant qu'on ait placé sa protégée dans une loge d'hommes. En réalité, elle avait été introduite tout simplement dans la loge commune aux autres Jeanne, qui portaient évidemment toutes costume masculin. Parfaite illusion créée par la fiction théâtrale ou empressement naïf d'un chevalier servant?

Rouen me donnait l'occasion d'un de ces pèlerinages que j'affectionne particulièrement, dans des lieux riches de souvenirs historiques. Pendant de longues heures, je suivais lentement le trajet qui avait été celui de la Pucelle : à partir de la tour qui porte son nom, située autrefois dans l'enceinte du château de Rouen où elle fut emprisonnée, je me dirigeais vers le cimetière de l'abbaye de Saint-Ouen, lieu d'un de ses plus pénibles interrogatoires, puis vers la place du Vieux-Marché où elle fut brûlée. Dans chacun de ces endroits, je faisais une longue station, je regardais et j'essayais de recréer les scènes qui s'y étaient déroulées, cinq cents ans auparavant. Celles-là même que nous évoquions en représentation, le soir, devant le portail de la Cathédrale, encore meurtrie des blessures que lui avaient infligées les bombardements des Alliés. Je ne manquais pas non plus d'aller visiter la maison natale des deux Corneille. J'ai toujours la passion de ce que j'appellerais la conjugaison du passé au présent. J'en retire un plaisir singulier, une satisfaction d'une exquise qualité.

La mise sur pied de ces extraits du *Vray procès de Jeanne d'Arc* pour le Festival de Rouen aboutit tout naturellement à la production du spectacle en son entier sur la scène du Théâtre Sarah-Bernhardt, au printemps de 1949. J'y jouais le rôle du Chœur; Jean Gascon et Guy Provost étaient aussi de la distribution. Ludmilla Pitoëff renouait avec la tradition en regroupant autour d'elle, comme son mari naguère, une petite Société des Nations : au théâtre de la place du Châtelet, se côtoyaient Français, Canadiens, Hollandais, Belges et Suisses. Le quota d'étrangers permis par le syndicat des acteurs était presque excédé. La critique fut unanimement élogieuse pour l'interprète de Jeanne, mais la pièce ne tint l'affiche que durant une trentaine de représentations. Décidément, ça ne démarrait pas pour moi. À part quelques émissions de radio, ces deux spectacles furent les seuls auxquels je pris part avant mon retour au Canada.

La chance ne me sourit pas davantage au cinéma, malgré toutes sortes de tentatives. Visite chez Marc Allégret, qui devait tourner *Maria Chapdelaine* : le réalisateur eut la gentillesse de me recevoir chez lui pour m'expliquer que sa distribution était faite depuis longtemps. Lettre à Gide pour solliciter un rôle dans *La Symphonie pastorale* ; c'était avant l'époque où je fis sa connaissance, et j'attendis en vain une réponse. Audition devant Robert Bresson pour le rôle du défroqué dans *Le Journal d'un curé de campagne*. Bresson avait la réputation d'être intraitable ; il prit pourtant la peine de m'expliquer que je ne correspondais pas à sa conception du personnage. Réponse à une petite annonce dans laquelle on disait rechercher des «Canadiens blonds, grands et bilingues» pour le tournage du *Grand Cirque*, d'après l'œuvre de l'as de l'aviation française, Pierre Clostermann. Cette fois, la démarche réussit : Jean Gascon et moi étions convoqués pour une audition. Je fus dans l'incapacité de m'y rendre, mais Jean fut engagé... Dans un plan très large, à condition d'être à l'affût, on peut le deviner courant en direction de son Hurricane, «Canadien grand, blond et bilingue !»

Je n'ai jamais eu l'ambition audacieuse. Il ne m'est arrivé que très rarement de me résoudre à solliciter, préférant me tenir en état de disponibilité. En 1949 à Paris, une telle attitude ne pouvait guère favoriser l'élaboration d'un plan de carrière. Je manquais décidément d'aplomb, mais je mettais ma timidité sur le compte de mon statut d'étranger, qui m'interdisait les coudées franches dans la recherche d'emplois. C'était à moitié vrai. En réalité, quel qu'ait été mon talent, me faisait défaut l'art de le faire valoir. Avant d'abandonner, je fis une ultime tentative. Ayant passé l'âge d'y être admis comme élève régulier, je postulai un statut d'observateur dans un cours du Conservatoire. J'imaginais établir de la sorte des contacts éventuellement profitables. Le directeur me dissuada de poursuivre mes démarches. Selon lui, je ne tirerais aucun profit de l'assistance passive à un cours, aussi prestigieux que fût le professeur. Je me laissai convaincre par son manque d'empressement.

SCÈNE XV
Décision douloureuse

Avec le temps, il fallut bien me rendre à l'évidence et me décider à faire un choix : continuer à rêver, dénicher des pannes, ici et là, et risquer une mort de somnambule, ou accepter le réveil, fût-il brutal, à la réalité. Malgré un profond chagrin, je finis par admettre des certitudes auxquelles je me refusais jusque-là : je n'appartenais pas à l'Europe, mais au Nouveau Monde ; je n'étais pas Français, mais Canadien ; ce n'était pas à Paris que je devais vivre et œuvrer, mais à Montréal. C'est là que je m'épanouirais, si j'avais à le faire ; c'est là que je me rendrais le plus utile ; c'est là que me seraient offertes les meilleures chances de succès. La mort dans l'âme, en mars 49, je décidai donc de quitter Paris et tout ce que j'y aimais.

J'eus pourtant un sursis, grâce en bonne partie à mon ami Éloi de Grandmont qui avait dû rentrer à Montréal, l'année précédente. Notre dernière soirée ensemble, à Paris, fut d'un loufoque sans nom. J'avais rendu service à un importateur canadien de produits alimentaires qui ramenait chez lui un stock considérable de bibelots et d'œuvres d'art. Il aurait eu normalement à payer une forte douane. Sachant que je devais rentrer incessamment, l'importateur me pria de prendre son stock à mon compte. Mon séjour de plusieurs années en France me permettait de passer, libres de droits à l'importation, tous genres d'effets mobiliers. J'accédai à sa requête, et me mis en relation avec son courtier. À l'entrepôt où il me donna rendez-vous, je trouvai une douzaine de caisses fort imposantes, dont le manutentionnaire se mit en frais de déclouer les couvercles pour en dresser l'inventaire. Se révélèrent à mes yeux horrifiés les plus beaux spécimens de panthères rampantes en marbre noir, de lampes soutenues par des statuettes de femmes nues en albâtre, d'horloges ouvragées, rutilantes de pierreries et de métaux précieux... Je fus sur le point d'avouer la vérité : jamais je ne me serais porté acquéreur de telles monstruosités. Les regards admiratifs du fonctionnaire de la douane me firent changer d'idée : je signai tous les documents nécessaires. Pour me remercier de mon obligeance, l'importateur fit preuve de meilleur goût, en m'offrant une bonne terrine de foie gras et une bouteille de whisky.

C'est ici que nous renouons avec Éloi de Grandmont. La veille de son départ, donc, après en avoir fini avec mes précieuses porcelaines et autres carrares, je le rejoins pour l'apéritif au Mas de la Chèvre d'or, boulevard Saint-Michel, terrine et bouteille en poche. Vers 19 heures, nous nous enfournons dans un taxi pour aller prendre notre dîner d'adieu au restaurant russe Chez Yar, rue Pierre-Charron près des Champs-Élysées. Amateurs de vodka, friands de zakouskis et de blinis, nous l'avions fréquenté assez souvent. C'est l'heure de pointe. Le trajet se prolonge. La bouteille de whisky se vide. À notre descente de taxi au métro Georges-V, complètement ronds, nous nous mettons à la recherche de la rue Pierre-Charron qui nous est pourtant familière. Nous tournons sur nous-mêmes comme des égarés. Éloi propose de demander notre chemin. J'ai ma fierté : je connais Paris, et jamais je ne solliciterai de renseignements pour m'y retrouver. Éloi passe outre à mes protestations et je le vois se diriger vers un agent de police. Je romps toutes relations avec lui et le quitte à grands pas... trébuchants. De peine et de misère, je me retrouve Chez Yar et y mange, seul. Un an plus tard, Éloi m'apprend qu'il y était aussi. Nous avions fait table à part, dans le même restaurant, pour célébrer ensemble sa dernière soirée en sol parisien.

SCÈNE XVI

Sursis de condamnation

... Et c'est ici que nous renouons avec le sursis à mon propre départ. On allait tourner, aux studios de Boulogne-Billancourt, ce qui devait probablement être la première coproduction franco-québécoise, *Le Docteur Louise*. France-Film et J.-A. De Sève étaient dans le coup avec un producteur parisien, l'abbé Vachet, curé fort actif dans les mouvements d'action catholique. On cherchait évidemment des comédiennes et des comédiens canadiens, résidant de préférence à Paris, pour éviter les frais de transport. À Montréal, Éloi de Grandmont gravitait dans les milieux de cinéma. Il proposa mon nom, qui fut agréé. Ainsi que celui de Suzanne Avon, qui avait épousé un des Compagnons de la chanson et se trouvait donc, elle aussi, sur place. Henri Poitras, pour sa part, fit la traversée de l'Atlantique.

Le Docteur Louise ou *On ne triche pas avec la vie* était un film de calibre moyen, inspiré de fort louables intentions. Histoire d'une doctoresse qui s'établit dans un petit patelin de province, où elle est d'abord objet de méfiance et dont le dévouement finit par vaincre les préjugés des plus irréductibles. Comment ne pas être pour la vertu? Cette œuvre bien pensante me permit de faire la connaissance d'une équipe au sein de laquelle régnait la plus franche camaraderie. René Delacroix était réalisateur : homme charmant, antiquaire de son métier, venu au cinéma par je ne sais quel sentier détourné. Il se retrouvait sur le plateau du Docteur Louise par la filière canadienne; il avait dirigé *Le Père Chopin*, l'un des premiers longs métrages tournés au Québec après la Deuxième Guerre mondiale. À moins que mes souvenirs ne me trompent, le directeur de la photographie était Philippe Agostini, longtemps collaborateur de Marcel Carné. En tout cas, si ce n'était lui, c'était un artiste de même calibre, d'une agréable simplicité et hautement coté dans le milieu. Les deux vedettes françaises étaient Jean Davy et Madeleine Robinson. Après m'avoir serré la main, Davy me confia en guise de carte de visite, qu'il avait eu le «malheur» d'être le premier Créon de l'*Antigone* d'Anouilh. Depuis, chaque fois qu'il jouait un autre personnage, on s'exclamait : «Ah! vous auriez dû le voir dans Créon!» Il traînait ce triomphe comme un boulet. Quant à Madeleine Robinson, c'était une de mes flammes, du temps que je fréquentais, en cachette, les cinémas Rex et Stella de la rue Saint-Denis, devenus respectivement Théâtre d'Aujourd'hui et Théâtre du Rideau-Vert. Durant les longues périodes d'attente si courantes au cinéma, elle me voyait lire la version originale de *The Power and the Glory* de Graham Greene, récemment parue, et m'enviait d'être bilingue. Elle me fournit l'occasion d'être témoin d'un phénomène que je ne vis plus que très rarement, sinon jamais, chez les comédiens et comédiennes. Un matin, en tournage extérieur, elle devait faire une scène qui s'ouvrait sur un gros plan de son visage en larmes. Le réalisateur réclama le silence le plus respectueux : «Madeleine se recueille, déclara-t-il.» Elle se retira sous un arbre à l'écart et, après quelques minutes, se présenta devant la caméra, les joues ruisselantes de pleurs. C'était à mon tour de lui envier son art.

Le Docteur Louise faillit s'inscrire dans la série noire de films marqués par la guigne. En début de tournage, le réalisateur se coinça le pouce droit dans la portière de sa voiture; il en fut réduit à se bourrer d'analgésiques et à arborer un énorme pansement qu'évidemment, il heurtait partout. À chaque occasion, l'équipe entière poussait avec lui de pitoyables « Aïe! Ça fait mal!» En tournage extérieur, dans un coin enchanteur des bords de l'Oise, les techniciens avaient mis quelques bouteilles de rosé à rafraîchir dans un ruisseau. Le soleil chauffait, l'eau du ruisseau était presque glacée. Résultat : trois cas d'insolation. Il fallut arrêter le travail pendant une demi-journée. Dernier incident, qui aurait pu être grave : un soir, en rentrant à Paris à bord d'un car, j'entonnai quelque chanson de folklore. L'atmosphère était à la gaieté : Madeleine Robinson, adossée à la portière, répondait à pleine voix. Soudain, la portière céda et elle tomba du car en marche. Cela ne lui valut heureusement qu'un repos forcé d'une quinzaine.

Le tournage en fut retardé d'autant. Je négociai un prolongement de contrat, et le tout, ajouté à mon cachet, me rapporta un passage de retour en avion et un peu plus de sept cents dollars. Pour moi, et à l'époque, c'était une somme rondelette qui me permit de retarder mon départ jusqu'au mois de juillet suivant. Durant cette rémission, j'entrepris une visite systématique de ce Paris qui allait tant me manquer. Afin d'en jouir pleinement, dès le lendemain du dernier jour de tournage, je décidai de vendre tout ce qui était monnayable de mes maigres possessions : une petite machine à écrire portative, le radiateur importé de Montréal, et jusqu'à mes vêtements! En rentrant rue Mollien, dépouillé de mes richesses, m'attendait un pneumatique : convocation pour le raccord d'une scène dans laquelle je portais justement un costume bleu marine dont je venais de me défaire. Je me précipitai chez le fripier. Trop tard : le costume gisait, en pièces détachées, sur un énorme tas de tissu. Que faire? Quelle explication fournir? «Je n'ai plus mon complet : je viens de le vendre pour me payer du bon temps...» Plutôt embarrassant. Planche de salut : je me rappelai que mon ami Wallace possédait un costume semblable. Nous avions presque exactement la même taille. J'allai le chercher à Rueil, tôt le lendemain matin, et l'endossai en studio. La production n'y vit que du feu.

Pendant ces dernières semaines, mes flâneries dans Paris restent un de mes plus beaux souvenirs. Je disais adieu à tout ce qui s'offrait à mon regard : à mon Palais-Royal, à ma place des

Vosges, à mon arc de triomphe du Carrousel, à mon Île Saint-Louis, à mon Pré-du-Vert-Galant, à ma place Furstenberg, à mon Pont-des-Arts, à ma montagne Sainte-Geneviève, à mon parvis de Notre-Dame, à mes Quais... J'éprouvais de la nostalgie par anticipation, mais je faisais provision, je m'imprégnais de la beauté d'une ville où presque partout triomphent l'esprit, l'art, l'élégance et l'harmonie.

Acte III

SCÈNE I

Valse-hésitation

Le jeudi 21 juillet 1949, je montai à bord d'un North Star de la Trans-Canada Airlines, ancêtre de la compagnie Air Canada. J'étais littéralement désespéré. Comme pour augmenter mon tourment, le vol se prolongea sur deux jours, avec escale de nuit à Londres et arrêt à la base américaine de Keflavik, en Islande, où nous fîmes un atterrissage en plein blizzard. Dans le sinistre aérogare, j'étais assis à l'écart, image vivante de l'affliction sans doute, car le commissaire de bord vint m'offrir deux bouteilles miniatures de J & B, dans lesquelles je noyai une toute petite partie de mon chagrin.

Le samedi matin 23 juillet, j'atterris enfin à l'aéroport de Dorval. Quelques-uns de mes meilleurs amis m'y accueillaient. Ils m'ont rapporté plus tard que je n'avais ouvert la bouche que pour leur exprimer mon déplaisir. « Je ne suis pas du tout content de vous revoir », leur aurais-je déclaré. Pour ma part, je n'ai souvenir que d'abattement, de fatigue et du vertige que me causait un bourdonnement d'oreilles incessant. Avant l'avion à réaction, le bruit assourdissant des moteurs à hélices se répercutait à l'intérieur de la cabine des passagers et, après l'atterrissage, continuait à faire vibrer leurs tympans pendant des heures.

Ne restait qu'une solution : me plonger dans le travail. À la radio, de nombreux réalisateurs m'en offraient. J'en étais ravi ; car, après quelques jours à Montréal, ma secrète ambition était d'amasser rapidement le plus d'argent possible pour retourner à Paris, dont me hantaient les feux et les rumeurs. En comparaison, je ne consentais à voir, dans ma ville natale, que laideur et médiocrité. Le soir, dans le salon du foyer paternel que j'avais réintégré, je me faisais tourner des disques de Piaf ou de Montand,

Guy Provost, Huguette Oligny et Jean-Louis Roux,
Un Fils à tuer
1949

des chansons de Prévert et Kosma. La tête dans les mains, je sanglotais comme un petit garçon sans famille que j'étais. «J'ai perdu ma maîtresse, sans l'avoir mérité...»

Je compensais mes états d'âme en me livrant à des extravagances, les unes puériles, d'autres plus risquées. Sur la route, je ne roulais jamais à moins de cent (milles) à l'heure, au volant des voitures que j'empruntais. Je faisais rigoler les copains en dégustant des pétales de tulipe à la sauce Ready Whip. Ou je les épatais en mangeant du verre. À la faveur d'une rencontre de hasard dans un bistrot des Batignoles, un forain m'avait démontré que ce tour ne comportait aucun danger, à la condition de n'opérer qu'avec du cristal et de le broyer en fines parcelles avant de l'avaler. J'y renonçai à tout jamais, le jour où je me coupai profondément la langue et m'abîmai une canine, en croquant dans un verre trop épais. Quelques années plus tard, mon frère me soumettait à un régime draconien, après qu'une radiographie de mon estomac lui eût révélé plusieurs cicatrices d'ulcères. Je n'ai jamais osé lui dire qu'il s'agissait plutôt des traces de mes goûters à base de silice au potassium.

Je me livrais heureusement à des occupations moins sottes. Il y avait le projet d'*Un Fils à tuer* auquel j'avais déjà commencé à travailler à Paris, dès qu'Éloi de Grandmont m'y eut fait parvenir son manuscrit, quelques mois plus tôt. J'étais à peine descendu de l'avion que nous fondions tous deux une compagnie. En avais-je assez discuté de compagnie de théâtre lorsque, presque tous les dimanches, j'allais déjeuner chez Jean Gascon, rue de Birague, dans son petit appartement de bonne dont les fenêtres sous les combles donnaient sur la place des Vosges. Après quelques verres de vin, il nous arrivait de jouer les funambules et de passer de l'une à l'autre par les toits, contemplant la statue équestre de Louis XIII, six étages plus bas. Cette pauvre Mimi en avait des arrêts de cœur. C'est pourtant avec un autre que je m'associais pour créer le Théâtre d'essai de Montréal. Appellation d'apparence modeste.

Dans le programme d'*Un Fils à tuer*, j'expliquais que, pour moi, la vie n'était qu'une longue succession de tentatives, quête d'idéal et de perfection rarement couronnée de succès. De même pour le théâtre. J'allais donc faire mes modestes essais, à l'avance conscient de leurs lacunes. Cette humilité cachait sans doute de grandes ambitions. Entre autres, celle de mettre sur pied un organisme dont j'offrirais la codirection à Jean Gascon, revînt-il jamais à Montréal. Pour l'instant, Jean s'était joint au Centre dramatique de l'Ouest d'Hubert Gignoux, à Rennes, où il entamait une prometteuse carrière française.

La première de la pièce d'Éloi eut lieu le 4 octobre. Autour de moi, une excellente distribution : Ginette Letondal, Huguette Oligny et Guy Provost. Ces deux derniers, dans la vingtaine, jouaient des rôles d'âge comme il nous arrivait fréquemment en ce temps-là. J'avais alors la plaisante conviction qu'un metteur en scène devait savoir tout faire. C'est donc moi qui avais dessiné le décor, à grand renfort de règle, de compas et d'équerre. Prouesse que je bissai pour *Rose Latulippe*, avant de me rendre à l'évidence de mon manque total de talent en la matière. Le sujet de la pièce reflétait mes préoccupations de l'heure : un fils reprochait à ses parents d'avoir quitté la vieille Europe civilisée pour venir coloniser la Nouvelle-France. Au lever de rideau, les parents rapportaient leur enfant fugueur qui s'était égaré en forêt. Le père le tenait aux épaules, la mère, aux jambes. À la fin, le fils tentait à nouveau de s'enfuir pour échapper à la sauvagerie d'un pays qu'il haïssait de tout son cœur. Dans un geste de désespoir, le père l'abattait d'un coup de feu. Et la pièce se terminait sur le même tableau qu'au début, les parents déposant sur la table le corps de leur pauvre enfant mal aimé. Un spectateur s'adressa alors à sa compagne, à haute et intelligible voix : « Viens-t-en : c'est ici qu'on est arrivé ! »

Un Fils à tuer ne connut qu'un succès d'estime, comme on a coutume de dire par euphémisme. Les critiques adressaient des reproches surtout à la pièce, épargnant généralement la mise en scène et l'interprétation. Le mari de Ginette Letondal, le journaliste André Roche, nous servait de publicitaire. Il cherchait un moyen de mousser notre entreprise. Un incident de coulisses lui fournit prétexte à un canular.

En contournant la scène par le fond durant une représentation, j'avais trébuché sur un obstacle quelconque. Le bruit de la chute, suivie d'exclamations étouffées, était parvenu jusque dans la salle. Cela suffit à André Roche pour alerter certains de ses confrères, friands de petits scandales et trop heureux d'en faire l'objet de leurs chroniques. Il leur fit croire à une altercation en coulisses entre l'auteur et le metteur en scène. À quel propos ? Une histoire d'amour naturellement ! Éloi et moi convoitions supposément la même jeune femme. L'affaire prit des proportions, et notre feinte rivalité aboutit sur la mise en scène d'un duel à l'épée dans un terrain vague, derrière la prison de Bordeaux. Une photo de la rencontre fut même publiée avec la complicité d'un hebdomadaire, *Le Petit journal*. La police s'en mêla : pour l'agresseur — en l'occurrence, Éloi de Grandmont à qui j'avais fauché sa prétendue bien-aimée —, un duel constituait une tentative d'homicide. Nous fîmes l'objet d'une dépêche de la Presse canadienne, et la photo de Monique Manuel, une jolie comédienne française qu'Éloi et moi étions censés nous disputer, fut publiée par *Paris-Match*. Tout le milieu, crédule ou sceptique, parlait de l'affaire. Le commentateur radiophonique Roger Baulu nous fit prendre en filature : il conclut au coup monté lorsque ses espions me virent pénétrer subrepticement, de nuit, dans l'immeuble où habitait Éloi de Grandmont. Mais ils furent nombreux ceux et celles qui ajoutèrent foi au scandale. Il m'arrive d'en entendre qui y croient encore dur comme fer. Tout ce remue-ménage n'attira pas un seul spectateur de plus aux représentations. Reste que nous nous étions franchement amusés.

Nous n'avions pas l'abattage de Jean Desprez qui, malgré un éreintement unanime de la critique, parvint peu après à transformer en succès ce qui s'annonçait comme un four : sa *Cathédrale* dans laquelle elle fit jouer une trentaine de comédiens et de comédiennes appâtés par les rôles qu'elle leur offrait, par ailleurs, dans son feuilleton radiophonique, *Jeunesse dorée*. J'étais de la distribution : je jouais un homosexuel qui faisait des avances au jeune héros de la pièce, interprété par Roger Garceau. Pour toute réponse, j'en recevais une gifle. Avec sa raillerie irrésistible, Roger me disait, chaque fois que nous sortions de scène : « C'est bien parce que nous sommes au théâtre ! »

Le 19 novembre 1949, ayant amassé un petit pécule à force de feuilletons radiophoniques, je m'embarquais à bord de l'Île-de-France, en partance de New York à destination du Havre. Coïncidence plaisante : la veille, j'avais assisté à une représentation

Éloi de Grandmont et Jean-Louis Roux,
duel à l'ombre de la prison de Bordeaux
1949

de la pièce de Tennessee Williams, *A Streetcar named Desire*, avec Huta Hagen et Anthony Quinn. Ces deux remarquables comédiens n'étaient pas les créateurs des rôles de Blanche Dubois et de Kowalski, mais ils n'en étaient pas moins admirables. Une semaine après, le soir de mon arrivée à Paris, je vis la même pièce avec Arletty, dans une adaptation de Jean Cocteau. Une parodie, mes amis ! Malgré son talent, Arletty me donnait irrésistiblement envie de rire : son accent traînant de parigote était du plus haut comique en héroïne névrosée de Tennessee Williams. Quant à Cocteau, il se plaisait à faire déambuler sur scène de beaux jeunes noirs torse nu, et noyait l'action dramatique dans une profusion de musique de jazz, *New Orleans Style*. Mon engouement pour Paris ne m'aveuglait pas au point de me faire avaler cette mauvaise production.

Il y avait un peu plus de quatre mois que j'avais quitté Paris. Je le retrouvais avec énormément de joie, mais rien de comparable à ce que j'avais éprouvé, lors de ma première découverte. C'était une allégresse calme, sereine, douce, presque mélancolique. Un peu dans le style d'un amant qui, après une longue absence, reverrait une femme toujours chère, mais pour qui il n'éprouverait plus la passion fulgurante de jadis. Cette fois, je comprenais confusément que mon premier départ avait été un déchirement, une rupture, et que j'étais simplement revenu pour parvenir à ce que nous nous quittions, pour lors, comme des amis peuvent le faire, tendres et souriants.

En attendant, je repris le rythme de ma vie parisienne : flâneries, visites de musée et fréquentation de spectacles les plus divers. Différence notoire : je me mis à écrire. Environ deux ans plus tôt, j'avais entrepris une adaptation moderne de *Lysistrata* d'Aristophane. L'avènement de la paix constituait une de mes préoccupations majeures. Je confiais à mon journal, il y a déjà quarante-cinq ans : « La notion de peuple — et à fortiori de race — est désuète. Il faut de plus en plus penser à l'Homme et à l'humanité. » Attitude qui était l'aboutissement de mon propre

---

Jean-Louis Roux et Monique Oligny,
le jour de leur mariage
1950

cheminement d'adolescent et de jeune homme, de mon épisode européen et d'une série d'événements survenus durant la seule année 48 : assassinat de Ghandi, défenestration de Masaryk après la prise de pouvoir des communistes à Prague, guerre froide, détention de madame Joliot-Curie dès son arrivée, lors d'une visite aux USA, manifeste des savants atomiques américains, etc. Tout cela m'ancrait dans la conviction que le salut du genre humain passait par l'abolition des frontières, par l'harmonie universelle et m'inspirait l'idée d'écrire une *Lysistrata* moderne. Toutefois, après quelques semaines de travail et une première scène à peine ébauchée, j'avais abandonné mon projet.

En 1949, deux spectacles contribuèrent à raviver en moi le dessein d'écrire une pièce : *L'Ombre d'un franc-tireur* de O'Casey, puis *Deirdre des douleurs* de Yeats. Deux auteurs irlandais. Je fus frappé par les nombreuses similitudes entre leur situation sociale, politique et culturelle, et la nôtre, francophones du Canada. *Deirdre*, pièce inspirée d'une légende celtique, m'amena à consulter notre propre folklore. Me revinrent en mémoire plusieurs des contes des Anciens Canadiens qui se trouvaient sur les rayonnages de la bibliothèque de mon père et que j'avais lus et relus, à l'âge de dix ou douze ans : *La Corriveau, La Tête à Pitre, La Chasse-galerie*, etc. Je m'arrêtai à celui de *Rose Latulippe*. Histoire de laisser errer mon imagination, je tins à ne pas le relire immédiatement.

Le personnage de Rose, certes, m'inspirait; mais j'étais davantage fasciné par celui du diable. J'essayais de me figurer ce qui, en lui, avait séduit la jeune fille. Je commençai donc par écrire une des dernières scènes de la pièce : celle où Rose valse avec son cavalier infernal jusqu'à en perdre le souffle et la vie, emportée dans les tourbillons enflammés de sa passion. Après trois mois, j'avais pratiquement terminé cette scène de quelques pages. Mais j'avais également épuisé mes ressources pécuniaires, mes recherches de travail s'étant révélées encore plus infructueuses qu'à mon premier séjour. D'autre part, mes liens affectifs s'étaient relâchés

Jean Duceppe, Gilles Pelletier,
Jean-Pierre Masson, Jean-Louis Roux
et Roger Garceau
Rose Latulippe
1950

sans que j'en éprouve de désespoir. Beaucoup plus serein qu'au mois de juillet précédent, je me soumis à mon sort. Il me fallait rentrer et, cette fois, de façon définitive.

SCÈNE II
Lieu d'ancrage : Montréal, P.Q., Canada

Je repris mon gagne-pain à la radio montréalaise. Je jouai aussi quelques rôles sur scène dans *La Folle de Chaillot* et dans *Pygmalion*, pour le MRT français (Mario Duliani, libéré, avait repris son activité) ; puis dans *L'Arlésienne*, pour les Festivals de Montréal. Mais je renouai surtout avec ma Rose et son irrésistible cavalier. À l'automne, j'avais terminé ma pièce, dont la première eut lieu, toujours au Gesù, le 20 février 1951.

Comme pour *Un Fils à tuer*, j'avais réuni une belle distribution : Thérèse Cadorette, unique interprète féminine, entourée de Gilles Pelletier, Roger Garceau, Jean Duceppe, Jean-Louis Paris, Jean-Pierre Masson, Robert Gadouas et Jean Coutu, le séduisant Prince des ténèbres. Assez révélateur du style de la pièce, les personnages portaient le nom de leur emploi : Leriche, Lenoble, Lebeau, Loisif et Lamoureux, que j'incarnais. Assez révélateur aussi de son intérêt, Rose Latulippe tomba dans l'oubli après quelques représentations, malgré les éloges dont me gratifia le poète Alain Grandbois dans le programme du spectacle.

La critique fut assez sévère pour l'auteur débutant que j'étais. Celle du quotidien *Le Canada* blessa ma vanité à tel point qu'un midi, j'en giflai le signataire, Roland Côté, au bar du restaurant Le 400, lieu de rendez-vous de la communauté théâtrale. Je n'avais que 28 ans et j'étais encore d'un tempérament... insoumis. Pour tout dire, j'avais très mauvais caractère, je le savais, et je me faisais un point d'honneur de ne pas en changer. L'après-midi, Jean Coutu m'avisa par téléphone que l'offensé entamait des procédures judiciaires contre moi. Je connaissais un avocat, Roger Nadeau, chroniqueur occasionnel au Service international de Radio-Canada, où j'étais speaker et rédacteur. Je le priai de me représenter dans cette affaire. Après un court moment de silence, il m'assura qu'en toute autre circonstance il serait ravi de défendre mes intérêts, mais qu'en l'occurrence, il agissait déjà comme procureur de son neveu,

Roland Côté! À la suite de l'intervention de papa Lelarge, l'affaire se régla hors cour, à son bar du 400, par une poignée de main échangée devant le photographe du *Canada*.

Le Théâtre d'essai de Montréal comptait donc dans son répertoire deux créations d'auteurs canadiens en deux productions. Estimable bilan artistique. Le bilan financier n'était pas aussi brillant. Après un peu plus d'un an et demi d'existence, il se soldait par un déficit de près de deux mille cinq cents dollars. J'assumai la dette et, grâce à un prêt sans intérêt que me consentit mon affectionnée belle-mère, la journaliste Odette Oligny, je pus payer immédiatement toutes les factures, et, d'abord et avant tout, les cachets des comédiens.

Mon retour à Montréal avait coïncidé avec le lancement de *Docteur Louise*. J'eus la désagréable surprise de constater que les deux noms mis en vedette, avant même le titre du film, étaient ceux de Suzanne Avon et d'Henri Poitras. Le mien était relégué en toute fin de liste des comédiens. Renseignements pris, on m'assura que le générique était l'œuvre du président de France-Film, J.-A. De Sève en personne, qui se plaisait à bricoler dans une salle de projection et de montage installée à domicile, y pratiquant même les coupures dans les films visés par le Bureau de censure. Je savais également que mon nom avait été mentionné pour le rôle masculin principal dans *Les Lumières de ma ville*, production de France-Film, mais que De Sève l'avait écarté d'office. Fonceur, je sollicitai un rendez-vous avec lui par l'intermédiaire de son secrétaire, Edgar Tessier. J'avais connu Edgar quand il portait encore la robe des Sainte-Croix, auréolé de la légende d'une Athalie qu'il aurait incarnée de façon remarquable sur la scène du Collège de Saint-Laurent. Mais… «des ans, l'irréparable outrage» ayant fait son œuvre, on avait peine à imaginer la reine de Juda sous les traits de la *replète douairière* qu'il était devenu. Il m'avisa, à peine 24 heures plus tard, que ma requête avait été agréée.

Alexandre De Sève était un personnage à dimensions balzaciennes. Une légende l'auréolait. On racontait que, petit distributeur de journaux, il aurait acheté quelques madriers, un petit tas de briques, loué une pelle mécanique, et installé le tout sur l'emplacement d'un terrain vacant. Sur la foi de cette mise en scène, il aurait persuadé une modeste commerçante de son quartier de lui prêter une forte somme, et se serait ainsi lancé dans l'immobilier. On racontait aussi que, plus tard, il se serait substitué à son patron, pour devenir titulaire du droit de projection des films détenus par un important distributeur. Un matin, le malheureux évincé aurait trouvé ses appareils et le mobilier de ses bureaux sur le trottoir, devant le cinéma dont son ci-devant employé était devenu le nouveau locataire.

Exactes ou fausses, ces rumeurs avaient doté De Sève d'une réputation d'homme d'affaires impitoyable, dépourvu de cœur. Ce qui n'était pas entièrement vrai. Par exemple : lorsqu'ils étaient pris sur le fait, les étudiants qui resquillaient dans ses salles de cinéma et de spectacles comparaissaient devant lui. Il les morigénait sur un ton paternaliste mais, du même souffle, leur offrait souvent des places gratuites.

Il ne connut qu'un déboire financier, avec Renaissance-Film, dont la vente des actions avait été promue du haut de la chaire des paroisses de la Province. Lors de la faillite de la compagnie, victimes de leur confiance en leur curé et de leurs convictions dans la vertu de l'achat chez nous, bon nombre de fidèles se retrouvèrent sans le sou. Éloi de Grandmont travaillait à Renaissance-Film. Il me rapporta que, le jour où éclata la nouvelle, il crut bon de manifester sa sympathie à son patron ; ce dernier se retourna, lui indiquant son dos de l'index, et déclara d'un ton froid : « Tu vois ce dos-là ? Il en a porté d'autres ! » À cette exception près, à l'instar du roi Midas, De Sève avait le don de changer en or tout ce qu'il touchait...

Une preuve ? Dès 1940, pour garantir leur juste participation à l'effort de guerre, les entreprises commerciales et industrielles étaient imposées à cent pour cent sur ce qu'on appelait l'*excess profit*, c'est-à-dire sur cette partie de leur profit qui excédait celui qu'elles avaient déclaré lors de la dernière année de paix, en 1939. Tout au plus pouvaient-elles utiliser un pourcentage de ces bénéfices pour investir dans l'expansion et assurer la permanence de leurs affaires. Afin de se soustraire à cette mesure, qu'il jugeait évidemment abusive, De Sève décida d'encourir des pertes, tout en faisant œuvre culturelle. Il commandita l'imprésario Nicolas de Koudriavtzeff pour la présentation, au cinéma Saint-Denis, de concerts et de spectacles à grand déploiement. Les amateurs de musique de Montréal eurent ainsi l'occasion d'entendre l'orchestre entier de Minneapolis, avec ses cent dix musiciens dirigés par Dimitri Mitropoulos, ou de voir le *Don Giovanni* et le *Samson et Dalila* du Metropolitan Opera, dont seuls les chœurs et les petits rôles étaient recrutés sur place. Tous les autres chanteurs, Ezio Pinza, Salvatore Baccaloni ou autres vedettes de même envergure, étaient *importés* de New York. Les frais encourus atteignaient des proportions gigantesques... mais la série de spectacles obtint un succès tel que son commanditaire dut se résoudre à voir ses profits majorés!

De Sève m'accorda donc le rendez-vous sollicité. Il admit sans difficulté qu'il était personnellement intervenu dans les deux cas dont je lui faisais grief. Après s'être brièvement recueilli, il finit par me lancer : «Je vous connais, vous. Bonne famille. Votre père est médecin. Vous-même, vous avez commencé des études de médecine. Vous auriez dû poursuivre, parce qu'au théâtre, vous êtes mauvais.» Cette franchise brutale me réjouit. Loin de m'engager dans des protestations véhémentes, je souris. De Sève poursuivit : «Vous dites faux... Il est vrai que Jouvet aussi dit faux. Mais Jouvet, c'est Jouvet.» Au fur et à mesure qu'il parlait, était-ce dû à l'audace dont j'avais fait montre en tenant à le rencontrer, ou au calme que j'affichais en souriant à son discours, De Sève semblait éprouver de plus en plus de bienveillance à mon égard. Il finit par me mettre dans ses confidences. Il était sur le point de former une troupe avec plusieurs comédiennes et comédiens français, auxquels il songeait à adjoindre des artistes locaux. Il me dévisagea pendant un bref instant, et murmura comme pour lui-même : «Je me demande quelle tête vous feriez là-dedans, vous!» Après tout, peut-être n'étais-je pas aussi mauvais qu'il venait de le dire!... L'entrevue ne se termina pas sans qu'il m'ouvrît ses livres et me mît au courant des prévisions budgétaires de son plan; tout en m'assurant, sourire en coin, que ce n'était pas cette comptabilité qu'il allait produire au fisc. Nous nous quittâmes sur une poignée de main cordiale, De Sève me promettant de reprendre contact avec moi sous peu.

Il n'eut pas à le faire, car au début de mars me parvint la nouvelle du retour de Jean Gascon. Non que son contrat fût interrompu au Centre dramatique de l'Ouest; mais la naissance prochaine d'un deuxième enfant présageait une vie extrêmement pénible, pour lui comme pour sa femme Mimi, dans une France où les conditions matérielles n'étaient pas encore revenues à leur niveau normal. Je savais que sa décision avait dû lui être très pénible puisque son travail à Rennes présageait un assez brillant avenir. Mais en bon égoïste, je me réjouissais à la perspective de retrouver un camarade avec qui j'avais partagé mes premières expériences théâtrales au Collège Sainte-Marie, chez les Compagnons de saint Laurent et dans la Compagnie Ludmilla Pitoëff. Un camarade auquel je devais d'avoir abandonné mon cours de médecine. À l'université, en effet, nous avions passé un pacte : si l'un faisait le grand saut, l'autre devait suivre. Ce qui se produisit. Jean «sauta» le premier, et moi, le lendemain.

Nous devions nous retrouver, presque jour pour jour, un an après mon deuxième départ de Paris. Nos discussions reprirent exactement là où nous les avions laissées, lors d'une visite que je lui avais faite à Rennes : la création d'une Compagnie de théâtre. Se joignirent à nous à Montréal : Éloi de Grandmont et André Gascon. Je discernai toutefois un changement d'attitude chez Jean : il n'était plus question de partager la direction d'une éventuelle troupe. Fort de son expérience et de ses succès avec la Compagnie Grenier-Hussenot, de Paris, et avec Hubert Gignoux, au Centre dramatique de l'Ouest, Jean Gascon était déterminé à assumer seul les responsabilités artistiques de l'organisme que nous voulions fonder. Son frère André le soutenait dans ses prétentions. Je dus me rendre à leurs arguments mais, à l'époque, l'attitude de mon camarade me chagrina. Le temps et la pratique du métier m'apprirent pourtant que Jean avait eu raison : les directions multicéphales, surtout au théâtre, fonctionnent généralement mal et ne sont jamais que de courte durée.

La fondation de notre nouvelle Compagnie faillit bien ne jamais avoir lieu. Prévoyant la fin de l'activité des Compagnons de saint Laurent, le père Legault en offrit la direction à Jean Gascon. Les pourparlers firent long feu, après une entrevue «au sommet» dont j'étais, dans le secrétariat des Compagnons, rue Sherbrooke à l'angle de la rue Delorimier, ancien presbytère d'une église protestante désaffectée dont les Sainte-Croix s'étaient portés acquéreurs et qu'ils avaient mise à la disposition du père Legault. Jean Gascon et moi exigions le départ pur et simple de l'actuel directeur des Compagnons, alors que, de son côté, il désirait conserver un poste mal défini, un peu conseiller, un peu patriarche, un peu éminence grise. Ce lien avec le passé de même que le danger constant d'intrusion du fondateur des Compagnons d'hier dans la gestion et l'organisation de ceux de demain, étaient à nos yeux totalement inadmissibles. Nous nous quittions quelque peu tristes, dans la pénombre d'une fin de journée de printemps, personne n'ayant songé — était-ce révélateur? — à faire de lumière dans la pièce où nous nous trouvions.

Par ailleurs, nous avions eu de nombreuses entrevues avec un brillant avocat de Québec, Mark Drouin, cousin du comédien Denis Drouin, qui nous avait mis en relation avec lui. («Mark» s'orthographiait avec un «k» et se prononçait à l'anglaise, selon une mode courante à l'époque dans la ville de Québec. C'est ainsi que son frère se prénommait Ross.) Légèrement blasé par le monde politique où il baignait, Mark était fasciné par notre enthousiasme de néophytes — et je le dis avec affection —, émoustillé à l'idée de fréquenter un milieu d'artistes. Il répétait qu'il allait se cultiver «par osmose». Avec neuf de ses amis, il nous garantit un emprunt de cinq mille dollars à la banque : c'était suffisant pour lancer une première saison.

Eurent lieu plusieurs réunions pour décider du nom de notre Compagnie. Éloi de Grandmont emporta facilement l'adhésion unanime lorsqu'il proposa *Théâtre du Nouveau Monde*. À la fois un défi et un programme! Lors d'une autre réunion, nous discutions, en présence de Mark Drouin, des structures juridiques de l'organisme. Mark nous conseilla une société par actions : il s'occuperait de la paperasse administrative, une fois ces actions réparties entre nous. Outre Jean, Mark et moi, il y avait André Gascon, Guy Hoffmann, Charles Lussier et Émile Caouette. D'emblée, Jean exigea de détenir un bloc d'actions plus important que tout autre. De nouveau cette attitude me blessa. Mais je me contentai de protester sans vigueur. C'est, je crois, un trait de mon caractère : prêt à rompre en visière pour la défense de mes principes mais, quant à mes intérêts personnels, volontiers indolent. Et puis, je ne voulais pas qu'un désaccord, sur un sujet en somme secondaire, des actions qui ne portaient qu'une valeur nominale, vienne compromettre l'avenir de notre compagnie. Il en fut fait selon le désir de Jean. Je détenais le deuxième bloc d'actions le plus important. Mais à eux deux, Jean et son frère André étaient majoritaires. Cela se révéla plus tard d'une importance capitale en ce qui me concerne.

C'est toutefois dans l'euphorie que fut convoquée une conférence de presse, le 6 juillet 1951, sur la scène du Gesù. Il y avait cohue. Jean Gascon fit lecture d'un communiqué ; Fernand Seguin, qui l'avait traduit, fit de même en anglais. Car nous entendions attirer également le public anglophone de Montréal. Les termes en étaient extrêmement sobres. On insistait sur le sérieux de l'entreprise, du point de vue administratif autant que du point de vue artistique. De manifeste, aucun. Rien sur notre position esthétique. Rien sur notre rôle social. Nous ne faisions que déclarer que le répertoire serait choisi sous le signe de l'éclectisme. Sans doute voulions-nous signifier par là que nous ne serions guidés par aucun autre critère que nos goûts personnels : j'aime ou je n'aime pas ; j'aimerais monter telle pièce, j'aimerais jouer tel rôle. En réalité, nous fondions un théâtre parce que nous aimions la scène et que nous étions viscéralement convaincus de ne pouvoir nous en passer ! Mais, faire du théâtre parce qu'on aime ça, n'est-ce pas là une des meilleures motivations qui soient ?

Par la même occasion, les directeurs du Théâtre du Nouveau Monde annonçaient le lever de rideau inaugural pour le 9 octobre suivant, à 21 heures, sur *L'Avare* de Molière.

SCÈNE III
Souvenirs de ma mère

Le mercredi 1er décembre 1993

Jour anniversaire de naissance de maman. Toujours une longue pensée en cette occasion. Dans notre famille, maman a souvent été éclipsée par la présence imposante de papa, probablement à cause du caractère jovial et expansif de l'un, de la modestie et de la réserve de l'autre. À cause aussi de leur niveau d'éducation. De nos jours, on dirait de leur scolarisation.

Papa était d'extraction paysanne. Il se plaisait à le rappeler, et à voir sa sœur Maria jeter les hauts cris, lorsqu'en sa présence il évoquait certaines habitudes domestiques du foyer campagnard : comme manger la soupe dans une assiette creuse, la retourner à plat pour le mets principal et la remettre à l'endroit pour y déguster le dessert. Il se rappelait que l'un de ses plus grands plaisirs d'enfant avait été de marcher dans un petit chemin de terre, pieds nus, les jours de pluie, la tête protégée par un sac de patates replié en capuchon. Il nous contait aussi que, lorsque son père Isidore Roux était en proie à la plus terrible colère, le juron le plus violent qu'il l'ait jamais entendu proférer était «serpent!» Ce qui suffisait à créer l'effroi autour de lui. Émigré de la Haute-Savoie, Isidore avait épousé Adélaïde Cuillèrier, une fille du village, qui lui avait donné dix-huit enfants, dont papa était le cadet. Après quoi, un jour, il disparut. On fut sans nouvelles de lui pendant des semaines. Puis, Adélaïde reçut une carte postale qui portait le sceau du petit village natal d'Isidore, Bonvillars. Elle était à peu près ainsi conçue :

Ma chère femme,
J'avais le mal du pays. Attends-moi : je reviens.
Ton Isidore qui t'aime.

Et il revint.

À cause de circonstances exceptionnelles, et comme deux de ses frères aînés, papa avait eu le rare avantage pour l'époque, de faire un cours classique et d'étudier à l'université, en médecine. Sa qualité de professionnel lui avait permis d'accéder aux échelons les plus élevés de la société de ce temps-là, où un médecin était presque l'égal d'un prêtre.

Du côté de maman, la famille était citadine, assez aisée pour qu'on s'y paye les services d'un artiste peintre. Chez nous, on pouvait admirer, pendus aux murs de ce qu'on appelait le double salon, les portraits à l'huile de mes grand-parents maternels. Un peu engoncés, ils avaient quand même tous deux belle allure. De mes quatre aïeuls, je n'ai connu que cette grand-mère, Alphonsine Pépin, que mon père appelait Phonsine. Mes parents l'avaient hébergée dans notre appartement de la rue de Maisonneuve, après la mort de son mari. Devenue impotente, elle ne quittait plus sa chambre, à laquelle on avait accès par un étroit couloir coudé. Alors que je n'avais guère plus de trois ou quatre ans, j'allais l'y voir régulièrement : allongée dans son lit, elle m'embrassait en m'appelant son «petit homme». La nuit, ses souffrances lui arrachaient des cris : «Jésus! Jésus!» Le lendemain de son enterrement, ma sœur aînée, Alice, crut spirituel de l'imiter, une fois toute la famille endormie. Elle fut seule à en rire...

Pierre Leclerc, le père de maman, était échevin. Dans les années soixante, je fus amené à faire des recherches sur l'histoire de Montréal, alors que je rédigeais les textes de l'émission *Tous pour un*. Je le retrouvai impliqué dans un petit scandale de conflit d'intérêts pour avoir vendu à la municipalité un terrain de sa propriété à l'angle des rues Laurier et Saint-Laurent. Comme l'affaire n'avait pas eu grand retentissement, je n'en fis pas l'objet d'une question piège pour le concurrent du populaire programme télévisé et d'autre part, par scrupule quelque peu puéril, n'en soufflai mot à mes proches.

À ma connaissance, maman avait au moins deux sœurs et deux frères. L'un d'eux, également prénommé Pierre, devait s'illustrer durant la guerre 39–45 et devenir plus tard commandant du 22ᵉ régiment : j'ai vu récemment son portrait dans le mess des officiers de la citadelle de Québec. Il portait toujours au doigt, avec fierté, sa bague de franc-maçon, et après ses rares visites, maman émettait régulièrement l'opinion qu'il aurait pu au moins l'enlever pour ne pas donner le mauvais exemple aux enfants. Un autre de ses frères, Henri, était sulpicien. Il avait fréquenté le Collège de Montréal avec mon père, et c'est lui qui lui avait présenté sa sœur Berthe dans le but avoué de les marier. Il y réussit : le 23 août 1910, Louis Roux épousait Berthe Leclerc, qu'il n'appellera jamais autrement que « Bertha ».

Comme ses sœurs Edwige et Maria, maman n'avait pas poursuivi ses études au delà de la 12ᵉ année, ce qui était alors jugé bien suffisant pour des filles. À cet égard, la comparaison avec papa lui était donc défavorable. Lorsque je pus m'en rendre compte vers 12 ans, les limites de son instruction me désolèrent : elles m'empêchaient, me semblait-il naïvement, de vouer même affection à l'un et à l'autre de mes parents. Je me rassurais en me disant que le passe-temps favori de ma mère, les mots croisés, allait pallier son insuffisance d'érudition.

Jean-Louis Roux avec ses parents
et deux de ses sœurs, Simone et Annette
à Rosemère, vers 1932

SCÈNE IV

La deuxième tante Maria

J'ai eu deux tantes Maria qui, à des titres différents, jouèrent un grand rôle dans ma vie. L'une était sœur de papa : on se rappelle que je lui dois beaucoup. L'autre, de maman. Dès leur mariage, mes parents accueillirent la deuxième, qui devait s'occuper de leurs six enfants avec un dévouement d'esclave. Je me suis fabriqué un roman à son sujet : je l'imagine secrètement amoureuse de mon père et trop contente d'être invitée à partager son toit lorsque ce dernier lui préféra « Bertha », sa cadette. Ma sœur Jeanne m'assure que j'ai tort. Elle dit avoir appris, par ses confidences, que la tante Maria avait en effet connu un amour malheureux, mais avec un autre homme que mon père. C'est fort possible. Je tiens pourtant à mon scénario, tellement plus romantique que la trop simple réalité.

Aussi loin que remontent mes souvenirs, je me vois chouchouté, lavé, torché, gratté, entouré, dorloté par la tante Maria. Elle était de grande taille et toujours vêtue d'une robe sombre à col montant qui la couvrait jusqu'aux pieds. À sa mort, âgée de plus de 60 ans, sa chevelure était encore de jais ; en guise de shampoing, elle utilisait du thé noir dans lequel elle trempait la brosse qui lui servait à la lustrer. Quand on la surprenait, se livrant à cette toilette, on voyait ses cheveux lui tomber jusqu'au bas des reins. D'ordinaire, elle les portait relevés en chignon.

Avec le temps, elle fut atteinte d'un mal mystérieux. On la disait « neurasthénique ». Elle était probablement en dépression nerveuse. La vie ne l'intéressait plus : elle refusait de manger. Elle dépérissait, mais, quelquefois, la nuit elle allait se nourrir en cachette. Elle finit par mourir d'inanition. Mon père consulta un confrère à qui il demanda de signer l'acte de décès. La tante Maria est le premier être humain que je vis passer de vie à trépas. Quand elle rendit le dernier souffle et que mon père se pencha pour lui fermer les yeux, je quittai la chambre et allai me poster face à une fenêtre de la salle à manger. De l'autre côté de la vitre, le regard embué, je percevais un monde flou, trouble, vaporeux. C'est là peut-être qu'errait maintenant ma deuxième tante Maria.

SCÈNE V
«Mon Louis!»

Maman était très belle. Petit garçon, je ne m'en rendais pas compte. C'est en regardant de vieilles photos que je l'ai découvert. De type espagnol : teint mat, yeux et cheveux presque noirs. Sa voix quelque peu rauque était mal assortie à son gracieux visage, mais son sourire réparait cette erreur de la nature. Elle me vouait une affection enveloppante. Si je me mettais à pleurnicher à tort et à travers, elle m'offrait le refuge de son giron, déclarant que j'avais le «cœur tendre» et qu'il ne fallait ni me parler trop fort, ni me brusquer. J'étais son «petit dernier», celui qui lui restait durant les longs mois que mon frère et mes quatre sœurs passaient dans leur pensionnat respectif. Elle m'appelait son «bâton de vieillesse», alors qu'elle dépassait à peine la quarantaine.

Avant d'atteindre l'âge d'entrer au jardin d'enfants, j'avais le droit de sortir sur le trottoir et de m'y promener en *teddy car*, petit tricycle rouge et noir dont le siège était plus large et plus bas que celui d'un tricycle ordinaire, pourvu toutefois que je m'abstienne de traverser la moindre rue et d'échapper au champ de vision de ma mère, car elle ne quittait pas la fenêtre du salon tant que je m'amusais à l'extérieur. Si le trottoir du côté de l'église Sainte-Brigide était plus ensoleillé que le nôtre, maman venait m'y conduire et, pour rentrer à la maison, je devais lui faire signe. Dans ce quartier modeste, elle m'interdisait de me faire des amis : les autres enfants n'étaient pas de ma condition. Ils devaient sans doute ressentir l'ostracisme dont ils étaient l'objet et, à l'occasion, ils me le faisaient sentir. Un lundi de Pâques, je roulais à grande allure du côté église de la rue de Maisonneuve, le guidon de mon *teddy car* orné de ces fleurs de papier de toutes couleurs dont les bouchers piquaient leurs jambons à cette époque de l'année. Soudain, de petits «voyous» surgirent qui lancèrent de la terre, à pleines poignées, sur mes belles parures. Maman sortit en trombe pour les disperser et me faire réintégrer l'asile familial et la «bonne société».

Elle ne me permettait d'aller au delà de la ruelle Sydenham, au sud, et de la rue Sainte-Rose, au nord, que si j'étais accompagné. Ce pouvait être par l'une de mes sœurs, quand elles étaient à la maison. Maman daignait aussi me confier aux deux filles d'une locataire, Aline et Madeleine Grenier, qui ne portaient pas le nom de Berthiaume de leurs parents. Pour moi, ce détail constituait une énigme qui persistait même lorsqu'on m'expliquait que madame Grenier, devenue veuve, avait épousé en secondes noces un monsieur Berthiaume. Cela ne m'empêchait pas de me balader joyeusement, hors des limites de mon petit territoire coutumier, avec Aline et Madeleine.

Quand maman allait faire des courses, son plaisir était de me vêtir d'un manteau bleu poudre, de me coiffer d'un bonnet de même couleur, de me passer des jambières de cuir à boutons, de me mettre une canne en main et de m'exhiber aux regards — je l'avoue en toute modestie — admiratifs des passants. Elle n'achetait chez Eaton ou chez Morgan que lorsqu'il lui était absolument impossible de trouver ce dont elle avait besoin chez Dupuis frères. Aller dans l'«Ouest» représentait une randonnée exceptionnelle. Si bien que ces quartiers de la ville commençaient pour moi à la rue Bleury et constituaient une contrée en partie interdite.

Jamais, au grand jamais, ses enfants n'eurent-ils à en souffrir le moindrement; mais sa passion allait de toute évidence à mon père. Elle en était éperdument amoureuse jusqu'à l'adulation. Je suis persuadé qu'au delà de la mort — à la condition, bien sûr, que s'y trouve autre chose qu'un trou noir —, ses sentiments pour lui restent toujours aussi vifs. Nous savions que, quand elle avait dit «mon Louis!», elle avait tout dit. «Mon Louis» était roi et maître; il avait droit de tout faire. Ou presque... Car maman était jalouse. Quand mon père devint fonctionnaire municipal, il eut comme assistante garde Vinet qui se trouvait notre voisine, boulevard Saint-Joseph. Papa la voiturait régulièrement, du domicile au bureau et inversement. Ce que maman voyait d'un très mauvais œil. Le cœur amer, elle s'en ouvrait à ma sœur Alice, aînée des enfants, qui essayait de lui prouver que ses soupçons n'étaient pas

Les parents de Jean-Louis Roux
1950

fondés. Alice avait sans doute raison : je ne crois pas que papa ait jamais été infidèle. Ce n'était ni dans son tempérament, ni dans les mœurs.

Maman ne vivait donc qu'en fonction des autres : ses enfants et son homme. Je me souviens pourtant d'un sursaut d'émancipation de sa part : elle voulut imiter certaines femmes de son entourage et se mettre à fumer, habitude que mon père dénonçait avec véhémence. Elle eut recours aux complicités de sa fille Alice pour s'acheter des cigarettes. Une après-midi, elle décida qu'elle ferait enfin ce qu'elle voulait et s'en alluma une. Pendant la quinte de toux que provoqua sa première bouffée, elle entendit un bruit de clef dans la serrure de la porte d'entrée : c'était papa. Dans l'affolement, son premier réflexe fut de s'asseoir sur sa cigarette incandescente et d'agiter ses deux mains devant elle pour dissiper le mince nuage de fumée qui flottait dans l'air. Papa avait heureusement l'habitude d'aller d'abord dans son bureau y déposer ses affaires et vérifier son courrier. Maman eut le temps de se composer une contenance. Jamais ne songea-t-elle plus à flirter avec monsieur Nicot, et son souci le plus immédiat fut de cacher à mon père la brûlure qu'elle s'était faite à la cuisse droite.

Avec le temps, j'imagine que les ardeurs amoureuses de «son Louis» se firent moins pressantes. Quand il n'était pas accaparé par son travail, il écrivait ses articles pour L'Action médicale. On en trouvait souvent, dans la même livraison, signés de Ludovic Bonin (son pseudonyme) et de Louis Roux. Ou alors, il lisait des revues professionnelles, car il tenait à être au courant des dernières découvertes. Par ailleurs, mes quatre sœurs étaient mariées; mon frère René, interne à l'Hôtel-Dieu, rarement à la maison; moi, je vivais ma vie. Maman se retrouva seule. Je l'avais toujours vue se verser un doigt de Bisquit Duboucher, dans un petit verre mousseline, avant de passer au lit. Pour se consoler de sa solitude, elle se mit à en boire au lever et à toutes heures de la journée. Elle me fit part des reproches que mon père lui adressait à ce sujet. Je lui conseillai de l'envoyer promener et de continuer à déguster son petit cognac vespéral. Jusqu'au jour où je m'aperçus moi-même que ma mère en abusait au point d'être menacée d'ivrognerie.

Elle passait la plus grande partie de son temps couchée, à moitié endormie dans la moiteur des vapeurs alcooliques. Avant de quitter la maison pour l'université, j'allais l'embrasser. Souvent lui est-il arrivé de me confondre avec mon père, de m'entourer le cou de ses deux bras, de m'attirer irrésistiblement vers elle et de me couvrir de baisers en murmurant : «Mon Louis! Mon Louis!» Renonçant à la tirer de son erreur, je parvenais maladroitement à me dégager et je m'éloignais, le cœur lourd, impuissant devant son désespoir, refusant aussi toute responsabilité dans cette pitoyable situation. Et pourtant...

Je rentrais rarement avant la nuit et m'esquivais dès le matin. Mais il m'arrivait de faire halte à la maison pour le repas du soir. À l'une de ces occasions, avant de passer à table, nous étions réunis au salon comme d'habitude. Maman était étendue sur le divan, somnolente. Je lisais, dans un coin, pendant que papa et René discutaient de quelque pathologie ou d'un nouvel antibiotique miracle. Soudain, on entendit ma mère, la voix brisée, s'écrier de toutes ses maigres forces, en une sorte d'appel de détresse : «Arrêtez de parler de médecine!» Aucun de nous trois ne fit de commentaires. Peut-être avions-nous enfin compris qu'elle nous suppliait de nous occuper d'elle. À compter de ce moment-là, incommodée de plus par les malaises que lui causait l'engorgement de son foie, ma mère cessa bientôt de boire. Sa famille se faisait plus présente... me semble-t-il, car jamais ne nous est-il arrivé de nous concerter. Nous avions la réserve mal placée. Mais sans doute nous étions-nous rendu compte enfin! qu'une mère n'est pas un objet qu'on relègue dans l'oubli après usage.

En 1947, lorsque mon frère René et moi-même habitions Paris et que maman vint nous y rendre visite avec papa et ma sœur Annette, elle se vit confrontée à un pénible dilemme. Papa disposait d'une énergie quasi inépuisable. Dès le matin, il partait à l'assaut des lieux historiques et des musées et ne rentrait qu'en fin d'après-midi. Maman était de nature plus fragile. On sut plus tard que, pour parvenir à suivre «son Louis», elle se bourrait de benzédrine, au réveil, et de somnifère, au coucher. Ce qui eut un effet désastreux sur sa santé. Rentrée à Montréal, elle se plaignit souvent de vertiges. C'étaient les premiers symptômes d'une extrême haute tension qui devait finalement l'emporter, peu après la naissance de mon fils, Stéphane.

SCÈNE VI
Mort de maman

Papa s'était fait construire une maison, rue Kent, en face du parc du même nom. La santé de maman se détériorant avec les années, il y était retenu presque captif. Pour sortir, il devait attendre la visite d'un de ses enfants. En fin de compte, il céda sa propriété à mon frère René et fut hébergé par ma sœur Jeanne, rue Outremont. C'est là que maman devait mourir. Un matin, je reçus un coup de fil : si je voulais lui dire adieu pendant qu'elle respirait encore, il me fallait faire vite. Toute la famille se retrouva réunie. Avec Alice qui habitait Ottawa, et René pris par son travail de chirurgien à l'Hôtel-Dieu, cela ne nous arrivait plus que très exceptionnellement. Nous étions tous les six au chevet de notre mère inconsciente. Un peu avant 13 heures, nous la quittons, apparemment paisible, pour descendre déjeuner. Papa restait de garde. Aussitôt, autour de la table, nous nous mettons à deviser gaiement malgré notre douleur : la nature humaine est ainsi faite. Heureusement. Bientôt, c'est la cacophonie habituelle des réunions familiales avec les rires sonores qui fusent en cascades. À peine parvenons-nous à entendre l'appel de papa, à l'étage : « Venez vite ! » Nous remontons précipitamment, juste à temps pour embrasser notre pauvre mère, une dernière fois. Papa avait sans doute profité de son ultime tête-à-tête avec sa compagne de plus de cinquante ans pour mettre un terme à ses souffrances. C'est du moins ce que je crois. Et je lui en suis reconnaissant.

Le noyau familial venait d'éclater. Trop renfermés, trop timides pour nous l'avouer, nous y étions tout de même très attachés. Sans nous le dire, nous comprenions que papa partirait bientôt à son tour. Suivi par d'autres… Maman fut enterrée dans le terrain des Leclerc au cimetière de la Côte-des-Neiges. Par son testament, papa exprimera plus tard le désir de reposer aux Cèdres avec les nombreux membres décédés des familles Roux et Bissonnette. On fit droit à sa requête, séparant du même coup maman de « son Louis ». Je ne crois pas à une vie après la mort. Cette séparation me semble pourtant injuste. D'autant que, fût-elle en mesure d'éprouver quelque émotion que ce soit, c'est assurément maman qui en souffrirait le plus. Avant de mourir moi-même, je m'engage solennellement à faire exhumer les restes de maman et de les enfouir aux côtés de ceux de mon père. Je lui dois bien cela, elle qui a voué toute sa vie aux siens.

SCÈNE VII
L'éternelle question de la langue

Le samedi 8 janvier 1994

Répétitions des *Bas-Fonds* avec le metteur en scène Yves Desgagné. Je n'ai pas hésité à accepter d'y jouer un rôle de moyenne importance, celui du propriétaire du refuge de tous ces rejetés de la société, après avoir vu son extraordinaire *Ivanov* de Tchekhov, à la Compagnie Jean Duceppe. Je me trouve moins d'accord avec ce qu'il entend faire de l'œuvre de Gorki. Pièce réaliste, *Les Bas-Fonds* s'accommode mal d'un traitement pseudo-symboliste. Le lieu où se déroule l'action doit accuser la promiscuité obligée de tous ses occupants, qui tentent vainement de protéger leur intimité sous un abri de fortune. La haute salle aux murs nus, sorte de manège désaffecté qu'Yves Desgagné a imaginé avec son décorateur, propose un lieu aéré, presque aseptique, où les poux et la vermine ne peuvent guère proliférer.

Aujourd'hui, je rentre de la répétition, le moral plutôt bas. Au Québec, dans les pièces qui ne sont pas du cru, les disparités de langage des interprètes constituent un sérieux écueil. Certains parlent un français sans accent; d'autres, un québécois qui frise plus ou moins le *joual*; entre les deux, une gamme très riche certes, mais qui nuit considérablement à l'homogénéité de l'ensemble. Conscient de ce problème, Yves Desgagné me demande d'adapter mon niveau de langage à celui de mes camarades. Pourquoi, puisqu'il s'agit de personnages russes, ne demande-t-il pas à mes camarades d'adapter leur niveau de langage au mien ?

Je me vois du coup reporté à l'époque de mon premier retour de Paris. Lors d'une conférence de presse pour le lancement de *Un Fils à tuer*, le journaliste Roger Champoux m'avait dit qu'avec mon accent par trop français, je pourrais difficilement faire carrière à Montréal. J'en avais fracassé un verre sur le mur du petit bureau du Gesù où se déroulait l'événement. Le père d'Auteuil s'était interposé pour calmer mon indignation. Quarante-cinq ans plus tard, je me trouve confronté à la même conjoncture. «...au pays de Québec, rien n'a changé...»

SCÈNE VIII
Mon vieux François

Le mardi 12 avril 1994

Mon vieux camarade François Rozet est mort aujourd'hui, âgé de 92 ans. Les circonstances nous avaient amenés à développer des relations mutuelles presque de père à fils depuis que, souffrant d'atroces douleurs au dos, il m'avait appelé à son secours, il y a quelques années. Sur les conseils de mon fils, je l'avais amené au service de gériatrie de l'hôpital Saint-Luc, où le docteur Catherine Kissel prit admirablement soin de lui. Depuis, j'allais le visiter régulièrement, au moins une fois la semaine, tous les dimanches après-midi. J'avais ma clef, et quand j'entrais dans sa maison de Westmount, je l'entendais du salon m'accueillir par un cordial «mon grand!», qui me faisait sourire en même temps qu'il provoquait mon émotion.

François vivait dans son passé, qui était riche. Il ne s'exprimait qu'en termes de souvenirs. Il avait une mémoire qui faisait mon envie. Alors que j'oublie rapidement les textes que je joue, quitte à m'en ressouvenir sans difficulté au besoin, François récitait de longues tirades de Racine sans la moindre défaillance. De même que des poèmes de Verlaine, de Rimbaud ou de Baudelaire, qu'il se remémorait avant de s'endormir. Il s'était ainsi monté un imposant récital qu'il offrait à ses hôtes, à l'occasion. Voix parfaitement timbrée, diction impeccable avec un brin de trémolo qui n'était pas sans charme. On pouvait à peine retenir ses larmes en l'entendant dire ces vers admirables :

> *Anges pleins de beauté, connaissez-vous les rides,*
> *Et la peur de vieillir, et ce hideux tourment*
> *De lire la secrète horreur du dévouement*
> *Dans des yeux où longtemps burent nos yeux avides?*
> *Anges pleins de beauté, connaissez-vous les rides?*

Malgré son amour de la sublime poésie, il était fortement attaché aux biens matériels, jusqu'à en faire sa raison de continuer à vivre; ce qui ne restreignait en rien sa générosité envers ses camarades lorsque, au temps de ses belles années, il les conviait chez lui après le théâtre. Comme j'avais son entière confiance, je connaissais sa situation de fortune. Il disposait d'un capital assez rondelet qu'il ne se résignait à entamer qu'au prix de grandes souffrances. Je le savais sans testament et tentai de le persuader de corriger cette situation, ne serait-ce que pour éviter les complications juridiques auxquelles serait confronté son fils après sa mort. Je le vis alors se décomposer, en proie à une terrible angoisse. « À qui vais-je léguer ceci... cela...? » Il en avait du mal à respirer. Devant son désarroi, je lui promis de ne plus jamais aborder le sujet, à moins qu'il n'y revienne lui-même.

Un soir, alerté par sa femme de ménage, je le retrouvai au pied de son lit, gisant dans une mare de sang, incapable de se relever. Je fis venir une ambulance et l'accompagnai sur-le-champ à l'hôpital où, le lendemain, on lui décelait une tumeur cancéreuse au rectum. Son âge avancé rendait inutile toute intervention chirurgicale et, sans aucune hésitation, j'autorisai le médecin à le mettre au courant de la situation, pour découvrir, à ma grande surprise, que mon vieux camarade tenait encore à la vie comme s'il avait 40 ans, et que la nouvelle l'affectait au point de le rendre soudain silencieux. J'essayai en vain de blaguer, de lui rappeler qu'il n'était pas immortel et qu'à son âge, il devait bien s'attendre à une fin plus ou moins prochaine. Peine inutile : il s'abîmait dans la morosité.

Jean-François, le fils unique, fut mandé de Paris. Je jugeai bon de l'informer du fait que son père était intestat. Il fit venir un notaire à l'hôpital. Lorsque je m'y présentai pour ma visite quotidienne, le docteur Kissel m'annonça la mort imminente de mon vieil ami. Il avait cessé de lutter contre son mal, me confiat-elle, immédiatement après avoir apposé sa signature au bas de son testament. Dépossédé de ses biens matériels, plus rien ne le rattachait à la vie. Le lendemain, il était comateux. Laissé seul avec lui, je lui parlai très tendrement à l'oreille et le priai, s'il m'entendait, de faire pression sur ma main. Il n'eut aucune réaction. Je lui dis tout de même que je l'aimais. J'espère que mon message est parvenu à l'atteindre quelque part, au fond de ce qui pouvait lui rester de conscience.

SCÈNE IX

Le septuagénaire que je suis

Le mercredi 18 mai 1994

Je suis né le 18 mai 1923, à 7 heures du soir, m'a-t-on dit. Pendant que mon père aidait ma mère à me mettre au monde, les cinq autres enfants avaient été relégués dans la *cour*, ce coin poussiéreux qu'on retrouve dans tous les quartiers populaires — Yvon Deschamps a su si bien les décrire dans ses monologues! — avec cordes à linges, poubelles et balcons.

Au moment où papa sortit dans la cour pour présenter, à mes frère et sœurs, le petit dernier de la famille, l'angélus sonnait au clocher de l'église Sainte-Brigide. Strictement parlant, je ne devais pas être le dernier-né. Ma mère fut enceinte d'un autre garçon, qui mourut à la naissance. Je me plais à croire que, contrairement à la morale prêchée par l'Église à l'époque, mon père avait préféré épargner la vie de sa femme plutôt que celle de l'enfant. Rien ne me l'assure. À quelques égards, papa était de mentalité très rétrograde : je me souviens l'avoir entendu déclarer que les criminels auraient dû être marqués au fer rouge. Pourtant, tout me dit qu'il exerçait sa profession avec un esprit ouvert et progressiste.

Aujourd'hui, j'ai 71 ans et je ne m'en porte pas plus mal. Il n'est pas si loin le temps où, avec Jean-Paul Geoffroy, précieux ami et conseiller technique de la Société des auteurs dramatiques, nous taquinions Gérard Pelletier en le qualifiant de «quadragénaire», nous qui étions encore dans la trentaine. Le temps s'en va. Ce à quoi Ronsard ajoute : «Las! le temps, non. Mais nous nous en allons.»

Je me garde néanmoins d'être nostalgique. Je ne dis pas qu'il me déplairait de retrouver mes 20 ans, mais j'accepte assez stoïquement de vieillir, phénomène inéluctable s'il en fut. Je n'ai jamais rien fait pour me rajeunir : ma femme Monique a vainement essayé de me persuader du recours aux implantations pour dissimuler la large calvitie qui me couronne le crâne. On avance

Jean-Louis Roux en 1924

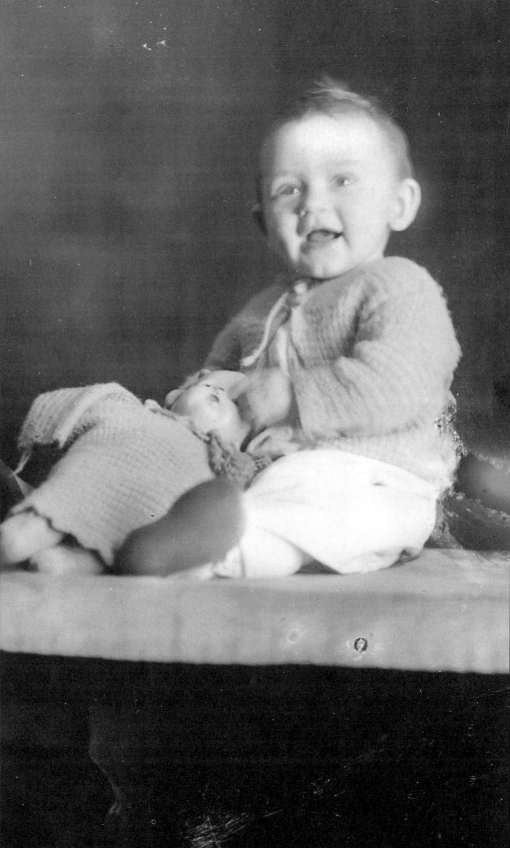

en âge, on n'y peut rien, et bien qu'on doive rester assez coquet pour ne pas offenser la vue de son prochain, il est inutile de se soumettre à des chirurgies qui finissent par avoir des effets désastreux. J'en vois qui ont subi d'innombrables et ruineux *liftings* et dont le visage est maintenant plus ratatiné que raisin sec.

Reste que j'ai doublé péniblement le cap de la soixantaine. Un matin en me rasant, j'aperçus soudain, reflétée dans la glace, l'image d'un vieil homme que je ne connaissais pas. Pattes d'oie aux yeux, peau fripée du cou, blancheur des cheveux, creux des rides m'avaient-ils jusque-là échappés par distraction? Voilà que tous ces signes extérieurs de l'âge se révélaient sans ménagement, sans avis préalable, me semblait-il. Il fallut me rendre à l'évidence : j'étais déjà bien avancé sur l'autre versant de la vie. J'avais d'ailleurs remarqué que, depuis quelques années, en compagnie féminine mon regard se faisait moins… accrocheur et que je n'étais plus de force, comme j'osais m'en flatter auparavant, à rivaliser avec de jeunes hommes. Désagréable constat.

Dans une formule célèbre, de Gaulle a affirmé que «la vieillesse est un naufrage.» Oui, si l'esprit et le corps dépérissent et qu'on devient gâteux, ou plus ou moins impotent. Ce qui, jusqu'ici, m'est heureusement épargné. Le physique accuse des marques d'usure qui m'ont, pour ainsi dire, sauté aux yeux, au tournant de mes 60 ans; mais pas au point de desservir ma tête. Je ne sais plus bondir, du sol, sur une estrade haute d'un mètre, c'est vrai. Mais je lis, j'écris, je parle, je raisonne avec autant d'aisance, et probablement plus de discernement, qu'il y a trente ans.

Le gendre de Karl Marx, Paul Lafargue, et sa femme avaient décidé de se suicider lorsque ce dernier aurait atteint 72 ans, afin d'éviter de devenir un fardeau pour la société. Ce qu'ils firent, en s'injectant du cyanure de potassium. Ils eurent tort, dans la mesure où ils étaient encore vaillants et actifs. Mais le jour où je décelerai chez moi la moindre défaillance de la raison, ou souffrirai d'une accablante disgrâce physique, j'espère de tout cœur disposer des moyens et de la force nécessaires pour mettre un terme à mon existence. Et si je ne le peux moi-même, je prie quelqu'un de mes proches de s'en charger. Ce qui nous amène à la question toujours troublante du suicide assisté et du meurtre par compassion.

Comment me comporterai-je devant la mort? Je ne peux le savoir. La perspective m'en a naguère angoissé. Mais, pour le moment, la seule chose que je craigne, c'est une fin violente, genre accident d'automobile. Sinon, il me semble que j'accepterai sans trop d'anxiété l'instant où le rideau tombera définitivement. Il ne faut pas être grand philosophe pour constater qu'on commence à mourir dès l'instant qu'on vient au monde. Une fois cette évidence admise, il est aisé de s'engager sur le chemin de la vie, sachant qu'il se termine en cul-de-sac. N'étant pas croyant, je n'éprouve ni l'angoisse du châtiment, ni l'espoir de la récompense. Pour moi, la mort, c'est la non-vie, le trou noir. Après une opération chirurgicale, on se réveille dans son lit d'hôpital, sans aucun souvenir de ce qui s'est passé depuis qu'on s'est endormi. Black-out. Rien. *Nada*. La mort. Et s'il y avait un Être suprême? Le pari de Pascal, je n'en ai rien à faire. Je le trouve même indigne de l'homme et outrageant pour Dieu, à supposer qu'il existe.

Tout cela dit, j'aimerais bien me réveiller encore une fois, le matin du 1er janvier de l'an 2000 — je ne sais trop pourquoi —, et voir mes petits-enfants atteindre leurs *teens*. L'émotion qui s'empare de moi, simplement à l'écrire, me persuade que de ce dernier vœu, je connais les raisons.

SCÈNE X

Surprise sur prise au Sénat du Canada

Le lundi 20 juin 1994

Avant-hier, coup de fil de Jean Pelletier, directeur de cabinet du premier ministre, Jean Chrétien. Je connais l'homme de longue date. Bien avant son séjour de plusieurs années à la mairie de la ville de Québec, il avait été un assidu des représentations du Théâtre du Nouveau Monde dans la Vieille Capitale, alors que tous nos spectacles y étaient régulièrement présentés devant un vaste public d'abonnés et autres amateurs. Étudiant à l'université Laval, Jean Pelletier ne manquait jamais de venir nous saluer en coulisses, toujours chaleureux et spontané.

Me voilà par lui convié dans une chambre de l'hôtel Bonaventure. Je croyais savoir à peu près pourquoi. Quelques semaines auparavant, André Fortier, ami de longue date et ancien directeur du Conseil des Arts du Canada, avait pris contact avec moi au nom du ministère du Patrimoine (Dieu! que je déteste ce nom...), s'enquérant de mon intérêt pour certains postes administratifs vacants, telle la présidence du Conseil d'administration du Centre national des arts ou de celui du Conseil des arts du Canada. Il s'agit de postes non rémunérés, mais qui confèrent certains pouvoirs. Je lui avais répondu que le CNA ne m'attirait pas, dans l'état bien précaire où il se trouvait, contrairement au CAC, à la condition qu'on ne me demande pas d'en « gérer la décroissance ». On avait fait appel à deux reprises à un artiste pour occuper ce poste, Mavor Moore et Maureen Forrester, et à chaque fois, les arts et la culture ainsi que les citoyens canadiens en général n'avaient eu qu'à s'en féliciter. À la présidence du Conseil des arts du Canada, on est bien placé pour talonner les parlementaires et les ministres intéressés, et leur rappeler le rôle de l'État à titre d'investisseur dans les arts et la culture, domaines dont celui-ci a la malencontreuse tendance à se dégager, de nos jours. Sans vouloir pousser jusqu'aux affrontements qui ont malheureusement coûté son poste de directeur à mon excellent camarade, Tim Porteous, je me promettais — l'occasion m'en fût-elle donnée — de mener la vie dure aux personnages officiels. J'ignorais que Roch Carrier allait être nommé à la direction de cet important organisme et que, comme il était hors de question que deux francophones en occupent les deux plus hauts postes, la présidence m'en était dorénavant interdite.

Donc, quel ne fut pas mon étonnement lorsque j'entendis Jean Pelletier me confier que le premier ministre du Canada songeait à me nommer à la Chambre haute, et qu'il désirait connaître ma réaction devant cette éventualité. Faible mot que celui d'étonnement pour décrire le sentiment que provoqua chez moi cette nouvelle : j'étais stupéfait, abasourdi, ahuri. Pendant quelques secondes, du regard, je fis un rapide tour d'inspection de la chambre d'hôtel où nous nous trouvions, afin de détecter les endroits où pouvaient être dissimulées les caméras de l'émission *Surprise sur prise*. J'en avais déjà été la victime, puis le complice et, bien que Jean Pelletier fût un homme sérieux, je savais le compère Marcel Béliveau assez habile pour en réussir de meilleures. Mon sommaire examen terminé, mes yeux revinrent sur ceux de mon interlocuteur, dans lesquels je ne pus déceler l'ombre de l'ombre du dessein le moindrement malicieux. Je dus me rendre à l'évidence : la proposition était on ne plus sérieuse.

En mon for intérieur, je ne pus toutefois réprimer mon amusement. J'imaginais, derrière mon épaule, la silhouette du jeune homme quelque peu turbulent et rebelle que je fus jadis, et je l'entendais me murmurer à l'oreille : «Alors, le diable pourrait se faire ermite avec l'âge ?...» Ce n'est évidemment pas cette boutade que Jean Pelletier attendait de moi. Je lui déclarai que s'il désirait une réponse immédiate, elle était négative ; mais le Premier ministre m'accordât-il un délai raisonnable de réflexion, il y avait quelque possibilité de consentement. Malgré le caractère strictement confidentiel de la démarche, je me devais de consulter ma femme, qui m'a souvent reproché de ne lui communiquer mes décisions qu'une fois devenues irrévocables.

J'avais une quinzaine pour réfléchir. Pas davantage. Le Premier ministre entendait combler deux sièges au Sénat avant la rentrée des Chambres, et il fallait lui donner le temps de consulter d'autres candidats, déclinerais-je sa proposition. Par ailleurs, y donnerais-je suite, la loi exigeait que je devienne acquéreur d'un bien meuble d'une valeur minimale de quatre mille dollars dans la circonscription que je représenterais, les Mille-Îles, où je succéderais éventuellement au sénateur conservateur, Solange Chaput-Rolland. Une telle transaction ne peut se faire du jour au lendemain.

Le fait qu'un sénateur représente une circonscription, plutôt que l'ensemble de sa province, est exclusif au Québec. La raison en est qu'il n'y a pas si longtemps, l'influence politique y étant concentrée entre les mains des nantis — c'est-à-dire des anglophones —, il y avait danger qu'ils ne se retrouvent au Sénat dans une proportion supérieure à leur population. La loi fut donc amendée : le fauteuil d'un sénateur étant dorénavant rattaché à une circonscription, il devenait pratiquement impossible qu'un anglophone en représente une qui soit de majorité francophone. Du même coup, garantie était donnée aux citoyens québécois de langue française d'une présence équitable à la Chambre haute.

Je quitte Jean Pelletier. Au volant de ma voiture, j'essaie de clarifier mes idées. Me frappe d'abord une évidence d'ordre purement matériel : si mes revenus n'avaient pas diminué de près de moitié en trois ans, je ne ferais vraisemblablement pas grand cas de l'offre qui m'est présentée. Mais les caprices du métier et — peut-être — mes convictions fédéralistes, dont je ne fais pas mystère, m'ont amené à une situation qui deviendrait alarmante, se prolongeât-elle quelque temps, car mon imprévoyance naturelle me range plus dans la gent des cigales que dans celle des fourmis. Le salaire d'un sénateur n'est pas faramineux, largement inférieur à mes gains des bonnes années, mais en ce moment, il constituerait une planche de salut. De telles considérations sont-elles mesquines, méprisables? Est-il méprisable de songer à son pain quotidien? Est-il mesquin de se préoccuper du bien-être du foyer? Ma réponse à ces questions me persuada de ne pas refuser d'emblée.

Contrairement à ce que je prévoyais, à l'éventualité d'avoir un sénateur comme époux, Monique n'accuse pas un trop vif étonnement. Son premier souci : ma nouvelle situation impliquerait-elle des absences encore plus nombreuses que celles que suscitaient déjà mes engagements au théâtre, au cinéma et à la télévision? Monique a toujours prétendu que ses plus grandes rivales étaient la scène, les coulisses et les plateaux de tournage. Deuxième souci, paradoxal par rapport au premier : devrai-je renoncer à mon état de comédien, même s'il ne présentait aucun conflit d'intérêt, ni d'horaire, avec celui de sénateur? Impossible de lui répondre pour le moment.

Je pense soudain à mes camarades : quelle serait leur réaction à la nouvelle de ma nomination? Je n'aime pas le ridicule : vont-ils se moquer de moi? La réponse de Monique est aussi immédiate que péremptoire : «Ceux et celles qui riront le plus fort seront celles et ceux qui t'envieront davantage.» Répartie qui me semble être de grande sagesse et d'humour subtil. Le fait est qu'après ma nomination, je ne recevrai qu'une seule lettre franchement injurieuse; elle était signée, contrairement à l'usage de ce genre de missive, et se terminait par ces mots : «Vous mourrez dans l'indignité!» J'en fus reporté à l'époque de la célèbre affaire des *Fées ont soif*, alors que des âmes pieuses m'écrivaient pour me menacer des flammes et des tourments de l'enfer. Toujours la diabolisation. Sinon, je reçus d'innombrables et chaleureuses félicitations; même de personnages de convictions séparatistes aussi notoires que Gérald Larose et Serge Turgeon.

Question métier, le service des affaires juridiques du Sénat m'informe qu'il m'est en effet interdit, à cause de possibles conflits d'intérêt, de signer quelque contrat que ce soit avec des organismes qui reçoivent directement des subsides du gouvernement fédéral par allocation parlementaire : la Société Radio-Canada, l'Office national du film, le Centre des Arts du Canada et Téléfilm-Canada. Une rapide revue de mon emploi du temps des dernières années me persuade que cela ne changerait presque rien à ma situation actuelle. À quelques exceptions près, je ne fréquente plus les studios de Radio-Canada ni ceux de l'Office du film. Quels qu'en soient les motifs, mes services n'y sont plus requis.

Qu'en est-il de la scène ? La grande majorité des compagnies de théâtre sont subventionnées par le Conseil des Arts du Canada : me seraient-elles fermées ? Si oui, je n'avais aucune hésitation : je refuserais le Sénat. On m'explique heureusement que d'éventuels contrats me lieraient avec les théâtres et non avec l'organisme fédéral : toutes difficultés s'en trouvent aplanies. Plus : dans le cas de Radio-Canada et du Centre national, si la production n'est pas interne mais acquise de l'extérieur, aucune interdiction ne s'applique. Je peux donc jouer dans *La Jeune fille et la mort*, au CNA, ainsi que dans *Saganash*, au Théâtre d'aujourd'hui, pourvu que les doubles horaires de travail ne soient pas conflictuels.

Me restait à scruter l'offre du Premier ministre pour ce que vaut la fonction elle-même. Je crus bon d'en discuter, sous le sceau du secret, avec mon vieil ami le sénateur Jacques Hébert. Outre qu'il était enchanté à la perspective de relations presque quotidiennes dans la capitale nationale, il me conseilla d'accepter, et ce, pour de multiples raisons.

D'abord, pour les avantages que la profession, et les milieux culturels et artistiques en général pouvaient en retirer. Il ne sont pas nombreux les comédiens qui aient exercé de hautes fonctions politiques. Dans sa lettre de compliment, après ma nomination, mon camarade David Gardner me cite le cas de Henry Irving qui fut le premier acteur anglais à être créé Chevalier, à la fin du siècle dernier. On connaît celui de Laurence Olivier, qui accéda à la Chambre des Lords, ainsi que celui de Ronald Reagan, élu gouverneur de la Californie avant de devenir président des États-Unis. Loin de moi l'idée de me faire anoblir ou de proposer ma candidature au leadership d'un parti. Mais entre le talent de Laurence Olivier et celui de Ronald Reagan, je me dis qu'il pouvait se trouver place pour un modeste comédien comme moi.

Plus sérieusement, si je l'accepte, l'offre du Premier ministre constituerait pratiquement une reconnaissance officielle du statut de l'artiste au Canada. De tout temps, les artistes, les comédiens en particulier, ont été traités comme des marginaux. La Bruyère disait que les Grecs réprouvaient le métier d'acteur, mais recevaient à leur table ceux qui l'exerçaient; alors que les Romains, qui respectaient ces derniers refusaient de les avoir pour commensaux. Il ajoutait qu'à ce chapitre, les Français pensaient comme les Grecs et agissaient comme les Romains... L'invitation du premier ministre Chrétien ne constituait-elle pas la preuve que, pour leur part, les Canadiens pensaient comme les Romains et agissaient comme les Grecs, respectant les artistes et leur reconnaissant de plus un statut de citoyens à part entière?

Une fois sénateur, je disposerais d'une tribune idéale pour défendre les intérêts des artistes, ainsi que le droit d'accès de tout citoyen aux arts et à la culture. L'article 22 de la *Déclaration universelle des droits de l'homme* stipule que «... toute personne est fondée à obtenir la satisfaction des droits sociaux, économiques et *culturels* (le souligné est de moi) indispensables à sa dignité et au libre développement de sa personnalité...»

Cela dit, pouvais-je espérer remplir semblable tâche au sein d'une institution aussi décriée, d'aussi mauvaise réputation que la Chambre haute? Les sénateurs ne sont-ils pas payés à ne rien faire? Ne les nomme-t-on pas pour des motifs strictement partisans, en remerciement de services rendus au groupe politique qui détient le pouvoir? Alors qu'ils devraient être élus comme tous les autres parlementaires? Impossible d'écarter ces objections du revers de la main : elles méritaient que je m'y arrête.

Pour ce qui est de l'élection des sénateurs, elle pourrait faire partie des mesures prises, advenant une réforme souhaitable de l'institution. J'y suis favorable, pourvu que les candidats au Sénat ne soient pas contraints au même genre de campagne que les députés, et que leur mandat soit de plus longue durée. Mes échanges avec Jacques Hébert ont infléchi quelque peu mon opinion. Que les sénateurs n'aient pas à revenir devant leur électorat tous les quatre ans leur confère beaucoup plus de liberté dans leur façon d'aborder et de discuter les projets de loi qui leur sont présentés.

Par exemple : le *Livre rouge* des Libéraux comporte l'annonce d'une loi sur le contrôle des armes à feu. En dépit de leurs convictions, comment réagiront certains députés devant une telle loi? Ceux du Reform qui représentent les comtés des provinces des Prairies, ceux du Bloc québécois élus dans certaines régions rurales du Québec ne seront-ils pas tentés de faire opposition au Gouvernement pour s'assurer les meilleures chances de retour à la Chambre des communes, lors des prochaines élections? Car, même séparatistes, on se trouve bien à Ottawa. Les sénateurs sont libérés de telle préoccupation. La discipline de parti étant moins stricte au Sénat que dans l'«autre endroit», ses membres — même conservateurs — peuvent voter selon leur conscience, appuyer le ministre Rock afin que ne se répètent plus certaines tueries dues au vol et à l'utilisation illégale d'armes de poing.

Payés à ne rien faire et gâteux, les sénateurs? Affirmation à la mode qui confère un air d'agitateur de salon à ceux qui le prétendent. De toute façon, une partie de ce problème a été réglée lorsque la loi fut amendée pour décréter la retraite obligatoire des sénateurs à 75 ans. Et pourquoi ne trouverait-on pas, au sein de l'institution, la même proportion qu'ailleurs de gens qui remplissent leur tâche avec conscience et application? Amis du pouvoir, profiteurs, objets de favoritisme? Ce n'est certes pas mon cas : je n'ai jamais milité au sein d'aucun parti, ni rendu de service à quelque homme politique que ce soit.

Inutile le Sénat? Alors qu'il crée un sain équilibre par rapport au pouvoir de la Chambre des communes. Alors qu'il constitue un lieu où les projets de loi peuvent être discutés en profondeur de façon plus pondérée, moins partisane qu'au sein d'une assemblée de députés élus. Alors que ses membres, lorsqu'ils jugent qu'il en va du bien-être des citoyens, peuvent rejeter des projets de loi, en retarder l'adoption jusqu'à ce qu'un climat plus salubre soit atteint, ou y proposer des amendements.

Le sénateur Hébert me fait valoir que ce dernier travail, nécessaire et efficace, se déroule au sein de comités sénatoriaux ou de comités mixtes, loin de tout tapage et de tout sensationnalisme à saveur électorale. Discrètement. Les journalistes parlementaires n'en parlent pas : il n'y a pas là matière à nouvelle. D'innombrables exemples peuvent être évoqués de lois dont l'esprit et la lettre ont ainsi été améliorés, bonifiés. Il m'en cite un qui touche le monde des arts et de la culture. Prétendument pour réaliser des épargnes, le dernier gouvernement conservateur avait, en fin de mandat, adopté une loi qui prévoyait la fusion du Conseil des Arts et du Conseil de recherches en sciences humaines, sans avoir préalablement consulté de façon sérieuse les milieux académiques et culturels, lesquels y étaient énergiquement opposés. Grâce à l'appui de quelques sénateurs conservateurs qui renoncèrent à toute prise de position partisane, le projet de loi fut rejeté par le Sénat et devint caduc lorsque les Chambres furent dissoutes. Sans qu'ils le sachent, pour la plupart d'entre eux (les journaux francophones, entre autres, en ont relégué la nouvelle dans un entrefilet de leurs pages intérieures), les artistes, les chercheurs et les savants doivent donc une fière chandelle au Sénat.

Oui, le Sénat pourrait être réformé afin de le rendre plus efficace. Surtout pas égal quant au nombre de sénateurs issus de chacune des provinces, comme le souhaite le Reform Party : le principe démocratique *rep by pop* restera toujours infrangible. Le nombre de ses membres pourraient sans doute être réduit, ainsi que la durée de leur mandat. Tous les votes pourraient y être pris librement, sans égard aux partis auxquels les sénateurs appartiennent. À ce sujet, mon ami Jacques Hébert m'assure qu'une telle pratique rendrait impossible le bon fonctionnement de l'institution, que ce serait l'anarchie, à moins que ses règlements ne soient revus de fond en comble. J'admets volontiers que je parle en béotien de la politique. Peut-être serais-je mieux informé de l'intérieur de la boîte.

Toutes ces discussions, toutes ces réflexions m'amènent à prendre la résolution de «plonger». Quinze jours après mon entrevue avec lui, j'en avise Jean Pelletier.

SCÈNE XI

Un Libéral de plus au Sénat

Le dimanche 21 août 1994

Coup de fil du premier ministre du Canada, en provenance de sa résidence d'été du lac Harrington, où il me dit se délecter en écoutant une symphonie de Beethoven. On connaît mal Jean Chrétien, et peu de gens le savent mélomane. Il me remercie cordialement d'avoir accédé à sa requête et d'accepter de siéger au Sénat. Il me demande si j'ai l'intention de m'inscrire au parti libéral, ou si je préfère rester indépendant. Il vaut la peine de souligner la générosité de l'offre. À l'heure actuelle, avec deux fauteuils vacants, siègent au Sénat 47 Libéraux, 3 indépendants et 52 Conservateurs. Autant dire que ces derniers peuvent y faire la pluie et le beau temps, bien qu'ils n'aient plus que 2 députés à la Chambre des communes. Le Premier ministre aurait donc tout avantage à ce que je m'aligne avec les Libéraux. Je ne résiste pas au malin plaisir de lui faire une mauvaise blague : «Monsieur le Premier ministre, qui serait le plus embarrassé, de Lucien Bouchard ou de vous, si je vous disais que je veux siéger au nom du Bloc québécois?»

Mais une fois faite la boutade, je lui déclare vouloir siéger comme libéral. D'abord la philosophie du Parti, sans être aussi radicale que je le souhaiterais, tend quand même vers l'établissement d'un équilibre entre la justice, pour l'ensemble de la société, et l'équité, pour les individus qui la composent. J'avais aussi abordé cette question avec Jacques Hébert, qui m'avait fait valoir qu'un sénateur indépendant n'a accès à aucun caucus, ces réunions de parti où ont lieu à huis clos les discussions les plus franches et les plus libres qui soient. Comme sénateur libéral, je pourrai assister de pleins droits au caucus du Québec — où sont présents ministres, sénateurs et députés de la Province —, au caucus national — réunissant ministres, sénateurs et députés libéraux de tout le Canada — et au caucus du Sénat — auxquels assistent les sénateurs libéraux des dix provinces et des deux territoires. Je pourrai également être membre des comités que je choisirai, en consultation avec le *whip* du parti, nul autre que Jacques Hébert lui-même. Je songe déjà au comité des Langues officielles, à celui des Affaires sociales où l'on traite de questions relatives au ministère du Patrimoine (Dieu! que ce nom m'horripile...), dont dépendent les grands organismes culturels du Canada, ainsi qu'a celui des Affaires autochtones. Je crois sincèrement que lorsqu'on veut y travailler, on trouve à s'occuper au Sénat.

Le Premier ministre me quitte en me disant qu'il est particulièrement fier de deux nominations récentes : la mienne et celle de Roch Carrier à la direction du Conseil des Arts du Canada. «Elles révèlent mon petit côté culturel caché», me confie-t-il d'un ton amusé.

Le mercredi 31 août 1994, ma nomination est officiellement annoncée. Un détail qui met en lumière la façon dont certains médias électroniques traitent les nouvelles, suivant l'importance qu'on veut bien y accorder : ce soir-là, au bulletin de 18 heures à

Radio-Canada, Simon Durivage consacra moins d'une minute à l'événement, avec ma photo en coin d'écran. Pourtant, hors de toute considération personnelle, il s'agissait d'une nomination pour le moins exceptionnelle. Quelques jours plus tard, survenait celle de Pierre Nadeau comme représentant du gouvernement québécois à Boston. À cette occasion, il fut invité en studio, et son camarade Simon Durivage lui accordait une longue interview. Nadeau en profita pour souligner que le Parti québécois n'avait exigé de lui aucune profession de foi séparatiste. Sans doute est-il délégué à Boston pour ses beaux yeux, et en reconnaissance du passé de militant libéral de son père, Jean-Marie Nadeau!

SCÈNE XII

Le noyau familial se désagrège

Le samedi 3 septembre 1994

Comme je m'apprête à partir pour le Théâtre du Vieux-Terrebonne, où nous donnerons la dernière représentation de *La Cruche cassée* de Kleist, selon mon adaptation, le téléphone sonne : c'est ma belle-sœur Pauline, en larmes, qui m'apprend la mort de son mari, mon frère René. La nouvelle m'atterre : après maman et papa, c'est le premier enfant qui disparaît. Pauline m'explique que, le matin, il s'est affaissé sur la moquette de la chambre en laçant ses chaussures. Comme elle se portait à son secours, elle fut accueillie sur un ton excédé : «Pauline, laisse-moi tranquille!» Même s'il n'en avait donné aucun signe précurseur, en bon médecin qu'il était, René devait connaître son état et savoir que tout secours était inutile. Elle se contenta donc de l'installer le plus confortablement possible. Il sembla s'assoupir.

Pauline est une ancienne infirmière : c'est à ce titre qu'elle a connu René à l'Hôtel-Dieu de Montréal, il y a près de cinquante ans. Elle resta de veille auprès de son mari. Après un bon moment, elle se pencha sur lui pour lui demander s'il avait besoin de quelque chose et n'en reçut aucune réponse. Plus un souffle ne s'échappait de sa bouche; le pouls était imperceptible. Les secouristes intervinrent rapidement mais en vain. Mon frère est mort tout doucement, comme on souhaite tous que cela nous arrive.

Des liens très étroits nous unissaient depuis que, à trois reprises en vingt ans, il m'avait littéralement sauvé la vie. Dans sa profession, il jouissait d'une enviable réputation, reconnu comme une sommité en chirurgie abdominale. Toutefois, il ne se cantonnait pas dans sa spécialité. Les membres de la famille avaient recours à ses soins pour tous problèmes plus ou moins graves, dont il savait la plupart du temps les soulager. Au besoin, il les confiait aux mains expertes d'un confrère. En représentations du *Misanthrope,* à Montréal, le comédien Jacques Dumesnil se plaignait d'un mal au sujet duquel il avait vainement consulté en Europe. Mis au courant du circuit de la tournée qu'il terminait, mon frère songea immédiatement à la possibilité d'une maladie tropicale. Le laboratoire identifia aisément le microbe qui était la cause des maux de mon camarade français. Soulagé, Dumesnil chantait les louanges de la médecine canadienne.

À l'Hôtel-Dieu, hôpital universitaire, René consacrait presque tout son temps à la formation des étudiants, négligeant d'autant de « cultiver » sa clientèle personnelle. De telle sorte que, lorsqu'il eut dépassé la limite d'âge et qu'on le força à prendre sa retraite, il n'aurait pu disposer que d'un unique lit pour les patients auxquels il aurait continué à prodiguer ses soins. D'un tempérament fier, il décida tout bonnement de « fermer boutique ». À ses confrères plus jeunes qui requéraient ses services comme assistant, il répondait qu'il se pliait aux vœux du ministère de la Santé et qu'il ne travaillait plus. Il n'avait pourtant rien perdu de sa dextérité et aurait pu continuer à exercer dans les blocs opératoires pendant encore de nombreuses années. Se sentant mis au rancart, professionnellement inactif, il connut probablement une mort prématurée. De nos jours, la société jette ses choux gras.

SCÈNE XIII
Premier caucus national

Le mercredi 14 septembre 1994

Ce matin, à 10 heures, j'assiste à mon premier caucus. Il s'agit d'un caucus national où sont présents plus de deux cents parlementaires : ministres, y inclus évidemment Jean Chrétien, députés et sénateurs libéraux de tout le Canada. Je suis stupéfait de l'ovation qui m'y est ménagée. Tous les Québécois me connaissent, certes. Quant aux autres, ils acclament sans doute l'amorce du renversement de la majorité conservatrice à la Chambre haute.

Deux choses font l'objet de mon étonnement. D'abord, la façon plutôt « bonne franquette » dont l'assemblée se déroule : sauf, bien sûr, quand le Premier ministre prend la parole en conclusion, la présidente doit faire semblant de se fâcher pour obtenir quelques moments de silence total. Le vice-président du caucus, Jacques Hébert, m'affirme qu'il obtient plus de discipline lorsque, en son absence, il occupe le fauteuil de la présidente. Je verrai bien. Ensuite, me frappe la franchise de ton qu'emploient les intervenants. Sans s'injurier, on y va quelquefois assez brutalement. Le ministre des Finances rit jaune lorsque, au sujet de certaines de ses déclarations, il s'entend appeler, prétendu lapsus, « Mr Paul Wilson » ou « Mr Michael Martin », allusion à son prédécesseur conservateur, Michael Wilson. Je suis réconforté d'entendre plusieurs députés, parmi les plus anciens, déplorer le virage à droite du Gouvernement, avec ses tentatives d'en arriver à un équilibre budgétaire dans les plus brefs délais.

Les caucus se déroulent à huis clos. Occasionnellement, certains fonctionnaires y sont admis ; très rarement, la presse, et pour de courts instants. Le caractère confidentiel des débats est inviolable. Lorsque, par inadvertance, un parlementaire enfreint cette règle, il se fait vertement rabrouer. Il en est un qu'on a déjà soupçonné d'alimenter régulièrement les journalistes. Ayant quitté le parti, par le jeu de la politique, il n'a jamais pu le réintégrer malgré tous ses efforts. Le caucus, encore moins.

Je m'arrête ici pour ne pas subir le même sort.

SCÈNE XIV

Le *Maiden Speech* du sénateur Roux

Le mardi 13 décembre 1994

Assermenté depuis le 4 octobre dernier, je siège donc on ne peut plus officiellement à la Chambre haute du Canada. Comme nouveau venu, j'y occupe un fauteuil dans la rangée arrière, qui porte le numéro 99. Mon fils Stéphane me plaisante : c'est le même que celui de Wayne Gretzky, le célèbre hockeyeur. De ma place, j'ai l'avantage d'avoir une vue générale de l'assemblée.

Je ne m'y amuse pas tous les jours. Quelques interventions sont franchement ennuyeuses, et le Président ne les interrompt que lorsqu'elles traînent en longueur. Devant les crises de *procédurite aiguë* dont sont parfois victimes certains de mes honorables collègues, il me faut me retenir pour ne pas marquer mon impatience. Il paraît que l'utilisation habile de la procédure constitue un art : loin de me laisser froid, il m'irrite.

Pour me réconforter, je me dis que je dispose d'une excellente tribune pour développer certains de mes thèmes favoris : la paix, les arts, la culture, la justice, l'équité, etc. Deux postes à l'ordre du jour permettent des interventions sur le sujet de son choix. En début d'assemblée, on dispose de quelques minutes pour procéder à une «déclaration». Par ailleurs, à la condition de donner avis de la date et du sujet, on peut faire un discours qui durera au delà de quinze minutes, avec la bienveillance de l'assemblée.

Dès le moment où je me suis assis au fauteuil numéro 99, je me suis mis à penser au jour où je me lèverais, serais «reconnu» par le président et adresserais la parole pour la première fois au Sénat du Canada. Jacques Hébert m'avait confié qu'un vieux de la vieille lui avait prodigué quelques conseils à ce sujet : «*Take your time. Don't feel like being rushed. If you speak only six months after having been sworn in, no one will take it against you. And please, no latin quotes!*» Je visais le mois de février 1996, alors que le ministre Martin présenterait ses prévisions budgétaires. Je me promettais de parler de l'effet désastreux des compressions dans les allocations parlementaires des grandes institutions culturelles, comme le Conseil des arts du Canada.

Les circonstances en décidèrent autrement, lorsque le Comité sur la politique de défense du Canada déposa son rapport, et que le ministre David Collenette, de son côté, publia son *Livre blanc*. Je m'inquiétai auprès de mon conseiller privé — dont ne disposent pas tous les sénateurs! — de ce que le rapport puisse être adopté sans grande opposition. Jacques Hébert m'indiqua la façon de procéder pour intervenir, si je le jugeais bon. Je décidai d'en faire l'objet de mon *maiden speech*…

Plusieurs choses, dans le rapport comme dans le *Livre blanc*, heurtent mes convictions pacifistes. Je suis convaincu que le budget de 11 ou 12 milliards du ministère de la Défense est beaucoup trop élevé, qu'il grève ceux du Patrimoine et des Affaires sociales. Les quelques épargnes proposées dans le rapport du Comité me semblent dérisoires. Je suis également persuadé que le Canada investit encore inutilement dans l'achat et la fabrication d'armements lourds à caractère offensif, alors qu'il n'est nullement menacé par quelque puissance étrangère que ce soit.

Mon discours n'est donc pas partisan. Il est l'expression d'une opinion libre, et ne serait sûrement pas toléré de la part d'un député libéral à la Chambre basse. J'y déclare notamment : «Je n'ai pas à vous apprendre mon intérêt en matière de politique culturelle. Je suis consterné de voir se dégrader de jour en jour nos grandes institutions comme la Société Radio-Canada, le Conseil des arts du Canada et l'Office national du film, pour ne citer que celles-là, et je crains que notre identité, en tant que citoyens et citoyennes d'un grand pays nommé le Canada, ne s'effrite de même. Qu'aurons-nous à défendre, le jour où, laissant aller notre culture, nous aurons perdu notre identité?» Je pourrais tout aussi bien mentionner le sort réservé à nos programmes sociaux. Je poursuis : «J'irais même jusqu'à dire que la culture est plus importante que la défense et qu'elle coûte incomparablement moins cher. Les anciens Grecs ont perdu la guerre des armes contre l'Empire romain, mais c'est finalement leur culture qui a prévalu sur celle des Romains. C'est une chose à considérer lorsque nous devrons décider en quel domaine investir les dividendes de la paix.»

La fin de mon discours est accueillie chaleureusement des deux côtés de la Chambre. Avec l'humour qui lui est particulier, Jacques Hébert m'affirme qu'il n'y a pas là matière à étonnement : les Libéraux se doivent de m'applaudir pour saluer ma première intervention ; quand aux Conservateurs, ils manifestent leur satisfaction du fait que je critique les politiques du parti au pouvoir.

De nombreuses personnes, qui ne m'approuvent pas d'avoir accepté ma nomination au Sénat, me disent que je me suis fait plaisir en prononçant un tel discours, mais que si j'espère par là infléchir le moindrement les politiques gouvernementales, je me leurre considérablement. Sans doute ont-elles raison. Pourtant, je suis de ceux qui prétendent que les idées ne se perdent pas, et qu'elles font lentement mais inexorablement leur chemin. Ainsi, dans l'enceinte où j'ai prononcé ce discours, n'y eût-il qu'un seul sénateur qui en fut amené à modifier un tant soit peu sa façon d'aborder la question, je n'aurai pas parlé en vain.

SCÈNE XV
Les Forces du non

Le vendredi 20 janvier 1995

J'enregistre ce matin, pour les Les Forces du non, un message qui sera utilisé durant la campagne préréférendaire, à supposer qu'il ait lieu, ce fameux référendum sur l'indépendance du Québec. Pour le moment, Parizeau a tellement l'air en mal de stratégie ou même de date, qu'on pourrait croire qu'il sera indéfiniment remis.

Mon message sera évidemment ramené à l'essentiel. J'y fais valoir qu'à mon avis, tout nationalisme est réducteur, en regard d'une perception globale du monde, et ne peut aboutir finalement que sur Sarajevo et sur Groznyï. Je veux signifier par là que la doctrine nationaliste, affirmant «la prééminence de l'intérêt de la nation par rapport aux intérêts des groupes, des classes et des individus qui la composent» (cf. *Larousse*), provoque inévitablement des heurts plus ou moins violents et, souvent, le rigorisme et l'intolérance. Pour tout bon nationaliste québécois, par exemple, l'indépendance du Québec est un but en soi, peu importent les désordres et les perturbations qu'elle impliquera au sein du nouvel État, comme de celui dont elle aura provoqué l'éclatement.

Je souligne, au passage, que les artistes ont généralement été mieux servis par les fonctionnaires fédéraux que par ceux de la Province. L'existence de deux paliers de gouvernement leur a toujours été favorable : ils ont appris l'art subtil d'en jouer à leur avantage, comme à celui de la culture et du public en général. Aussi purement pragmatique et égocentrique qu'il soit, ce point de vue n'en est pas moins valable.

Pour la survie pacifique de l'humanité, le concept de nation devra de plus en plus faire place à celui de société, milieu humain organisé où n'est pas exigé de l'individu une adhésion émotive à la communauté au nom d'une histoire, d'une langue et d'une culture communes, mais l'exercice de son sens civique, c'est-à-dire de son dévouement raisonnable envers une collectivité pluriethnique et multiculturelle.

La fédération canadienne n'est assurément pas parfaite. Mais elle propose un cadre politique assez souple pour évoluer, au fil des ans, selon les besoins des provinces qui la composent. Cette évolution est certes lente, trop lente au gré des séparatistes. Mais ainsi va le monde : les transformations subites peuvent entraîner des catastrophes. Chapais l'exprime sagement dans son *Cours d'histoire du Canada* : «... dans le gouvernement des peuples, le progrès ne saurait être une explosion soudaine mais [...] plutôt le résultat d'une évolution lente.» Si les Québécois savent être patients, ils arriveront à imposer tous leurs caractères distinctifs, sans mettre en danger la solidarité essentielle à la pérennité de l'ensemble. La séparation du Québec serait le prélude du morcellement du Canada dont les cinq régions iraient, les unes après les autres, enrichir leur voisin du Sud de cinq nouveaux beaux États.

SCÈNE XVI
Silence et défection

Le lundi 6 février 1995

Un journaliste du *Point* vient m'interviewer dans l'enceinte du Sénat en vue d'un reportage consacré aux artistes du Québec quant à leur état d'âme, ou d'esprit, à l'approche du référendum. Lorsqu'en tel cas, pour faire équilibre, on recherche un artiste à convictions fédéralistes, on finit presque immanquablement par se rabattre sur moi. Je suis un des rares qui consentent à prendre publiquement position.

Ce n'est un mystère pour personne : les artistes du Québec sont en très grande majorité séparatistes. En aurais-je douté que j'ai eu récemment l'occasion de m'en convaincre moi-même. Sollicité pour créer un comité d'artistes qui s'engageraient activement dans la défense de la fédération canadienne, j'entrepris d'entrer en contact, par téléphone, avec ceux et celles de mes camarades dont j'avais quelque raison d'escompter un accord. Après une quarantaine d'appels, je renonçai à poursuivre mes démarches.

Je n'avais trouvé d'écoute attentive que de la part de quatre d'entre eux. Bien que désireux de maintenir le pacte fédératif, ils en souhaitaient tous une réforme : j'en suis. Mais tous aussi refusaient d'en faire état ouvertement : timidité et crainte. L'un d'eux résuma leur attitude : «J'ai peur de me faire trop d'ennemis.» Qu'en disent les séparatistes, eux qui prétendent que pour empêcher la sécession du Québec, les fédéralistes n'ont rien trouvé de mieux que de créer la panique?

Durant mon interview, me fondant sur cette tentative ratée, je déplore le comportement des intellectuels qui n'osent pas afficher leur satisfaction d'être Canadiens. Je constate qu'en certaines circonstances, le silence devient collusion, et je cite l'exemple de nombreux intellectuels allemands des années trente qui, par leur mutisme, se rendirent complices de l'avènement du régime nazi. Je me rends compte de la façon abusive dont on pourrait utiliser mes propos, et j'insiste vivement sur le fait que je n'établis aucun parallèle entre le Québec d'aujourd'hui et l'Allemagne d'alors, pas plus en ce qui concerne la doctrine que les individus.

L'interviewer me demande comment je réagirais devant une victoire du *oui*. Réponse : «Je serais extrêmement vigilant et, advenant la moindre manifestation d'intolérance, je songerais peut-être à quitter le Québec.»

SCÈNE XVII
Nationalistes d'avant-guerre

Le lundi 13 février 1995

À la requête d'Esther Delisle, je vais à l'université McGill assister à un colloque convoqué à l'occasion de la soutenance de thèse de madame Catherine Pomeyrols, thèse intitulée *Les intellectuels québécois : formation et engagements 1919-1939*. Lorsque le messager vint me la remettre chez moi, je fus quelque peu effrayé par son volume : une brique. Esther Delisle se leurrait drôlement si elle espérait que j'en prenne connaissance, de la première à la dernière page! Mais voilà que, aussitôt la lecture entreprise, je dévorai le texte jusqu'au point final. J'y faisais des découvertes surprenantes. J'ignorais, par exemple, que *Le Devoir* ait été, à une certaine époque, à ce point réactionnaire; que Jean-

Louis Gagnon ait déjà rêvé d'un Québec indépendant, de régime autoritaire ; que Pierre Dansereau ait été un nationaliste doctrinaire ; qu'André Laurendeau ait flirté d'aussi près avec *L'Action française*. Si le journal est toujours resté assez fidèle à lui-même en termes de politique interne, les individus, eux, ont évolué, comme moi, vers un esprit plus large, plus généreux, plus civique. C'est tout à leur honneur.

À midi, je me retrouve avec Gérard Pelletier. Devant un auditoire d'une soixantaine d'étudiants et de professeurs, nous rendons tous deux témoignage, en anglais, de cet immédiat avant-guerre où bon nombre de Québécois pataugeaient dans une idéologie corporatiste rétrograde. Pour faire comprendre la mentalité de l'époque, bien que je fusse passablement plus jeune que tous les gens dont il est question, je rapporte le fait qu'en 1942, étudiant en médecine à l'Université de Montréal — bravade, ignorance ou bêtise —, j'ai dessiné une croix gammée, à la mine de plomb, sur la manche de mon sarrau, sans que nul n'exige que je l'efface. Gérard et moi répondons, avec la plus grande franchise, à de nombreuses questions. Il s'agit manifestement d'un moment de notre évolution sociale que d'aucuns préfèrent volontiers gommer ou oublier.

SCÈNE XVIII

La Saint-Valentin et la culture

Le mardi 14 février 1995

Aujourd'hui, fête de la Saint-Valentin. Ce matin, la Conférence canadienne des arts réunit quelques centaines d'artistes en provenance de chacune des provinces du Canada : on discute de la précarité de la situation des arts et de la culture, en conséquence des compressions budgétaires prévues par le ministre Paul Martin dans tous les ministères et tous les organismes gouvernementaux quels qu'ils soient, y compris les organismes à caractère culturel. Histoire de sensibiliser l'opinion des parlementaires au problème, j'avais songé à un petit récital de musique et de poésie dans le hall du Sénat : j'avais l'accord du greffier, Paul Bélisle, et du Gentilhomme huissier de la verge noire, le colonel Doré. Ils étaient même consentants à y faire dresser une petite estrade, aux frais du Sénat, pour y installer le piano. Malheureusement, les délais trop courts ont empêché la réalisation du projet. Dommage : son caractère exceptionnel aurait sans doute attiré un grand nombre de députés, de ministres et de sénateurs.

L'après-midi, les artistes remplissent les galeries de la salle des délibérations du Sénat pour entendre mon intervention au sujet du Conseil des arts du Canada. Étant donné la nature amoureuse des liens traditionnels qui les unissent à leur public, ils peuvent fort bien se réclamer du patronage de saint Valentin. En exergue à mon discours, le fameux verset de Prospéro dans *La Tempête* de Shakespeare :

«*We are such stuff as dreams are made on...*»
«Nous sommes tissés de même étoffe que les songes...»

Entrée en matière qui me permet de réclamer, pour tout citoyen, le droit au rêve, à l'imagination, à l'illusion, au désir, à l'espérance, à la vision, à la chimère, au caprice. À la clairvoyance aussi, à la conscience, au discernement et à la connaissance de soi. Toutes manières d'être qui sont du ressort des arts et de la culture. Je rappelle qu'on a déjà tenté des expériences qui avaient pour but d'empêcher les dormeurs de rêver, simplement pour en déceler les résultats. On a constaté qu'avec le temps, les sujets ainsi traités dépérissaient. On leur a rendu leurs rêves, de peur qu'ils ne rendent l'âme.

J'insiste sur l'importance du Conseil des arts dans le domaine de la création artistique, dans l'évolution de la culture, dans le sort réservé aux artistes et aux créateurs au Canada. Je mentionne que le fait est de telle notoriété que même les plus farouches séparatistes, parmi les artistes québécois, se portent à sa défense. Je termine mon discours en soulignant que les artistes ont un sens civique aussi poussé que tout autre citoyen, et qu'ils ne réclament pas un traitement de faveur. Ils désirent tout au plus que le Gouvernement procède avec discernement dans le cas du Conseil des arts du Canada et que, sans l'augmenter, il ne rogne pas son budget.

Pour la diffusion de ce discours, j'utilise, entre autres, la liste d'adresse que les Artistes pour la paix m'ont déjà fournie après mon *maiden speech*. Appel du président, mon ami Pierre Jasmin : les membres de l'organisme insistent sur le caractère confidentiel de cette liste, et me prient de ne plus m'en servir. Sans doute, dans leurs rangs, les nombreux séparatistes ont-ils été tracassés par mon allusion à leur façon de traiter le Conseil des arts du Canada. Affaire d'orthodoxie…

SCÈNE XIX
Rien moins que le diable

Le mardi 7 mars 1995

Mes déclarations au *Point* ont provoqué des remous dans les milieux séparatistes. Mon courrier abonde en protestations et en injures, y inclus les inévitables lettres anonymes. Je l'avais prévu : on me reproche d'avoir comparé les séparatistes aux nazis d'Hitler, ce dont je me suis bien gardé. On m'accuse aussi d'être un mauvais Québécois, parce que je menacerais de quitter un Québec indépendant. On me fait grief de prétendues insultes à l'égard de «mon» peuple parce que je lui nierais son droit à sa «prise en charge», à son autodétermination. Un compositeur, pour qui j'ai par ailleurs la plus grande admiration, m'incite à l'«amende honorable», c'est-à-dire qu'il me condamne ni plus ni moins à m'humilier publiquement en avouant mon crime de lèse-indépendance. Faudrait-il donc que, comme l'empereur Henri IV à Canossa, je me présente pieds nus et vêtu de bure, devant les papes de la nouvelle Église? Je réponds scrupuleusement à toutes ces lettres, lorsqu'y sont attachés un nom et une adresse. J'en retourne une seule, dans son enveloppe, à son expéditeur : les termes en sont trop orduriers.

Pour sa part, mon camarade André Montmorency s'adresse à moi par la voix d'un courrier des lecteurs. Je l'apprends par un journaliste du *Journal de Montréal,* qui sollicite mes commentaires. Impossible de le satisfaire, puisque je n'ai rien reçu, ni par la poste ordinaire, ni par messager. Jean-François Lépine veut nous confronter au *Point;* lorsqu'il ne se laisse pas emporter par sa foi séparatiste, il est très bon journaliste. Je commence par refuser : je pars dans moins de 36 heures pour un séjour de plusieurs semaines à Paris où, enchaînant avec une série de représentations au Théâtre d'Aujourd'hui, *Saganash,* de Jean-François Caron, sera joué en banlieue Sud, au Théâtre de Châtillon. Devant son insistance, j'accepte, en lui soulignant qu'il faut bien que ce soit lui qui me le demande. Je le prie pourtant de me faire parvenir le texte de la lettre d'André Montmorency que je n'ai toujours pas lue. Je la reçois par télécopieur. Elle est ainsi conçue :

«Cher Jean-Louis,

«J'ai toujours admiré votre sincérité et votre honnêteté dans vos opinions. Ce qui me fascinait chez vous, c'est cette capacité que vous avez toujours eue de fonctionner entouré d'indépendantistes, souverainistes, séparatistes avoués, sans pour autant vous sentir agressé. Parfois, nous évitions le sujet avec vous, mais quand nous dérapions, j'étais sincèrement touché de voir à quel point vous nous laissiez nous exprimer sans vous emporter. Pour moi, vous étiez l'image d'un grand démocrate. Image que vous avez toujours été fier d'afficher. Très sincèrement, comment avez-vous fait pour ne pas vous exiler avant. Depuis le temps, que ce soit à Radio-Canada ou au Nouveau Monde surtout, comment avez-vous pu travailler avec tous ces nationalistes dangereux dont vous vous entouriez pour produire certains spectacles ? Tout le théâtre de Tremblay que vous avez joué, produit même, n'était-il pas outrageusement empreint de ce nationalisme que vous honnissez aujourd'hui. Comment avez-vous pu accepter de jouer le théâtre de Jean-François Caron, alors que vous étiez déjà sénateur ? Cet auteur est certainement le plus ouvertement souverainiste au Québec. Comment avez-vous pu y croire, défendre cet écrivain. Je vous aime et vous admire tellement, Jean-Louis, que cela m'a pris plusieurs jours avant de réagir aux propos que vous avez énoncés à l'émission *Le Point*. Je voulais vous octroyer le bénéfice du doute.

«Malheureusement, le temps n'a pas calmé mes esprits, au contraire. Je me sens trahi aujourd'hui par un homme que je voulais respecter dans ses opinions, mais qui ne m'accorde pas le droit d'accéder à une certaine forme de liberté, un homme qui m'empêche de croire que la majorité canadienne est [N.D.A. : ici je me permets de corriger l'original ; une négation donnait au texte un sens exactement opposé aux intentions de l'auteur de la lettre] assez évoluée pour enfin comprendre que nous tenons d'abord et avant tout à notre identité culturelle. Ce qui me révolte profondément chez les fédéralistes de votre acabit, c'est cette facilité que vous avez à oublier le sort accordé à tous les francophones hors Québec, alors qu'ici c'est l'eldorado pour tous les anglophones qui y vivent depuis la Conquête.

« J'ai voulu vous écouter et vous comprendre. Je suis, moi aussi, plutôt tiède face à la question, comme la plupart des artistes à cette émission du *Point* de la semaine dernière. Je comprends Deschamps quand il nous dit qu'il sent moins l'urgence depuis l'arrivée de la Loi 101, Marie-Chantal Perron qui commence à débander (elle joue dans *Cul sec*, il faut employer les mots justes). Comme René-Richard Cyr, j'ai peur moi aussi que nous devenions un peuple de *Ti-Coune* : nous y avons déjà une énorme propension.

« Mais lorsque quelqu'un d'articulé comme vous, un homme éclairé, un traducteur qui se penche régulièrement sur Shakespeare, l'homme que j'ai vu pendant *Le Bourgeois gentilhomme*, dans sa loge, avec ses documents, en train d'écrire, de trouver le mot juste, l'expression qui ne trahira surtout pas l'auteur, j'ai énormément de difficulté à croire que cet homme cérébral se soit fourvoyé et ait eu une comparaison aussi malheureuse quand il a parlé des intellectuels de l'Allemagne nazie, et qu'il rajoute avec un geste, pas des plus convaincants, que surtout, il ne fait aucun parallèle avec nos dirigeants actuels. Eh bien, mon cher Jean-Louis, le mal était fait, le mot était lâché. Il y a des circonstances où il faut peser ses mots encore plus et vous avez raté une belle occasion de vous taire. Oh non ! Pendant cette campagne référendaire, vous, les fédéralistes, avez jurez que vous n'emploieriez plus le phénomène de la peur pour nous convaincre de rester liés à votre beau pays, mais les Rocheuses ayant été singulièrement galvaudées en 1980, il fallait vous rabattre sur de nouvelles techniques : proposer la peur par la bande subtilement, dans un discours, glisser le nom de Groznyï, de Sarajevo, en sachant très bien (vous êtes trop intelligent pour que ce ne soit pas calculé) que le spectre de la guerre civile aurait un certain impact sur des personnes facilement impressionnables. Cette façon d'agir était profondément inacceptable, alors que présentement, au Canada anglais, dans une émission satyrique intitulée *Royal Canadian Air Farce* (une sorte de *Rira bien* pan-canadien), on représente le Bonhomme carnaval déguisé en Hitler. J'ai de la difficulté à croire qu'un homme aussi brillant que vous ait pu s'imaginer que nous croirions que cette comparaison, cette anecdote sur le silence des intellectuels de l'Allemagne nazie, n'ait pas été calculée de votre part.

« Dernier item : le plus grave quant à moi. Votre exil ! Vous êtes un des personnages les plus importants de mon adolescence avec les Gascon, Hoffmann et Groulx, ceux-là même qui m'ont donné le goût du théâtre, de la fierté, ceux qui m'ont fait découvrir que Molière, c'était nos racines, qui ont allumé en moi, à l'adolescence, la flamme de mes fibres nationalistes qui étaient bien inconnues de moi pendant les années cinquante. Cet homme qui fut l'un des artisans, des animateurs qui ont façonné ma culture, ma fierté d'être Québécois quand ils allaient nous représenter au Théâtre des Nations à Paris, celui-là même me dit maintenant : "Ce que tu as vu quand tu étais jeune ne représente rien pour moi, si tu t'affirmes et dis oui à un projet de société directement issu de cette fierté que j'ai aidé à t'inculquer, il y a quarante ans, eh bien moi, je n'y ai jamais cru et je préfère quitter ce pays." Eh bien là, je me sens hautement trahi et j'aurai de la difficulté à vous le pardonner. Quelle malheureuse façon, pour vous, de passer à l'histoire du théâtre.

« Moi qui étais tiède depuis quelque temps, je commence à bouillonner et je dirai "oui", quelle que soit la question. »

Sans doute obnubilé par son indignation, l'auteur a oublié de signer sa lettre.

Dans le couloir de Radio-Canada, André Montmorency semble étonné que je lui tende la main : il me fait grise mine. Durant l'enregistrement de l'émission, son étonnement grandit lorsque je lui affirme ne pas éprouver de sentiments nationalistes envers le Canada : mon attachement et ma fidélité lui sont assurés non par amour mais par raison et intérêt; par esprit civique. Les titillations au claquement de drapeaux et au son d'hymnes nationaux ne sont pas mon fait. Je pourrais ajouter qu'en réalité, le Canada ne me fait battre le cœur que lorsqu'il me découvre les beautés et la variété de sa géographie; ou lorsqu'il fait preuve de compassion à l'égard des démunis de sa société; ou lorsqu'il se montre généreux envers les immigrants et les pays déshérités; ou lorsqu'il fait campagne pour le bannissement des mines terrestres antipersonnel.

André Montmorency me blâme en général pour le ton polémique que j'emploie dans le débat préréférendaire. À quoi s'attendait-il donc? En présence d'ardents militants de deux partis politiques dont le programme implique d'abord et avant tout le démembrement d'un pays auquel je tiens, comptait-il sur une guerre en dentelles? Aurait-il été satisfait que je n'emploie que des termes polis, que des tournures élégantes, que des arguments sans mordant? Ne comprend-il pas qu'il s'agit de l'avenir de vingt-neuf millions d'individus? Faudrait-il laisser l'offensive aux adversaires et se contenter de répliquer timidement? Cela ne me convient ni ne me sied. Il y a une grande proportion d'indécis, il faut les bousculer. André Montmorency prétend qu'il connaît bon nombre de jeunes camarades hésitants que mes propos ont fait basculer dans le parti de la sécession du Québec. Tant mieux! Je vomis la tiédeur. Je préfère de francs adversaires à des alliés par défaut.

SCÈNE XX

Vive le Québec libre!

Le vendredi 24 mars 1995

Les représentations de *Saganash* à Châtillon sont le fruit d'une entreprise conjointe du Conseil des arts de la région métropolitaine de Montréal et du Conseil régional de la région parisienne. Aujourd'hui à midi, déjeuner offert par ce dernier organisme dans un bel hôtel particulier que j'aperçois des fenêtres du minuscule appartement que je loue, rue de Babylone. Nos habitudes canadiennes nous gâtent. À Paris, j'habite dans le VIIᵉ arrondissement, tout ce qu'il y a de plus bourgeois. Pourtant, mon appartement représente à peine le cinquième de la superficie de celui que j'occupe, Blueridge Crescent, dans le quartier Côte-des-Neiges. Transporté à Paris, mon appartement montréalais serait signe d'une aisance de fortune incomparablement plus ample que celle dont je dispose.

Devant mes hôtes français, je m'insurge contre un article, paru dans *Le Figaro*, où le journaliste prétend que *Saganash* est une parabole de la situation politique du Québec. Garou, le jeune héros de la pièce à la recherche de l'ami indien de son enfance, figurerait le Québec en quête de libération. Je fulmine, ce qui a l'air de réjouir mon vieil ami Gilles Lefebvre, président du Conseil des arts de Montréal. J'exprime franchement mon indignation; si la pièce portait tel sens particulier, je n'aurais jamais accepté d'en faire partie. La valeur symbolique de la quête de Garou va bien au delà des frontières du Québec : elle rejoint l'universel. De nos jours, qui n'est pas à la recherche de son identité? À commencer par la France, qui n'est plus le pays unitaire d'après la Révolution.

Je me vide le cœur avec une telle spontanéité que je finis par dérider tout le monde. Le déjeuner se déroule, par la suite, dans la plus grande cordialité.

Qu'est-ce donc que cette cour que les Français, même parmi les rangs des socialistes, se plaisent à faire aux séparatistes du Québec? Je ne vois là-dedans rien de républicain. Ne s'agirait-il pas plutôt d'une régression au passé royaliste de la France? Expression d'un vieux rêve impérialiste enfoui dans son subconscient? Comme le Canada leur semble toujours lié à la Couronne britannique, les Français considéreraient-ils la sécession du Québec comme une sorte de vengeance de la bataille des Plaines d'Abraham, perdue aux mains de leur ennemi séculaire, l'Angleterre? Dans la défaite de 1759-1760, les grands perdants, c'est Montcalm, c'est Lévis, c'est la France. Les habitants du Canada n'ont pas été conquis, lors de cette fameuse bataille. Ils l'étaient déjà. Ils vivaient sous la domination du maître français dans des conditions de soumission féodale. Ils n'ont fait que changer de maître, pour en trouver un beaucoup plus amène, plus courtois que celui de naguère.

Cette façon de voir les choses n'est pas nouvelle. Déjà en 1820, un membre de l'assemblée législative du Bas-Canada s'adressait à ses électeurs de Montréal en ces termes, le jour de sa réélection unanime :

> «... sous le gouvernement français, gouvernement arbitraire et oppressif à l'intérieur et à l'extérieur, les intérêts de cette colonie ont été plus fréquemment négligés et mal administrés que ceux d'aucune autre partie des dépendances françaises. Dans mon opinion, le Canada semble ne pas avoir été considéré comme un pays qui, par la fertilité du sol, la salubrité du climat et le territoire étendu pouvait être la paisible résidence d'une population considérable et heureuse, mais comme un poste militaire dont la faible garnison était condamnée à vivre dans un état d'alarme et de guerre continuelles, souffrant fréquemment de la famine, sans commerce, ou avec un commerce de monopole par des compagnies privilégiées, la propriété publique et privée souvent mise au pillage, et la liberté personnelle chaque jour violée, en même temps que chaque année la poignée de colons établis en cette province étaient arrachés de leur maison et de leur famille pour aller répandre leur sang et

porter le meurtre et la ruine, des rives des Grands Lacs, du
Mississipi et de l'Ohio à celles de la Nouvelle-Écosse, de
Terre-Neuve et de la Baie d'Hudson.

«Telle était la position de nos pères; voyez le changement. George III, souverain respecté pour ses qualités
morales et son attention à ses devoirs, succède à Louis XV,
prince justement méprisé pour ses débauches et son peu
d'attention aux besoins du peuple, sa prodigalité insensée
pour ses favoris et ses maîtresses. Depuis cette époque, le
règne de la loi a succédé à celui de la violence, depuis ce
jour, les trésors, la marine et les armées de la Grande-
Bretagne ont été employés pour nous procurer une protection
efficace contre tout danger extérieur; depuis ce jour, ses
meilleures lois sont devenues les nôtres, tandis que notre
religion, nos propriétés et les lois par lesquelles elles étaient
régies nous ont été conservées. Bientôt après, les privilèges
de la libre constitution nous ont été accordés, garants
infaillibles de notre prospérité intérieure, si elle est observée.
Maintenant la tolérance religieuse, le procès par jury, la plus
sage des garanties qui ait jamais été établie pour la
protection de l'innocence, la protection contre l'emprisonnement arbitraire, grâce au privilège de l'*habeas corpus*,
la sécurité égale garantie par la loi à la personne, à l'honneur
et aux biens des citoyens, le droit de n'obéir qu'aux lois
faites par nous et adoptées par nos représentants, tous ces
avantages sont devenus pour nous un droit de naissance et
seront, je l'espère, l'héritage durable de notre postérité!»

On sera sans doute étonné d'apprendre que ces paroles ont
été prononcées par nul autre que Louis-Joseph Papineau. Le fait
que, quelque quinze ans plus tard, les dérives de l'administration
et les abus des fonctionnaires l'aient amené à lutter contre le
gouvernement impérial et à devenir un peu malgré lui l'instigateur
d'une malheureuse rébellion armée, perdue à l'avance, ne change
rien au tableau qu'il brossait en 1820.

Ce que je viens d'écrire de Papineau va me valoir la vindicte
des ministres d'un culte répandu dans les rangs des séparatistes,
celui des patriotes des rébellions de 1837-1838. Parmi ces patriotes,
il conviendrait d'ailleurs de faire une distinction entre les gens du
peuple, qui ont été poussés à prendre les armes, et leurs meneurs,
de classe bourgeoise. Et à propos de ces derniers, il vaudrait la
peine de réfléchir sur ce jugement, rendu en 1852 :

«Cette insurrection avait été prématurée et inattendue.
Nulle part, le peuple n'y était préparé. Il n'y avait que les

hommes ardents, engagés dans la politique, les agitateurs, leurs partisans et des transfuges, qui virent dans une révolution un remède aux abus existants ou une occasion de satisfaire leur ambition personnelle. Ils s'excitèrent mutuellement; leur imagination se monta, les choses ne leur parurent plus sous leur véritable jour. Tout prit à leurs yeux une grandeur ou une petitesse exagérée.»

Voilà un diagnostic exemplaire de schizophrénie à l'endroit des chefs de cette rébellion. Par qui est-il posé? François-Xavier Garneau, historien contemporain des événements, grand admirateur de Papineau et nationaliste de surcroît. Je n'en dirai pas plus à ma défense.

Pour en revenir à ces Français qui se veulent «compagnons de route» de la sécession du Québec, ne serait-ce pas en quelque sorte, pour eux, une façon de venger la perte de leur colonie d'Amérique septentrionale, il y a un peu plus de deux siècles et demi, que de flirter avec les Parizeau, les Bouchard, les Landry et leurs consorts? En criant «Vive le Québec libre!», de Gaulle annexait les «Français du Canada» à ceux de Saint-Pierre et Miquelon. Boutade? Peut-être pas tant que ça.

SCÈNE XXI
Les vieillards disent certaines choses

J'ai toujours prétendu que l'exclamation, devenue historique, avait échappé à de Gaulle. D'abord, il n'était pas prévu que le Général parle au balcon de l'hôtel de ville de Montréal. C'est devant l'ampleur et l'enthousiasme de la foule, réunie sur la place, que les organisateurs de la réception y transportèrent un micro et invitèrent leur hôte à s'adresser au peuple. Le discours fut donc improvisé. Selon sa coutume, de Gaulle en scanda la fin par de vibrants «Vive Montréal! Vive le Québec!» Normalement, par progression géographique, c'est «Vive le Canada!» qui aurait dû suivre. Mais il y eut une très brève hésitation, et sortit finalement le cri que nul n'attendait: «Vive le Québec... libre!», suivi de «Vive le Canada français et vive la France!» En prononçant le fameux «libre», le Général avait levé haut l'index comme pour signifier: «Attention: vous allez l'avoir le mot que vous réclamez de moi depuis mon arrivée.»

Durant tout le voyage entre Québec et Montréal, le long du Chemin du Roy, de Gaulle s'était fait seriner le message par un commando de membres du RIN, qui doublait la caravane du président de la République, en empruntant les routes vicinales, et la précédait à la sortie de chacune des agglomérations pour l'y accueillir par d'assourdissants : « Vive la France ! Vive le Québec libre ! » en brandissant des drapeaux fleurdelisés. Ils donnaient ainsi l'impression du nombre et du consentement majoritaire. Je n'invente rien : j'ai entendu l'un des membres de ce commando se plaire à rappeler le fait.

Ainsi conditionné, de Gaulle se retrouva sur le balcon de l'Hôtel de ville, jouissant du spectacle, à ses pieds, de milliers de jeunes qui l'acclamaient en agitant l'ancien drapeau du Sacré-Cœur qui, débarrassé du cœur flambant de Jésus en son centre par Duplessis, sert dorénavant d'emblème au Québec en général, et aux séparatistes tout particulièrement. Démonstration concluante du réflexe de Pavlov : soumis à cette scène, et à cette clameur qui le reportait au trajet de la veille, de Gaulle s'écria automatiquement : « Vive le Québec... libre ! » Durant un banquet ultérieur offert par le maire Jean Drapeau, poliment rabroué par lui, le Général affichait l'air renfrogné d'un gamin pris en faute. J'ai déjà communiqué ma version des faits à des Français, qui s'en trouvèrent outrés. Même un anti-gaulliste notoire, comme Jean Vilar, m'assura qu'il était absolument impossible que le Général ait prononcé une seule parole qui ne fût pas réfléchie et pesée.

Pourtant, l'événement me fut rapporté quelques années plus tard par Jules Léger, dans des termes qui me confirment dans mon interprétation. Lors du voyage de de Gaulle au Québec, en 1967, Jules Léger était ambassadeur du Canada en France. Quand il en rentra, il fut nommé sous-ministre au Secrétariat d'État, prédécesseur du ministère du Patrimoine. C'est à ce titre qu'il fut invité à une des assemblées annuelles de la Conférence canadienne des arts, que je présidais. À la table d'honneur en sa compagnie, je le blaguai sur la « retraite fermée » à laquelle l'avait soumis le président de la République française, après sa visite au Québec, lors de l'Expo. À sa réaction, je m'aperçus que Jules Léger, homme de finesse et de sensibilité, avait souffert de cette mise à l'écart durant laquelle même les audiences les plus routinières lui étaient la plupart du temps refusées. Puis, il passa naturellement à des souvenirs moins pénibles, pour en venir au mémorable discours du balcon de l'hôtel de ville de Montréal.

Comme ambassadeur du Canada en France, Jules Léger faisait partie de la suite du général de Gaulle, en 1967. Au moment de l'arrivée à l'Hôtel de ville, il se trouvait dans une limousine, loin derrière celle du président, en compagnie de Couve de Murville, alors ministre des Affaires étrangères dans le gouvernement français. La cohue était telle qu'ils durent quitter leur limousine pour se rendre sur place, à pied. Lorsqu'ils entrèrent dans le hall d'honneur de la mairie, de Gaulle avait terminé son discours du balcon, la rumeur en circulait, et déjà un appel téléphonique d'Ottawa attendait Jules Léger : le premier ministre Lester-B. Pearson s'enquérait des mots stupéfiants prononcés par le Général. Avait-il bien entendu ? À vrai dire, l'ambassadeur se doutait, d'après les bribes de conversations perçues depuis son arrivée, qu'un incident du genre s'était produit mais, en bon diplomate, il songea à se ménager du temps. Il expliqua que, entré tardivement à l'Hôtel de ville, il n'avait pu entendre les paroles du Général, mais qu'il allait vérifier et faire rapport le plus tôt possible.

Il s'adressa à Couve de Murville, le mettant au courant de la conversation téléphonique qu'il venait d'avoir. Le Ministre songea, lui-aussi, à se ménager du temps ! Il fit valoir qu'ayant passé le seuil de l'Hôtel de ville ensemble, ils se trouvaient, lui-même comme l'ambassadeur canadien, tous deux dans la même ignorance. Il l'assura qu'il allait vérifier et lui faire rapport le plus tôt possible. En réalité, l'un et l'autre étaient à ce moment-là parfaitement au courant de ce qui s'était passé. En fin de compte, il fallut que Jules Léger rentre en contact avec son Premier ministre, et lui confirme *qu'il avait bien entendu ce qu'il avait entendu!* Pearson resta silencieux pendant un moment. Puis il pria son ambassadeur de solliciter une audience auprès du Général, de lui dire qu'il était toujours le bienvenu dans la capitale nationale, mais que le gouvernement canadien lui serait reconnaissant, à l'occasion d'un discours dans les prochains jours, d'avoir des commentaires bienveillants envers la Fédération.

Le lendemain, audience était accordée à Jules Léger. Informé de la requête du premier ministre du Canada, de Gaulle réfléchit brièvement et conclut : « Monsieur l'ambassadeur, il arrive que les vieillards disent certaines choses, et quand elles sont dites, elles sont dites.» Le président de la République rentra en France sans passer par Ottawa.

Les principaux acteurs de cet épisode sont morts. Ils ne peuvent donc confirmer ni infirmer cette déclaration. Par ailleurs, je ne l'ai nulle part vu ou entendu citée. Toutefois, je certifie rapporter presque *verbatim* le récit de Jules Léger. Il dote ce légendaire «Vive le Québec... libre!» d'un éclairage pour le moins inusité. Se pourrait-il qu'il eût été récupéré par les gaullistes et leurs protégés québécois, et imbriqué, après le fait, dans un plan prétendument établi de longue date?

Les séparatistes ont l'habitude de parler très haut et d'occuper toutes les tribunes. Aussi leurs clameurs de contentement couvrirent-elles, au moment de l'incident, les voix des protestataires et ont-elles fait oublier jusqu'à maintenant certains témoignages qu'on ne saurait soupçonner d'inspiration partisane. Ainsi de celui de la célèbre romancière, Gabrielle Roy, qui n'avait pourtant pas coutume de se mêler de politique. Elle prit la peine d'adresser à la *Presse canadienne* un communiqué qui commençait par ces mots : «Je proteste contre la leçon que le général de Gaulle prétend donner à notre pays», et se terminait par ceux-ci :

«De tout mon espoir en l'avenir humain, de toutes mes forces, j'engage mes compatriotes qui se considèrent non pas comme des Français du Canada mais des Canadiens français, à manifester en faveur de la vraie liberté au Québec.

«Car elle risque fort de nous être ôtée si nous la laissons petit à petit, par inertie, aux mains des extrémistes ou des chimériques attardés en des rêves nostalgiques du passé, plutôt que les yeux ouverts sur les réalités de notre condition humaine sur le Continent.

«La grandeur pour nous consiste non pas à défaire mais à parfaire nos liens.»

Admirable! Si j'avais eu la même notoriété et le même génie qu'elle, je ne me serais pas exprimé autrement. Mais il y en a qui se complaisent encore dans le paternalisme de nos anciens colonisateurs.

SCÈNE XXII
Pauvre, pauvre, pauvre Algérie

Le mercredi 31 mai 1995

Je pilote Hocine Aït-Ahmed, chef du Front des forces socialistes d'Algérie, lors de son passage à Ottawa. C'est mon amie Moussia (l'écrivain Marie Cardinal) qui m'a mis dans le coup. Au début du printemps, elle m'a présenté à un groupe d'immigrants d'Algérie, Berbères pour la plupart, qui désiraient organiser un voyage de promotion pour leur dirigeant socialiste. Ils souhaitaient une invitation officielle de la part du gouvernement canadien, qui se trouverait à assurer en même temps sa sécurité. Car des menaces pèsent sur sa personne. J'ai réussi en partie : Aït-Ahmed a des rendez-vous avec de hauts fonctionnaires du bureau du Premier ministre et dispose de gardes du corps.

Le Front des forces socialistes est reconnu en Algérie comme le plus important parti d'opposition après le parti islamique. Il est le seul, m'affirme-t-on, à offrir un autre choix que celui de l'intégrisme musulman ou de l'autoritarisme du gouvernement actuel, soutenu par les militaires. Entre la violence et la répression, les Algériens sont soumis à un régime de terreur où les cibles préférées des fanatiques sont tous ceux et celles qui prêchent la tolérance et la coexistence pacifique des Algériens de souches et de religions différentes : les femmes libérées, les intellectuels et les étrangers. Les enfants, aussi, par bavure, par révoltant moyen de pression, par froide cruauté. C'est une hécatombe à la bombe artisanale et à l'arme blanche, d'un côté, au fusil mitrailleur, de l'autre. Plus de 60 000 morts depuis l'annulation de l'élection, en 1992.

C'est toujours avec une sympathie attentive que j'ai observé la trajectoire qu'a suivie l'Algérie depuis sa lutte pour sa libération du joug colonial français, dans les années cinquante, et les efforts généreux des forces progressistes de cette nouvelle nation afin d'y instaurer une véritable démocratie. En vain d'ailleurs. Ainsi, lors des élections de fin 91, même si les résultats anticipés de la consultation populaire laissaient prévoir une regrettable victoire des intégristes musulmans les plus fanatiques, ai-je éprouvé des sentiments teintés d'inquiétude lorsque le processus électoral a été suspendu, sous prétexte de fraudes et d'irrégularités. Il aurait fallu, me semble-t-il, jouer à fond le jeu démocratique, et s'employer à bâtir une opposition vigilante et dynamique dans l'espoir que, ajoutée à l'absence de tout véritable programme politique, leur inefficacité à gouverner oblige les élus du FIS à quitter le pouvoir après un certain temps. Mais cela est affaire d'opinion, et je ne suis pas expert en la matière.

Aujourd'hui, à l'occasion de cette visite de Hocine Aït-Hahmed, si mon intervention a pu faire avancer la cause de la liberté et de la paix dans cette malheureuse Algérie, d'aussi loin et aussi peu que ce soit, je m'en réjouis et m'en félicite.

SCÈNE XXIII
Plaidoyer en faveur du contrôle des armes à feu

Le jeudi 22 juin 1995

Au moment de la deuxième lecture au Sénat du projet de loi C-68 concernant les armes à feu, je fais une intervention résolument pathétique. Elle débute par la citation presque *in extenso* du compte-rendu de la *Gazette*, daté du lendemain du carnage de Polytechnique. Je me permets des effets : la fin justifie les moyens.

Je traite ensuite, de façon détaillée, de plusieurs points d'ordre purement technique comme celui de l'enregistrement obligatoire des armes et du système qui sera mis en place pour y arriver. J'aborde enfin un point délicat : celui des droits acquis par les aborigènes, droits enchâssés dans la Constitution, et du respect de leurs traditions ancestrales. «Dans leur cas, fais-je valoir, le système d'enregistrement des armes à feu s'appliquera de la même manière qu'à tous les autres citoyens canadiens, comme il se doit. Je ne suis pas en faveur de dispositions différentes pour le Nord et pour le Sud, comme le préconise le sénateur Watt. Il y aurait lieu, cependant, de prévoir un règlement spécial pour satisfaire aux revendications légitimes de ceux qui pratiquent la chasse de subsistance, et pour tenir compte des droits et des traditions des autochtones.»

Je conclus en conjurant mes honorables collègues de ne pas retarder l'adoption par le Sénat de la loi sur le contrôle des armes. «Songeons aux quatorze malheureuses victimes du massacre de l'École polytechnique». Mon discours est accueilli par quelques bravos. Je réponds ensuite de mon mieux aux objections des sénateurs conservateurs. Le dernier qui intervient, madame Spivak, déclare pourtant qu'elle a été émue par mes paroles et m'en remercie.

SCÈNE XXIV

À Tracadièche

Le samedi 8 juillet 1995

En vacance du Sénat, me voici sur les rives de la baie des Chaleurs, pour jouer dans un petit théâtre de Carleton. Ne pas prononcer à l'anglaise, *Carlton*, mais bien comme les gens de la région, Carletonne. Dans un carnet préparé pour les vacanciers, on apprend que c'est le lieutenant de Wolfe, Sir Guy Carleton, deux fois gouverneur général du Canada, qui donna son nom à la localité, baptisant du même coup le village voisin du prénom de son épouse : Maria. Autrefois, Carleton s'appelait Tracadièche, qui signifie en micmac : *lieu où il y a beaucoup de hérons*. Le fait est que le matin, à marée basse, j'en vois quelquefois plus d'une demi-douzaine au large. Leur élégant col bleu domine la surface de la mer. Ils sont longtemps immobiles ; puis, d'un mouvement brusque, plongeant leur bec dans l'eau, pêchent le poisson dont ils font leur menu. S'étant rassasiés, il prennent un envol mesuré, pour se poser plus loin. Malgré le respect obligé envers l'un de ceux à qui les francophones d'Amérique septentrionale doivent en grande partie leur survivance, grâce à l'Acte de Québec de 1774, j'espère que dans un prochain avenir, on rendra son nom micmac à Carleton. La toponymie serait mieux servie par le sonore *Tracadièche* que par le banal *Carleton*, même prononcé à la française.

Je joue dans une jolie pièce adaptée par Michel Tremblay : *6 h au plus tard* de Marc Perrier. L'auteur est peu connu, n'ayant vraisemblablement pas écrit grand-chose d'autre. La première a lieu dans trois jours. Le petit théâtre où se dérouleront les représentations est baptisé La Moluque. D'aucuns prétendent qu'il s'agit d'une déformation de «molue», ancienne graphie du mot «morue» ;

d'autres, que ce fut façon courante, à une certaine époque, de désigner les mollusques — bigorneaux, oursins, palourdes et moules — qui peuplent le littoral.

J'habite près de New Richmond dans un confortable chalet que m'a déniché le député libéral fédéral de Bonaventure-les-Îles, Patrick Gagnon, originaire de la Gaspésie. Il faut bien que le titre de sénateur serve à quelque chose! La nature est généreuse; la forêt, partout abondante (gare aux feux!). Les sommets des monts Shickshocks qui bordent la région au nord, sans être tourmentés, sont tout de même plus escarpés et plus élevés que les douces pentes des Appalaches baignées par mon petit lac Saint-Mathieu, près du Bic, où j'avais passé une bonne partie de l'été, il y a deux ans.

Mes voisins, les propriétaires, habitent à moins d'un jet de pierre. J'en éprouve d'abord quelque appréhension : leurs assiduités pouraient fort bien gâcher mon séjour. Je me trompe heureusement : ils se montrent d'une discrétion et d'une délicatesse absolues. Après m'avoir accueilli, ils ne se manifestent plus depuis quelques jours. Il faudra que j'aille moi-même frapper à leur porte. C'est alors seulement qu'ils se permettent une conversation un peu plus personnelle. Ils me témoignent leur reconnaissance de ce que je me porte à la défense du Canada et, laissant aller leurs regards de l'autre côté de la Baie, expriment leur crainte que cette côte, qui se profile à l'horizon, puisse un jour leur devenir étrangère. Cela dit très simplement, sans la moindre affectation.

Oui : ce panorama est grandiose. L'étudiant en médecine ressurgit en moi, et s'étonne des merveilles de l'organisme humain : l'œil perçoit une image qu'il transmet au cerveau et, par neurones interposés, cette image finit par créer une émotion perceptible au niveau de la gorge et des tripes. À la fois envie de rire et de pleurer. Quand je pousse jusqu'à la limite du petit promontoire qui domine la Baie, entre la langue de terre où pointe le clocher de l'église de New Richmond et la côte du Nouveau-Brunswick, mon regard se perd déjà, me semble-t-il, dans l'immensité de l'océan. Le matin, je descends sur la plage de galets faire prendre ses ébats à Zoé, ma fidèle et adorable compagne quadrupède. Elle flaire l'eau saline, le goémon, puis relève le museau vers le large. Peut-être nous remémorons-nous inconsciemment, tous deux, une très ancienne vocation de marin. Revenus à Montréal, à la fin du mois d'août, nous aurons fait de précieuses réserves de beauté, d'iode et d'air pur.

SCÈNE XXV
Toujours le trac des premières

Le mercredi 12 juillet 1995

De retour au chalet, après la première de *6 h au plus tard*. Bonne représentation, ma foi! Réaction enthousiaste aux saluts de la fin. Toujours le trac malgré près de soixante ans de métier. Sarah Bernhardt n'avait-elle pas rétorqué à une débutante, qui lui déclarait ne pas savoir ce que c'était : «Patientez, ma petite : ça vous viendra avec le talent!»

Les heureux hasards de la carrière font que le spectacle ait été monté par Garry Boudreault, et que mon unique partenaire soit Jean-François Casabonne, deux jeunes artistes que j'avais dirigés, il y a huit ans, dans *Le Parc* de Botho Strauss, lors de leur dernière année au Conservatoire d'art dramatique de Montréal. Ce *Parc* ne m'est pas un souvenir sans nuages : malgré mes efforts, j'ai du mal à saisir l'essence de la dramaturgie allemande d'après-guerre, trop tourmentée et «labyrinthique» à mon goût. J'ignore si Garry et Jean-François en ont eu conscience, à ce moment-là. En tout cas, ils se disent enchantés de me retrouver en camarade. C'est réciproque. De tels renversements de situation ne surviennent probablement qu'assez rarement, sinon jamais, dans d'autres métiers. Ils constituent une assurance de bonne forme. Comment devenir vieille barbe lorsqu'on a l'avantage de contacts professionnels soutenus avec de jeunes camarades? Ce ne peut être que revivifiant, pourvu bien sûr de ne pas jouer le patriarche, ni le grand sage. Quoi qu'il arrive, une fois le spectacle lancé, chacun sur scène est l'égal de l'autre.

La pièce ne comporte pas de véritable «leçon», pour emprunter ce terme au vocabulaire brechtien. Mais il y est question d'affrontement de générations, de confrontation de mentalités, de découverte d'une amitié affectueuse entre un adolescent marginal et un vieillard excentrique, le tout ayant comme toile de fond une intrigue de hold-up. C'est spirituel et goguenard, dénué de prétention. Le public peut s'y amuser ferme sans perdre son temps, un vrai divertissement dont on sort l'esprit léger et l'humeur souriante.

Ici comme au Théâtre les gens d'en bas du Bic, je trouve une équipe de jeunes qui ont décidé de revenir dans leur région, une fois leurs études terminées à l'université, ou dans une des écoles de théâtre de Montréal et de ses environs. Dire que j'éprouve de l'admiration à leur égard serait, en l'occurence, péjoratif, relevant d'un paternalisme que je m'efforce d'éviter. Sans doute leur eût-il été plus facile de rester dans la grande ville et de se débrouiller pour y trouver du travail. Ce n'est pas surtout du courage qu'il faut pour s'en détacher; il suffit en quelque sorte de se laisser porter par la force d'inertie qui attire vers ses racines.

Après quelques semaines de répétitions à Montréal, le régisseur Guillaume Cyr anticipait le plaisir de respirer à nouveau l'air marin de la Baie dès que, sur la route du retour, il apercevrait Matapédia. De son côté, Alain Bernier, le directeur de production, me tient un discours passionné sur la revalorisation des grands centres, grâce à la prospérité des régions. C'était le sujet de sa thèse de maîtrise à l'UQAM. D'après lui, plutôt que de rogner sur les communications ferroviaires, il faudrait au contraire les amplifier pour provoquer des échanges productifs. Il devrait prêcher la bonne parole à Québec et à Ottawa. Sa foi pourrait être communicative!

Reste que dans leur environnement régional, des gens comme Eudore Belzile, au Bic et à Rimouski, ou Jean-Jacques Dugas, à Carleton, font un travail qui, pour être presque toujours méconnu, n'en est pas moins exceptionnel. Non seulement présentent-ils du théâtre de grande qualité avec des exigences de professionnalisme absolu, mais encore accomplissent-ils un travail d'animation remarquable auprès de la population dont ils connaissent les attentes et les besoins, étant nés dans ce coin de pays, y ayant grandi et y ayant fréquenté la petite école et le CEGEP. La une des journaux n'en parle jamais. Les reportages de télévision en font rarement mention. Il faudrait pourtant sensibiliser l'opinion publique à ce genre d'obscur mérite.

SCÈNE XXVI
King Lear rides again

C'est ainsi que, grâce au dynamisme d'Eudore Belzille, je réglai mes comptes, de façon que je veux définitive, avec mon *Roi Lear*. En effet l'été dernier (1994), produit par Les gens d'en bas, la Société Radio-Canada de la région et le Musée de Rimouski, je présentai un spectacle en solo constitué de commentaires, de récits et d'illustrations gravitant autour du personnage et de la pièce de Shakespeare, de même que du théâtre en général. Le tout se déroulait dans une très jolie petite salle, sentant bon le bois franc, au dernier étage de ce magnifique musée aménagé dans une ancienne chapelle historique. À cette occasion, je me suis payé un trac comme je n'en ai jamais connu ; au point de songer secrètement à tout annuler, la veille de la première. Les quelques représentations se déroulèrent cependant de façon très agréable, en dépit de l'opinion d'un critique de Montréal qui déplora le caractère didactique du spectacle. Comme cela répondait en grande partie à mes intentions, l'observation finit par me plaire.

SCÈNE XXVII
Réponse écrite à André Montmorency

Le vendredi 14 juillet 1995

Cette première, donc, de *6 h au plus tard* ayant eu lieu, mes journées sont désormais libres. J'en profite pour mettre ma correspondance à jour. Plusieurs lettres, provoquées par mes commentaires au sujet du référendum, sont en souffrance. Entre autres, celles qui me sont venues de gens pour qui je nourris une affection ou un respect particuliers, et que j'ai retenues pour pouvoir leur donner une suite convenable. Je réponds à mon compositeur qui aurait souhaité que je me condamne moi-même à l'amende honorable. Il y a aussi André Montmorency, qui m'a adressé sa lettre par les journaux. Comme c'est ainsi devenu affaire de notoriété publique, il n'y a aucune indélicatesse à ce que je reproduise ici ma réponse *in extenso*. Elle porte date du 25 septembre. C'est alors seulement, en effet, que je pus la transcrire au propre et l'expédier :

«Cher André,

«J'ai bien tardé à te faire cette réponse. C'est normal : j'ai accordé à ta lettre beaucoup plus d'importance qu'aux nombreuses lettres d'injures que me valut ma prise de position, l'hiver dernier, au sujet de la résurgence du nationalisme au Québec, et de l'éventuelle sécession qu'elle pourrait entraîner.

«Avant tout, un petit reproche : c'est par un journaliste que j'ai appris l'existence de la réplique que tu me destinais. Il eût été plus correct, de ta part, de me la faire parvenir avant de la communiquer à la presse. Mais passons sur cette formalité qui doit te paraître bien désuète.

«Certains de tes commentaires exigent quelques précisions, car tu prêtes à ma conduite et à mes attitudes des trente dernières années, des significations qu'elles n'impliquent pas.

«Comme directeur artistique du TNM, de 1966 à 1982, je me suis toujours interdit de donner quelque caractère politique que ce soit à mes choix de répertoire ou de collaborateurs, à l'occasion des productions de l'une ou de l'autre saison. Songes-tu à me le reprocher? C'était une attitude à la fois idéologique et pratique : avec le milieu infesté de séparatistes, s'il m'avait fallu utiliser un filtre fédéraliste, je me serais privé de grands talents, comme le tien. Soit dit sans forfanterie. À mon souvenir, je n'ai pris que deux fois des décisions fondées sur des considérations qui n'étaient pas exclusivement artistiques. Une première fois, en faisant distribuer aux spectateurs de *Jeux de massacre*, un feuillet dans lequel l'équipe du TNM protestait contre la Loi des mesures de guerre, promulguée en octobre 1970 à la requête du Premier ministre du Québec; une deuxième, en refusant une pièce de Robert Gurik, intitulée *Échec à la Reine*, parce que, à mon avis, elle constituait un appel délibéré à la violence, ce qu'en conscience je ne pouvais endosser.

Jean-Louis Roux dans le Roi Lear,
spectacle solo
1994

photo : Benoît Vaillancourt

« Passant du TNM à l'École nationale de théâtre du Canada, je maintins la même attitude qui me permettait, comme tu me l'écris, "de fonctionner entouré d'indépendantistes, souverainistes, séparatistes avoués, sans pour autant (me) sentir agressé". Je me rappelle pourtant qu'à l'occasion d'un exercice interne d'élèves en interprétation, j'avais dérogé à cette règle pour faire remarquer à Michelle Rossignol, à Michel Garneau et à Louise Lemieux, que le collage d'extraits de pièces de Jacques Ferron, tel qu'ils l'avaient fait présenter par des étudiants et des étudiantes, constituait une provocation envers tous les anglophones de l'École — professeurs, étudiants et membres du personnel (Ferron avait, en effet, l'anglophobie facile) —, les priant implicitement et bien discrètement d'user de plus de discernement à l'avenir. Je n'eus d'ailleurs pas à intervenir de nouveau. À part ces exceptions, je n'ai jamais dévié de ma « neutralité » officielle.

« Parlons maintenant d'auteurs. Pour ce qui est de Michel Tremblay, il est vrai qu'en 1978, j'ai rescapé *Sainte Carmen de la Main*, abandonnée par la Compagnie Jean-Duceppe. Mais avoue que Carmen chante bien discrètement les vertus du nationalisme québécois. S'il en était autrement, la pièce serait sûrement reprise, de nos jours, par la Compagnie Jean-Duceppe, par exemple, puisque son fondateur s'est montré, sur la fin de sa vie, un si ardent porte-parole du séparatisme. Pour les autres pièces de Tremblay, ce n'est ni dans *L'Impromptu d'Outremont*, ni dans *Bonjour, là, bonjour...* que les nationalistes peuvent puiser beaucoup d'inspiration.

« Toujours à propos d'auteurs : Jean-François Caron. Il faut vraiment avoir l'esprit biaisé, comme certain journaliste du *Figaro* ou comme le metteur en scène François Ranciac, pour voir dans *Saganash* une apologie de l'indépendance du Québec. Deux passages de la pièce font des allusions directes à la situation que nous traversons actuellement. D'abord, lorsque Manuel, le frère aîné, veut attirer à Montréal quelqu'un dont il croit qu'il pourra l'aider à retrouver son cadet en fuite. Il lui fait transmettre le message suivant : "Dites-lui que le Canada, c'est... le Canada, c'est... le Canada... Il pourra pas résister !" Cette réplique m'a toujours fait rire, car elle illustre l'incapacité de certains fédéralistes à exprimer les raisons de leur attachement au Canada.

« Plus loin, une scène se déroule entre Garou, le fugueur, et sa nouvelle maîtresse française, Sullivan. L'un et l'autre se dérobant à leur destin, ou leur milieu, ou leur identité (individuelle ou collective, qui sait ?), se sont réfugiés dans le Grand Nord. Garou craint que les parents de Sullivan ne viennent les débusquer dans leur cachette, à l'occasion de la fête de Noël. Finalement excédée, la Française s'écrie : "Il y a autant de possibilités que mes parents viennent me rendre visite ici, que le Québec n'accède à son indépendance !" Voilà tout le plaidoyer de l'auteur pour la séparation.

« Je manque sans doute de subtilité ; mais quand j'ai lu la pièce, je n'y ai décelé aucune parabole sur l'indépendance du Québec. S'il en eut été autrement, je serais étonné que, me connaissant, Michelle Rossignol me l'eût proposée. Lorsque j'ai accepté d'y jouer, je n'avais pas encore accédé au Sénat ; par la suite, je n'ai pas jugé bon de revenir sur mon engagement. D'ailleurs, Jean-François eut la délicatesse, bien avant le début des répétitions, de me prier de lui signaler tout ce qui aurait pu me gêner dans sa pièce, compte tenu de mes convictions fédéralistes partout et toujours affichées. Je ne lui ai pas demandé la moindre modification, ne fût-ce que d'un seul iota. Si tu as lu la pièce depuis — car lors de la rédaction de ta réponse, tu ne la connaissais pas —, tu as pu constater que rien ne pouvait autoriser de ma part un refus d'y jouer, pour quelque raison politique que ce soit. Que l'auteur soit "le plus ouvertement souverainiste au Québec", comme tu me l'écris, ne me le rend pas pour autant "intouchable". L'idée ne me viendrait jamais de refuser de jouer dans une pièce pour cette unique raison. Jean-François a droit à ses opinions en matière de constitution, opinions qu'il n'étale pas dans *Saganash*, et j'ai droit aux miennes.

« Dans le même ordre d'idée, malgré ce qui nous oppose, Gaston Miron reste pour moi l'un de nos plus grands poètes vivants ; Pierre Vadeboncœur, l'un de nos meilleurs essayistes et stylistes ; Chapleau, un caricaturiste de grand talent (j'aimerais bien posséder l'original de la caricature que je lui ai inspirée !). Que certains de mes correspondants me déclarent qu'ils n'assisteront plus jamais à un spectacle dans lequel je jouerai, non seulement me laisse interdit (tu dois sûrement apprécier le jeu de mots !), mais me fait deviner quel genre de tolérance prévaudrait dans l'esprit de certains citoyens d'un Québec indépendant et séparé.

« Aujourd'hui, depuis que j'ai quitté le TNM et l'École nationale, j'ai recouvré mon entière liberté d'expression. Et l'élection de 56 députés du Bloc québécois à la Chambre des Communes du Canada, en 1993, l'élection du Parti québécois au gouvernement du Québec, en 1994 (avec

0,3 pour cent de majorité dans l'expression du vote populaire), l'annonce ultérieure de la tenue d'un référendum sur l'avenir de notre société, m'incitent à m'exprimer publiquement. Cela n'a rien à voir avec ma nomination au Sénat, mais plutôt avec le fait que je ne peux souffrir que certains intellectuels se musèlent volontairement, craignant que l'expression de leurs convictions "ne leur fasse trop d'ennemis". Pour ma part je n'obéis à aucun mot d'ordre, pas plus que je ne m'aligne sur quelque stratégie ou quelque tactique que ce soit. Je n'ai consulté personne avant d'accepter l'invitation du *Point*, que je n'ai d'ailleurs sollicitée d'aucune façon, et personne ne m'a dicté mes paroles. Tu me fais injure de sembler insinuer le contraire. Tu dis que "j'ai raté une belle occasion de me taire". André, tu me renverses : tu rejoins le même langage que le correspondant qui, m'adressant ses injures par la poste, m'enjoint de "me la fermer". Est-ce ainsi qu'on érige une société démocratique fondée sur le droit et sur la justice ?

« Après ces mises au point, j'en viens à mes propos. Je crois comprendre que tu me reproches principalement trois choses : mon allusion au silence de nombre d'intellectuels allemands, durant la montée du nazisme dans les années trente ; le fait que j'aie affirmé que tout nationalisme porte virtuellement en soi les germes de violence, qui peuvent aboutir à des drames comme ceux auxquels nous avons assisté en ex-Yougoslavie (Sarajevo) et en Tchétchénie (Groznyï) ; et mon intention déclarée de songer à quitter le Québec, advenant sa sécession de la fédération canadienne.

« En ce qui concerne le silence des intellectuels québécois : en discutant avec l'un d'eux — et pas des moindres — dont je connaissais les convictions fédéralistes, je le conjurais de prendre position publiquement. Ce à quoi il se refusait car, me dit-il, il se sentirait isolé dans son propre milieu. J'en étais consterné. Pour moi, en de telles circonstances, silence équivaut à acceptation, à endossement tacite de la situation qu'autrement on dénoncerait, si on ne craignait des mesures répressives. En l'occurence, nul exemple ne m'en semblait plus concluant ni plus contemporain que celui que j'ai donné. Tout en insistant deux fois plutôt qu'une sur le fait que l'idée ne me venait d'aucune façon d'établir le moindre parallèle entre l'Allemagne nazie et le Québec d'aujourd'hui. Tu prétends, comme d'autres de tes amis, que cette précaution était inutile puisque "le mal était fait". De cela, je ne me sens plus responsable. C'est vous qui coiffez le chapeau, vous masquant ainsi la vue et vous bouchant les oreilles.

« Mon cher André, j'ai connu les événements d'octobre 70 : j'y ai déjà fait allusion. Toi, tu n'en as qu'entendu parler : tu étais trop jeune. Mais je vais te faire une confidence. À l'annonce de l'assassinat de Pierre Laporte, j'ai pleuré. Non seulement sur le sort d'une victime démunie ; mais surtout sur le fait que nous ne pouvions plus, comme société, nous prétendre à l'abri de l'assassinat politique et du terrorisme. Peut-être si, dès les premières bombes, dès le premier mort innocent, nous avions clamé notre désaveu de ce genre d'action et d'intervention, peut-être aurions-nous pu éviter le pire. Mais dans notre milieu, nous nous sommes tus. Je me suis tu : cela ne me concernait que de loin. Beaucoup d'entre nous se réjouissaient même de l'attention que le Québec se valait ainsi sur le plan international. Nous ne savions pas qu'on ne joue pas impunément avec le feu. Eh bien, cette fois, je ne veux pas me contenter de verser inutilement des larmes après coup, après le fait accompli. Je ne veux pas permettre à certains de mes concitoyens de jouer avec la séparation, dans le trompeur espoir d'un plus grand pouvoir de négociations avec les autres provinces. Pendant qu'il en est encore temps, je me dois en conscience de parler. Et dans la mesure de mes moyens, je parle. Haut et fort.

« Pour ce qui est de Groznyï et de Sarajevo : nul doute, pour moi, que le sort de ces deux villes et de leur malheureuse population démontre les excès du nationalisme, surtout lorsqu'il se fonde sur la notion d'ethnie. À Sarajevo en particulier, les citoyens bosniaques souhaitent le maintien d'une société multiethnique, multiconfessionnelle et pluriculturelle ; mais ils sont pris en otage par les Serbes et les Croates dont certains sont de forcenés nationalistes ethno-religieux.

« Loin de moi l'idée d'affirmer que la sécession du Québec entraînerait des affrontements armés. La grande tradition démocratique du Canada est trop profondément ancrée pour cela. Mais des raidissements d'attitude : oui ; de l'intolérance réciproque : oui ; de la violence psychologique : oui ; un certain aveuglement : oui. Et cela, malgré la meilleure volonté des plus éclairés d'entre nous. Je n'en veux pour preuve que les excès de langage des militants des deux camps ; pour preuve, que certains commentaires au sujet des immigrants, non seulement de la base au sein des commissions régionales, mais dans la bouche du ministre Landry ou de celle de Marcel Masse ; pour preuve également, les malheureuses déclarations de Pierre Bourgault et de Jacques Parizeau, au sujet de la presse ; pour preuve enfin le saccage de locaux arborant les affiches du *oui* ou du *non*. Toutes ces choses peuvent fort bien déboucher sur des affrontements qui risqueraient de ne pas être que verbaux, comme les nôtres, malgré tout cordiaux, du moins je le souhaite.

« J'en viens finalement à ce que tu considères comme le plus grave : ce que tu appelles mon exil. J'ai en effet déclaré que si le Québec se séparait du Canada, j'exercerais une extrême vigilance, et qu'à la moindre manifestation d'intolérance, je songerais à aller vivre ailleurs. Tu te dis "trahi" — et je te cite — par l'un de ceux "... qui ont allumé (en toi), à l'adolescence, la flamme de (tes) fibres nationalistes qui étaient bien inconnues de (toi) pendant les années cinquante". Mon cher André, il y a maldonne. Je veux bien avoir contribué — et je m'en enorgueillis — à ta découverte du théâtre, à ta révélation de Molière, à l'affleurement de tes racines culturelles. Mais quant à ta fierté de Québécois nationaliste, je me récuse. Regarde bien les affiches qui annoncent nos représentations au Théâtre des Nations, en 1958 : le nom du Canada y apparaît en plus gros caractère que tout autre, et celui du Québec n'y est même pas mentionné. À la vérité, soit dit entre toi et moi, nous défendions alors surtout les couleurs du Théâtre du Nouveau Monde. Un point c'est tout. Dans ton fantasme, tu nous a enveloppés dans le drapeau fleurdelisé et, maintenant, tu m'accuses de t'avoir menti ; tu déclares ne pas pouvoir me le pardonner et tu me fais grief d'avoir choisi une "malheureuse façon de passer à l'histoire du théâtre" (ce qui par ailleurs constitue le cadet de mes soucis). Autant de blâmes qui ne m'atteignent pas. Mes crimes n'existent que dans ton imagination. Je n'y suis pour rien.

« Après ce long plaidoyer défensif, il serait à peu près temps que je te présente mes convictions. J'eusse de beaucoup préféré m'asseoir avec toi et t'en expliquer tranquillement les raisons. Faute de quoi, je te les offre ici en quelques brèves formules.

« En préambule : je déclare avant tout déplorer l'intolérance, l'aveuglement et l'injustice, où qu'ils se trouvent et d'où qu'ils viennent. Ce n'est pas parce qu'il s'en produit au Canada anglais que la province de Québec serait justifiée de s'y laisser aller. Je ne comprends donc pas où tu veux en venir lorsque tu soulignes que les anglophones sont mieux traités au Québec, que les francophones dans les autres provinces canadiennes. Cet état de choses est tout à l'honneur de notre société, et les fédéralistes "de mon acabit", comme tu dis, souhaitent sincèrement qu'une telle attitude — normale en saine démocratie — serve d'exemple partout, ainsi qu'à toutes et à tous. De même qu'ils souhaitent que soit redressée toute injustice et corrigé tout préjudice que pourrait subir la société québécoise, de la part du gouvernement central ou des autres provinces canadiennes.

« Seulement, pour améliorer la situation, point n'est besoin de faire sécession. Point n'est besoin de négociations au sujet d'un partenariat économique et politique, sur fond de monnaie commune et de double passeport. Que de temps, que d'efforts perdus pour réinventer la roue ! Et que de sourdes réjouissances anticipées, de la part de nos politiciens astucieux, devant l'échec prévisible de ces efforts.

« Pour moi, ce partenariat existe déjà dans le cadre politique actuel. Qu'il ne soit pas ce qu'on souhaiterait idéalement qu'il soit : tout à fait d'accord. Mais il est beaucoup plus facile de le modifier, dans les conditions présentes, que si nous nous séparons et prétendons négocier entre pays souverains. Le fédéralisme constitue la forme d'union la plus souple qui soit. Elle ne connaît pas de *statu quo,* surtout pas au Canada. Notre constitution a subi 33 amendements depuis 1867, davantage que celle des États-Unis, qui est pourtant plus vieille de 80 ans. Outre ces amendements, qui nécessitent un processus lourd et compliqué, nos problèmes peuvent trouver solution grâce à des arrangements administratifs, qui sont d'accès incomparablement plus facile si le Québec demeure à l'intérieur du cadre actuel que s'il se sépare du Canada.

« Je ne comprends donc pas les séparatistes lorsqu'ils déclarent que "le peuple québécois a le droit de s'assumer", et qui se plaignent qu'Ottawa les empêche de respirer librement. Tout ce vers quoi tendent les séparatistes, on peut y arriver plus rapidement et plus facilement dans le cadre fédéral que dans un pays indépendant et souverain. Et plus que dans tout autre domaine, c'est vrai de celui qui nous préoccupe tous deux particulièrement : les Arts et la culture. Où en seraient les Arts, au Québec, où en serait la culture québécoise sans des organismes fédéraux comme le Conseil des Arts du Canada (à la défense duquel les séparatistes se portent avec une belle unanimité), comme la Société Radio-Canada et comme l'Office national du film ?

Et que dire d'un organisme indépendant de caractère pancanadien comme l'École nationale de théâtre du Canada? C'est d'ailleurs ce que reconnaissent implicitement les auteurs du préambule du projet de loi sur la souveraineté, lorsqu'ils déclarent que le Québec "a créé une manière de vivre, de croire et de travailler originale..." Cette originalité, le Québec y est arrivé à l'intérieur du cadre fédéral. Et tu sais aussi bien que moi que tous nos camarades anglophones du Canada nous envient notre dynamisme et notre vitalité en matière d'Arts et de culture. Tu sais aussi bien que moi combien le régime des deux paliers de gouvernement a servi les intérêts des artistes et des créateurs. Pourquoi ce fédéralisme de concurrence, selon l'expression d'Albert Breton, deviendrait-il soudain si entravant, après nous avoir permis un tel épanouissement?

«Cite-moi une seule situation où, comme artiste, tu t'es senti brimé du fait que la province de Québec appartient à la Confédération canadienne. Tu as toujours été un artiste libre, comme moi (les contraintes budgétaires ne dis- paraîtraient tout de même pas du seul fait de la sécession!). Avec des individus libres, on peut arriver à édifier une société libre. Alors que ce n'est pas la souveraineté d'un État qui assure les libertés individuelles.

«En acceptant, il y a deux ans, son prix du Gouverneur général, assorti d'une bourse de dix mille dollars, Gilles Vigneault a déclaré qu'il voyait dans cet événement une illustration du caractère démocratique du pays où il vit — du moins jusqu'à nouvel ordre —, puisqu'on ne lui avait pas demandé de modifier un seul mot de ses chansons nationalistes, avant de lui décerner ce prix. Existe-t-il un seul autre pays au monde où cela eût été possible? Existe- t-il un seul autre pays au monde qui tolérerait que l'opposition officielle, à la Chambre des communes, soit exercée par un parti qui prône son démantèlement? Tu as assez voyagé pour savoir qu'en effet, il n'y a pas au monde un seul pays où l'on se sente, malgré tous les défauts qu'on puisse lui reprocher, aussi libre qu'au Canada. C'est pourquoi j'aime y vivre et pourquoi je m'oppose à ce qu'on s'emploie à le détruire.

«Je me suis souvent demandé ce qui amenait la majorité des artistes québécois à se dire, en dépit de tout, farouchement séparatistes. Et j'en suis venu à la conclusion que c'est parce qu'ils ont besoin de vibrer à l'unisson d'un idéal. Des politiciens leur présentent celui d'un "Québec libre", et ils s'y accrochent (beaucoup plus qu'a celui d'un

"Québec séparé", du reste), sans réfléchir que de cette liberté, ils en jouissent, pleine et entière, à l'intérieur du Canada. Mais c'est enivrant de marcher derrière un oriflamme sur lequel est inscrit le mot *liberté*. Il s'agit d'un projet exaltant, qui a pourtant le double défaut de viser un but déjà atteint, et de se limiter à des préoccupations d'ordre nationaliste (on n'a pas encore enterré l'abbé Groulx!).

«Il est d'autres projets, ceux-là à caractère social. Par exemple : vivre en bonne entente, en cordialité, en convivialité (pour employer un mot à la mode) avec tous nos concitoyens, qu'ils soient autchtones, anglophones ou allophones, quelles que soient leur origine, leur culture ou leur couleur. Par exemple : tendre vers un partage plus équitable des richesses, éliminer la pauvreté dans laquelle stagne un fort pourcentage de la population des grands centres. Par exemple : lutter contre la disparité des régions, procéder à une réorganisation du travail afin de créer plus d'emplois et de diminuer le nombre de chômeurs, mieux répartir le fardeau fiscal, de sorte que les nantis et les entreprises payent leur juste part d'impôts. Par exemple : s'employer à ce que règnent partout, pour tous et pour toutes, le droit et la justice; s'attaquer au problème du décrochage scolaire, combattre la violence et l'usage de la drogue, particulièrement chez les jeunes. Par exemple : susciter l'avènement de la paix dans le monde entier, etc.

«Mon cher André, si tu parviens à me convaincre que l'un ou l'autre de ces projets sera mieux, plus facilement et plus rapidement réalisé dans le cadre d'un Québec séparé que dans celui d'un Canada fédéral, alors compte-moi parmi les vôtres. Mais d'ici là — et ce n'est pas demain la veille! —, permets-moi d'exprimer mes opinions, même si elles ont pour effet de heurter ta ferveur nationaliste et de te faire voter *oui* aveuglément, comme tu déclares en avoir l'intention à la fin de ta lettre. Une victoire ainsi obtenue ne constituerait décidément pas un atout en faveur de la société démocratique à laquelle j'espère que tu aspires autant que moi.

«Je demeure, malgré tout, ton camarade qui te serre cordialement la main.»

JEAN-LOUIS ROUX, C.C.

SCÈNE XXVIII
J'ai deux amours

Le lundi 17 juillet 1995

Visite de mes enfants en Gaspésie. Toujours les mêmes transports. En plus de Gabriel, qui est maintenant un grand garçon de trois ans et demi, il y a le petit François, un blondinet aux yeux bleus qui aura bientôt trois mois. Avec son frère, cheveux châtains et yeux bruns, ils forment la paire d'enfants les plus adorables du monde. Je me rappelle un bouquin qui a connu son heure de vogue dans les années trente : *Mon Petit Trott* d'André Lichtenberger. L'auteur, à mon souvenir, s'y livrait à une délicate description de la psychologie enfantine. Sous forme d'un joli roman, il peignait le désarroi d'un garçonnet, jusque-là enfant unique, qui se voit soudain doté d'un petit frère et qui en vit un drame à l'insu de son entourage. Je n'ai pas à me contraindre pour éviter semblable épreuve à mon aîné, et lui manifester la même attention et la même tendresse qu'auparavant, tout en couvrant son cadet de caresses et de baisers.

Le matin, Gabriel m'accompagne sur la plage, avec Zoé, et s'essaye au lancer de galets. Après quelques tentatives plus ou moins réussies, il se résigne non sans une pointe de regret : «Je ne suis pas très bon à ce jeu-là...» Martine et Stéphane se plaignent avec humour que je ne leur manifeste aucun intérêt, qu'il n'y en a que pour mes petits-enfants. Ils jouent les offensés. Ils savent bien que leur départ imminent à tous quatre laissera un chalet désespérément vide de leur rumeur et de leur présence.

ACTE IV

SCÈNE I

Débuts de l'entreprise TNM

Le jeudi 3 août 1995

Jouons le jeu des anniversaires. Il y a quarante-quatre ans, jour pour jour, l'équipe nouvellement formée du Théâtre du Nouveau Monde amorçait la période de répétitions de son premier spectacle : *L'Avare,* de Molière. On ne peut imaginer la ferveur avec laquelle nous plongions dans le travail. Nous y apportions une foi de néophyte, malgré les années d'expérience que chacun et chacune d'entre nous avions accumulées, soit chez les Compagnons de saint Laurent, soit à L'Équipe, soit au Théâtre de l'Arcade, soit dans les tournées en province et jusqu'en Nouvelle-Angleterre, soit même — c'était le cas de Jean Gascon, entre autres, — en France. Nous nous voulions d'une exigence totale, qui n'allait pas sans une certaine prétention. Nous jetions un regard impitoyable sur tout ce qui s'était fait avant nous dans notre milieu. Portant le nom de notre théâtre comme un étendard, nous nous percevions comme les découvreurs d'un monde nouveau.

J'avais essuyé l'expérience du Théâtre d'essai de Montréal. Aussi avions-nous convenu qu'il ne fallait pas nous engager financièrement à titre personnel. Grâce à notre nouvel ami Mark Drouin, nous pouvions démarrer notre affaire sans risques pour nos budgets individuels, et sans autres soucis que celui du succès artistique de l'entreprise.

Néanmoins, avant que toutes les formalités juridiques n'aient été bâclées, il nous fallut insérer une publicité dans le quotidien *La Presse.* Comme la confiance était nulle envers le milieu artistique, nous devions payer à l'avance la modeste somme de 50 dollars, soit 45 cents la ligne agate, si mes souvenirs sont fidèles. Je gagnais un peu plus que les autres à la radio : c'est donc moi qui allai porter mon chèque personnel à la comptabilité du journal, à 9 heures pile, le jeudi matin, pour m'assurer que notre placard passerait le samedi suivant. N'ayant pas les provisions suffisantes dans mon compte de banque, j'attendis l'ouverture de la caisse à Radio-Canada, dès 10 heures, y recueillis quelques cachets qui m'y attendaient pour aller les déposer sans délai. La banque ouvrait également à 10 heures. J'y arrivai avant le quart. Un messager du journal m'y avait déjà précédé pour encaisser mon chèque et se l'était évidemment vu refuser. À l'époque, j'avais la réputation d'être quelque peu soupe au lait, pour employer un euphémisme. Devant cette façon d'agir pour le moins indélicate, ma première réaction fut de songer à abreuver d'injures le service de la publicité du quotidien de la rue Saint-Jacques. Je fis cependant le laborieux effort de me calmer, et c'est apparemment très détendu que j'expliquai la situation au préposé du journal, lui faisant valoir que le Théâtre du Nouveau Monde ne constituait pas une passade, et qu'il nous fallait développer des relations d'affaires moins entachées de méfiance. L'incident était clos. Plus tard, il m'affleura souvent à la mémoire, façon de me forcer au sourire lorsque, comme directeur artistique du TNM, j'eus à débattre, avec diverses institutions, de situations financières difficiles qui impliquaient des sommes drôlement plus importantes.

Artistiquement parlant, nous visions ni plus ni moins que la perfection, pour autant que cela fût possible. Aussi avions-nous décidé de ne jamais lésiner sur les heures de répétition. L'Union des artistes ne négociant encore collectivement que pour la radio, nous avions donc toute latitude d'organiser nos horaires à notre guise. Chacun étant occupé durant le jour à gagner sa vie à CBF, à CKAC, à CHLP ou au Service international de Radio-Canada, nous ne répétions guère que le soir, voire même tard dans la nuit. Nos budgets serrés ne comportaient à peu près aucune provision au poste des locaux de répétition. Aussi nous retrouvions-nous dans les endroits les plus insolites : une salle de récréation d'un couvent de la rue de la Montagne, dont nous pouvions disposer pour quelques dollars, le sous-sol du foyer paternel du camarade Charles Lussier, la salle de banquet du restaurant Au 400, chez Lelarge, rue Drummond — rendez-vous de la gent théâtrale de Montréal —, ou l'entrepôt à l'étage d'un magasin d'objets de piété, rue Notre-Dame, propriété du frère de Janine Sutto.

Ce dernier lieu était particulièrement étrange. Quand nous y pénétrions dans le noir, nous y étions accueillis par les lueurs multicolores de nombreuses statuettes phosphorescentes de la Vierge, du Sacré-Cœur ou d'autres habitants du paradis. Une fois la lumière donnée, tous ces personnages célestes nous ouvraient grand leurs bras, y compris des dizaines de Christ sanguinolents. La statuaire religieuse n'était alors à peu près composée que de chromos d'un goût douteux. Cet environnement n'était pas sans nous rappeler les pénibles démêlés de notre cher Molière avec la Confrérie du Saint-Sacrement.

Pendant longtemps, nous avons gardé l'habitude puérile de tenir un compte exact de nos heures de répétition, comme s'il s'agissait d'un marathon. Pour *L'Avare,* ce fut un nombre record : près de 250 heures. De nos jours, avec les maigres 110 heures «incluses» des conventions collectives, une période de semblable longueur entraînerait des honoraires ruineux. L'intervention des syndicats dans le domaine culturel, si elle a mis fin à certains abus, n'en est pas pour autant toujours très heureuse. Encore que l'Union des artistes, il faut le reconnaître, négocie généralement avec beaucoup de circonspection. D'ailleurs, lorsque les règlements sont par trop contraignants, les gens de théâtre les ignorent tout simplement, sachant qu'en fin de compte, leur intérêt réside dans la qualité de leurs spectacles, quelque ardus que soient les efforts qu'ils apportent à leur préparation.

Mais ce n'est pas le cas de tous les syndicats. Ceux qui représentent les techniciens, en particulier, négocient dans le secteur des arts de la scène exactement comme s'ils affrontaient l'un des géants de l'automobile. Morcellement du temps de travail et compartimentation des tâches s'assortissent mal à la liberté qu'exige la création. Les affrontements du TNM avec IATSE (International Alliance of Theatrical Stage Employees) ont failli, à deux reprises, lui être fatals.

SCÈNE II
Premier spectacle : L'Avare

Dans le programme de *L'Avare,* un texte qui est une sorte de manifeste. Il était signé «Théâtre du Nouveau Monde» et engageait donc la responsabilité de l'équipe entière, Jean Gascon en tête :

«Le Théâtre du Nouveau Monde est né d'un besoin :
celui qu'éprouvaient plusieurs comédiens de Montréal de

travailler sérieusement dans une atmosphère de stabilité. Notre ambition, en nous unissant, a donc été double : d'un côté, présenter au public des spectacles dont les seuls soucis soient d'ordre professionnel et artistique et, de l'autre, éliminer les risques qui s'attachent habituellement à ces sortes d'entreprises par le fait de leur caractère éphémère. Il fallait donc abandonner nos essais individuels, ce que nous nous sommes empressés de faire, et obtenir l'appui de mécènes dont les vues puissent s'assimiler aux nôtres. Leurs noms apparaissent ailleurs dans ce programme, et nous tenons ici à les remercier sincèrement. Tout particulièrement, Mᵉ Mark Drouin, c.r., qui a réuni ces précieux suffrages autour du sien.

« Nous entendons obtenir l'adhésion du public par la qualité de nos spectacles, et nous imposer en tant que troupe professionnelle permanente. Nous contribuerons ainsi, espérons-nous — avec les efforts conjugués des autres troupes déjà existantes — à l'établissement d'un théâtre canadien. C'est ce but ultime que nous visons. Pour l'atteindre, nous encourageons tous les écrivains canadiens, connus ou non dans un autre domaine, à essayer de ce moyen d'expression fascinant qu'est le théâtre. Nous pouvons les mettre en contact direct avec la scène, de telle sorte que leur apprentissage s'en trouvera facilité et abrégé. Le Théâtre du Nouveau Monde aimerait annoncer en fin de saison, ou en tout cas pour la saison prochaine, au moins une création canadienne. Ceci est un appel en bonne et due forme, et nous espérons que les auteurs, manuscrits en poche ou non, y répondront en nombre. Car, en définitive, ce sont les dramaturges qui permettront l'édification d'un théâtre véritablement canadien mais ce n'est pas à eux, comme cela s'est presque toujours fait jusqu'ici, de courir les risques d'une entreprise théâtrale, qui est du domaine des directeurs et des troupes.

« D'autre part, le projet d'une école, où tous les métiers de la scène seraient enseignés, nous tient toujours à cœur et nous comptons pouvoir le mettre sur pied dans un avenir rapproché. Cette école n'en sera pas une de vaine érudition. On y apprendra rationnellement à devenir comédien, décorateur, machiniste, électricien, régisseur, tout en restant humain. Avant de suivre un cour de spécialisation, le candidat acquerra d'abord des notions dans tous les domaines de la scène. Il deviendra autant que possible un homme de théâtre complet. Le Théâtre du Nouveau Monde entend faire ainsi sa part dans le domaine de l'éducation, si important pour la vie d'une nation.

« Tel est notre idéal. Nous ne craignons pas de le placer trop haut, car il faut que le théâtre occupe la place qu'il mérite dans la Cité. »

Programme en plusieurs points : établissement d'une troupe permanente, création d'une école de théâtre, celle d'une dramaturgie nationale et production de spectacles de qualité qui attireraient l'adhésion d'un public important, le tout contribuant à l'avènement d'un théâtre national. L'avenir dirait lequel de ces ambitieux projets nous conduirait à la réussite ou à l'échec.

En attendant, il s'agissait de présenter notre spectacle d'envoi : *L'Avare*. On l'a vu, nous nous y étions attaqués avec un soin minutieux. L'époque de la domination suprême du metteur en scène n'était pas encore venue. C'est donc une vision très traditionnelle, très « sage » de *L'Avare* que proposa Jean Gascon. Laure Cabanna avait dessiné les maquettes des costumes ; son mari, Jacques Pelletier, celle du décor, dont il fit également l'éclairage. Tous deux avaient travaillé régulièrement aux *Fridolinades* de Gratien Gélinas, qui avait la réputation d'être minutieux jusqu'au caprice. Nous étions donc entre bonnes mains.

Jacques Pelletier avait étudié l'éclairage à New York. Même avec le mince appareillage du Gesù, il appliquait donc des règles très méthodiques, pour ce qui est des sources, de l'équilibrage et de l'intensité de la lumière, nous inspirant un sourire quelque peu dédaigneux. Selon l'esprit qui dominait à cette époque en France, nous nourrissions une naïve méfiance envers tout ce qui était

Le TNM à Québec vers 1952 :
1. Mark Drouin
2. Éloi de Grandmont
3. Jean Dalmain
4. André Gascon
5. Jean Gascon
6. Jean-Louis Roux
7. Georges Groulx
8. Robert Gadouas
9. Gabriel Gascon
10. Jean Duceppe
11. Guy Godin
12. Roger Garceau
13. Henri Norbert
14. Guy Lécuyer
15. Victor Désy

américain et, pas encore rompus à l'exercice du métier, nous misions exclusivement sur l'inspiration, tenant pour suspect ce qui relevait de la technique et des normes. Nous devions heureusement changer d'attitude, surtout après notre collaboration avec le festival shakespearien de Stratford.

L'Avare fut un premier succès. La critique unanime salua l'événement. Tout est pourtant relatif. Ce succès ne comporta d'abord que neuf représentations à Montréal, et deux à Québec où, durant les premières saisons, nous avions également des abonnés qui accueillaient chacun de nos spectacles, souvent avec plus d'enthousiasme que nos auditoires montréalais. *L'Avare* devait être repris, en fin de cette première saison et au début de la suivante, pour atteindre vingt-six représentations. Mais les trois autres productions se limitèrent à treize et quatorze. Plus de deux cents heures de travail pour moins de trente heures de représentation! Nous rêvions d'une époque où il nous serait possible de jouer pendant un mois.

La distribution de *L'Avare* comportait de nombreux noms qui allaient se retrouver régulièrement à l'affiche de nos spectacles et constituer une sorte de noyau : en plus de Jean Gascon (Harpagon) et de moi-même (Valère), il y avait Guy Hoffmann (Maître Jacques), que nous avions «dévoyé» des Compagnons de saint Laurent, Georges Groulx (Maître Simon), un camarade de près de quinze ans, Denise Pelletier (Frosine), Janine Sutto (Élise), Jean-Louis Paris (Anselme), Gabriel Gascon (Cléante) et Robert Gadouas (La Flèche), qui allait nous quitter dès la deuxième saison. Robert était un comédien remarquable, mais n'avait rien d'un homme d'équipe. Il ne pouvait se résigner à «tout faire». Or, pendant longtemps, c'est ce que nous exigions de chacun des fondateurs de la compagnie. Je dis bien «fondateurs», car les femmes étaient absentes de ce cercle initial; je le constate aujourd'hui en ne pouvant que le déplorer. Nous suivions alors, sans y penser, le courant «macho» de ces années-là. Les fondateurs donc, du moins ceux qui étaient issus du théâtre, devenaient tour à tour figurants, régisseurs, techniciens, rédacteurs de programmes et de communiqués, ou souffleurs en coulisses. Car nous ne nous servions pas de la légendaire boîte du souffleur du Gesù.

Légendaire, en effet. Grâce à un jeu de pentures, cette boîte s'installait, en se dépliant, et s'escamotait sous le plancher de scène, en se repliant. Quelques années plus tôt, lors d'une représentation de *Polichinelle*, comédie poétique de Lomer Gouin écrite en vers, Robert Gadouas, dans le personnage de quelque Pierrot, venait s'asseoir sur cette boîte pour s'adresser directement au public. Un soir, sous son poids pourtant rien moins que lourd, la boîte se rabattit sur la tête de l'infortunée souffleuse, Nana de Varennes, qui ne put réprimer un sonore « Ayoye, verrat! », lâché de sa voix rocailleuse... Ce n'était pourtant pas cette anecdote qui nous avait fait renoncer à l'utilisation de l'engin. Mais plutôt parce qu'il déparait le lieu scénique, et surtout, parce que notre conscience professionnelle nous garantissait contre toute défaillance de mémoire! Le souffleur fut donc relégué en coulisses, où sa présence constituait un filet de secours inutilisé, sauf pour Henri Norbert, qui souffrait littéralement d'un mal chronique de cette faculté.

Le recours aux services variés de nos sociétaires, comme nous les appelions en termes assez prétentieux, provoquait occasionnellement l'apparition de nouveaux comédiens dans la distribution, mystérieux *Daniel Dupont* et *Berthe Sareau*, sans qu'on sût exactement qui ils étaient. En réalité, ces noms couvraient l'identité de l'un ou de l'autre d'entre nous qui, comme figurant ou comparse, se prêtait de bonne grâce à cette amusante supercherie. Dans *L'Avare*, c'était le cas d'Éloi de Grandmont, notre premier secrétaire général, et de Robert Gadouas. *Daniel Dupont* désigna désormais ce genre d'emploi. Nous disions ainsi, entre nous : « Cette pièce ne comporte pas de *Daniel Dupont*! »

Dès le lendemain de la première de *L'Avare*, le renom du Théâtre du Nouveau Monde était manifestement établi. Le critique du *Devoir*, Maurice Blain, un ancien de Saint-Laurent, qui était d'ailleurs notaire de profession, avait résumé l'opinion du petit cercle d'amateurs de théâtre de Montréal en déclarant : « Voilà un spectacle que nous attendions depuis quinze ans... » En effet, à cette époque, le Théâtre du Rideau-Vert, fondé deux ans plus tôt, se cantonnait dans le boulevard. Les Compagnons de saint Laurent étaient les seuls à présenter des classiques, et le soin que nous avions mis à monter notre premier spectacle nous classait carrément, cela dit sans vantardise, dans une catégorie supérieure. Il s'agissait dorénavant de nous y maintenir.

Nous y réussissions sans conteste durant cette première saison. D'abord, avec *Un inspecteur vous demande,* de J.-B.

Priestley, dramaturge britannique et militant socialiste. Ce choix était le mien. Les convictions politiques de l'auteur m'agréaient et, peut-être inconsciemment, faisais-je déjà jouer au théâtre son rôle de service public, à quoi je m'attacherai avec ferveur quand je deviendrai directeur artistique du Théâtre du Nouveau Monde, quinze ans plus tard.

J'étais le metteur en scène désigné d'*Un Inspecteur*. Sans grande expérience mais, qu'importe : nous apprenions sur le tas. Par esprit d'équipe, nous tenions à ce que nos spectacles fussent montés par l'un des membres fondateurs de la Compagnie. Or, après Jean Gascon, qui s'imposait naturellement mais qui ne pouvait être le seul, j'arrivais en bon second. La tâche me fut donc confiée par le Comité de direction qui, pour les questions d'ordre artistique, n'était à toutes fins utiles composé que de Jean Gascon, de son frère André, de Guy Hoffmann et de moi-même.

SCÈNE III

Formation empirique
d'un metteur en scène

Quelques années auparavant, en matière de mise en scène, j'avais profité des conseils de Ludmilla Pitoëff qui, elle-même, était évidemment allée à l'école de son mari, Georges. Au fur et à mesure du travail ardu des répétitions de *L'Échange*, de *L'Annonce*, du *Pain dur*, de *Phèdre*, elle m'avait fait comprendre l'importance du ton général de l'œuvre, des rapports des personnages, du tempo et de la nuance de chacune des scènes, mettant l'accent sur la valeur des silences, des regards, des contacts. Ce n'était pas des cours formels, bien sûr. Mais avec le temps, j'avais fini par absorber passablement pas mal de choses. Mon premier vol solo, pour ainsi dire, avait eu lieu en 1946, au Collège de Saint-Laurent, où j'avais dirigé les répétitions d'*Orphée*, de Jean Cocteau.

Guy Provost, Huguette Oligny, Ginette Letondal,
Éloi de Grandmont et Jean-Louis Roux,
répétition de Un Fils à tuer
1949

Ayant déjà répété la pièce avec madame Pitoëff, je ne fis réellement, à cette occasion, qu'un calque appliqué de son travail. L'ami Gilles Corbeil provoqua alors ma mauvaise humeur, remarquant que, même en interprétant le rôle-titre, je reproduisais servilement les intonations qu'elle m'avait inspirées. Humeur d'autant mauvaise qu'en mon for intérieur, je devais reconnaître la justesse de son jugement. Je jouais *Orphée* avec la ravissante Jacqueline Deslaurier dans le rôle d'Eurydice, et Jean Gascon dans celui d'Heurtebise.

La pièce ne comportant qu'un acte, j'avais complété le spectacle avec *Amal et la lettre du roi,* de l'écrivain indien Rabindranath Tagore. Je connaissais l'auteur par quelques-uns de ses très beaux poèmes, traduits par Gide sous le titre français de *L'Offrande lyrique.* Et puis la pièce avait été au répertoire des Pitoëff, avant la guerre, avec Ludmilla dans le rôle d'un frêle petit garçon. Souvent, nos choix seront ainsi inspirés par le modèle du Cartel. Ce sera, en très grande partie, le cas de Claudel, de Synge, de Pirandello et, avec moins de bonheur, d'Armand Salacrou et de Marcel Achard.

Amal est une œuvre statique, dans ce sens que l'intrigue en est dénuée de péripéties. C'est la simple histoire d'un enfant maladif, posté à la fenêtre de la maison de ses humbles parents, qui ne vit que dans l'attente d'une lettre du roi et s'en entretient avec tous les passants. Mon travail de metteur en scène novice se compliquait du fait que les rôles étaient joués par des élèves du Collège de Saint-Laurent. Mais l'expérience me fut profitable. Il me fallut en effet me passer des artifices de décors et de costumes, comme de celui des mouvements et des déplacements de personnages, et me concentrer sur le texte et la direction de mes comédiens amateurs. Je ne suivais pas en cela l'exemple de Stanislavski — n'en ayant pas d'ailleurs les moyens —, à qui il arrivait, à ses débuts, de masquer les défaillances de ses interprètes par le faste de la présentation visuelle de certains de ses spectacles.

Plus tard, je montai et jouai, avec Charlotte Boisjoli, *Il faut qu'une porte soit ouverte ou fermée,* de Musset, pour une unique représentation, lors d'un congrès médical. Puis, au Théâtre d'essai de Montréal, ce furent *Un fils à tuer,* d'Éloi de Grandmont et ma *Rose Latulippe.* C'est avec cette courte expérience que j'abordai ce métier pour lequel je me reconnais un talent honnête, sans plus. Loin derrière celui de Jean Gascon. Une nuit de juin 1971, dans le bar de l'hôtel Intourist à Moscou, à la faveur de quelques rasades de vodka, Jean Perraud, que j'avais dirigé dans le Damis du *Tartuffe*, m'avait confié son évaluation de mon travail de metteur en scène. À son avis, je savais parfaitement bien exprimer ma vision d'une œuvre, mais je ne parvenais pas à la réaliser dans la pratique. Ce jugement définit assez justement les limites de mon art. Pour être honnête, disons qu'il me blessa quelque peu. Aujourd'hui, j'en souris volontiers : *In vino veritas!*

J'avais préparé ma mise en scène d'*Un Inspecteur* avec une extrême minutie. Dans ma brochure, tout était noté, au détail près : les intentions, comme le moindre silence et le plus menu déplacement. Ce qui avait fait soupçonner à Jacques Auger, l'interprète du rôle principal, que j'avais tout copié d'une autre production. De mauvaises langues n'avaient-elles pas répandu le bruit que Jean Gascon, pour sa part, avait plagié Charles Dullin en montant *L'Avare*? Le Théâtre du Nouveau Monde provoquait déjà autant d'enthousiasme que d'envie dans le milieu. Ce sera toujours son lot. Peut-être à cause d'une certaine attitude que nous affichions : une apparente assurance, un semblant d'aplomb quelque peu provocateur. Georges Groulx s'en plaignit, à l'occasion, reprochant aux gens du Théâtre du Nouveau Monde de se croire supérieurs à tout et à tous. Ce qui, selon lui, provoquait jusqu'à l'animosité de ceux de nos camarades qui n'avaient pas accès à notre «cénacle». Je reportais secrètement la responsabilité d'un tel état de choses sur ce qui me paraissait être l'arrogance de Jean Gascon. Il me rendait le compliment, exactement tourné de la même manière. Le jour où nous nous en ouvrîmes mutuellement, nous devions en être aussi ébahis qu'amusés, l'un et l'autre.

Les dernières répétitions d'*Un Inspecteur vous demande* eurent lieu, tard le soir, sur la scène du Gesù, après les représentations de *L'Avare*. Ce qui nous amenait à travailler jusqu'aux petites heures du matin. Une nuit, probablement excédé par mes exigences, Guy Hoffmann quitta silencieusement, prit son manteau et se mit à monter, sans hâte, les larges degrés de la salle. Je le rappelais en vain à l'ordre, en criant de toutes mes forces. Lorsque je réalisai que rien n'y ferait, je m'attaquai à une banquette de la première rangée, que j'arrachai d'un seul coup. L'étonnement de ce tour de force fit brusquement tomber ma colère. En même temps, je me rendais compte qu'à ce niveau, reposant directement sur le sol terreux, le bois du parquet était complètement pourri et n'offrait qu'une bien faible assise aux fauteuils qui y étaient fixés. Après un moment de stupeur j'éclatai de rire, accompagné de ce qui restait de la distribution.

Un Inspecteur ne fut pas accueilli avec le même emballement que L'Avare. Loin de là : parmi celles de cette première saison, ce fut la production qui attira le moins grand nombre de spectateurs : pas tout à fait quatre mille cinq cents, en treize représentations. À part nos productions en langue anglaise, nous connaîtrons rarement de si faibles auditoires. Je ne crois honnêtement pas que la qualité du spectacle fût en cause. Peut-être le public n'était-il pas très sensible à ces drames dont les thèmes étaient teintés de préoccupations sociales. Pour Un Inspecteur, il s'agissait de la responsabilité des patrons petits bourgeois dans leur façon abusive de traiter les employés de leurs entreprises. Nos sociétés d'aujourd'hui sont-elles plus conscientes de ce genre de problèmes ? Possible, puisque après un purgatoire de près d'un demi-siècle, la pièce vient d'être reprise, avec grand succès, à New York et à Paris.

Le poète Claude Gauvreau, ancien camarade au Collège Sainte-Marie, pratiquait alors la critique dramatique au Haut-Parleur, hebdomadaire qui ne connut qu'une brève existence. Est-ce à propos d'Un Inspecteur ou d'une autre de mes premières mises en scène, je me rappelle son commentaire : il écrivit que, contrairement à Jean Gascon, j'utilisais l'espace, délimité par le décor, beaucoup plus en profondeur qu'en largeur. À la réflexion, il est vrai que je favorise souvent l'utilisation du fond de la scène et que j'indique des déplacements de la face au lointain et du lointain à la face, plutôt que d'un côté à l'autre. Je tire ainsi profit des 360 degrés du cadran scénique, amenant fréquemment mes interprètes à tourner le dos au quatrième mur. L'avouerai-je ? : que Claude Gauvreau accorde assez d'importance à mon travail pour l'honorer de son analyse me flatta, sans que j'attache pour autant une signification exagérée à ma façon de faire, qui ne relève après tout que de la perspective. Une scène a plus de deux dimensions.

Avec le troisième spectacle, nous abordions un autre grand auteur comique, Labiche, remis en ce temps-là à l'honneur après avoir subi une assez longue période d'exclusion de la part des gens de théâtre. Pour les couplets de *Célimare le bien-aimé*, notre ami Maurice Blackburn composa une musique délicieuse. Il avait déjà apporté semblable collaboration pour *Rose Latulippe*, environ un an plus tôt.

SCÈNE IV
Le compositeur assassiné

Le destin de ce délicat musicien vaut que je m'y attarde. Maurice Blackburn a écrit la musique d'innombrables films qui valurent à l'Office national du film plusieurs premiers prix de festivals internationaux. Certains documentaires, au générique desquels il était inscrit, reçurent même fréquemment les honneurs de la course aux Oscars. Il fut ainsi au service de l'ONF pendant près de trente-cinq ans, n'ayant à peu près pas le loisir de composer pour lui-même. C'est un luxe qu'il se réservait, une fois arrivé le moment de sa retraite, se plaisait-il à déclarer. Mais lorsqu'il quitta son emploi, avec tous les honneurs et prérogatives de son ancienneté, il ne put que constater sa stérilité devant le papier à musique. Son inspiration était tarie ; sa ferveur, desséchée. Marthe, sa femme, me confia qu'il songea alors plusieurs fois au suicide, et lui, naguère si cordial, si chaleureux, si souriant, était devenu morose et amer. Il mourut pendant le tournage du téléfilm *Salut, Victor !*, réalisé par Anne-Claire Poirier. J'y jouais l'un des deux principaux rôles, aux côtés de Jacques Godin, et Marthe en avait écrit le scénario. C'était une production de l'Office national du film : la boucle se trouvait en quelque sorte bouclée.

Les quelques œuvres personnelles qu'il composa, pendant qu'il était fonctionnaire à l'Office national, le préserveront pourtant du complet anonymat. Une émission lui a récemment été consacrée sur les ondes MF de Radio-Canada. Déjà, lorsque les studios de l'ONF étaient encore à Ottawa, il jouissait d'une bonne notoriété. Un jour, ne reçut-il pas un appel téléphonique de Jean Désy, ambassadeur du Canada au Brésil. De passage dans la capitale nationale, son Excellence le priait de venir exécuter quelques-unes de ses compositions pour piano, devant un parterre de distingués

invités. D'un naturel modeste, le musicien crut à une mauvaise
blague de son collègue et ami, Jean Palardy, passé maître dans l'art
des canulars les plus alambiqués, allant jusqu'à se déguiser en curé
pour traverser les villages au volant d'une luxueuse voiture, ou en
employé de la voirie pour dévier la circulation de la rue Rideau,
à l'heure de pointe. Avec son charmant défaut d'élocution, Maurice
rétorqua au prétendu diplomate : «Ça... ça... ça va faire, Pa...
Pa... Palardy : j... j... je t'ai reconnu.» Et il raccrocha. Ce ne fut
qu'à la troisième tentative qu'un Jean Désy offusqué finit par le
convaincre de l'honneur dont il était l'objet. Il fallait entendre
Maurice se remémorer cette anecdote, en riant aux larmes. C'est
ainsi que j'aime évoquer le souvenir de cet ami affectionné.

SCÈNE V

La censure des jésuites

Célimare le bien-aimé nous fit connaître nos premières
difficultés de censure. Il avait été convenu que nous devions faire
approuver notre choix de répertoire par les autorités du Collège
Sainte-Marie. Les bons pères jésuites y tenaient, s'étant retrouvés
dans une situation difficile lorsque Pierre Dagenais, avec son
Équipe, y avait présenté *Huis clos*. La chronique voulait que,
n'ayant pas lu le texte, ils se soient fiés à l'*Index* de l'abbé
Bethléem, qui ne condamnait que les œuvres philosophiques de
Sartre (*Omnia philosophica opera*, écrivait-il dans son latin
de cuisine) et non ses œuvres dramatiques. C'est en voyant le
spectacle que les jésuites s'étaient rendu compte du fait qu'une
pièce de théâtre peut également comporter un contenu
philosophique. Ils ne pouvaient perdre la face en dévoilant leur
bévue, et furent donc contraints de tolérer les propos peu orthodoxes
des personnages de *Huis clos*. Ils s'étaient sans doute juré de ne
plus s'y laisser prendre et tenaient à leur droit de veto. En réalité, nous ne considérions pas cette exigence comme un abus
d'autorité. Le Gesù n'était pas domaine public, et il nous paraissait
normal que ses propriétaires filtrent les œuvres que les locataires
y présentaient. Nous devions assez rapidement en découvrir les
inconvénients.

En bref, l'intrigue de *Célimare* est la suivante : un jeune homme décide de se ranger en se mariant, après avoir connu une vie quelque peu libertine, et éprouve toutes les peines du monde à se défaire de ses anciennes maîtresses, aussi bien qu'à cacher son passé de bambocheur à sa future belle-famille. Ce n'est pas très méchant, mais encore fallait-il en persuader le recteur du Collège Sainte-Marie, le père Georges-Henri d'Auteuil, notre ancien professeur de Belles-Lettres, celui-là même qui avait guidé nos premiers pas d'apprentis comédiens. Il nous avait alors donné l'impression de largesse d'esprit lorsque, par exemple, il clamait de sa voix claironnante, en début de classe : «Ça sent les sensen!», nous laissant entendre qu'il n'était pas dupe de l'usage que nous faisions de ces petites pastilles parfumées à la réglisse, pour masquer l'odeur de la bière ingurgitée clandestinement à la taverne Saint-Régis de la rue Sainte-Catherine, lieu formellement interdit sous peine de renvoi. Mais il y avait une marge entre l'état de simple professeur et celui de recteur, comme entre le fait de boire un verre de bière en cachette, et celui de s'en prendre à la morale d'une société puritaine. Pourtant, tout en se soumettant à l'obligation de couper certains mots choquants, comme «amant» et «maîtresse», Jean Gascon réussit à persuader le Père recteur qu'une comédie ne porte pas aux mêmes conséquences qu'un drame. Peut-être ce raisonnement captiva-t-il le jésuite, qui put y déceler le fruit de l'éducation qu'il avait collaboré à nous dispenser.

Avec *Célimare*, nous remplissions nos salles à environ 60 p. 100 : plus de six mille cinq cents spectateurs en treize représentations.

SCÈNE VI
Attention : intolérance, racisme, xénophobie

Dernier spectacle de cette saison initiale : *Maître après Dieu* de l'auteur néerlandais, Jan de Hartog. Inspirée d'un fait réel, la pièce relate le périple d'un groupe d'émigrants juifs, immédiatement après la guerre. Ces pauvres indésirables avaient vogué de port en port, d'un côté et de l'autre de l'océan, partout refoulés sans pitié.

Il avait fallu que le capitaine, qui avait pris cette humaine cargaison en charge, saborde son navire pour que les marins des embarcations sillonnant dans les parages consentent finalement à rescaper les naufragés. Une pièce donc qui, comme *Un Inspecteur*, avait une connotation sociale.

Ce dramatique incident en rappelle un autre, du même genre, qui se déroula trente ans plus tôt, et qui démontre que le Canada a sa bonne part de xénophobie. Je lis en effet ce qui suit, à ma grande stupéfaction, dans *Option Paix* de l'été 1995 : «Le 23 mai 1914, le navire Komogata Maru entre dans le port de Vancouver. À son bord, 376 Indiens désireux d'immigrer au Canada. Les fonctionnaires canadiens les empêcheront de débarquer. Durant deux mois, le navire restera ancré au port. Pendant ce temps, une violente campagne raciste est lancée dans la presse pour que «la Colombie-Britannique reste un pays pour les Blancs». Le maire de Vancouver organise une manifestation contre les réfugiés. On empêche même le ravitaillement du navire. La révolte éclate à bord. Une troupe de 160 hommes est dépêchée sur les lieux. Finalement, le 23 juillet, le Komogata Maru est escorté hors du port par la marine canadienne, sous la menace des canons. Arrivés à Bombay, la plupart de ces Indiens seront abattus par l'armée, sur l'ordre de l'autorité britannique.» L'humanité a la mémoire courte.

Maître après Dieu évoque, par ailleurs, des souvenirs personnels pénibles. J'avais dû être opéré d'urgence durant les représentations de *Célimare*, à la suite d'un incident de nature assez dramatique. Je n'y jouais heureusement que le rôle du valet Pitois (un *Daniel Dupont!*) et on put me remplacer, au pied levé. Une fois sorti de l'hôpital, je repris les répétitions de *Maître après Dieu* en cours de route. J'y tenais le rôle de l'attaché militaire des Pays-Bas, qui ne comportait qu'une scène durant laquelle j'essuyais la colère du commandant Kuiper (Jean Gascon). À un certain moment, Jean s'avançait sur moi, en me piquant du bout de ses doigts effilés, exactement à l'endroit de ma cicatrice toute fraîche. La première fois, j'eus peine à réprimer un cri de douleur. Mais je ne voulais surtout pas compliquer les choses avec mes problèmes personnels. Par bonheur, un attaché peut être muni d'une serviette bourrée de documents ; ce bouclier improvisé me protégea des assauts du commandant Kuiper!

Maître après Dieu nous donna l'occasion d'enrichir notre troupe d'un nouveau membre. Un homme, bien entendu ! Jean Dalmain faisait partie de la troupe de Louis Jouvet et, en 1946, sa compagne de l'heure, Irène, fréquentait le même cours que Jean Gascon, celui de Jean Berthaud de la Comédie-Française. C'est ainsi qu'ils firent connaissance. Se faisant prêter la scène de L'Athénée, Dalmain y avait monté *Le Barbier de Séville,* avec Irène dans le rôle de Rosine et Jean Gascon dans celui de Bartholo. La pièce était jouée durant les relâches. Des liens d'amitié s'étaient tissés, et c'est ainsi que Dalmain atterrit à Montréal, cinq ans plus tard, pour y monter la pièce de Hartog, dans laquelle il interprétait également le rôle de Davelar, le maître d'équipage. Il venait compléter notre équipe de metteurs en scène. Avant que Jean-Pierre Ronfard ne s'y joigne en 1961, tous les spectacles seront montés par ce trio : Jean Gascon, Jean Dalmain et moi-même. Par ailleurs, la nombreuse distribution de *Maître après Dieu* comportait le nom d'un nouveau venu, Jean Duceppe, qui jouera dans plusieurs productions du TNM avant de voler de ses propres ailes.

Maître après Dieu connaissait presque exactement le même succès que *Célimare* : un peu plus de six mille six cents spectateurs en quatorze représentations. Lors d'une matinée à Québec, notre tourne-disques nous fit défaut : le dernier tiers de la pièce se déroula sans effets sonores, ce qui fut assez désastreux et nous amena à faire l'acquisition de notre premier magnétophone. Ce détail paraît aujourd'hui négligeable, et on comprendra mal que je lui donne assez d'importance pour le rappeler. C'est que pour nous, la moindre dépense imprévue prenait des allures de drame et nécessitait de nombreuses réunions et discussions. Quand l'ami Roger Langlois, notre technicien du son, nous apporta notre nouvel appareil, recouvert de faux cuir beige, nous l'avons considéré avec respect et fierté. Il connut de longs états de service et, une fois hors d'usage, nous l'avons longtemps conservé comme une relique. Bien des années plus tard, il figurera comme accessoire dans *La Dernière bande,* d'Albee.

Financièrement, la saison se solda par un succès. Notre comptabilité accusait un excédent d'environ cinq mille dollars, et nous avions rendu leur billet à chacun de ceux qui nous avaient endossés à la banque. L'un d'eux, monsieur Robert-John Beaumont, eut la généreuse idée de nous le céder, gonflant ainsi d'autant notre solde créditeur. Cette situation mérite pourtant quelque explication. En réalité, comme ils continuent d'ailleurs de le faire, les artistes, les créateurs et les artisans de théâtre, comme ceux d'autres secteurs du champ culturel, sont les premiers subventionneurs de leur entreprise. Nous acceptions effectivement des conditions au-dessous de toute norme convenable. Les premiers rôles recevaient un cachet de quinze à vingt dollars par représentation. Les autres, de cinq à huit dollars. Certains figurants, la ridicule somme de deux dollars. Somme maximale de deux cent soixante dollars pour une série de treize représentations. Moins d'un dollar l'heure de travail! Le metteur en scène, qui devait obligatoirement être de la distribution, recevait double cachet. La rémunération des autres collaborateurs était à l'avenant. Dans des conditions normales, notre excédent aurait donc dû se faire déficit.

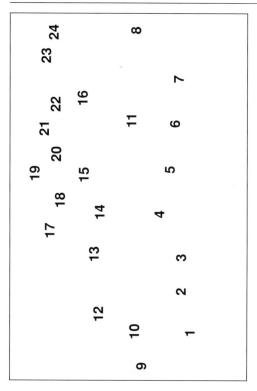

Groupe de comédiens
chez Jean Desprez :
1. (inconnu)
2. Colette Dorsay
3. Jean Scheller
4. Roger Garceau
5. Janine Sutto
6. Laurette Émery
7. Robert Rivard
8. Jacques Hébert
9. Monique Oligny
10. Monique Manuel
11. Marthe Thierry
12. Jean-Louis Roux
13. Jean Coutu
14. Huguette Oligny
15. Denise Pelletier
16. Éloi de Grandmont
17. Albert Duquesne
18. Jean Desprez
(Laurette Auger)
19. Roland D'Amour
20. Jeanne Demons
21. Henri Poitras
22. Blanche Gauthier
23. Maurice Gauvin
24. Réjane Hamel

SCÈNE VII
L'École de théâtre du TNM

Cette saison 1951-52 se termina à la fin avril, avec la reprise de L'Avare. Outre les productions sur scène, il convient de signaler un événement important : la création de L'École d'art dramatique du TNM, en février 52. L'idée s'en était imposée devant le manque de formation des jeunes comédiens et comédiennes que nous devions employer, et qui ne répondaient pas à nos exigences, malgré la qualité des cours privés que certains fréquentaient. Notre modeste institution avait pignon sur rue au dernier étage d'un petit édifice, par la suite démoli, en face du Gesù. S'y trouvait, assez curieusement, un ancien atelier de peintre muni d'une verrière. À l'une des extrémités, nous installâmes une scène qui servait aussi bien au travail des élèves qu'à nos répétitions. Non seulement Jean Gascon, Jean Dalmain et Georges Groulx y dispensaient-ils des cours d'interprétation, mais Guy Hoffmann y enseignait aussi la mime et l'improvisation, Roy Royal puis Lucie de Vienne-Blanc, la pause de voix, et moi-même, l'histoire du théâtre. L'École du TNM préfigurait en quelque sorte L'École nationale de Théâtre du Canada. Nous demandions, à chacun de nos premiers quarante élèves, dix dollars par mois. Plusieurs d'entre eux ne pouvaient pas verser ces modiques frais de scolarité. Nous ne les refoulions pas pour autant. Si bien qu'en fin de compte, le Théâtre du Nouveau Monde devint le subventionneur de sa propre école, situation à laquelle il nous fallut mettre un terme avant qu'elle ne termine sa quatrième année d'existence. Nous avions quand même formé des comédiens et des comédiennes de la trempe de Jacques Godin, Marcel Sabourin, Monique Joly, Dyne Mousso, Marc Favreau, Lise LaSalle, Victor Désy, Guy Lécuyer, pour ne nommer que ceux-là.

SCÈNE VIII
Kidnapping de Gérard Philipe

Durant l'été 1952, après une première année de cours, nos élèves nous offrirent un magnifique cadeau. Gérard Philipe était de passage à Montréal, venu y faire la publicité de son film Fanfan

Latulipe. Un soir, après qu'il eût présenté la dernière projection au cinéma Français, rue Sainte-Catherine, un groupe de nos élèves allèrent l'enlever ni plus ni moins, pour l'emmener à notre atelier voisin. Intrigué, Philipe se prêta au jeu et il passa plus de trois heures en notre compagnie, répondant avec une gentillesse extrême à un barrage de questions. Ce fut le début de relations sporadiques mais chaleureuses, d'un côté et de l'autre de l'Atlantique. Ainsi, en 1955, lors de la première participation du TNM au Théâtre des Nations (alors désigné sous le nom de Festival d'art dramatique de la ville de Paris), Gérard Philipe vint nous retrouver dans un bistro, près des studios de Boulogne-Billancourt où il tournait *Les Grandes manœuvres,* de René Clair. Il se présenta à nous vêtu du costume de son personnage, un officier de cavalerie du début du siècle. Il avait en effet quitté le plateau de tournage sans en aviser le réalisateur, pour venir trinquer à la sauvette avec ses camarades canadiens.

Dès le printemps 1952, nous planifions la deuxième saison, qui devait commencer par une représentation exceptionnelle de *L'Avare* au théâtre Capitol de Québec, à l'occasion du centenaire de l'université Laval. Un parterre de 1 800 universitaires du monde entier. C'est devant cet auditoire distingué que, à cause d'un trou de mémoire, comme il nous en arrive par manque subit de concentration, Jean Gascon mit dans la bouche d'Harpagon un « Sans blague ! » qui n'avait rien du Grand Siècle, plutôt que l'authentique et plus orthodoxe « Est-il possible ? ». Cela ne passa pas inaperçu aux oreilles de ce parterre d'érudits universitaires ! Certains ont même cru que le TNM avait l'audace de rajeunir Molière...

Les premiers spectacles de la deuxième saison illustrent les écueils auxquels nous devions souvent nous buter, faute de balises rigoureuses pour nous orienter dans le choix de notre répertoire : *La Nuit du 16 janvier,* drame policier d'Ayn Rand (qui n'aurait sûrement pas acquis la réputation enviable qu'est la sienne aux États-Unis, n'eût-elle écrit que ce succès populaire), et *Le Corsaire,* comédie anodine de l'anodin Marcel Achard. *La Nuit* nous avait été proposée par Éloi de Grandmont ; grand admirateur du théâtre de Broadway, Éloi achetait fidèlement *Variety,* et se délectait particulièrement de la section de cet hebdomadaire où étaient rapportées les plus grosses recettes, non seulement de New York, mais également d'autres capitales de théâtre dans le monde. Montréal y figurait par l'intermédiaire des tournées de productions de Broadway : *The Fourposter,* de Jan de Hartog, *Cyrano de Bergerac, Man and Superman,* de Shaw, Marlene Dietrich, etc. Le rêve d'Éloi de Grandmont était qu'y soit un jour mentionné le nom du Théâtre du Nouveau Monde. Et il le réalisera avec, entre autres, *Le Tartuffe* et le spectacle Marcel Marceau.

Éloi nous avait convaincus d'inscrire à notre saison *La Nuit du 16 janvier,* qui venait de triompher à Broadway. Après tout, ne nous fallait-il pas élargir notre public ? La mise en scène m'en fut confiée et je jouai le jeu de bonne grâce, malgré mes réticences. J'essayai même de justifier notre choix en écrivant dans le programme que, puisqu'il s'agissait d'un procès pour meurtre, la question essentielle de la vie et de la mort s'y trouvait débattue. C'était tiré par les cheveux, et l'artifice n'échappa pas à un esprit avisé comme celui de Fernand Seguin, qui en profita pour se payer ma tête.

À y penser maintenant, notre option pouvait se justifier du fait que le Nouveau Monde était devenu le *seul* théâtre en activité à Montréal, depuis la fermeture temporaire du Rideau-Vert, à la suite de l'inauguration de la télévision publique qui eut momentanément un effet désastreux sur les arts de la scène. Les Variétés lyriques devaient, par exemple, bientôt baisser définitivement le rideau après avoir présenté des opérettes et des opéras comiques avec un bonheur certain, pendant dix-neuf ans. Jusqu'à ce que Monique Lepage et Jacques Létourneau créent leur Théâtre-Club, au début de 1954, le Théâtre du Nouveau Monde restera sans concurrent dans son domaine propre, puisque pour voir évoluer des comédiens sur scène ailleurs que chez nous, au Gesù, il fallait aller au National, où triomphait le vaudeville avec La Poune (Rose Ouellette) et Olivier Guimond (Ti-Zoune fils). En conséquence, n'avions-nous pas obligation de présenter des spectacles pour publics diversifiés, sous peine de désavantager ceux et celles qui n'étaient pas amateurs de classiques, leur préférant un théâtre de pur divertissement ? Et puis, la pièce d'Ayn Rand comportait une certaine nouveauté : la participation du public, parmi lequel était choisi le jury qui devait finalement décider de la culpabilité ou de l'innocence de l'accusée, Karen Borg. De nos jours, on parlerait d'interaction. Une seule ombre au tableau, si l'on peut parler d'ombre dans ce cas; Karen Borg n'était jamais condamnée. Pour pouvoir jouer la fin de la pièce qui correspondait à un verdict de culpabilité, il fallut truquer le jury.

La Nuit fut montée avec la même rigueur que nos spectacles de la première saison. Nous avions eu une collaboration assez exceptionnelle du *Petit Journal*, grâce à son rédacteur en chef, Pierre Gascon, frère de Jean. À l'entracte, la distribution d'un numéro spécial de l'hebdomadaire montréalais, livrant des nouvelles à sensation du procès qui se déroulait sur scène, faisait grand effet. De même que la présence de vrais agents, qui n'étaient autres que Georges Savard, Maurice Laperrière et Lucien Guérard, les menuisiers qui construisaient nos décors, et qui étaient effectivement membres du corps policier municipal.

Un succès : vingt-quatre représentations, plus de douze mille cinq cents spectateurs. La télévision de la Société Radio-Canada en fit un téléthéâtre. Après la première, au restaurant Chez Lelarge, un journaliste m'aborda, généreux sourire aux lèvres, s'écriant : «Ah! tout de même, ces frères Gascon, hein?» Cette façon assez courante d'assimiler exclusivement le Théâtre du Nouveau Monde au nom des Gascon avait le don de m'exaspérer. Je lui ripostai assez sèchement que je n'étais rien moins que le metteur en scène du spectacle, et que m'en revenait donc un certain mérite. En fin de compte, l'euphorie du succès me réconcilia avec *La Nuit du 16 janvier*.

Il n'en fut pas de même pour *Le Corsaire*, qui était le choix de Jean Gascon, sans doute inspiré par le souvenir de ses créateurs, Louis Jouvet et Madeleine Ozeray. Ghéon, qui était un auteur dramatique mineur mais un critique très avisé, en disait un tout petit peu de bien. En 1923, il avait fait au Vieux-Colombier une série de conférences sur sa conception du théâtre. Le texte n'en avait jamais été publié en France. Serge Brousseau, un éditeur de Montréal, en eut la primeur et le fit paraître sous le titre : *L'Art du théâtre*. Il s'agit d'un petit bouquin, d'à peine 200 pages, qui vaudrait d'être mieux connu, surtout des élèves des écoles. Il capte, comme en accéléré, l'histoire du théâtre en Occident, depuis ses origines dans la Grèce du Ve siècle avant Jésus-Christ jusqu'au début des années vingt. Les dernières pages, sur le théâtre religieux, ne méritent guère l'attention. Mais dans une brève énumération d'auteurs français de cette époque, Ghéon mentionne Achard, regrettant la «légère ironie native» de cet auteur et disant que son *Corsaire* «l'avait un peu raccommodé avec son art». La louange était courte, mais le rôle semblait beau pour un comédien comme Jean Gascon. C'était pourtant un leurre.

Cette pièce, où se confondait une réalité vieille de quelques siècles, du temps héroïque des flibustiers, avec la fiction d'un film en cours de tournage ne réussit pas à provoquer grand intérêt. Amusant toutefois de retrouver Claude Jutra, qui fréquentait notre École, dans l'équipe fictive de production cinématographique. Symptomatique de la réaction du public, un commentaire de Judith Jasmin, elle aussi critique dramatique à ses heures. Le Théâtre national populaire de Jean Vilar venait de faire sa première visite à Montréal, y ayant présenté *Le Cid, Ruy Blas* et *Dom Juan*. L'estimée reporter de Radio-Canada déclara que, après ces flamboyants spectacles, les amateurs de théâtre de la métropole, avec *Le Corsaire* du Théâtre du Nouveau Monde, se retrouvaient dans leurs vieilles pantoufles! C'était cinglant mais bien mérité.

SCÈNE IX

Camarades de France

Le séjour du TNP nous fournit l'occasion de revoir Gérard Philipe. C'est la première fois qu'il jouait sur scène à Montréal, où sa popularité l'avait précédé grâce à ses films. Le grand public l'attendait avec ferveur; la gent théâtrale, avec réserve. Comme encore aujourd'hui, tout ce qui venait de France, hors les parfums et les fromages, était sujet à caution, voire à brocard. Ce beau jeune homme à qui tout réussissait, on l'avait à l'œil, prêt à le lapider s'il trébuchait. Le premier spectacle à l'affiche était *Le Cid,* dans lequel il triomphait depuis Avignon, l'année précédente. Malheureusement, il y avait quelques semaines que la troupe n'avait joué la pièce et on eut l'imprudence de la présenter sans faire de raccords. Résultat : dans sa grande scène avec Chimène, au troisième acte, Rodrigue eut un trou de mémoire qui fut apparent pour tout le monde. L'acteur en fut gêné pour la suite de son rôle.

Au rideau final, c'est tout juste si ses petits camarades montréalais ne le huèrent pas. Certains ne dissimulaient pas leur aise : si c'était ça Gérard Philipe, il pouvait toujours rester à Paris !

Dans de telles circonstances, un comédien consciencieux rage contre lui-même. L'interprète de Don Rodrigue ne faisait pas exception. Le lendemain, *Le Cid* faisait place à *Ruy Blas* : Philipe y tenait le rôle-titre. Il habitait chez Guy et Monique Hoffmann. Ce jour-là, pendant plusieurs heures, cette dernière l'entendit répéter son texte en arpentant les allées du jardinet, derrière la maison. Le soir, il était dans une forme splendide. Ses camarades le constatèrent lorsque, à la scène IV de l'acte III, en disant «La reine m'aime !», il se mit à valser et à chanter les cinq syllabes, avec une tenue très élevée sur la pénultième. Ils nous assurèrent que cela ne se produisait que les grands soirs. L'accueil de la fin fut délirant. Même les mauvaises langues de la veille ne purent retenir leurs bravos. Après le spectacle, nous attendions Gérard à l'arrière de la salle. Nous le vîmes monter l'allée avec un large sourire, les bras chargés des fleurs qu'on lui avait lancées, et nous l'entendîmes nous confier tout rayonnant : «Je crois que je les ai eus, hein ?» Le rendez-vous d'amour avec le public avait fonctionné, et l'acteur, tout Gérard Philipe fût-il, en goûtait encore la jouissance.

Nous avions également le plaisir de revoir notre vieux compagnon Guy Provost, membre de la Compagnie de Vilar depuis quelques années, et de lier connaissance avec, entre autres, Georges Wilson, Jean-Pierre Darras et Philippe Noiret. Ces deux derniers faisaient du reste partie du Centre dramatique de l'Ouest, à Rennes, au moment où Jean Gascon y travaillait. Souvent en leur société, nous vîmes paraître les premières lueurs du jour. Camaraderie des plus agréables. Noiret traitait déjà les comédiens de théâtre de «forçats de la scène» et lorgnait du côté du cinéma, sans entrevoir bien sûr la carrière fantastique qui devait y être la sienne. Il était — et il doit l'être toujours — un pince-sans-rire d'une drôlerie irrésistible, pimentée d'humour noir. Nous déjeunions ensemble, un jour, au restaurant. Une très jeune et très jolie jeune fille frôla notre table, pour aller rejoindre son groupe. Impassible, de sa voix profonde et sonore, Noiret murmura : «Une pureté à ternir !»

Chose curieuse, les comédiens du TNP passaient leur temps à médire de leur patron, Jean Vilar, au contraire de ceux de la Compagnie Renaud-Barrault que nous avions fréquentés, l'année précédente, lors de leur passage à Montréal. Jean Dessailly, Simone Valère, Jacques Dacqmine et Jean-Pierre Granval filaient le parfait amour avec Madeleine Renaud et Jean-Louis Barrault, alors que Wilson, Darras et Noiret dénigraient Vilar. Seul Gérard Philipe s'abstenait d'intervenir dans ce jeu de massacre.

Il est vrai que, à l'opposé de ceux que les membres de leur Compagnie appelaient familièrement Madeleine et Jean-Louis, Vilar se montrait extrêmement distant avec ses comédiens. Après la représentation, nous occupions tous une grande table chez le père Lelarge; Vilar, lui, se tenait à l'écart, seul avec Monique Chaumette, sa compagne de l'heure, qui allait devenir celle de Noiret.

Je devais revoir Vilar en 1970 : presque vingt ans avaient passé. Ayant alors quitté et le TNP et le Festival d'Avignon en pleine prospérité, il profitait du système français des subventionnés et connaissait une retraite passablement aisée. Ce dont certains lui faisaient grief. Il était de passage à Montréal pour une série d'interviews qu'il accordait à mon cher Raymond Charrette. Après le dernier enregistrement, Raymond avait convié à souper, chez lui, un petit groupe de ses amis. Vilar, hôte d'honneur, s'y montra charmant, voire charmeur. Il était extrêmement détendu et souriant. Une petite moustache en balai lui donnait même une allure «père tranquille». Alors qu'un des convives, Jean-Pierre Compain, le deuxième mari de Charlotte Boisjoli, se mettait à dénoncer le sort réservé aux travailleurs, Vilar lui répliquait, goguenard : «Il ne faut pas faire d'ouvriérisme, mon vieux! Le maçon qui tend son fil à plomb, en sifflotant sous le ciel bleu, n'est pas si malheureux que ça!»

Il nous parla aussi sans aigreur de ses moments difficiles à Avignon, en 1968, et nous conta l'histoire de Manu. Ce dernier était machiniste d'occasion, comme tous ses collègues prêtés au Festival par la municipalité socialiste. Voulant éviter les dégâts provoqués par les étudiants au Théâtre de France de Barrault, au mois de mai précédent, mais par principe refusant d'avoir recours aux forces officielles de l'ordre, Vilar avait organisé une garde de 24 heures par jour autour de tous les lieux exposés au pillage des contestataires. Policiers improvisés, les machinistes étaient constamment l'objet des injures des jeunes *soixante-huitards* qui défilaient devant eux au cri de «Gestapo! Gestapo!» Manu, blessé de guerre et membre du parti, n'appréciait pas beaucoup et promettait à «M'sieu Vilar» qu'un jour, il allait infliger «une raclée à ces p'tits cons»! Vilar le pria de n'en rien faire au nom du bon déroulement et de la bonne réputation du Festival. Manu promit.

Le soir de la dernière représentation, la troupe avait organisé un méchoui dans la cour du palais des Papes. S'étant engagé à assister à la projection d'un film suivie d'un colloque avec le public, Vilar ne pouvait être de la fête. (Peut-être était-il ravi de disposer de cette excuse qui lui permettait de ne pas se mêler de trop près aux réjouissances de ses comédiens.) Quoi qu'il en soit, ayant *colloqué* pendant deux longues heures, Vilar désirait se rafraîchir avant de regagner ses quartiers. Sur la place, il ne trouva qu'un seul bistro dont la devanture était encore éclairée. Il sonda la porte : elle était verrouillée. Mais le patron le reconnut et accepta de le servir. Pendant qu'il se désaltérait, Vilar entendit une galopade et des cris en provenance de l'extérieur. Curieux, il écarta le store de la vitrine pour apercevoir Manu à la poursuite d'un groupe de jeunes qui détalaient, les jambes à leur cou. Vilar sortit aussitôt et cria de toutes ses forces : «Manu! Tu m'avais promis!» Se retournant à peine, Manu lui riposta : «Le Festival est terminé depuis minuit, m'sieu Vilar!» Et il reprit sa chasse. Vilar en riait encore de bon cœur. Il devait mourir l'année suivante, à moins de 70 ans, le cœur probablement navré de ses affrontements avec des jeunes gens et des jeunes filles dont les parents avaient constitué son public le plus fidèle et ses plus enthousiastes partisans.

Plus tard, lors d'un congrès de l'Institut international du théâtre à Paris, je m'étonnais, devant une fonctionnaire du ministère français de la Culture, d'avoir connu en moins de vingt ans deux Vilar si différents. Je me fis rétorquer que, lorsqu'il était en poste au TNP et à Avignon, Vilar se devait de se montrer réservé et austère. Mais qu'une fois redevenu simple citoyen, il pouvait donner libre cours à sa vraie nature. J'avoue ne pas comprendre ces mœurs très européennes d'une certaine époque. Il me semble que l'autorité peut aussi bien se manifester et s'exercer dans la cordialité et la chaleur des relations.

SCÈNE X
Enfin Molière ressurgit

Après la visite du TNP, notre saison 52-53 se poursuivit avec un troisième spectacle : *Le Tartuffe,* de notre auteur fétiche Molière. Nous retrouvions nos véritables assises. On nous avait affirmé que, après que monseigneur de Saint-Vallier, à coup d'arguments sonnants et trébuchants, eût convaincu monsieur de Frontenac de ne pas la faire jouer par les soldats de sa garnison, la pièce n'avait jamais été présentée dans son intégralité au Québec. Je n'ai pas vérifié l'exactitude d'une telle assertion. Mais reste que l'accord des jésuites du Sainte-Marie ne nous semblait pas acquis. N'était-ce pas un piège que nous leur tendions en leur proposant cette œuvre ? À supposer que piège il y eut, ils s'y laissèrent prendre ! Beaux joueurs, ils consentirent de bon gré à ce que *Le Tartuffe* soit donné sur la scène du Gesù. Même le célèbre « Cachez ce sein que je ne saurais voir » ne créa aucune difficulté. Classique oblige !

Le Tartuffe marqua le début de notre collaboration avec Robert Prévost, le grand Robert Prévost. Elle ne devait à peu près pas se relâcher, bien qu'à compter d'une certaine période, il ait exercé sa liberté de travailler abondamment à l'extérieur du TNM. Collaboration et profonde amitié, hélas ! abruptement interrompues. Robert devait mourir subitement d'une crise cardiaque, en 1982, alors qu'il était en maîtrise totale de son art, sans doute promis aux grands succès internationaux.

C'est de retour à Montréal, après une courte période de vacances qui m'étaient une sorte de pont entre le Théâtre du Nouveau Monde et l'École nationale de théâtre du Canada, que j'appris la triste nouvelle. Dans ce que les journalistes appellent un *tombeau* paru dans *La Presse*, je me demandais alors combien de temps il me faudrait pour que je cesse de me réveiller le matin, et de me faire surprendre par la douloureuse absence d'un si

*Esquisse d'un décor de Robert Prévost
pour* Dom Juan *de Molière*
1979

précieux ami? Évidemment, le temps a aujourd'hui fait son œuvre. Les regrets ne sont plus aussi cuisants. Mais latents, ils ne guettent qu'une invitation pour sourdre avec la même acuité.

SCÈNE XI
Objets inanimés, avez-vous donc une âme?

Ainsi, aux murs de mon bureau à Montréal, sont suspendues une maquette, une photo, une aquarelle et une petite reproduction en céramique d'une estampe japonaise. Ces quatre objets sollicitent constamment mon regard et invoquent la présence de Robert, diffuse comme éther, entêtante comme parfum.

La maquette est une esquisse du décor de *Dom Juan*. Un matin de printemps, en 1979, j'avais rendez-vous avec Robert. Il est venu m'accueillir à la porte, chantant de tout cœur, selon son habitude, un thème d'un divertimento de Mozart ou d'un concerto de Vivaldi qu'il venait d'écouter. Il habitait une propriété aux murs extérieurs curieusement peints d'ocre rosé, écho nostalgique peut-être d'une des couleurs dominantes de cette Rome qu'il affectionnait par-dessus tout. Je venais discuter de production, lui communiquer ma façon de concevoir la pièce de Molière, ma perception du personnage, moins bourreau des cœurs que victime de l'intolérance et de l'étroitesse d'esprit de son entourage, à l'image du TNM, la saison précédente, lors des représentations des *Fées ont soif...* Pour moi, lui exposai-je, ce libertin (au sens moral et philosophique du XVIIᵉ siècle), ce parfait agnostique (qui doute même de son doute), en était réduit par la force des choses à la plus détestable hypocrisie, que pourtant du même souffle il dénonçait, et finissait par tomber dans un piège tendu par Dom Carlos et Dom Alonse, les frères de la malheureuse Elvire.

Robert m'écoutait, d'un air presque distrait. Sans doute pensait-il déjà à sa vision du spectacle. Il me posait de brèves questions. Puis, pendant un silence, ayant soin d'emporter son expresso bien tassé, il se dirigea vers son atelier. Je l'y suivis.

Devant sa table à dessiner, à main levée, il se mit à tracer des lignes, des formes et des ombres en sépia, sur un fort papier légèrement teinté. Très rapidement, sous mon regard, se précisait un lavis, déjà étonnant en soi. (En une seule autre circonstance assistai-je à une telle fulgurante création, dans la grange-atelier de Riopelle à Sainte-Marguerite-du-lac-Masson, alors que ce dernier jonglait littéralement avec les bombonnes d'aérosols dont il faisait tomber le jet sur un papier brun d'emballage, fixé à plat sur une table.) Une fois construit, l'automne suivant, le décor de *Dom Juan* constituera la réalisation presque exacte de cette première ébauche, avec son immense ciel désespérément vide, ses arbres tragiques dressant leurs branches dénudées — comparables aux formes que Robert avait sculptées pour les grilles de l'Oratoire Saint-Joseph —, son praticable et sa tournette inclinée. Tous éléments qui me seront d'une précieuse inspiration au moment des préparatifs et des répétitions de la pièce. Ce matin de printemps de 79 est gravé dans ma mémoire : j'y ai vu à l'œuvre un créateur d'un talent tout à fait exceptionnel.

Quant à la photo, c'est celle d'un Robert à la chevelure frisée et à la barbe touffue. Allure qui, ajoutée à sa gourmandise pour la vie, lui valait quelquefois le surnom de Bacchus. J'ai réclamé cette photo de ses sœurs et de son frère, le jour où je suis allé prendre possession de sa bibliothèque au nom de l'École nationale de Théâtre du Canada dont il avait, le premier, dirigé la section décoration. Une photo tout yeux et tout sourire. La bouche n'est pourtant pas ouverte et les lèvres, à peine écartées. Le regard est pétillant de malice, révélant néanmoins une légère inquiétude. Le sourire est tout à la fois affable et retenu. Regard et sourire qui font comprendre pourquoi on a dit de Robert qu'il était sans ennemis. Assertion périlleuse, qui pourrait laisser croire à de la tiédeur et de l'obséquiosité. Rien de cela chez lui. Ses amis pouvaient beaucoup exiger de lui, et d'eux, il exigeait beaucoup.

Aux autres, je ne saurais dire ; mais à moi, il n'a pas beaucoup écrit. En quittant le TNM, j'ai pourtant retiré des dossiers une lettre qu'il m'avait adressée de Rome, pleine de reproches au sujet de la façon dont je m'étais professionnellement comporté à son égard, en tant que directeur artistique de la Compagnie. Tablant sur notre amitié, je considérais sa disponibilité de créateur comme acquise une fois pour toutes, semblant de la sorte faire passer son talent au second plan. Je l'avais blessé, et il me l'exprimait en termes énergiques.

En une autre circonstance, Robert me guérit, à peu près définitivement, de mes impatiences qui se manifestaient souvent par de ridicules accès de colère. C'était en 1967. L'année précédente, j'avais pris la succession de Jean Gascon, et nous venions d'emménager au théâtre Port-Royal. Au début de la générale d'*Anatole*, d'Arthur Schnitzler, je m'aperçus que manquait un élément important du décor : un rideau derrière lequel on devait procéder aux nombreux changements de scène. J'éclatai, frappant du poing de tous bords, tous côtés et m'écriant : « Ah! le bon vieux TNM refait surface! », déplorant par là certaines habitudes d'improvisation naguère assez fréquentes dans la Compagnie. J'exagérais bien sûr, comme toujours quand on est en proie à une forte agitation. Le lendemain matin, nous avions une réunion de production de *Pygmalion*, troisième spectacle de la saison. Robert devait en dessiner décors, costumes et éclairages, mais il brillait par son absence. On l'appela au téléphone. Il demanda à me parler et m'expliqua, le plus calmement qu'il le put, avoir interprété ma remarque de la veille comme un affront à la direction artistique de Jean Gascon, et qu'il ne pouvait l'admettre. Il lui était donc désormais impossible de travailler en équipe avec moi. Sa fidèle amitié pour Jean le poussa même jusqu'à ridiculiser la chorégraphie des danseurs qui faisaient la soudure, d'une scène à l'autre, dans *Anatole*. Jean eût inventé, me dit-il, des pas et des mouvements infiniment plus spirituels et plus expressifs. Le fait est que, n'ayant pas le talent de Jean Gascon en ce domaine, j'avais commandé une chorégraphie qui n'avait rien d'inspiré, je devais bien l'admettre. Je finis, non sans peine, par convaincre Robert de revenir sur sa décision. Et je devais désormais réussir à maîtriser mes excès d'humeur. Quant à notre amitié, elle ne devait plus jamais se démentir.

Ainsi, quelques années plus tard, me parla-t-il d'un sujet autrement délicat. J'aurais pu aisément en prendre ombrage et rompre nos relations. Il le savait, et me le dit, me déclarant du même souffle qu'à cause de l'affection qu'il me portait, il se sentait obligé à semblable démarche. Je traversais une période difficile et j'en prenais prétexte pour boire ; pour boire à l'excès, persuadé du reste que cela ne se voyait pas. Bien sûr, tout mon entourage s'en rendait compte. Je sus plus tard que certains de mes collaborateurs réclamaient mon congédiement. Personne n'osait cependant m'en parler. Ceux ou celles de mes intimes qui l'avaient tenté s'étaient fait rabrouer. Pas Robert, pourtant ; pas mon cher Robert. Lui, je l'ai remercié et je l'ai embrassé. Avant de me quitter, il m'a regardé silencieusement, avec son sourire discret, lumineux, chaleureux, que je lui vois sur sa photo.

Une maquette, une photo, et une aquarelle qui est d'acquisition plus récente. Ma femme Monique et Huguette, ma belle-sœur, me l'ont offerte à l'occasion de mon dernier anniversaire. Elle m'est d'autant plus chère qu'elle vient de la collection personnelle du regretté Claude Hinton, designer-ensemblier, un des plus anciens amis de Robert. Inspirée du *Songe d'une nuit d'été*, l'aquarelle évoque le personnage de Puck et les esprits volatiles qui l'assistent. Le mouvement des formes aériennes est soutenu par la délicatesse et la limpidité des couleurs, par la subtilité des bleus, des jaunes, des verts. Aquarelle qui évoque l'un des regrets les plus vifs qu'entretenait Robert dans le secret de son cœur : celui d'exercer un art éphémère, et d'être ainsi dans l'impossibilité de laisser, après sa mort, le moindre témoignage durable de ses dons de créateur. C'est le lot des gens de théâtre. Certains s'en accommodent ; pas lui. Ses longs séjours romains, il entendait invariablement les consacrer à la peinture et à la sculpture. Peine perdue : le *farniente* l'emportait sur ses décisions les plus fermes. On ne se souviendra donc jamais de Robert Prévost comme d'un peintre ou d'un sculpteur, malgré le mérite des quelques œuvres qu'il a laissées. Pas plus que d'Ingres, comme d'un violoniste...

Enfin, quatrième objet que j'ai constamment sous les yeux : un bibelot, une petite reproduction d'une estampe japonaise que j'ai également soutirée à ses proches. Objet qui n'a de valeur que sentimentale, mais témoignage indiscret de l'importance qu'il accordait à la jouissance de la vie. Il entendait profiter de tout : de la nature, des arts, du bon vin, de la bonne chère et... de la chair fraîche. Il ne s'en cachait pas, sans jamais pourtant d'ostentation grossière ou provocante. L'estampe est reproduite sur une petite céramique d'une douzaine de centimètres de côté. Elle représente une scène curieuse, dont on ne découvre l'aspect osé qu'après examen. Trois prétendants, pêcheurs naufragés dit la légende à l'endos, sont agenouillés en rang comme pour une revue. Devant eux, la promise accompagnée de trois suivantes, dont l'une en particulier, également agenouillée, semble scruter les qualités des candidats au mariage. Ce n'est qu'au second coup d'œil qu'on découvre que les hommes ont l'arme au clair et portée bien haut! J'imagine facilement la façon dont Robert m'aurait présenté cette petite japonaiserie. D'abord, avec un sourire espiègle, puis avec un franc éclat de rire. Cher Bacchus, va!

Pour le grand public, même pour les amateurs de théâtre, le nom de Robert Prévost ne signifie plus que peu de chose. Les jeunes, qui abordent le métier, le relèguent au rang de légende passée, comme on dit d'une couleur. Mais il survit par ceux de ses amis qui continuent à penser à lui. Comme moi.

SCÈNE XII
Premier décor signé Prévost au TNM

Je revois très bien ce premier décor du *Tartuffe* qu'il créa, en 1953, pour le TNM. Un décor d'intérieur bourgeois, qui révèle le rang modeste et l'aisance relative de ses propriétaires. Marron et vert : couleurs de prédilection du décorateur. Celles dont il calculait le mieux la valeur, les vibrations, les ondulations. Car Robert était daltonien! Il fallait le savoir, puisqu'il s'était entraîné à différencier les couleurs, parvenant même à se créer une palette dont il jouait avec hardiesse et subtilité.

Le Tartuffe fut joué trente-neuf fois, et attira près de vingt-deux mille spectateurs. C'était, à ce jour, notre meilleure performance, qui se compare favorablement du reste à celles d'aujourd'hui dans n'importe quel théâtre de Montréal. Preuve que j'ai raison d'affirmer que le réservoir de public ne s'y est pas élargi depuis près de cinquante ans. C'était l'une de ces productions que Jean Gascon qualifiait d'«heureuses», signifiant par là que tout y fonctionnait à merveille et que le public y manifestait autant de talent que les interprètes et le metteur en scène.

Jean ne maîtrisait pas encore son art. Ce sera le cas, plus tard, lorsqu'il montera avec une rare virtuosité *Le Malade imaginaire, Venise sauvée, Le Dindon, L'Opéra de quat' sous* ou *Lorenzaccio*, par exemple. Sans parler de ses grands succès au Festival shakespearien de Stratford. Mais il avait déjà la touche sûre, et savait inspirer une heureuse confiance aux comédiens et aux comédiennes qu'il dirigeait.

Ainsi d'Henri Norbert dans le rôle-titre. Nono, comme nous l'appelions familièrement, avait échoué à Montréal après que le producteur de Paris-Théâtre Guilde, une troupe française formée *ad hoc* pour une série de spectacles à L'Arcade, se fût enfui avec la caisse. Si je ne me trompe, ironie du sort, il s'appelait Antoine, du même fameux nom que celui qui fonda le Théâtre-Libre à Paris, à la fin du siècle dernier. Les autres membres de la troupe étaient rentrés par leurs propres moyens. Mais Henri avait décidé de s'installer ici. On disait que sa ressemblance avec Pierre Renoir avait compromis sa carrière parisienne. Et puis il y avait ses trous de mémoires qui devinrent légendaires parmi nous. La nécessité l'amenait à inventer des alexandrins qui, tout en étant tout à fait dépourvus de sens, sonnaient parfaitement bien : ils comptaient leurs douze pieds, avec césure au sixième!

Il était homosexuel et ne s'en cachait pas, même à cette époque rigoriste. De telle sorte que, lors des derniers enchaînements du *Tartuffe* sur scène, l'un de nos policiers-menuisiers me déclara à plusieurs reprises, connaître «ce gars-là», se demandant où il avait bien pu le voir. Enfin, poussant un soupir de soulagement, comme il nous arrive lorsque nous finissons par nous rappeler un nom après d'obstinées recherches, il se précipita vers moi et me chuchota : «Ça y est, je me souviens : je l'ai arrêté dans une ruelle, avec un petit jeune, l'autre nuit!»

Je me rappelai cette anecdote lorsque je montai la pièce, près de vingt ans plus tard. Au lever du rideau, c'était l'aube : on entendait sonner l'angélus du matin. Accompagné de son fidèle Laurent — que Molière ne fait pourtant pas apparaître sur scène —, Tartuffe rentrait chez son bonasse d'hôte, Orgon. On aurait pu croire qu'il revenait du premier office religieux de la journée. Mais son pas lourd et incertain trahissait un état d'ébriété avancée, résultat d'une bamboche nocturne. Avant de disparaître dans ses appartements, il embrassait goulûment son jeune compère sur la bouche. Petit prologue que l'auteur n'était pas en mesure de me reprocher, et que je m'étais permis d'ajouter en illustration de la duplicité du personnage.

Autre incident, survenu en 1953, dont je me souvins également en 1968. Un samedi, en matinée, durant l'une des tentatives de séduction d'Elmire par le faux dévôt, on entendit, accompagné des grandes orgues retentissantes, l'écho des litanies

de la Sainte-Vierge que chantaient à pleine voix les 800 élèves du
Collège Sainte-Marie dans l'église du Gesù, sise directement au-
dessus de la salle du même nom :

> *Sancta Mari-ia,*
> *O-ora pro nobis...*

Cette évocation lointaine du monde céleste, alors que le soi-
disant homme de Dieu cherche à satisfaire sa soif de luxure, me
parut proprement géniale. Je requis donc de Robert Prévost,
décorateur de mon *Tartuffe* comme il l'avait été du premier, en
1953, qu'il installe un harmonium à pédales dans un petit jubé
surplombant la pièce où se déroulait l'action. Alors que Tartuffe,
brûlant de désir, pourchassait l'appétissante Elmire, Laurent
s'installait à l'instrument et y exécutait un hymne grégorien.

SCÈNE XIII

Claude Gauvreau et Tartuffe

C'était alors Albert Millaire à son meilleur qui interprétait
Tartuffe, bien différemment mais avec autant de bonheur qu'Henri
Norbert. Et Paul Hébert jouait Orgon ; en 1953, c'était François
Rozet. À la suite de la première, Claude Gauvreau, assidu de nos
spectacles, avait alors signé une critique dithyrambique dans *Le
Haut-Parleur*, hebdomadaire qui fut publié de 1950 à 1953. Ses
éloges visaient particulièrement François, qui campait effectivement, en Orgon, un bourgeois suave et candide avec son habit
Louis XIII élimé et sa pipe de plâtre. Gauvreau s'était tellement
plu à la représentation qu'il y revint ; et il écrivit une deuxième
critique, une sorte de *Retour du Tartuffe*, dans laquelle il signalait
les dérives du spectacle. Il s'en prenait notamment à Rozet, qu'il
accusait de cabotinage. Ce dernier fulminait, adjurant le TNM de
protester officiellement. Outre que nous nous étions promis de ne
jamais réagir aux mauvaises critiques qu'en nous acharnant de plus
belle au travail, nous admettions à part nous, sans l'avouer à haute
voix, que Gauvreau n'avait pas entièrement tort.

François était un comédien remarquable. Après être devenu
directeur artistique du TNM, je le dirigeai dans Krap, de *La
Dernière bande,* d'Albee, et dans Pélage du *Soulier de satin* de
Claudel. À ces deux occasions, il se montra d'une docilité et d'une

sobriété exemplaires. L'âge l'avait sans doute assagi, sans compter le fait qu'il me témoignait une entière confiance, me considérant un peu comme son fils. Mais à l'époque du premier *Tartuffe*, il avait une nette tendance à se laisser emporter par les réactions du public. Je ne crois pas que Gauvreau soit revenu une troisième fois. Dommage : il aurait pu constater que ses observations avaient porté fruit, malgré la mauvaise humeur d'abord manifestée par celui qui en avait été la cible.

SCÈNE XIV
Sérieuse histoire de bobèches

J'étais un peu préfet de discipline au TNM, me gendarmant particulièrement contre les fous rires, d'autant plus dangereux que le public semble en raffoler. Il existe même des comédiens qui jouent les fous rires, croyant de cette manière provoquer la connivence des spectateurs. Et à la vérité, nombreux parmi eux sont ceux qui se trouvent d'abord ravis d'entrer ainsi en apparence dans les coulisses du métier. Mais ce faisant, ils débusquent, à leur insu, derrière l'artifice du jeu, la fiction du personnage auquel l'artiste veut qu'ils ajoutent foi. Difficile, dès lors, de les gagner de nouveau à la convention. Le charme est rompu, et brouillé le philtre qui l'avait provoqué.

Dans le décor de Robert Prévost, il y avait un plafonnier muni de vraies bougies, avec bobèches pour retenir les coulures de cire. Celui à qui incombait la tâche de nettoyer ces bobèches ne s'en acquittait pas tous les jours. Si bien que, durant la scène finale de la pièce, encore à l'occasion d'une matinée, la cire se mit à déborder et à s'écouler en gouttes épaisses. La première tomba au sol, ne faisant que troubler légèrement la concentration des comédiens. Lorsqu'une deuxième aboutit sur l'épaule d'Henri Norbert, des sourires s'esquissèrent. Puis ce fut le tour de son crâne, et, finalement, de son nez qu'il avait assez proéminent. Le bouquet! Rieur comme pas un, Jean Gascon fut incapable de réprimer ses tressaillements d'épaules, son personnage Cléante ne parvenant pas à terminer l'avant-dernière réplique de la pièce. Lorsqu'il en vint au vers «À son mauvais destin, laissez un misérable...» ce fut le comble : on imaginait sans doute Tartuffe condamné à recevoir pour l'éternité d'épaisses gouttes de cire tombant d'un ciel en fureur sur son appendice nasal! On dut fermer le rideau.

Hélas! les spectateurs trépignaient de plaisir. Toute la distribution en riait à gorge déployée, en grimpant les marches qui menaient aux loges. Moi, sous mon maquillage, j'étais livide. Je déclarai solennellement à l'assemblée que si on voulait couper court à la carrière du TNM, on n'avait qu'à continuer à se conduire de la sorte. Mes camarades bougonnaient contre ma rigueur, mais le nettoyeur de bobèches reçut le message.

SCÈNE XV
Henri VIII est dans la salle

Pour le dernier spectacle de cette saison, nous glissions encore dans la facilité avec une petite comédie qui avait fait les belles soirées des boulevards parisiens : *La Cuisine des anges,* d'Albert Husson. Mais le spectacle était bien monté et le bonheur des comédiens, exubérant. La critique fut unanimement bonne, et le succès nous valut une surprise de taille. Un jour, tout excitée, notre fidèle buraliste Antoinette Verville nous annonça que le comédien britannique, Charles Laughton, voulait assister au spectacle. Nous le connaissions par ses films dans lesquels il se révélait un merveilleux et inimitable cabotin, notamment en tant que Henry VIII, ou dans un curieux *Hobson's Choice*, où il interprétait un hallucinant personnage d'alcoolique. De passage à Montréal, il avait manifesté le désir d'aller au théâtre, et la direction du Ritz, où il était descendu, lui avait recommandé le Théâtre du Nouveau Monde. Notre bonne réputation faisant boule de neige, il ne restait plus un seul fauteuil. Nous les installâmes donc, lui et ses jeunes amis, dans des chaises disposées devant l'une des énormes colonnes de la salle. Il nous fit l'amitié de venir en coulisses, nous dit son plaisir de nous voir jouer, et consentit de bonne grâce à une photo de groupe.

Au début de mai, le Gesù n'était plus disponible, et le succès de *La Cuisine*, loin d'être épuisé, nous émigrâmes donc au Théâtre des Compagnons. Comme il arrive souvent dans de tels cas, alors que les huit cent cinquante fauteuils du Gesù étaient tous occupés, nous fîmes rarement le plein des quelque quatre cents du petit théâtre de l'angle des rues Sherbrooke et de Lorimier. Toutefois, plus de douze mille spectateurs au total nous manifestèrent leur joie, lors de l'une ou l'autre des vingt-cinq représentations de cette pièce.

SCÈNE XVI
Le plaisir de jouer la comédie

Ce succès reposait évidemment sur le caractère comique de *La Cuisine*, sur sa mécanique éprouvée de bon boulevard et sur sa facilité d'accès. Point n'était besoin de beaucoup de réflexion pour savourer l'épisode de ces trois anges-bagnards de Cayenne, en service dans la maison d'un marchand de l'île, qui s'emploient à préserver son bonheur domestique. Mais comptaient aussi la rigueur constante de nos productions, à tous points de vue, et surtout ce qui était devenu la marque de commerce des spectacles du Théâtre du Nouveau Monde, particulièrement pour les comédies : le bonheur évident et communicatif des comédiens et des comédiennes à évoluer sur scène, et la cohésion de la Compagnie. C'est pourquoi, même si j'émets aujourd'hui des réserves au sujet de certains des choix de notre répertoire, j'en évoque tout de même le souvenir avec tendresse.

SCÈNE XVII
La destruction de l'humanité

Le dimanche 6 août 1995

Il y a cinquante ans aujourd'hui, éclatait la deuxième bombe atomique de l'histoire. J'emprunte les faits au magazine *Time*. À 2 heures 45 du matin, un bombardier américain B-29 décollait de Tinian, l'une des îles Mariannes. Destination : Hiroshima. Cet avion avait été baptisé des deux prénoms de la mère du pilote : *Enola Gay*. Il transportait dans sa soute une bombe surnommée *Little Boy*. C'était le dernier cri de l'arsenal de guerre, le résultat de recherches et d'expériences qui s'étaient prolongées sur plusieurs années, avaient englouti un budget de 2 milliards (soit plus de 15 milliards de dollars américains de nos jours) et abouti à l'explosion réussie du premier engin atomique dans le désert du Nouveau-Mexique, à l'aube du 16 juillet 1945. Le projet portait le nom de code *Manhattan,* et cette première bombe, celui de *Jumbo.*

Ville du sud de Honshu, la plus grande des quatre îles de l'archipel japonais, Hiroshima abritait plusieurs usines d'armements ainsi que de nombreuses installations militaires, dont le deuxième Quartier général de l'armée. Les évacuations, commencées en 1942, avaient réduit sa population à 280 000 civils, 43 000 soldats et membres du personnel militaire et 20 000 travailleurs coréens, forcés ou volontaires; soit un total de 343 000 âmes.

Le 6 août 1945, une première alerte y fut donnée à 7 heures 09, provoquée par les avions météo qui précédaient *Enola Gay.* À 7 heures 31, fin de l'alerte; ces deux premiers B-29 ayant rebroussé chemin, c'est probablement cet incident qui amena un relâchement chez les guetteurs de la défense civile. Si bien que, peu avant 8 heures 15, les habitants d'Hiroshima purent voir trois autres B-29 — *Enola Gay* et ses deux avions d'escorte — à quelques 9 500 mètres d'altitude au-dessus de la ville, puis en entendre le sourd vrombissement. Aucune alerte n'avait encore été donnée. Le factionnaire de service avait bien été avisé qu'on avait repéré trois avions ennemis, mais il était à consulter des notes et il ne prit le microphone que tardivement : « Le commandement militaire signale que trois avions ennemis... » Il ne put terminer sa phrase. *Little Boy* avait été larguée à 8 heures 15 minutes 30 secondes, et explosait à ce moment précis, 43 secondes plus tard, à 580 mètres au-dessus d'Hiroshima.

Ce fut d'abord un éclair blanc bleuté aveuglant, puis, pendant une fraction de seconde, un dégagement de chaleur sans précédent sur Terre. Dans le voisinage du lieu situé immédiatement au-dessous de l'explosion, le mercure d'un thermomètre se serait élevé à 3 000 ou 4 000 degrés centigrade. Dans un périmètre de un kilomètre et demi, la surface des objets atteignit 540 degrés. Les hommes, les femmes, les enfants et les animaux qui s'y trouvaient moururent instantanément, vaporisés ou carbonisés. Au delà de ce périmètre, ils connurent, hélas! une agonie plus longue. Les survivants fuyaient l'enfer comme des automates. Les bras allongés et les mains tendues, ils essayaient instinctivement de protéger leur peau calcinée de quelque contact que ce soit.

À dix kilomètres à la ronde, le sol prit une teinte d'un brun rougeâtre, sous l'effet de la chaleur dégagée par *Little Boy*. En certains lieux, elle laissa un étrange témoignage photographique de cet instant d'horreur. Les humains ou les objets, interposés entre l'éclat de l'explosion et d'autres surfaces, y imprimèrent leur ombre, témoins silencieux de cette atroce fraction de seconde : une échelle, un escalier en spirale, un soldat, avec son ceinturon et sa baïonnette pendus à un crochet...

Comme si la nature se révoltait, des vents se mirent à souffler, entraînant le feu d'une rive à l'autre des sept embranchements de la rivière Ota qui sillonnent Hiroshima. S'abattit sur la ville une pluie sombre, dont les gouttes atteignaient la grosseur d'un marbre, condensation provoquée par la colonne de fumée de l'explosion. Succédant à la vague de chaleur excessive, une rafale se propagea depuis le centre de la déflagration, d'abord à raison de 3,2 kilomètres à la seconde, pour ensuite se réduire à la vitesse du son.

Les bombes conventionnelles provoquent des ondes successives de choc. Mais ce nouvel engin, libérant l'équivalent de douze kilotonnes et demie de TNT, rasa Hiroshima d'un seul coup. Des 76 000 édifices de la ville, seulement 6 000 n'éprouvèrent aucun dommage, alors que 48 000 furent entièrement détruits. Au delà de la zone centrale de dévastation, l'explosion alluma d'autres incendies, causant l'effondrement des résidences inflammables. Des habitants, emprisonnés sous les débris, appelaient en vain au secours. On estime que 100 000 victimes périrent, ce premier jour. Avant la fin de l'année, on en comptait 140 000. Cependant, la majorité des *hibakusha*, comme on appelle les survivants de la bombe d'Hiroshima, développèrent diverses maladies, et aujourd'hui, on évalue à 220 000 le nombre des victimes de *Little Boy*, soit près de 70 p. 100 de la population totale que comptait alors la ville. Et l'hécatombe se poursuit.

La Maison-Blanche annonça bientôt l'événement, sans faire mention de l'ampleur de la destruction. Sans doute calculait-on qu'il était inutile d'alerter l'opinion mondiale avant d'avoir atteint le but visé : la reddition sans conditions du Japon. Le troisième paragraphe du communiqué se lisait comme suit : «Il s'agit d'une bombe atomique. Il s'agit de la maîtrise de l'énergie fondamentale de l'univers. La force, d'où le Soleil tire sa puissance, a été lâchée sur ceux qui ont suscité la guerre en Extrême-Orient.» L'opposition de la forme grammaticale simpliste et du ton apocalyptique du discours est trop évidente pour ne pas avoir été calculée.

J'ai un souvenir assez précis de la façon dont j'ai appris la nouvelle par le quotidien *Le Devoir*, le 7 août au matin. On ne donnait pas de détails sur les pertes en vies humaines, ni sur la destruction quasi totale de la ville. Du moins, je ne le crois pas. On insistait surtout sur le début d'une ère nouvelle : l'ère atomique. Le témoin d'un drame, ou d'un accident, fixe souvent son attention sur un détail, oubliant l'essentiel : les dégâts et les victimes. Ainsi ce qui me frappa d'abord, ce matin-là, c'est qu'on nous avait toujours enseigné que la molécule était «la plus petite quantité de matière pouvant exister à l'état libre». Ce n'était plus absolument vrai puisque, dans certaines conditions, on réussissait à isoler l'atome, pendant une période infinitésimale de temps, pour en provoquer la fission. Dans mon esprit, c'est en tout cas de cette manière que devaient se passer les choses. L'énergie fantastique ainsi libérée pouvait être employée pour le meilleur et pour le pire. Ce jour-là, ce fut pour le pire. Même à son meilleur, l'utilisation pacifique de l'énergie atomique dans la production d'électricité entraîne des effets redoutables, puisqu'on n'a pas encore trouvé, à l'aube du XXIe siècle, la façon sécuritaire de disposer de ses déchets radioactifs.

Le lendemain du 6 août 1945, on ne se livrait pas à ce genre de considérations. Les Japonais émirent un communiqué laconique : «Hiroshima a subi de considérables dommages à la suite d'un raid aérien de quelques B-29. Nos ennemis ont apparemment utilisé un nouveau type de bombe. Une enquête est en cours pour obtenir plus de détails.» En réalité, Tokyo ne savait à peu près rien de ce qui s'était produit à Hiroshima. L'ampleur de la dévastation était telle qu'il fallut quelque temps avant que les dirigeants japonais ne s'en rendent compte. Les plus belliqueux d'entre eux émirent l'opinion que n'existait sûrement pas une autre bombe atomique, et qu'il fallait donc poursuivre le combat.

Engagés cependant dans la spirale, les Américains avaient déjà prévu une nouvelle démonstration dévastatrice. Le 8 août, une troisième bombe atomique, *Fat Man,* fut chargée à bord d'un autre B-29 sur la piste de l'île Tinian. Le lendemain matin, le 9 août à 3 heures 47, le bombardier s'envolait en direction de Kokura dans l'ile de Kyushu, où était situé un important arsenal. Constatant que la cible était ennuagée et que son appareil était menacé d'une panne de carburant, le commandant du B-29 décida de mettre le cap sur une autre des quatre villes déclarées « atomisables » par les autorités américaines : Nagasaki. La quatrième était Niigata. Elles avaient été jusque-là intentionnellement épargnées par les bombardements incendiaires qui avaient ravagé des quartiers entiers de Tokyo, d'Osaka, de Nagoya, de Kobe, de Kawasaki et de Yokohama. L'effet psychologique de l'éclatement d'une bombe atomique, au-dessus d'une ville intacte, devait évidemment être plus considérable que sur une cible déjà dévastée.

C'est donc, pour ainsi dire, par hasard qu'à 11 heures 02, le matin du 9 août 1945, *Fat Man* explosa à 500 mètres d'altitude au-dessus de cette ville de 240 000 habitants, dégageant l'équivalent de 22 kilotonnes de TNT, presque le double de la puissance de *Little Boy*. La topographie de Nagasaki lui valut d'être partiellement épargnée. À partir de son port, la ville s'étend en deux vallons séparés par d'abruptes collines. *Fat Man* explosa au nord-ouest de l'arête, où furent donc limités les dégâts tout de même infernaux, entraînant la mort instantanée de 74 000 victimes. *Little Boy* et *Fat Man* en seront donc arrivés au sacrifice de près de 300 000 vies humaines.

Les comptes ne sont pas fermés. Les savants croient que les effets génétiques de l'irradiation atomique ne seront perçus qu'à la sixième génération. C'est pourquoi les *hibakusha* et leurs descendants sont, paraît-il, condamnés à un certain isolement dans la société nipponne. Bien sûr, ils jouissent de la compassion de leurs concitoyens et ils occupent des places réservées lors de la cérémonie annuelle qui commémore les bombardements atomiques. Mais les familles saines ont évité les mariages avec eux, et cette mise au ban quasi invérifiable se prolonge auprès de leurs enfants et de leurs petits-enfants. Phénomène d'apocalypse.

Malgré ce deuxième coup, le Conseil suprême de guerre japonais demeurait divisé à égalité entre pacifistes et militaristes. Dans une mesure sans précédent, on eut recours à l'empereur Hirohito. La tradition voulait que l'empereur garde le silence, gouvernant ses sujets du haut de sa puissance située au delà des nuages, et ne se mêle pas aux prises de décision politiques, d'ordre temporel. Mais le matin du 9 août 1945, il parla par communiqué :

«J'ai sérieusement réfléchi à la situation qui prévaut à l'intérieur comme à l'extérieur de l'empire, et j'en viens à la conclusion que la poursuite de la guerre entraînerait la destruction de la nation, et ne ferait qu'ajouter aux flots de sang versé et à la cruauté dans le monde. Le temps est venu de subir l'insoutenable. Je refoule donc mes sanglots et j'accorde ma sanction aux propositions de paix des Alliés, telles qu'exposées par le ministre des Affaires étrangères.» C'est qu'aux propositions de capitulation sans conditions dites de Potsdam, du nom de la ville d'où elles avaient été adressées le 27 juillet précédent, le Conseil suprême de guerre japonais avait ajouté une clause stipulant que serait maintenu le pouvoir souverain de l'empereur à l'intérieur de son pays, une fois la guerre terminée. Façon de «sauver la face».

Il fallut pourtant encore six jours et 15 000 autres victimes de raids aériens conventionnels pour que ses sujets entendent, pour la première fois de l'histoire de l'empire nippon, la voix de leur empereur par radio : «La conjoncture de la guerre n'a pas nécessairement évolué à l'avantage du Japon, cependant que les orientations du monde entier se sont retournées contre son intérêt. De plus, l'ennemi a commencé à utiliser une nouvelle bombe des plus cruelles, dont la puissance destructrice est en réalité incalculable, entraînant la mort de nombreuses et innocentes victimes.» En conclusion, l'Empereur admettait la défaite du Japon.

Si je consacre un si long passage à la relation de ces faits, c'est qu'ils constituent le plaidoyer le plus éloquent qui soit contre l'utilisation des armes dans le règlement des conflits entre nations, comme entre groupes ethniques. Personne ne peut prétendre maîtriser l'escalade qui s'ensuit ni limiter le déchaînement de ses excès. Certifier qu'une Troisième Guerre mondiale n'a été évitée que parce que les grandes puissances se sont tenues en respect grâce à leurs forces de dissuasion et, notamment, à leur arsenal atomique, c'est utiliser un langage de militaristes et retarder dangereusement l'ère de paix qui constitue la seule et unique voie de salut pour l'humanité. Et invoquer la cruauté des combattants japonais pour sanctionner l'emploi de cette répression démesurée contre eux, constitue un raisonnement suicidaire. «Œil pour œil...»

D'aucuns justifient l'utilisation de Little Boy et de Fat Man du fait que les deux bombes auraient évité une invasion du Japon, et épargné ainsi jusqu'à un demi-million de vies humaines dans les rangs des G.I. et des officiers américains, sans compter les millions de militaires et de civils du côté des Japonais. Or, on sait maintenant qu'un rapport confidentiel, provenant du Joint War Plans Committee du Pentagone et émis au printemps de 1945, évaluait qu'une invasion du Japon, au mois de novembre suivant, aurait entraîné pour les Américains 40 000 morts, 150 000 blessés et 3 500 disparus. Au total, 193 000 victimes. C'est énorme. Mais est-ce parce qu'elle sont japonaises que valent moins les 300 000 victimes des deux bombes larguées sur Hiroshima et Nagasaki? Je sais que cette arithmétique morbide est méprisable. Mais une vie humaine est une vie humaine, unique et irremplaçable. Et aujourd'hui, on commence à se demander s'il n'eût pas été possible d'épargner le sacrifice de tant d'hommes, de femmes et d'enfants.

La nécessité des bombardements atomiques du Japon est loin de se révéler incontestable. S'il est vrai que durant les premières années de la guerre contre les États-Unis, le Japon accumula les succès militaires, il n'en reste pas moins que ses victoires avaient épuisé ses ressources matérielles et stratégiques. En octobre 1944, après la défaite navale de Midway et la déroute de la flotte impériale dans le Golfe de Leyte, aux Philippines, le Japon était virtuellement éliminé comme puissance maritime. La dure prise de l'île d'Okinawa par les Américains avait fini par couper le Japon des matières premières dont il avait besoin pour poursuivre la guerre et qui lui venaient principalement de ses territoires asiatiques de l'Est et du Sud-Est. En juin 1945, la force aérienne du Japon était réduite à 4 000 appareils, dont 800 seulement étaient en état d'opération. Les États-Unis disposaient de 22 000 appareils qui avaient réduit l'empire en cendres.

Qui plus est, dès le 22 juin, dans les cercles fermés des délibérations de haute stratégie, l'Empereur avait exprimé l'opinion qu'il fallait s'employer à négocier un terme aux combats. Écartant, de toute évidence, les contacts directs avec les Américains, des diplomates japonais approchèrent l'URSS, jusque-là neutre dans le Pacifique : ils en sollicitaient médiation et alliance. Paradoxe : c'est peut-être ce qui précipita l'utilisation de l'arme atomique.

Une thèse est en effet de plus en plus accréditée. Outre qu'il leur fallait trouver utilisation concrète d'un ruineux engin de guerre, le président Truman et ses stratèges redoutaient la puissance des

Soviétiques qui venaient de jouer un rôle prépondérant dans la capitulation sans conditions de l'Allemagne nazie. Il devenait inacceptable que se renforce leur prestige sur la scène internationale en les laissant intervenir dans le processus de paix en Extrême-Orient. *Little Boy* et *Fat Man* auraient donc plutôt servi à court-circuiter et à impressionner le Kremlin qu'à vaincre les Japonais, déjà acculés à une capitulation prochaine. La réaction de l'URSS ne se fit d'ailleurs pas attendre : la veille de Nagasaki, de peur d'être laissée pour compte et en dépit de toute prévision, elle déclarait la guerre au Japon. Le lendemain matin, plus d'un million et demi de soldats soviétiques attaquaient la Mandchourie, jusque-là aux mains des Japonais.

Avant de terminer, il vaut la peine de signaler que peut-être les Américains auraient pu en arriver aux mêmes fins, sans hécatombe de vies humaines. Il y a quelques années, pour souligner l'anniversaire de la bombe d'Hiroshima, on présenta à la télévision un documentaire avec interviews de survivants du projet *Manhattan*. L'un d'eux déclara qu'à la suite de l'explosion de *Jumbo*, des savants auraient conseillé au président Truman de procéder, dans le désert du Nouveau-Mexique, à une démonstration de l'énergie dévastatrice d'un engin semblable et d'y inviter des représentants des puissances du monde entier, Japon compris, avec sauf-conduit à la clef bien sûr. Nul doute que le seul vacarme assourdissant de la détonation et le seul spectacle du champignon et de l'expansion foudroyante du nuage atomique, ajoutés à l'anéantissement instantané de vieux avions, chars d'assaut, canons, etc., placés près de l'épicentre du cataclysme provoqué, eûssent eu le même effet que *Little Boy* et *Fat Man* réunis : intimidation chez les uns, dissuasion chez les autres, stupeur générale. La capitulation du Japon eût eu lieu rapidement. Il est du moins permis de le croire. Utopique d'imaginer qu'avec les États-Unis en tête, toutes les nations eussent décidé de renoncer à la fabrication de pareilles armes ? Peut-être pas. De toute façon on ne récrit pas l'histoire : Truman repoussa le conseil, sous prétexte qu'il ne pouvait risquer une expérience ratée ou à demi réussie. Nous savons pourtant maintenant qu'en plus de celle du 25 juillet, deux bombes atomiques ont éclaté du premier coup, les 6 et 9 août 1945, avec des résultats « encore meilleurs que prévus », selon les termes utilisés par le commandant d'*Enola Gay*.

Aujourd'hui, de base militaire qu'elle était, Hiroshima est devenue une ville entièrement dédiée à la diffusion des idéaux de paix dans le monde. Pouvons-nous nous en réjouir lorsque, dès le lendemain de son élection à la présidence de la France, Jacques Chirac annonçait la reprise des essais atomiques dans l'atoll de Mururoa, à des milliers de kilomètres de la métropole? Les Chinois ont au moins la décence — si un tel mot peut être utilisé dans des circonstances aussi détestables — de procéder à leurs essais chez eux! C'est sans doute pourquoi la communauté internationale s'en émeut moins que de l'entêtement des autorités françaises.

SCÈNE XVIII
Roman de guerre et théâtre plaisant

Le lundi 21 août 1995

Ma lecture du jour, en Gaspésie, éveille mes souvenirs du Théâtre du Nouveau Monde en début de sa troisième saison, tout en soulignant la singularité du hasard. À la dernière minute, au moment de quitter Montréal pour Carleton, j'ai jeté un rapide coup d'œil dans les rayonnages de ma bibliothèque, histoire d'apporter un peu de lecture pour occuper mes loisirs au bord de la baie des Chaleurs. Mes yeux sont tombés sur *The Young Lions,* d'Irwin Shaw, que j'avais lu une première fois en 1958, à bord du paquebot Île-de-France qui nous emmenait en Europe pour la tournée du *Malade imaginaire,* de Molière, et du *Temps des lilas,* de Marcel Dubé. Or, en novembre 53, notre troisième saison s'ouvrait avec une pièce du même Shaw justement : *Philippe et Jonas.*

Non qu'il y ait parenté entre la pièce et le roman. Alors que *Philippe et Jonas* est une œuvre divertissante et doucement moralisatrice, *The Young Lions* est le puissant récit, sur fond sinistre de Deuxième Guerre mondiale, de la trajectoire d'un jeune Allemand d'esprit plutôt libéral qui, lentement et inexorablement entraîné par la propagande et l'exemple de son entourage, aboutit dans la peau d'un SS fanatique. Il finira par ne plus rêver que de destruction. À la dernière page du roman, l'auteur l'isole dans un paysage désertique et le fait tirer à tous vents des rafales de mitraillette contre d'imaginaires ennemis. La lecture de cette scène horrible est propre à glacer le sang. Lorsque l'œuvre d'Irwin Shaw sera portée à l'écran, quelques années plus tard, on y collera une conclusion différente, presque diamétralement opposée à l'intention originale. Au moment d'appuyer sur la détente de son arme, le jeune SS pris d'un sursaut de conscience, la fracasse plutôt rageusement sur les rochers escarpés. La rédemption est prévisible. Intervention du producteur? Caprice de l'interprète principal, Marlon Brando? Colorisation hollywoodienne, imposée à l'auteur au nom du *box office*? Façon en tout cas de rassurer et d'endormir le bon peuple.

Philippe et Jonas est sans rapport avec *The Young Lions,* mais ce n'est pas un théâtre dénué de préoccupations sociales. Sur un ton de mélodrame comique, l'intrigue de la pièce tourne autour d'une histoire de protection de la pègre new-yorkaise exercée aux dépens de deux pauvres vieux pêcheurs, dont la barque est amarrée dans un coin perdu du port de la mégapole américaine. Pièce facile qui présente un certain intérêt : c'est le plus qu'on puisse en dire. Ce fut le second succès de la saison 1953-54 : plus de huit mille spectateurs en seize représentations.

Un samedi après-midi, la fille aînée de Jean Gascon, Marie-Hélène, assista à la représentation, comme elle le faisait régulièrement pour chacun des spectacles. J'avais été parrain, lors de son baptême à l'église Saint-Paul, près de la Bastille, en 1947. Elle était donc âgée de 7 ans. Elle ne se privait pas de passer ses commentaires après les pièces ou durant leur déroulement, s'adressant parfois directement à son père s'il était en scène. Jean avait dirigé *Philippe et Jonas,* mais n'y jouait pas. Une fois la salle évacuée et le rideau levé pour permettre la préparation de la représentation du soir, Marie-Hélène descendit lentement les longues marches de la salle du Gesù, les yeux fixés sur le décor, l'air préoccupé. Finalement elle demanda : «Pourquoi t'as mis une vraie chaloupe et des vagues de carton?» Il est vrai que des rangées successives de vagues, découpées dans le carton, représentaient la surface légèrement moutonnante de l'eau, mais que, pour l'embarcation, le décorateur Jacques Pelletier avait déniché, au fond de quelque hangar, une vieille barque authentique qu'on avait posée sur un matelas. Quand les comédiens y mettaient le pied, ses ballottements procuraient l'illusion parfaite de son instabilité. Mais ce souci de réalisme était contredit par la totale convention du clapotis figé des vaguelettes de carton-pâte. Personne ne put faire quelque réponse que ce soit à cette petite fille de 7 ans, qui nous exposait en deux mots le problème fondamental de l'unité de style au théâtre. Ce qu'à mon souvenir, ne fit aucun critique.

SCÈNE XIX
Un vieux camarade du nom de Molière

À la suite de *Philippe et Jonas*, le 15 janvier 1953, avait lieu la première de *Dom Juan,* après les affres de la générale. J'en ai déjà fait le récit. Encore une fois, nous revenions à notre vocation, passant des succès de Broadway ou des boulevards parisiens aux grands textes classiques. Valse-hésitation prolongée. Le bonheur de *Dom Juan* dépassa celui du *Tartuffe*. Une mise en scène rigoureuse de Jean Dalmain, qui campait par ailleurs un savoureux et très émouvant Sganarelle, une trame musicale troublante composée et interprétée sur ondes Martenot par Andrée Desautels, une distribution remarquablement homogène, dominée par Jean Gascon qui trouvait là un des meilleurs rôles dramatiques de sa carrière, de somptueux costumes se détachant sur des éléments de décor sobres et fonctionnels, le tout signé Robert Prévost : la mayonnaise ne pouvait que monter ! Vingt-quatre mille cinq cents spectateurs en trente-sept représentations.

Ma seule réserve avec le recul, c'est que le personnage de Dom Juan marquait trop exclusivement ses nobles origines et ses mœurs dissolues. C'était manifestement le choix du metteur en scène. Quand je remonterai la pièce, vingt-cinq ans plus tard, je voudrai davantage mettre en lumière son esprit libertin (essentiellement, au XVIIᵉ siècle, les libertins étaient des libres-penseurs, et non de simples débauchés), ainsi que sa rébellion contre toute autorité, fût-elle paternelle, religieuse, morale ou politique. Ce qui le conduit à sa perte beaucoup plus sûrement que les foudres du ciel dirigées contre sa corruption. Dom Juan n'est plus ainsi le *play-boy* de la tradition, dont le charme agit traîtreusement sur les spectatrices, mais devient un rebelle libertaire, qui se présente sous des angles rugueux et parfois déplaisants. J'en avais parlé avec l'interprète de mon choix, mon cher Léo Ilial, et il s'était dit d'accord avec ma conception. Mais dès le début du travail, je me butai malheureusement à un blocage physique et psychologique de sa part.

Un exemple entre plusieurs : Dom Louis, le père de Dom Juan, vient au troisième acte lui adresser de vibrants reproches au sujet de ses déportements et termine en conjurant le Ciel de punir son fils pour laver la honte de l'avoir fait naître. Une fois son père sorti, Dom Juan lâche cette réplique terrible : « Ah ! mourez le plus tôt que vous pourrez, c'est le mieux que vous puissiez faire. » Et Molière prend la peine d'indiquer : *adressant encore la parole à son père quoiqu'il soit sorti*. Je prétendais donc que Dom Juan devait crier rageusement sa réplique, de sorte que Dom Louis l'entendît : c'était une façon de manifester sa volonté de s'affranchir de son joug. Léo se rendit à mes raisons à contrecœur mais, dès après la première, il se contenta de marmonner sa réplique entre ses dents, comme si les mots lui échappaient malgré lui et qu'il s'en excusât presque auprès du public. Il refusait de se montrer sous un jour antipathique.

Pendant toute la période des répétitions, et même au cours des premières représentations, je tenterai en vain de le gagner à mon point de vue, non seulement pour cette réplique, mais pour le rôle en général. Je jouais Dom Louis et je partageais sa loge. Cela frisait le harcèlement, mais je ne lâchais pas, tant j'étais persuadé d'avoir raison. Finalement, il me supplia de cesser mes instances si je ne voulais pas le rendre inapte à jouer quelque personnage que ce soit. Ce fut l'une des nombreuses et des plus dures déceptions de ma carrière.

J'ai dit de ce premier *Dom Juan* de 1954 que les costumes en étaient somptueux. Pourtant, si on avait les moyens de se payer un peu de velours et de soie, rien à faire pour le cuir. Les bottes, par exemple. Pendant longtemps nous ne disposerons pas de budget pour nous en faire fabriquer d'authentiques. Notre précieux Robert avait donc trouvé un subterfuge. Il maquillait des couvre-chaussures de caoutchouc, sur lesquels venaient se fixer des jambières de feutre de couleur assortie. Avec un peu d'éloignement, on pouvait y croire ; mais pas Jan Doat, alors directeur du Conservatoire d'art dramatique du Québec à Montréal. Comme à beaucoup d'autres, et même jusqu'à aujourd'hui, les succès du TNM lui causaient quelque pincement au cœur. Allez savoir pourquoi... Il déclara donc péremptoirement que «lorsqu'on n'a pas les moyens de s'en payer, on ne joue pas de pièces à bottes!»

Mis à part ces réserves nous venant de petits camarades bien intentionnés, *Dom Juan* reçut un accueil enthousiaste : les journaux suivirent l'exaltation de nos fidèles spectateurs. Mais là aussi, la louange était quelquefois grimaçante. Dans le titre de la critique qu'il y consacrait, René Lévesque (le journalisme mène à tout, même à la politique!) faisait suivre le *Dom* de *Dom Juan* (écrit avec un *m*) d'un *sic* entre parenthèses, pour indiquer qu'il citait textuellement notre manière d'écrire le nom, si bizarre ou incorrect que cela pût paraître. Il laissait entendre que Juan étant espagnol, la courtoisie voulait que soit ajoutée la particule *Don* avant son prénom. De toute évidence, il ignorait qu'utilisant cette orthographe, nous ne faisions que suivre Molière, qui avait en effet puisé son inspiration dans une adaptation italienne (*Il Convitato di pietra*) de la pièce de l'espagnol Tirso de Molina : *El Burlador de Sevilla*; cette particule n'avait conséquemment pour lui rien d'hispanique. Il croyait plutôt qu'il s'agissait de l'abréviation de *Dominus*, qui signifie *monsieur* en latin. C'est ainsi qu'il baptisa son personnage *Dom* Juan. Et tout le monde respecte depuis l'erreur du maître, y compris les auteurs de dictionnaires. Mais en fait de culture, René Lévesque s'y connaissait mieux en cinéma et en littérature romanesque qu'en théâtre...

Avec *Dom Juan*, je me remémore un souvenir personnel assez pénible sur le plan strictement esthétique, même s'il ne manque pas d'être amusant. Pour que les moins de 50 ans le comprennent parfaitement, sans doute faut-il rappeler qu'un feuilleton télévisé, *La Famille Plouffe* de Roger Lemelin dans lequel je jouais toutes les semaines, était l'objet d'une incroyable popularité. J'y incarnais le personnage d'Ovide, seul de ce foyer laborieux à avoir des prétentions intellectuelles. L'émission connaissait un tel succès que, dans la rue, ses acteurs principaux se faisaient interpeller sous leur nom d'emprunt par tous ceux et celles qu'ils croisaient, sans exception. On ne connaissait pas mon nom véritable, mais on savait que j'étais Ovide. Reste que sur scène, dans *Dom Juan*, j'interprétais alors Dom Carlos, jeune noble de l'Espagne du XVIIᵉ siècle. Le personnage apparaît dans deux scènes. Si le comédien en rate une, c'est la moitié de sa crédibilité qui y passe. Au troisième acte, il entre d'abord, accompagné de Dom Juan, le séducteur de sa sœur Elvire, dont il n'a pas découvert l'identité et qui vient de le sauver des lames meurtrières de voleurs de grands chemins. Nous voici en scène, Dom Juan (Jean Gascon) et moi, encore haletants du furieux combat que nous venons de livrer. Mais avant même que j'ouvre la bouche pour exprimer ma reconnaissance à mon sauveur, me parvint le chuchotement sonore d'une spectatrice : «C'est Ovide!» s'extasiait-elle, admirative. Après cela, allez donc dire avec conviction : «On voit, par la fuite de ces voleurs, de quel secours est votre bras...» Cinquante pour cent de mon personnage venait de m'échapper.

SCÈNE XX
Dramaturgie québécoise

Le troisième spectacle de cette saison apaisait momentanément les remords de nos consciences. Dès le début de notre activité, nos camarades auteurs dramatiques se plaignaient que nous ne leur réservions aucune place dans notre répertoire. Je me rappelle, entre autres, une prise de bec épique avec Françoise Loranger à ce sujet, dans la résidence de Denise Pelletier à Saint-Marc-sur-le-Richelieu. Notre position, à cet égard, était simpliste : pas de pièces d'auteurs canadiens-français (on ne disait pas encore québécois), à moins qu'elles ne se comparent favorablement à celles d'auteurs étrangers : attitude d'une intransigeance excessive, je m'en rends compte maintenant, basée sur une confiance absolue en notre jugement. C'était du véritable angélisme. Je me l'explique d'autant moins que le Théâtre d'essai de Montréal, que j'avais fondé, n'avait présenté en son éphémère durée que deux spectacles, l'un et l'autre création d'auteurs canadiens d'expression française.

Je devais bientôt apporter plus mûre réflexion à ce problème. Je me rendis compte que les auteurs dramatiques, à moins d'être eux-mêmes leurs producteurs (je le fus, comme Pierre Dagenais l'avait été, et plus tard, Yves Thériault, avec son *Marcheur*, et Laurette Auger, avec sa *Cathédrale*) ne peuvent voir leurs œuvres jouées à moins que n'intervienne une décision favorable qui relève d'autrui. Avec sa situation prépondérante, le Théâtre du Nouveau Monde était en train d'assumer une drôle de responsabilité en bloquant l'accès de son répertoire à nos auteurs, sous prétexte d'un purisme qu'on aurait pu qualifier de bigot, fût-il appliqué dans le champ de la dévotion. Il nous fallait absolument, non seulement produire des textes nouveaux, mais en provoquer l'éclosion, quitte à en rabattre quelque peu sur nos exigences.

C'est ainsi que, le 26 mars 1954, eut lieu la première d'un spectacle coupé, comme on dit dans l'argot du métier, c'est-à-dire un spectacle composé de deux pièces : *Une Nuit d'amour,* d'André Langevin, à la faveur de laquelle Robert Gadouas effectua son unique retour avec nous, et *La Fontaine de Paris,* d'Éloi de Grandmont. Celle-ci était une adaptation d'un fabliau à la mode médiévale, avec amant, maîtresse et cocu à l'appui ; celle-là, le récit d'un jeune amour contrarié sur fond d'occupation anglaise de la Nouvelle-France. Ni l'une, ni l'autre de ces œuvres ne risquent d'être mentionnées dans les manuels de littérature. *La Fontaine* n'était qu'un aimable objet de folklore. Quant à *Une Nuit d'amour,* on n'y retrouvait malheureusement pas l'esprit pénétrant, ni l'humour décapant de l'auteur d'*Évadé de la nuit* et de *Poussière sur la ville. L'œil du peuple,* jouée trois ans plus tard, en portait bien davantage la marque.

Je fis la mise en scène de *La Fontaine* ; j'y jouai également. La pièce à coloration historique d'André Langevin fut dirigée par Jean Dalmain, qui n'était arrivé au Canada que de fraîche date, en 1952, et ne pouvait évidemment l'aborder avec la même sensibilité que s'il avait été intégré depuis plus longtemps à son pays d'adoption. Jean Gascon fut absent du reste de la saison : on ne peut donc croire à un surcroît de besogne. Pourquoi alors ne fit-il pas cette mise en scène ? Pourquoi pas moi ? Le travail eût pu être organisé facilement de façon à me permettre de diriger les deux pièces. Alors pourquoi ? Son talent hors de tout soupçon, il semblerait que le choix de Jean Dalmain témoignât des réserves que nous entretenions à l'égard de la pièce elle-même, sans probablement nous l'avouer au demeurant. Se pourrait-il que notre décision de la mettre à l'affiche ne fût inspirée que par nos scrupules ? Je me livre en ce moment à un exercice d'autocritique *post mortem.* À l'époque, je ne l'aurais jamais admis. Aurais-je même été effleuré par cette préoccupation ?

Après la première du spectacle, nous nous étions retrouvés, comme c'était la coutume, au restaurant de la famille Lelarge ; nous

nous y comportions avec la même liberté que chez nous. J'étais assis dans une des banquettes en demi-cercle qui bordaient les deux murs les plus longs de la salle à manger. Denise Pelletier, qui jouait également dans la pièce d'Éloi de Grandmont, y était ma voisine. La conversation s'engagea naturellement sur le spectacle et sur l'accueil poli (succès d'estime, comme on dit) que le public lui avait réservé. Puis on passa à des sujets plus légers. Mais Denise poursuivit avec moi, en tête-à-tête en somme. Tenace, elle voulait me faire avouer que nous avions commis une erreur en confiant la mise en scène d'*Une Nuit d'amour* à Jean Dalmain. J'ai toujours prétendu qu'en public, un membre d'une compagnie de théâtre doit adhérer à ses politiques et à ses décisions, même jusqu'à la mauvaise foi. Je niais donc sans en démordre. Denise avait la réputation méritée d'être d'un caractère absolu. Exaspérée devant mon refus d'admettre la moindre faute de jugement, elle finit par me gifler à toute volée. La claque retentissante fit retourner toutes les têtes. Mais déjà Denise et moi avions repris une attitude conviviale. Le résultat final du spectacle fut, du reste, bien moins que déshonorant : près de sept mille spectateurs en quinze représentations.

SCÈNE XXI

New World Theatre Inc.

La saison 1953-54 se termina par notre première production en langue anglaise : *Come Back, Little Sheba,* de William Inge. Notre administrateur, André Gascon, avait incorporé notre groupe sous une raison sociale bilingue : Théâtre du Nouveau Monde inc. - New World Theatre Inc. que nous étions donc forcés d'utiliser dans tous les documents officiels, rageant chaque fois contre la longueur excessive de cette appellation. Ce n'est évidemment pas ce qui nous amena à nous lancer dans la production de spectacles en langue anglaise, même si cette appellation bilingue y trouvât sa première justification.

Les raisons qui nous poussèrent dans cette voix étaient d'ordre à la fois pratique et sociologique. Le Montreal Repertory Theatre, la seule compagnie anglophone de Montréal, avait fermé ses portes après l'incendie de ses locaux au début de 1952, alors que le Centaur Theatre n'était pas encore créé. Il existait donc un vide dans ce champ d'exploitation. Nous décidâmes de l'occuper, de la même manière que nous l'avions fait pour le théâtre d'expression française, deux ans plus tôt.

Et puis, mis à part Guy Hoffmann et Jean Dalmain, qui étaient des néo-Canadiens, après avoir probablement tous connu une période nationaliste durant la décennie 1935-45, nous avions évolué vers une conception plus civique de la société, en en reconnaissant le caractère de pluralité. Nous nous sentions donc une certaine responsabilité envers nos concitoyens anglophones, privés de toute scène dramatique. C'est dans cet état d'esprit que nous fûmes approchés par Rupert Caplan, réalisateur à la radio de CBC, mais dont la formation était essentiellement théâtrale. Autour de ses micros, il avait réuni tout ce que Montréal comptait de comédiens et de comédiennes anglophones : Eileen Clifford, Griffith Brewer, Michael Kane, Elizabeth Barry, Bob Goodyear, etc., ainsi que Christopher Plummer qui, lui, était déjà parti tenter sa chance à New York. La proposition de Rupert était étoffée d'une possibilité de participation financière de riches citoyens de Montréal : entre autres, Leo Heaps et la famille Bronfman. L'entente fut rapidement conclue. C'est pratiquement Rupert Caplan qui devenait le délégué artistique du TNM dans cette nouvelle entreprise et devait signer toutes les mises en scène des cinq productions qu'elle comporta.

Le 20 mai 1954, eut lieu la première de *Come Back, Little Sheba*, histoire bien ordinaire d'une famille américaine désunie. Mari et femme vivent au passé. Lui ne songe qu'à sa carrière de chiro, brisée par son mariage forcé. Elle ne vit que dans le souvenir de Sheba, une petite chienne qu'elle ne se console pas d'avoir perdue et dont elle ne cesse de réclamer le retour. Sheba, c'est le bonheur enfui du temps passé. On rejoint là, bien que dans des circonstances tout à fait différentes, le même procédé que celui qu'employa Pagnol dans le film inspiré de Giono, *La Femme du boulanger*. Qu'on se rappelle cette scène émouvante durant laquelle Raimu morigène sa chatte prodigue devant sa femme (Ginette Leclerc), revenue au foyer après une fredaine amoureuse. *Come Back, Little Sheba* : le rêve américain reconstitué avec d'humbles, de très humbles morceaux d'occasion.

Dans le programme, Rupert Caplan avait écrit : «La distribution est à peu près également composée de francophones et d'anglophones et, à quelques exceptions mineures près, pourrait jouer la pièce en français, au besoin. Montréal est peut-être la seule ville du continent américain où puisse être exploité un théâtre bilingue, à cause de sa dualité ethnique et culturelle.» C'était pieusement exprimer des vœux difficiles de réalisation. Si Ginette Letondal et Paul Blouin étaient effectivement bilingues, Lorne Greene lui, interprète du rôle principal, était bien incapable de comprendre ou de prononcer un seul mot de français! Mais cet excès de bonnes intentions n'empêcha évidemment pas la pièce de William Inge, décente bouture de la 42ᵉ Rue, de connaître un succès plus qu'honorable : près de six mille spectateurs en neuf représentations. De quoi nous inciter à poursuivre l'expérience.

SCÈNE XXII

Le théâtre incarné : Guy Hoffmann

L'été 1954 fut marqué d'un des plus retentissants succès du Théâtre du Nouveau Monde. Et qui plus est, un succès qui était dans le sens de sa vocation : *Les Trois farces* de Molière. Pour autant que cela fût possible dans mon cas à l'égard de tout ce qui touchait le TNM, j'eus le loisir de juger de la qualité du travail apporté à la réalisation de cette production avec un regard entièrement objectif, puisque sa préparation s'était exceptionnellement déroulée en mon absence, durant les mois de juin et juillet que j'avais passés en vacances en Europe, avec ma femme Monique, grâce à mes cachets de télévision.

À mon retour, lorsque j'assistai à un enchaînement des *Trois farces* sur la scène du Gesù, je constituais donc un spectateur pour ainsi dire vierge. Est-il possible de décrire le plaisir extravagant que j'en retirai? C'était de la folie pure et simple. La Compagnie se retrouvait dans son élément suprême, absolu, idéal. J'en riais à en avoir littéralement mal aux côtes. J'assistais aux prouesses de comédiens et de comédiennes, libérés de toute contrainte, se laissant

Guy Hoffman et Jean-Louis Roux
1958

photo : Studio Jac-Guy

aller jusqu'à l'extrême pointe de leur fantaisie. Je n'avais jamais vu se déchaîner de cette façon, sans retenue aucune, ni Monique Leyrac, ni Gaétan Labrèche, Gabriel Gascon ou Henri Norbert, ni Lucille Cousineau, Jean Dalmain ou Germaine Giroux, ni Victor Désy ou Aimé Major, ni Jean Gascon ou — encore moins — Guy Hoffmann !

Sa performance tenait de l'exploit sportif, de la haute voltige. Il était tour à tour acrobate, contorsionniste et fildefériste. Comme comédien, il relevait un défi absolument inimaginable : dans le même spectacle, il jouait trois Sganarelle, leur conférant à chacun une identité propre, entièrement différente l'un de l'autre. Dans *Le Mariage forcé*, il était un petit bourgeois satisfait et quelque peu lubrique, en quête d'une jeune épouse accorte ; dans *Le Cocu imaginaire*, il devenait presque un jeune premier moderne, égaré dans un impromptu médiéval ; mais dans *La Jalousie du barbouillé*, il se déchaînait.

Chacune des pièces était précédée d'une musique d'introduction qui en annonçait la couleur. Pour *Le Mariage*, c'était une partition originale ravissante, un clin d'œil adressé à Lully par Pierre Philippe, le compositeur attitré du fameux quatuor des Frères Jacques. Pour *Sganarelle*, le début d'un charmant concerto de Vivaldi où les trilles de la flûte semblait commenter le deuxième titre de la pièce, *Le Cocu imaginaire*. Mais lorsque le noir se faisait, avant le début du *Barbouillé*, éclataient les sons endiablés d'un quadrille au piano et au violon, dans la meilleure tradition du folklore canadien. C'était insolite et inattendu, une trouvaille de Jean Gascon, qui préludait de façon idéale à ce troisième Sganarelle de Guy Hoffmann, espèce de clown ahuri, pauvre pantin désarticulé, marotte démunie d'un cruel jeu de massacre.

À la fin d'une scène, étourdi par les cris et les injures dont il était la cible, il titubait dans toutes les directions, pour finalement se retrouver cul par terrre, bras ballants, bouche béante, regard ahuri. C'était absurde et troublant, irrésistible. On aurait dit un authentique Goya. Plus tard, lorsque je fis partie de la distribution pour notre première tournée internationale, je ne ratai jamais ce tableau. Ne jouant que dans *Le Mariage* et *Le Cocu*, je me démaquillais en vitesse pour aller, simple spectateur, jouir de ce moment de grâce.

Guy n'était pas seul. Il y avait Dalmain, Jean Gascon. Dans *Le Mariage*, ce dernier inventait un docteur en philosophie surréaliste dans l'acception littérale du terme, c'est-à-dire au delà de la nature. Il fallait entendre le ton prétentieux et ampoulé sur lequel il paraphrasait les aristotéliciens, têtes de Turc préférées de Molière. Avec sa toge trop courte, qui révélait des bas rayés horizontalement de jaune et de mauve, avec son maquillage blafard et sa perruque graisseuse, il avait l'air d'une marionnette grandeur nature, aux gestes saccadés et à la démarche trépidante.

Pour sa part, dans le docteur de *La Jalousie*, Jean Dalmain atteignait un autre sommet comique. Ses intonations me restent présentes à la mémoire : «Sache, mon ami, que je ne suis pas seulement une fois, mais une, deux, trois, quatre, cinq, six, sept, huit, neuf, dix fois docteur!...» Il scandait l'énumération d'une façon dont aucun comédien ne l'avait fait jusque-là, j'en suis persuadé, en groupes bien distincts : «... une-deux-trois... quatre-cinq-six... sept-huit-neuf... dix fois docteur.» Le voir reprendre en marche arrière le récit d'un parcours abracadabrant, parsemé d'obstacles fantaisistes qu'il avait une première fois décrits «à l'endroit», constituait un véritable délice. Les deux versions étaient identiques, mais la deuxième offrait la reproduction symétrique, en quelque sorte le négatif de la première, avec les mêmes intonations, la même mime, les mêmes trajets scéniques comme reflétés dans un miroir. Il exécutait cette danse accompagné de Sganarelle, et les deux comédiens formaient un duo absolument parfait, digne de la fameuse *ligne* des *Ziegfeld Chorus Girls*. Un ballet, ni plus ni moins, une chorégraphie d'une précision époustouflante.

Du reste, chacun des personnages de cette farce constituait une silhouette tracée par le crayon de quelque génial caricaturiste. Ce que les Anglais appellent un *Cameo*. Je voudrais pouvoir décrire exactement celui que nous avions baptisé *Pépère*, incarné par Jean Gascon. Lorsqu'il faisait son entrée, chauve comme un œuf, cornet à l'oreille, canne en main (son unique point d'appui car ses jambes désarticulées se dérobaient sous lui), il était immanquablement accueilli par un énorme éclat de rire.

Ce personnage jouera le rôle d'une sorte de mascotte, plus tard, dans les relations quelquefois tendues entre Jean Gascon, Guy Hoffmann et moi-même. Chacun muni d'un caractère à angles aigus, il nous arrivait de nous livrer à de vifs affrontements, surtout en tournée alors qu'il nous fallait vivre au coude à coude quotidien. Nous avions donc convenu d'un système pour désamorcer ce qui, autrement, menaçait de se transformer en engueulade. Brusquement, Guy Hoffmann se mettait à imiter *Popeye the Sailorman*; ou, d'une voix de fausset, je commençais à turluter une mélodie de folklore russe : «Liâ, liâ, liâ... Liâ, liâ, liâ... Liâ, liâ, liâ... Liâ, liâ...»; ou Jean Gascon esquissait quelques pas en empruntant la démarche disloquée de *Pépère*. Aussitôt le signal donné par l'un des trois, les deux autres devaient suivre, d'aussi mauvais gré que ce fût, à la grande joie de nos camarades. La tension tombait à tout coup.

Les Trois farces faisaient partie d'un festival Molière, présenté en plein air dans la grande cour du Collège de Montréal, à côté de L'Ermitage. Le tréteau était adossé au mur du fond du préau et en partie couvert; des gradins, construits en tubulures, pouvaient accueillir jusqu'à 1 500 spectateurs. Deux autres pièces complétaient le programme de ce Festival : *L'Avare* et *Dom Juan*. Énorme succès. Mais cet été-là, le mois d'août fut pluvieux. Un soir, au début de *Dom Juan*, comme Elvire conjurait le ciel de la venger de la perfidie de son amant, et que ce dernier, pour toute réponse, levait les yeux et raillait en s'exclamant : «Sganarelle, le Ciel!», les éléments se déchaînèrent : éclairs, foudre, pluie torrentielle instantanée. Aucune technique n'aurait pu nous fournir effet plus saisissant. Il fallut pourtant se résoudre à interrompre la représentation : les spectateurs furent priés de prendre abri et de regagner leur place si l'intempérie n'était que passagère. Ce fut la ruade sous le long préau et dans les automobiles stationnées à proximité. Le beau temps revenu après une dizaine de minutes, nous reprîmes à l'entrée d'Elvire, sans défection apparente dans les gradins noirs de monde.

Lors d'une autre représentation de ce *Dom Juan*, effet moins heureux dont nous fûmes redevables à l'énervement d'un serviteur qui annonça : «Monsieur, voici une dame *violée* qui vient vous parler», alors que cette dame était évidemment «voilée». Et le trac n'ayant laissé à l'infortuné qu'un mince filet de voix, la réplique ne fut d'abord entendue que des spectateurs des premiers gradins, où se propagea un frisson d'hilarité. Les voisins immédiats, derrière, furent curieux de connaître la cause de cette réaction et en rirent à leur tour. Et ainsi de suite, jusqu'à la dernière rangée. L'effet dura plusieurs minutes, compromettant cette émouvante scène où Elvire, en larmes, vient tenter de sauver Dom Juan de la damnation éternelle.

Les Trois farces constituèrent l'un des plus retentissants succès du Théâtre du Nouveau Monde, après *Le Malade imaginaire* et *L'Ouvre-boîte*. Avec les reprises et les tournées, elles furent jouées quatre-vingt-sept fois devant plus de cinquante-deux mille spectateurs. Pourtant transportées du plein air à l'intérieur du Gesù en novembre 54, elles donnèrent lieu à la plus petite *première* du TNM. On se posait des questions : était-ce dû à l'abandon des billets de saison? Au fait que cinq mille personnes avaient déjà vu le spectacle dans les jardins de L'Ermitage? À la concurrence de la télévision? À tous ces facteurs conjugués?

Pour contrer ce que nous jugions être une véritable catastrophe, je proposai d'instituer des tarifs réduits pour étudiants, les mercredis, avantage qui sera bientôt également offert aux syndiqués. Le résultat dépassa nos espoirs. Avec une telle mesure et la bonne publicité de bouche à oreille, on refusa du monde pour les dernières de cette série des *Trois Farces*.

SCÈNE XXIII
Référendum et boxe

Le lundi 18 septembre 1995

Aujourd'hui, premier caucus national de ma deuxième saison au Sénat. Déjeuner au restaurant parlementaire avec Jacques Hébert et Philippe Gigantès, homme de fine culture et journaliste de grande expérience. La conversation roule naturellement autour du référendum, de la nouvelle alliance Bouchard-Parizeau-Dumont qui semble avoir ranimé les espoirs des séparatistes, de la campagne du *non* qui vient d'être lancée hier, à grands fracas, à l'Aréna de Saint-Joseph de Beauce, et des bévues de Parizeau. La dernière fournit à Jacques l'idée de créer un Ordre national du homard. Elle est de taille. Déclarer devant un groupe de diplomates étrangers que, au lendemain d'une victoire du *oui* au référendum, les Québécois se retrouveraient dans la même situation que des homards qui ont pénétré dans une cage et qui ne peuvent plus en sortir... faut le faire! Se plaindre ensuite de l'indiscrétion du fonctionnaire fédéral qui a rapporté ses propos, c'est démontrer une naïveté étonnante chez un homme d'expérience comme lui. Nous supputons nos bonnes chances de victoire : les sondages mettent encore le camp du *non* confortablement en avance sur celui du *oui*. Nous nous incitons mutuellement à la prudence. Comme on dit au baseball : la partie n'est jamais finie avant d'être terminée. Je leur rappelle l'histoire du boxeur français, Laurent Dauthuile, qu'ils ne connaissent pas.

Laurent Dauthuile était originaire de Buzenval, dans la banlieue parisienne, où ses succès fulgurants dans l'arène lui avaient valu le surnom de «tigre de Buzenval». Il était de la catégorie mi-moyen, celle qui donne lieu aux meilleurs combats. De même poids, Sugar Ray Robinson m'avait inspiré la passion de ce sport violent, à le voir danser dans le ring et disposer de ses adversaires avec l'élégance d'un dandy. Au début des années cinquante, visant le championnat mondial et désireux de venger la dernière défaite de Marcel Cerdan aux États-Unis, avant sa mort dramatique dans un écrasement d'avion, les managers de Dauthuile avaient convaincu leur poulain de s'installer à Montréal. Son style peu orthodoxe lui valut tout de suite la faveur des foules au stade de Lorimier ou au Forum : il devint rapidement l'idole des amateurs sportifs du Québec. Gagnant presque toujours par knock-out, annulant rarement et ne perdant jamais, il parvint bientôt à décrocher un combat de championnat avec le détenteur du titre : Jake LaMotta.

En préparation de cette rencontre, on imposa à Dauthuile, qui ne parlait ni ne comprenait un seul mot d'anglais, des managers américains. Le soir du combat qui avait lieu à New York, une douzaine de ses admirateurs étaient réunis Au 400 chez Lelarge, pour en écouter fébrilement la description à la radio (il n'y avait pas encore de télévision). Lorsque commença le quinzième round,

1 2 3 4 5 6 7 8 9 10 11

La Famille Plouffe :
1. Pierre Valcour
2. Thérèse Cadorette
3. Émile Genest
4. Denise Pelletier
5. Jean-Paul Fugère
6. Roland Bédard
7. Amanda Alarie
8. Jean-Louis Roux
9. Paul Guévremont
10. Jean Duceppe
11. Doris Lussier

Dauthuile menait largement aux points. À dix secondes de la fin, il fut « cueilli » et perdit par knock-out. On connut le lendemain l'explication de sa défaite. Jake LaMotta avait la réputation d'un rusé comédien. Traînant aux points, il savait qu'il ne pouvait gagner qu'en terrassant son adversaire. Durant les derniers instants du combat, il se mit à jouer la fatigue et l'épuisement, allant jusqu'à laisser tomber sa garde. Les managers américains de Dauthuile connaissaient les aptitudes de LaMotta et criaient de toutes leurs forces, à l'adresse de leur poulain : « Keep away ! Keep away ! » Dauthuile crut qu'on l'encourageait à finir en beauté par knock-out. Il s'élança et ce fut sa perte.

Il tenta un retour dans le but d'obtenir une revanche ; mais il s'entraînait au gros rouge. Je le vis, lors de son dernier combat au Forum. Il commença en trombe, impatient d'en finir dès la première minute. Mais, atteint à la cage thoracique, il grimaça de douleur et dut abandonner. La veille, ivre mort, il était tombé dans un escalier et s'était fracturé une côte. Désolante fin de carrière. Dauthuile retourna dans son village natal et, pour gagner sa croûte, il se joignit à un minable cirque où son numéro consistait à rejouer le quinzième round du combat durant lequel le championnat lui avait échappé par dix secondes. Sort à éviter dans toutes les arènes, en politique peut-être encore plus qu'en sport.

SCÈNE XXIV

Départ d'un sociétaire

Le samedi 7 octobre 1995

Reprise des souvenirs du TNM : nous entreprenons la quatrième saison. Mais avant qu'elle ne démarre, les directeurs avaient dû procéder à une délicate opération, après en être arrivés à la conclusion qu'il leur fallait se séparer de leur secrétaire général, Éloi de Grandmont, qui, dans notre jargon, était sociétaire mais non actionnaire puisqu'il ne détenait aucune part dans la compagnie. Excellent camarade, boute-en-train recherché, esprit raffiné, Éloi avait l'aimable défaut de se plaire à musarder. Ce qui explique sans doute la minceur de son œuvre poétique, de remarquable délicatesse. Nous ne pouvions nous permettre le luxe, si agréable fût-il, d'une collaboration infructueuse. À la fin d'août, durant un déjeuner auquel nous l'avions convié dans un salon du restaurant Chez son Père, alors situé rue Craig, là où se trouve l'actuel Palais de justice (le rapprochement est plaisant!), nous lui avions communiqué notre sentence. Sans ménagement : il n'y avait pas d'autre façon. De toute évidence, il ne s'y attendait aucunement. La voix étouffée, il murmura : «Vous êtes durs! Vous êtes durs!» Tout à son honneur, je dois souligner que son amitié, pour chacun d'entre nous, n'en fut pas altérée.

Ma tâche au TNM en fut accrue, puisque m'incomba le poste de Secrétaire général. Non sans difficulté et uniquement pour le principe, je réussis à convaincre notre administrateur de majorer mon cachet de comédien de la symbolique somme de cinq dollars en dédommagement du surcroît de travail qu'entraînait ma nouvelle fonction. C'était bien pour le principe, car depuis que je jouais dans le premier feuilleton télévisé de Radio-Canada, *La Famille Plouffe*, mes émoluments suffisaient bien à ma subsistance. Ce n'était pas le Pérou, non. Mais tout de même.

Au départ, les membres de *la famille,* qui comptait père, mère et quatre enfants, avaient accepté naïvement l'offre de Radio-Canada de travailler à des conditions monétaires minimales. C'était une expérience sans précédent. En préparatif de l'émission initiale, les heures de répétition se multiplièrent et le premier chèque nous sembla correspondre à la valeur de notre travail. Mais dès la deuxième semaine, l'appareil étant rodé, notre cachet en fut considérablement rogné, réduit à environ une centaine de dollars. Émile Genest en tête, la famille se précipita dans les bureaux de la direction. Avec ses barèmes américains, Émile ne parlait pas moins de milliers de dollars par semaine. Sous la menace tacite d'un arrêt de travail, les administrateurs de Radio-Canada finirent par régler pour deux cent cinquante dollars hebdomadaires, fixant ainsi pour longtemps le cachet des feuilletons-télé. Deux cent cinquante dollars pendant trente-trois semaines. Cachet doublé dès l'année suivante, puisqu'en 1954, CBC commença la diffusion de *The Plouffe Family*. En comparaison de mes gains annuels antérieurs, c'était la grande aisance.

SCÈNE XXV
Du plus grave au plus léger

Le 7 octobre 1954, débutait donc la quatrième saison du TNM avec *Les Hussards,* de P.-A. Bréal. Encore un choix discutable. Nous étions satisfaits de ce que cette pièce, dont l'action se déroule en Italie pendant la première campagne de Bonaparte, dénonçât gentiment les horreurs de la guerre, en ridiculisant la fausse grandeur des troupes impériales d'occupation. Aussi fûmes-nous quelque peu déçus lorsque, mis au courant de notre répertoire, l'ami Gérard Philipe fit la moue sur ce « bon boulevard, mais boulevard tout de même. »

Il est vrai que nous avions eu des projets plus ambitieux. Il avait été question de *La Mégère apprivoisée* ou du *Marchand de Venise.* De *L'Étourdi* également. Durant mes vacances à Paris, j'avais en outre lunché avec le comédien noir français Habib Benglia, à qui nous proposions de venir jouer le rôle-titre de *L'Empereur Jones,* d'Eugene O'Neill. Mais des difficultés financières nous obligèrent à renoncer aux unes comme aux autres de ces pièces, et à nous replier sur une comédie de budget moindre et d'accès plus facile, qui ne combla pourtant pas nos espoirs de succès. En 24 représentations, *Les Hussards* n'attirèrent qu'un peu plus de huit mille spectateurs.

L'année 54 se termina avec notre deuxième spectacle en anglais, *Monserrat,* d'Emmanuel Roblès, dont le thème rejoint celui des *Hussards,* mais sur un ton sombre et dramatique : la répression à laquelle se livrèrent les Espagnols au Vénézuéla, après le soulèvement de Miranda et de Bolivar. Beau spectacle, remarquablement joué, mais dont la faible assistance nous obligea à reconsidérer sérieusement notre intrusion dans la production en langue anglaise.

Les deux dernières pièces de la saison régulière se situaient de nouveau à des pôles incroyablement éloignés l'un de l'autre :

Jean-Louis Roux dans le rôle de Soria du Maître de Santiago
1955

Le Maître de Santiago, de Montherlant, et *Azouk,* d'Alexandre Rivemale. Mais l'une et l'autre nous fournirent l'occasion de joies exquises, ressenties pourtant à des niveaux fort différents. Avec Montherlant, c'était la sobriété, la dignité, la noblesse et la rigueur des personnages. Les costumes et les décors de Robert Prévost inspiraient un ton *El Greco* à l'ensemble de la production. Je me rappelle la voix si charnelle, si chaleureuse de Françoise Faucher en Mariana, seule femme de cette pièce d'hommes.

À propos de *Santiago*, j'eus une vive discussion avec le regretté Eugène Cloutier, écrivain d'un goût raffiné. Il était outré de ce que certaines répliques de la pièce puissent provoquer le rire, et en imputait la faute à la façon dont elle était montée et jouée. C'est en vain que je lui faisais valoir que, par exemple, lorsque Mariana se plaignait de racommoder un drap usé de partout, la répartie de l'austère et indigent Don Alvaro Dabo, son père, à l'effet que ce drap n'était usé que là où il y avait des trous, mais qu'à côté il était encore très bon, devait amener au moins un sourire, sinon un franc éclat de rire. Eugène n'en démordait pas. Fidèle à l'enseignement cartésien qu'on nous avait dispensé, il était persuadé qu'il ne fallait pas confondre les genres, sous peine d'en amoindrir la portée. À ce compte, sans parler du cas évident de Shakespeare et des romantiques, toute ironie et tout humour seraient interdits à Racine et à Corneille, comme à Molière, toute gravité.

SCÈNE XXVI
Triomphe de Marcel Marceau

En préparant cette quatrième saison, nous avions eu l'idée de jouer les imprésarios, et de présenter le mime Marcel Marceau en spectacles exceptionnels. Nous avions vu ses exercices de style et ses mimodrames à Paris, et en étions sortis enthousiasmés. C'était néanmoins risqué, puisque la réputation de Marceau n'avait pas alors débordé les frontières de l'Europe occidentale. À Montréal, il était pratiquement inconnu. Nous misions gros ; mais un coup gagnant nous permettrait de renflouer quelque peu nos coffres. La chance nous favorisa. Non seulement ce fut le début d'une profonde amitié qui dure encore, mais les salles combles nous firent atteindre un record de recettes. Dès le lendemain de la première, le téléphone ne dérougit pas. Il nous fallut ajouter une supplémentaire, dont le millier de fauteuils (nous utilisions la salle du Gesù à pleine capacité) s'enlevèrent en quelque soixante minutes, après que les disc-jockeys n'en aient fait qu'une simple mention à la radio.

Ce succès faillit ternir notre naissante amitié mutuelle. Exemple de l'envie que suscitait parfois le TNM, un fier camarade dont je tairai le nom par déférence pour ses cendres, fit valoir à Marceau, en toute confidence et perfidie, que nous nous enrichissions à ses dépens. Heureusement, Marceau est un merveilleux enfant! Le lendemain de son arrivée à Montréal, ne nous était-il pas apparu, rougissant de fierté comme Artaban, dans un accoutrement complet de cow-boy acheté chez un fripier en face du Gesù, bottes et chapeau compris; il n'y manquait que lasso et éperons. Aussi, plutôt que de ronger amèrement son frein, Marceau nous répéta tout simplement la calomnie dont nous étions l'objet, en toute naïveté, en toute honnêteté. Nous nous justifiâmes sans difficulté de l'accusation qui nous était faite, en lui ouvrant les pages de notre comptabilité. L'administratrice toute dévouée de Marceau, madame Bouleistex — surnommée *Boulette* — se rendait d'ailleurs compte que Montréal pouvait servir de tremplin pour New York, et que le retentissement d'un succès, dans la métropole américaine, ouvrirait toutes grandes les portes des pays du monde entier. Prévision qui se réalisera deux ans plus tard.

Au mois de mars de la même année, eut lieu un événement d'importance : la création du Conseil des Arts de la région métropolitaine de Montréal. Il convient de souligner que c'est grâce au dynamisme du maire Jean Drapeau que la métropole canadienne (Montréal l'était encore de justesse) devenait ainsi innovatrice dans le domaine culturel. À cette occasion, le Théâtre du Nouveau Monde présenta *La Jalousie du barbouillé,* dans le hall d'honneur de l'hôtel de ville. Désastreuse acoustique, mais le ton était à la fête.

SCÈNE XXVII
Un éléphant vole la vedette

En saison régulière, Montherlant fut suivi de Rivemale, qui avait adapté pour la scène une émission de radio intitulée *Un Éléphant dans la maison*, la rebaptisant *Azouk*. Qu'est-ce que cet éléphant venait faire au TNM ? Difficile à expliquer, si ce n'est par l'amabilité et le charme de la pièce, qui n'avaient d'égaux que ceux de son auteur. Mais était si évident le plaisir de toute l'équipe à jouer ce délicieux petit boulevard que je me refuse à le bouder, quelque quarante ans plus tard.

Le personnage principal en est, bien sûr, Azouk, gros Babar rose et blanc tombé de façon insolite dans une famille du sud de la France. Cet Azouk de caoutchouc mousse était maniable : il clignait d'un œil et de l'autre, de même qu'il bougeait sa trompe, ses oreilles et ses pattes. Dans un étroit poste de commande ménagé dans ses intérieurs, il n'y avait nul autre que Guy Hoffmann, devenu maître dans l'art de donner parole et vie au pachyderme. Il en était farouchement jaloux. C'était *son* éléphant. Après les représentations, des spectateurs réclamaient régulièrement la faveur de contempler Azouk et de le voir bouger de près en coulisses. Nul ne pouvait faire la démonstration que Guy; interdiction formelle de sa part de toucher aux manettes de commande. Survivant même à un incendie dévastateur en 1963, Azouk devint la mascotte officielle du TNM et trôna pendant longtemps dans notre atelier de la rue Sanguinet, jusqu'à ce qu'avec l'âge, son caoutchouc mousse se désagrège littéralement en poussière.

Durant cet *Azouk*, il y avait comme toujours une complicité totale entre tous les membres de l'équipe, une atmosphère de fête dans le travail, qu'on parvenait à préserver contre épreuves et difficultés. Ainsi le Gesù étant occupé, nous avions dû louer le studio d'une compagnie de films, Québec-Production, situé Côte-des-Neiges près de la rue Decelles, pour y monter notre décor et procéder aux derniers filages de la pièce. Ce qui n'alla pas sans d'énormes contrariétés. Privés d'éclairages et de coulisses, nous avions peine à retrouver l'ambiance d'un théâtre, et la répétition se déroulait sans ardeur. La tension montait, le climat s'alourdissait. C'est alors que Georges Groulx, jusque-là dissimulé derrière un pan du décor, fit une entrée triomphale : il devait apparaître en cornac, uniquement coiffé d'un turban et les reins ceints d'un pagne. Or, n'ayant pu trouvé le pagne dans le fouillis de cette répétition irrégulière, Georges n'avait revêtu que la partie supérieure du costume. Pour le reste, il était flambant nu! Avec ses jambes légèrement torses, il ne présentait pas précisément une vision d'Apollon! Ce qui déclencha évidemment l'hilarité générale dans tout le studio. Jean Gascon, riant aux larmes, annonça un repos de dix minutes, et lorsque reprit le travail, nous avions retrouvé notre humeur gaillarde et Georges... la moitié inférieure de son costume.

Ce cher Georges! À cette époque, il était le plus joyeux luron qui puisse se trouver. Plus tard, il devint presque silencieux, alors qu'à certains moments de ce temps heureux, il fallait le supplier de se taire, tant sa faconde pouvait se faire épuisante pour son entourage.

SCÈNE XXVIII
Les Basques et la contrebande

Après les premières représentations d'*Azouk*, Rivemale rentrait à Paris. Le nouveau directeur du Conservatoire d'art dramatique, Jan Doat, lui confia un colis d'environ la dimension d'une boîte de chocolats de cinq cents grammes, pour remettre à l'adresse indiquée. Submergé de cadeaux et d'acquisitions de toutes sortes, Rivemale ne parvenait pas à boucler ses valises. Il décida donc d'ouvrir le colis, d'en disséminer le contenu parmi ses effets, quitte à refaire un nouvel emballage, une fois à destination. Quelle ne fut pas sa stupéfaction de découvrir une bonne vingtaine de diamants, quelques-uns taillés et montés, d'autres bruts, qui devaient représenter une véritable fortune. Il se précipita chez Doat, lui rendit le tout et l'abreuva des plus amers reproches.

Jan Doat était chauve et claudiquant, mais il avait des yeux splendides et exerçait des ravages dans la gent féminine. Loin de se démonter, il ne fit que sourire, expliquant que ces diamants appartenaient à une ancienne maîtresse qu'il avait naguère connue à Nice. En instance de divorce, elle les lui avait confiés lors de son départ pour le Canada, de peur que son richissime conjoint, profitant des procédures juridiques, ne tente de s'en ressaisir. Elle venait de l'aviser que tout était réglé, sans qu'il eût été question de ces princiers cadeaux offerts par son ci-devant mari. Doat ne faisait que lui rendre le précieux dépôt. Rivemale n'en revenait pas : découverts à la douane, ces diamants auraient pu lui valoir la prison. Pour toute réponse, l'autre lui dit simplement : « Vous êtes du Midi. Moi, je suis Basque. Comme tous les Basques, je suis un peu contrebandier.» Il en fut quitte pour se trouver un autre passeur, moins curieux.

SCÈNE XXIX
Réjouissance chez Monsieur de Ramezay

Vers la fin de cette quatrième saison, la Comédie-Française visita Montréal. Les directeurs du Théâtre du Nouveau Monde organisèrent une réception pour leurs illustres camarades. Grâce à leurs bonnes relations avec le maire de Montréal, ils obtinrent la permission de disposer d'un lieu inusité : une salle du musée du Château Ramezay. Des tables furent dressées au milieu des pièces de collection, témoins de la vie du Montréal ancien. Cet environnement insolite contribua sans doute au succès de la soirée et aux relations cordiales qui s'établirent entre les deux troupes. L'administrateur de la Comédie-Française était alors Maurice Escande, que de mauvais plaisants surnommaient «notre dame de Paris», à cause du caractère de ses mœurs amoureuses. Homme du reste charmant aux allures Grand Siècle, il cadrait parfaitement dans le décor. Je lui présentai ma femme Monique, alors dans la jeune vingtaine. Frappé par sa beauté, il lui demanda si elle faisait du théâtre. «Non, lui répondit-elle, je n'ai pas de talent.» Et Escande de lui rétorquer, esquissant à peine un sourire : «Alors, faites du cinéma!»

Nous avions eu l'idée de cette rencontre amicale avec nos camarades de la Comédie-Française afin de nouer des relations que nous pourrions éventuellement mettre à profit. Durant les dernières répétitions du *Maître de Santiago*, nous avions reçu une invitation officielle du Festival international d'art dramatique de la ville de Paris, le plus prestigieux festival de théâtre au monde. Cette invitation était évidemment le résultat de patientes et nombreuses démarches, ainsi que de communications fréquentes par courrier et

Monique Oligny
1951

appels téléphoniques entre Montréal et la capitale française, avec monsieur A.-M. Julien, directeur du Festival, et avec Claude Planson, son secrétaire. Démarches orchestrées par l'étonnant imprésario montréalais, Nicolas de Koudriavtzeff.

Pour nous, l'heureuse issue de l'opération était de la dernière importance. Au journal de bord, on lit cette exclamation révélatrice : «Jouer à tout prix la carte de Paris — désespérément! » C'est que, dans notre environnement montréalais, nous avions l'impression d'avoir plafonné, de piétiner, de nous répéter. Nous sentions aussi une sourde opposition se manifester confusément un peu partout, parmi nos camarades de la profession et chez certains critiques. La lune de miel était terminée. Des reproches fusaient ici et là à propos de l'attitude hautaine des principaux dirigeants de la Compagnie (j'étais le premier visé), à propos du choix du répertoire, à propos de l'absence presque systématique d'auteurs canadiens. Il nous fallait, nous semblait-il, aller chercher une caution hors nos murs. Messieurs Julien et Planson nous en offraient l'occasion idéale. Forts de leur succès récent, nous étions convaincus que *Les Trois farces* nous permettraient de gagner la faveur de Paris et, par le fait même, de reconquérir celle de notre public local.

SCÈNE XXX

Destination : Paris

Mais une fois l'invitation décrochée, encore fallait-il y donner suite, pourvoir au transport du matériel et des membres de la Compagnie, pas moins de vingt personnes, ainsi qu'à leurs frais de séjour et leurs cachets, la participation pécunaire du Festival étant minimale. Presque toutes les troupes, comme le Berliner Ensemble de l'Allemagne de l'Est et le Théâtre d'art de Moscou, étaient de toute évidence entièrement prises en charge par leur pays respectif. Mais au Canada, nulle tradition en ce sens. Nous avions besoin d'environ 20 000 dollars, c'est-à-dire près d'un quart de million d'aujourd'hui. Ottawa et Québec se défilaient, prétextant l'absence de structures nécessaires à ce genre d'investissement. Le ministère des Affaires culturelles et le Conseil des Arts du Canada n'existaient pas encore et, de par son statut juridique, le Conseil des Arts de la région métropolitaine ne pouvait subventionner semblable entreprise. Nous étions au début de janvier : il fallait rendre réponse immédiate afin de pouvoir jouer en juin, au Théâtre Hébertot.

Je fus alors témoin de l'étonnant pouvoir d'un homme politique populaire, dans l'exercice de ses fonctions. Dans son bureau de l'Hôtel de ville, devant Jean et André Gascon ainsi que moi-même, le maire Drapeau fit une demi-douzaine d'appels téléphoniques à des dirigeants montréalais de multinationales. En moins d'une heure, il avait réuni la moitié de la somme nécessaire à notre départ. Il fut décidé sur-le-champ de donner suite à l'invitation qui nous était faite.

Le 14 juin 1955, la troupe s'embarquait à Québec, à bord de l'Homeric, pour son aventure parisienne. L'Homeric était un de ces paquebots auxquels de mystérieux motifs d'ordre fiscal confèrent un caractère curieusement cosmopolite. Son armateur était grec, il battait pavillon d'une république sud-américaine et son équipage parlait italien. Au demeurant, agréable navire dont les cabines étaient remarquablement confortables. La traversée s'annonçait joyeuse. D'autant plus que, nous éloignant à peine des quais, Jean Gascon et moi étions convoqués par le commissaire de deuxième classe, où nous étions logés, qui nous fit savoir que les salons de première nous seraient accessibles ; la nouvelle fut accueillie avec satisfaction par nos camarades. Le premier soir, Germaine Giroux s'y présenta, vêtue de ses plus beaux atours. Superbe Germaine ! Le moins qu'on puisse dire, c'est qu'elle était visible. Pour sa part, Henri Norbert, avec ses quatre quartiers de noblesse (eh, oui !) se lança dans son récital préféré en chantant un air de *Carmen* d'une voix de mezzo au trémolo agressif : «L'amour est enfant de bohème...»

Le lendemain, nouvelle convocation chez le commissaire. Troublant l'euphorie de notre équipée maritime, il nous déclarait sèchement qu'il n'était plus question de revoir «cette dame» dans les salons de première. Aisé pour nous d'identifier «cette dame», mais difficile de limiter l'interdit à sa seule personne. Nous l'annoncions donc comme une mesure concernant toute la troupe, à la suite de plaintes de certains passagers. Germaine en reporta aussitôt la faute sur «Nono», qui affichait trop ses penchants avec son récital déplacé de cantatrice travestie. Monique Leyrac s'en prit à Germaine, laissant entendre que lui manquait la discrétion d'une dame de bonne société. Offusquée, Germaine lui rétorqua : « Chris ! Je vas te montrer qui c'est que c'est la grande dame de nous deux ! » « Germaine, tu es une emmerdeuse... » lui lança Monique. « De première, ma chère ! » conclut l'autre. L'indicent fut clos et n'entama pas la cordialité de nos relations communes.

SCÈNE XXXI

Un vrai scandale !

J'ai déjà évoqué l'accueil enthousiaste du public parisien, les éloges unanimes de la critique. Je l'ai dit : c'est celle de Pierre Marcabru, de *Libération,* qui m'enchantait. Il écrivait que les spectateurs riaient tellement que c'en était un vrai scandale. Et je crois qu'effectivement, le public parisien était conquis par la robustesse et la générosité de notre jeu. Sous l'influence de Strasberg, et de l'école américaine qui se réclamait de la méthode Stanislavski, les comédiens français commençaient déjà à se laisser conquérir par la mode de l'*under-playing.* Et de voir une troupe qui refusait tout naturalisme, pour s'abandonner à la pure convention théâtrale, devait constituer un bain de fraîcheur pour ce public quelque peu blasé.

Le pari parisien était donc gagné. Mais non sans écueils. Un matin, dans le hall de l'Hôtel de Noailles où nous habitions, André Gascon s'approcha de moi, l'air quelque peu désemparé. Il me confia qu'il n'avait plus un sou vaillant pour subvenir aux besoins de la compagnie. Lors d'une réunion d'urgence *au sommet*, il fut décidé de faire un appel téléphonique au maire Drapeau. Ce dernier nous assura qu'il nous expédiait immédiatement 10 000 dollars de son compte personnel, sur l'unique engagement de le rembourser aussitôt que nous le pourrions, sans intérêts. Il honora sa promesse le jour même. De retour à Montréal, il nous fut heureusement possible de nous acquitter assez rapidement de cette dette d'honneur. Je relate le fait d'autant plus volontiers que je m'opposai bientôt personnellement à l'autoritarisme du maire Drapeau, et que, de son côté, ce dernier prendra ses distances avec le Théâtre du Nouveau Monde.

SCÈNE XXXII
Une mouette qui tire les larmes

Après notre séjour à Paris, nous étions regonflés à bloc. Et c'est avec une foi renouvelée que nous abordions la préparation de *La Mouette,* de Tchekhov, production qui me reste chère entre toutes. À part Molière, c'est avec Anton Tchekhov que nous avons communié le plus intensément. Ses personnages ont des concordances secrètes et profondes avec nous. Les souvenirs se bousculent, tous plus émouvants les uns que les autres. D'abord Dyne Mousso, issue de notre École, jeune animal farouche qui ne se laissait approcher qu'avec de soigneuses précautions. Compliquée, Dyne ! Elle était d'une pudeur excessive et refusait de se livrer totalement en répétitions. Je jouais Kostia, son amoureux éconduit. Au cours du travail, je lui fis remarquer assez sèchement qu'il m'était impossible d'attendre les représentations pour connaître le comportement exact de son personnage. Rien n'y fit.

Mais je ne crois pas que dans le monde entier, il y eut jamais de plus émouvante, de plus bouleversante Nina. Sa scène d'adieu à Kostia provoquait les sanglots des spectateurs. Je n'avais qu'à l'écouter, qu'à la regarder pour que m'étreigne la douleur de la séparation. J'appris pourtant à mes dépens que, pour un comédien, il ne suffit pas d'éprouver un sentiment, même avec la plus parfaite authenticité. Encore faut-il faire savoir au public qu'on l'éprouve, ce sentiment, par des signes visibles et convaincants. Dans leur jargon prétentieux, c'est ce que les théoriciens du théâtre appellent la *sémiotique.*

Marceau était revenu donner une deuxième série de ses *Exercices de style* et des croquis de son délicieux personnage Bip, au Monument-National. Cependant, dès qu'il le pouvait, il se joignait à nous dans notre atelier de la rue Sanguinet. Lors d'une pause en répétition, il s'approcha discrètement de moi, et me demanda ce que je ressentais lorsque je devais me rendre à l'évidence du départ définitif de ma bien-aimée, qui allait rejoindre l'être que je méprisais le plus au monde, l'écrivain à succès, Trigorine. Je lui expliquai la détresse qui s'emparait alors de moi. Et Marcel de me rétorquer, de sa voix légèrement nasillarde : « Eh ben, ça ne se voit pas assez ! Si semblable chose m'arrivait à moi, je me dirais : Marceau, elle te quitte ! La respiration me deviendrait difficile tellement j'aurais la gorge serrée. Comme un noyé qui revient à la surface de l'eau, j'ouvrirais grand la bouche à la recherche d'air.» C'étaient donc les signes dont il se serait servi, lui, pour communiquer au public son émotion intérieure. Je devais, moi, m'en inventer qui me soient personnels.

Il faut pourtant un dosage délicat de la part du comédien ou de la comédienne. Il me semble qu'entre la scène et la salle, ne se partage qu'une quantité limitée d'émotion, qui varie selon les circonstances. Si toute cette quantité est accaparée d'un côté, il n'en reste plus pour l'autre. Un interprète qui laisse couler ses larmes à flots peut croire qu'il provoquera réaction identique chez les spectateurs. Le plus souvent, il n'en est rien. Il se fait plaisir à lui-même, certes, mais il absorbe toute la quantité d'émotion disponible et en prive son public. Alors que, s'il essaye de la maîtriser, de la refouler, de la contenir, elle ira irrésistiblement prendre refuge dans l'assistance. Il n'y a rien de plus émouvant que de voir quelqu'un lutter contre l'émotion. C'est donc ce que, pour ma part, je résolus de faire. Cette contenance m'inspirerait les signes nécessaires à l'adresse du public, sans que j'aie à m'en préoccuper.

SCÈNE XXXIII

Méfaits de metteur en scène

La scène d'adieu de *La Mouette* atteint son paroxysme lorsque Nina, avant de franchir le pas de la porte, reprend une tirade de la pièce que Kostia a écrite pour elle et que le spectateur lui a vu jouer au premier acte : «Hommes, lions, aigles et perdrix, cerfs aux grandes cornes, oies, araignées, poissons silencieux qui vivaient dans les eaux, étoiles de mer et ceux que l'œil ne pouvait voir, en un mot toutes les vies, toutes les vies, après avoir parcouru le triste cycle, se sont éteintes...» Cette évocation, sur le mode mineur, d'une époque de bonheur mutuel est propre à bouleverser le plus endurci des cœurs. Plus tard, lors d'une production de *La Mouette* par la Nouvelle Compagnie théâtrale dans la traduction d'Elsa Triolet, je fus horrifié de constater que ce passage avait été coupé. Il était inconcevable que l'adaptatrice se soit permis une telle liberté. Après vérification dans le texte, je découvris que ce crime de lèse-génie était bel et bien le fait du metteur en scène. Inconscience? Prétention? Bêtise? C'est comme si on amputait *Horace* des imprécations de Camille. Ou *Cyrano*, de la tirade des nez.

Du reste, j'avais déjà eu un choc, dès les premières répliques de cette représentation. C'est le pathétique Medvedenko qui parle d'abord. Question à Macha, Macha la désespérée : «Pourquoi êtes-vous toujours en noir?» Et elle, de répondre : «Je porte le deuil de ma vie...» Or à la NCT, Macha déclarait : «Je porte le deuil...» Un point c'est tout. Il ne faut pas être grand clerc pour saisir la nuance entre «porter le deuil» et «porter le deuil de sa vie»! À moins que, ce soir-là, la comédienne ait eu une défaillance de mémoire, c'est encore le prétentieux metteur en scène qui avait dû trouver la réplique originale de Tchekhov trop grandiloquente, et l'avait amputée de sa tragique résonance.

Dans notre *Mouette* de novembre 55, tous les autres personnages me restent inoubliables : la sombre Macha de Charlotte Boisjoli, le doux Sorine de François Rozet, le bouleversant Medvedenko de Gabriel Gascon, la tyrannique Arkadina d'Antoinette Giroux, le suffisant Trigorine de Jean Gascon, la discrète Paulina de Lucille Cousineau et, personnage fétiche du Dᵣ Tchekhov, le désenchanté Dᵣ Dorn de Georges Groulx.

Il y avait enfin la présentation scénique de style naturaliste. Le metteur en scène et le décorateur, respectivement Jean Gascon et Robert Prévost, avaient réussi à créer une atmosphère feutrée, à la fois douce et étouffante. Compte tenu du petit nombre d'appareils d'éclairage et de la pauvreté de nos moyens techniques, ils avaient accompli un véritable miracle. Le lac bordé de bouleaux, la villa autrefois cossue, l'oisiveté débilitante de cette société bourgeoise *fin de régime,* on y croyait «comme si c'était vrai». Après la première, je vois encore Denise Pelletier surgir en coulisses, visage ruisselant de larmes et s'exclamant : «C'est beau! C'est beau!» Je crois en effet que c'était un magnifique spectacle, au bord des pleurs et de la moquerie, à la limite de la dérision et du désespoir. Du Tchekhov, quoi!

SCÈNE XXXIV

Marceau et la pègre montréalaise

Marceau jouait donc au Monument-National, hors saison. Après une représentation, ma femme Monique et moi allions le cueillir pour l'emmener manger dans un restaurant du voisinage, rue Sainte-Catherine, le Corso Pizzeria, un des rendez-vous de la *mafia* montréalaise, réputé pour sa cuisine... italienne bien sûr. Tout en mangeant, nous décrivions à notre convive le fait divers qui s'y était déroulé, la semaine précédente : un buveur avait été descendu froidement au bar, d'un coup de revolver. Règlement de compte. Ce quartier était décidément peu sûr. Marceau nous déclara qu'il n'avait rien à craindre, puisqu'il s'était entraîné en technique de défense : à Paris, il jouait au Théâtre de la Renaissance ou à celui de L'Ambigu, tous deux situés justement dans ce qui s'appelait autrefois le boulevard du Crime, où l'on pouvait faire des rencontres hasardeuses, surtout aux heures tardives d'après spectacle. Puisque dans son cas il n'était pas question qu'une doublure le remplace, il ne pouvait risquer de se faire amocher le visage ou fracturer un bras. Marceau nous faisait son exposé avec la tranquille assurance du gamin qui se croit prémuni contre tout danger.

Le lendemain soir, il quitta le Monument-National accompagné de Gilles Ségal, son compagnon de spectacle. Tous deux se dirigeaient tranquillement à pied vers notre atelier de la rue Sanguinet, lorsqu'une voiture les doubla et freina brusquement. En sortirent deux individus qui négligèrent Ségal, mais assénèrent une raclée à Marceau, avant de remonter dans leur véhicule et de s'éloigner à toute vitesse. Instinctivement, le mime s'était protégé le visage et avait tout pris sur les oreilles, transformées de ce fait en énormes choux-fleurs. « Et ta technique de défense... » lui demandai-je ? Alors Marceau, penaud, ne put que répliquer : « Eh... je n'ai pas eu le temps... » Gilles Ségal avait pu noter le numéro de la plaque minéralogique de la voiture. Alertée, la police se contenta d'expliquer, quelques jours plus tard, qu'il y avait eu erreur sur la personne. Les assaillants avaient pris Marceau pour un autre. Fin de l'enquête. *Boulette* était en boule !

Nous ne devions plus la revoir de ce côté-ci de l'Atlantique. L'année suivante, des *Angels* américains créèrent une compagnie pour produire à New York le spectacle Marceau, sollicitant la participation financière de quelques-uns d'entre nous. J'en fus pour mille dollars, grâce aux *Plouffe*. Marceau descendit au Phœnix Theatre « on 3ʳᵈ Street ». Mais lorsqu'il passa à Broadway, la compagnie des *Angels* fut rapidement dissoute et les mises, remboursées avec intérêt au taux légal. Il n'était pas question que les bailleurs de fonds montréalais profitent de la mine d'or que devait devenir l'*entreprise* Marceau. Même Boulette fut éliminée.

SCÈNE XXXV
Les héros doivent mourir jeunes

Avec notre habitude de répertoire en dents de scie, à *La Mouette* succéda une deuxième pièce d'Alexandre Rivemale, *Nemo*. Nous avions encore une fois succombé à la séduction de son auteur, de même qu'à la gloriole d'une première mondiale de l'œuvre d'un dramaturge *étranger*. Beau thème pourtant : le sort des héros condamnés à mourir de vieillesse. Septuagénaire perclus de rhumatismes, James Dean serait-il toujours auréolé de sa réputation de jeune génie rebelle ? Et Gérard Philipe, doublé de son image de beau prince romantique ?

Dans *Nemo*, on retrouvait le capitaine du Nautilus, personnage du fameux *Vingt mille lieux sous les mers,* de Jules Verne, échappé à la destruction de son sous-marin, menant la vie peu aventureuse d'un patron de bistro. Ses exploits n'étaient pas oubliés, mais il n'osait plus se les attribuer lui-même, victime de l'ennuyeux train-train quotidien vécu aux côtés d'une morne compagne. Pièce gentillette qui connut un gentil succès. Tout de même près de neuf mille spectateurs en dix-neuf représentations, alors que notre chère *Mouette* avait à peine franchi le cap des dix mille.

En mars, assurés par nos mécènes contre des pertes jusqu'à concurrence de 5 000 dollars, pourvu que leur nom soit mentionné «*in a dignified way*», nous reprîmes les productions en langue anglaise avec *The Trial,* d'après Franz Kafka. Un four, hélas! La critique fut presque unanimement mauvaise, et le public s'abstint.

SCÈNE XXXVI

Claudel le baroque

Mais cette cinquième saison se termina en beauté avec *L'Échange*, de Paul Claudel, production dont tous les éléments se mariaient en un ensemble parfait. Le peintre Jean-Paul Mousseau avait créé un décor saisissant. Devant un arrière-plan d'océan, se découpait une série de pyramides ocres, formes géométriques dont les volumes éclataient en tous sens. Vision poétique du littoral ouest américain. Les costumes de Solange Legendre évoquaient discrètement l'identité propre de chacun des personnages. Marthe était vêtue d'une robe tombante, dans des teintes de vert sombre, retenue à la taille par un simple cordon. Lechy éclatait dans sa tenue de bal d'un jaune arrogant. Louis Laine, chaussé de mocassins, portait une chemise rouge, largement échancrée sur la poitrine, et un étroit pantalon gris charbon. Thomas Pollock dans son accoutrement deux tons, redingote claire et pantalon foncé, était directement issu du prospère *far-west*. Jean Gascon, Denise Pelletier, Françoise Faucher et moi-même formions un quatuor parfaitement homogène. J'emploie le terme à dessein car, selon mon souvenir, il s'agissait véritablement de musique, tant les voix s'harmonisaient. Notre plaisir à jouer ensemble fut couronné d'un remarquable succès. Vingt représentations, près de treize mille spectateurs.

Je reprenais le rôle de Louis, à quinze ans d'intervalle : expérience passionnante. Délivré de l'influence par trop écrasante de Ludmilla Pitoëff, je pouvais essayer d'approfondir le personnage de ce jeune animal égoïste et sensuel, fou de grands espaces et de liberté. «Laisse-moi aller, laisse-moi aller…» Pourtant, aussi bien en 1956 qu'en 1940, le texte me faisait mentir, lorsque j'affirmais à Thomas Pollock que j'étais âgé de 20 ans. En 1940, j'en avais 17, et 33 en 1956!

Jean-Louis Roux à Stratford
1956

SCÈNE XXXVII
La dualité canadienne

Aussitôt *L'Échange* terminé, nous partions à destination de Stratford, à l'ouest de Toronto, pour y participer au désormais célèbre Shakespearian Festival. Notre acceptation ne s'était pas faite sans ardues négociations. Tyrone Guthrie, le premier directeur artistique du Festival, nous avait vus dans *Les Trois farces*, et il en avait été emballé. Aussi, lorsqu'à Stratford, il fut question de faire jouer les personnages de la cour du roi Charles, d'*Henry V*, par des acteurs canadiens de langue française, son successeur, Michael Langham, décida-t-il naturellement de faire appel à nous ainsi qu'à Gratien Gélinas qui avait grande réputation dans le Canada entier, principalement à cause de son *Ti-Coq*. Plus tard, le fondateur du Festival, Tom Patterson, m'assura que l'idée était sienne. Quoi qu'il en soit, elle se révéla excellente.

Nous avions d'abord accepté. Puis, la perspective de cet *exil* nous inspira de sérieuses appréhensions. Décision fut prise, surtout par le trio Gascon-Roux-Hoffmann, de revenir sur notre accord. Lorsque nous en fîmes part à Michael Langham, sa déception ne s'exprima que par ces mots : «*Oh! What a blow!... What a terrible blow!...*» Il faut dire que notre attitude frisait la malhonnêteté. Nous étions en janvier, je crois, et les répétitions devaient commencer au début de mai. Dans le silence qui suivit cette très britannique exclamation, nous jouâmes notre carte gagnante : les comédiens du Théâtre du Nouveau Monde n'iraient à Stratford qu'à l'unique condition d'y présenter un de leurs spectacles en français. Michael accepta sur-le-champ. Nous étions piégés : force nous était de nous *exiler* à Stratford, pour les prochains mois.

C'est ainsi que le cinéma Avon de Stratford fut annexé pour la première fois par le Festival. Nous devions y donner quelques représentations des *Trois Farces*. À la dernière, une centaine d'habitués de Stratford eurent la surprise de voir Christopher Plummer jouer le rôle d'un parent de Sganarelle dans la pièce du même nom. Nous nous étions en effet payé ce luxe, avec la complicité de notre camarade, qui travailla avec acharnement pour polir son accent français. C'était plaisir d'entendre l'interprète d'Henri V déclarer avec application : «D'un mari sur ce point j'approuve le souci...» Un maigre public de curieux vint assister aux représentations des *Trois Farces* : à peine quelques rangées de spectateurs manifestement médusés par le jeu car, pour ce qui était du texte, la majorité d'entre eux n'y *entravait que dalle*. Mais les critiques, aussi bien dans les journaux locaux que dans ceux de Toronto, ne trouvaient pas d'autre ton à employer que celui du dithyrambe. Un énorme triomphe, baume agréable sur nos plaies. Sur les miennes en tout cas.

J'avais quitté Montréal, la mort dans l'âme. Seul. Ma femme, rebutée à la perspective de ce long séjour loin de ses proches, ne put se résoudre à m'accompagner. J'arrivai à Stratford par une pluie torrentielle, en fin de journée, un dimanche du début de mai 1956. Je descendis rue Cobourgh, où on m'avait loué une chambre. Toujours seul. Guy Hoffmann, qui devait y habiter avec moi, ne m'y joindrait que huit jours plus tard. Par cette soirée désolante, après avoir descendu mes bagages, je m'écroulai au bord du lit et j'éprouvai soudain une telle tristesse, une telle angoisse que les larmes se mirent à ruisseler, sans que je puisse y faire quoi que ce soit. À la veille d'atteindre mes 33 ans, je me sentais aussi esseulé, aussi démuni que l'écolier novice abandonné dans le vestiaire du Jardin d'enfants d'Hochelaga.

Heureusement, peu après l'arrivée de Guy Hoffmann, le service d'hébergement du Festival nous dénichait une maisonnette, en bordure de la ville. Typique demeure d'humble rentier d'une petite municipalité ontarienne : rez-de-chaussée sans étage, revêtement de tuiles de liège verdâtres, mobilier constitué d'une demi-douzaine de chaises de bois peint et de quelques fauteuils de velours usé, chromos de calendrier aux murs. Mais Guy et moi nous y installions avec délice, aménageant un *home* assez accueillant pour y attirer nos camarades de fraîche date. Les talents remarquables de chef de mon colocataire y étaient pour beaucoup. Notre *home* devint rapidement le haut lieu de la cuisine strat-fordienne (pas difficile à cette époque!) et le rendez-vous des causeurs. Je me rappelle des affrontements épiques, entre Gratien Gélinas et moi-même, au sujet du théâtre. Portés l'un et l'autre par notre ardente foi, nous avions pourtant des conceptions quelque peu divergentes.

À ses talents pour la cuisine, Guy Hoffmann joignait des dons de voyance. Je me rappelle encore Bob Goodyear, blanc d'émotion, au récit des circonstances d'un hold-up dont il avait été témoin alors qu'il travaillait comme caissier dans une banque, des dizaines d'années plus tôt. Guy semblait en puiser les détails au creux des mains ouvertes de ce parfait inconnu.

SCÈNE XXXVIII
Curieux idéal de félicité

Le beau-père de Guy, Théo Chentrier, vint passer un week-end avec nous. Psychologue de profession, il était juge au tribunal pour enfants, en France. Il avait suivi sa fille Monique et son gendre Guy, lorsque ce dernier décida d'émigrer au Canada sur les conseils de son tuteur, un jésuite canadien. Au poste CBF, il tenait un courrier radiophonique intitulé *Psychologie de la vie quotidienne*. De sa voix grave aux intonations modulées, il répondait à ses correspondantes — hautement majoritaires — avec un bon sens désarmant et un humour irrésistible : «Mais, madame…» Me sachant amateur de littérature fantastique et surtout d'Edgar Poe, il m'avait prêté une étude en deux gros volumes que la psychiatre française, Marie Bonaparte, lui avait consacré. Je la lui rendis sans en terminer la lecture, lui déclarant qu'il m'était difficile de concevoir que Poe était redevable d'une partie de son inspiration à ce qu'il n'avait pas sucé le lait du sein maternel. Je sentis que je l'avais blessé. Heureusement, nos relations n'en furent altérées que l'espace de ce court moment.

À Stratford, par un dimanche après-midi torride, il était affalé dans un de ces fauteuils de velours passé de notre domicile temporaire. Nous étions silencieux, terrassés par la chaleur excessive. Soudain, il me demanda, d'un ton dolent : «Jean-Louis, savez-vous ce que serait pour moi, en ce moment, le comble de la béatitude?» Et devant mon silence interrogatif, il répondit lui-même à sa question, impassible et feignant le plus grand sérieux : «Pisser sous moi!»

C'était la dernière année du chapiteau de Stratford, énorme tente de cirque pouvant accueillir plus de deux mille spectateurs. Dès 1957, serait construit le théâtre actuel sur les bases de béton déjà coulées lors de l'inauguration du Festival, en juin 1951. Aux premiers jours de mai 1956, les répétitions s'amorcèrent par un froid sibérien, nous forçant à travailler emmitouflés dans nos manteaux et nos cache-cols, gardant même les mains enfouies dans nos gants, n'étant réchauffés que par notre ferveur de néophytes. Nous étions devenus les rouages d'une machine remarquablement organisée. Ordre de travail, horaire de répétitions, tout y était planifié et respecté à la lettre. Pour nous qui avions l'habitude de décider, la veille, de ce que nous allions faire le lendemain, ce fut une véritable révélation. D'autant plus qu'il nous apparaissait évident que cette discipline n'entravait en rien la création. Bien au contraire. En retour, pour nos camarades anglophones, nous incarnions l'exemple de ce que pouvait apporter, au delà de la rigide observance d'une discipline et d'un horaire stricts, un peu de fantaisie, de liberté et d'imagination.

SCÈNE XXXIX
Le génie bousculé

Nous découvrîmes également, à Stratford, le merveilleux irrespect que les Anglais professent à l'égard de leur Shakespeare. À cette époque, nous Français, n'osions pas changer le moindre iota de nos classiques. Soulignons à notre défense que, dans la plupart des cas, il est à peu près impossible d'apporter des modifications à des textes écrits en alexandrins. Nous étions ébahis par la façon dont eux chambardent l'ordre des scènes, coupent les passages par trop obscurs ou modernisent certains termes désuets. Michael Langham prêta même à Henry V, la nuit précédant la bataille d'Azincourt, une partie de la prière que Richard II adresse au ciel dans son cachot, avant son assassinat. Une telle jonglerie nous stupéfiait de la part d'artistes, par ailleurs si professionnellement rigoureux.

En ville, accueil généralement chaleureux de la part de la population. Les restaurateurs s'empressaient autour de nous, curieux d'entendre des sonorités nouvelles. La cuisine n'en était pas meilleure pour autant. Il n'y avait guère que dans la toute minuscule ville de Shakespeare, à une quinzaine de kilomètres en direction de Toronto, que nous pouvions manger un *T-Bone* raisonnablement saignant. Une fois la crémaillère pendue à notre domicile improvisé, certains marchands prirent l'habitude de répondre à nos exigences. Le boucher Kalbfleisch, par exemple, était ravi de couper sa viande selon les indications du cuistot Guy Hoffmann.

Comme comédiens, les critiques nous furent très favorables. Entre autres rôles, Guy jouait celui d'un soldat français. Il avait une scène quasi muette avec Douglas Campbell qui jouissait auprès de ses camarades et du public d'une enviable réputation d'acteur comique. Dès la première répétition, était perceptible l'émulation entre les deux comédiens. Le metteur en scène, Michael Langham, y prenait évidemment autant de plaisir qu'eux. Il ne donna jamais la moindre indication, ni à l'un ni à l'autre. Le résultat était irrésistible. Mais il y eut un gagnant. Le lendemain de la première d'*Henry V*, on pouvait voir le titre suivant, à la une d'un des quotidiens de Stratford : « Hoffmann outcambells Campbell ! » Formule lapidaire que j'envie désespérément à l'anglais. Intraduisible. Je me risque pourtant : « Hoffmann surcambelle Campbell ! »

Il nous arrivait néanmoins, en regagnant notre voiture dans le parking derrière le théâtre, d'entendre quelque spectateur attardé se plaindre de notre accent incompréhensible. Le fait est que, lorsque le même Guy Hoffmann, cette fois en gouverneur de Harfleur, faisait sa reddition aux troupes qui assiégeaient sa ville, sa diction pouvait écorcher certaines oreilles de puristes malgré tout le talent qu'il pouvait y mettre : « *Our expectation hath this day an end...* » Par ailleurs, lorsque nous parlions français, nous étions tellement sûrs d'être incompris dans cet environnement totalement anglophone, que nous avions pris l'habitude, dans la rue ou les établissements publics, d'échanger les pires énormités. Tout confus lorsque, interrompant nos propos quelque peu grossiers, un touriste venait nous serrer la main, s'adressant à nous dans la langue de Molière.

SCÈNE XL

Le guerrier trébuchant

J'espère qu'aucun de ceux-là n'était présent, lors d'une matinée exceptionnelle de *Henry V*. La scène en éperon (*apron stage*) de Stratford permet des entrées et des sorties spectaculaires côté salle, soit par les tunnels qui mènent dessous ou par les gradins qui montent vers le fond. Ainsi, avant la fameuse bataille d'Azincourt, les gentilshommes français s'élançaient dans leurs brillants accoutrements, oriflamme brandi d'une main, épée de l'autre, cris de guerre à l'appui, grimpant les allées à grandes enjambées avant de disparaître tout en haut de la salle : «Montjoye! Orléans! Saint-Denis! etc.» Cette après-midi-là, dans la fougue de l'assaut, je trébuchai et me retrouvai à quatre pattes, heurtant de mes deux tibias l'arête des marches de béton. Je ramassai épée et oriflamme, qui avaient failli éborgner des spectateurs dans les rangées de droite comme de gauche, et continuai mon ascension en boitant, cris de guerre transformés en jurons de la plus pure tradition folklorique du Québec.

Notre séjour stratfordien nous permit de développer les relations les plus cordiales avec nos camarades anglophones. Après le spectacle, il y avait invitation régulière chez l'un ou l'autre membre de la compagnie. On rivalisait d'hospitalité. Si rien ne semblait prévu, se faisait entendre un sonore : «*Let's promote a party!...*» Et on organisait rapidement une joyeuse fête dont il nous arrivait de sortir, aux petites heures du matin, quelquefois visiblement pompettes. Les policiers d'autos-patrouilles municipales jouaient fréquemment les *Nez-Rouges* en nous raccompagnant à domicile.

Nous avions des préoccupations plus sérieuses, cependant. Cet été-là, s'amorcèrent les premiers pourparlers qui allaient mener à la création de deux organismes importants : l'École nationale de théâtre du Canada et le Centre canadien du théâtre. Dans l'esprit des fondateurs, l'École devait devenir un haut lieu de formation dispensée en anglais et en français, pour tous les métiers de la scène, à l'intention de candidats en provenance de l'une ou l'autre des dix provinces canadiennes. En ce qui concerne le Centre, sa fonction serait d'assurer les relations du théâtre du Canada dans son entier avec la communauté internationale. L'École existe toujours à Montréal, plus dynamique que jamais, ayant toujours résisté avec succès aux pressions exercées pour qu'on la scinde en deux et que sa section anglaise déménage à Toronto. Mais le Centre, représentant le Canada au sein de l'Institut international du thé-âtre, fut sabordé une quinzaine d'années plus tard par une aile nationaliste québécoise. Je renonçai alors à la présidence de l'Institut qui m'était offerte, en succession au Roumain Radu Beligan, et je me retirai de son Comité exécutif. Deux centres furent finalement créés, et exceptionnellement reconnus par l'organisme international, sous condition que le Canada ne disposerait toutefois que d'une voix dans ses assemblées délibérantes. Depuis, le Centre anglophone a suspendu son activité, alors que, du côté francophone, c'est le Conseil québécois du théâtre qui s'occupe des relations avec l'Institut international du théâtre. Le Conseil envoie des délégués aux congrès bisannuels et diffuse les messages de la Journée mondiale du théâtre. Outre cela, ses contacts avec les théâtres de la centaine de pays membres de l'Institut sont loin de ce qu'ils étaient durant la décennie 1960-70, époque où le Centre canadien était cité en exemple aux autres centres nationaux pour son dynamisme et sa vitalité. Matière à réfléchir.

SCÈNE XLI

Destination : Édimbourg

À l'automne, *Henry V* était invité au Festival international d'Édimbourg. Nous nous y retrouvions aux côtés, entre autres, de Ravi Shankar et du Piccolo teatro di Milano, qui y présentait son fameux *Arlequin serviteur de deux maîtres,* de Goldoni. Avant de commencer notre *Henry V*, nous nous étions précipités au Piccolo et n'avions en rien été déçus. Un enchantement. L'interprète du rôle-titre, Marcello Moretti, avait près de 50 ans, mais il n'usurpait pas sa réputation de l'un des plus grands Arlequin du théâtre de la *commedia* moderne. Après la représentation, nous avions longuement bavardé avec nos camarades italiens. Je m'étonnais d'avoir entendu une réplique française dans le texte : «Avez-vous fini?» Erreur, c'était, m'assura-t-on, du dialecte vénitien.

Le Piccolo joue relativement peu à Milan. C'est essentiellement une troupe de tournée. On nous mit au parfum des traditions qui remontaient sans doute à la grande époque des Comédiens italiens du XVIIe siècle. Tout cela nous était dit avec humour, mais on sentait que n'aurait été tolérée aucune dérogation à ces anciennes coutumes. En voyage, le nombre de valises autorisé était proportionnel à l'importance du rôle. Le régisseur y veillait scrupuleusement. Chacun des comédiens et des comédiennes possédait une petite plaque gravée à son nom, qu'il accrochait à la porte de sa loge en arrivant au théâtre de passage. Mais là aussi, distinction : la qualité du matériau variait suivant le prestige de l'interprète. Seul Moretti avait droit à l'or. La plupart ne pouvaient utiliser que le bronze, avant d'accéder à l'argent des plus anciens. Cela peut paraître enfantin au profane. Pourtant, de tels usages créent, au fil des siècles, les titres d'un métier.

À Édimbourg, les membres masculins du Stratford Festival étaient hébergés à l'université, dans des chambres minuscules et glaciales, et soumis au même régime que les rares étudiants qui y habitaient en cette période de vacances. Tous les matins, douche à l'eau glacée, après s'être fait réveiller à 6 heures par le son d'un gong accentué de solides coups de gourdin dans les portes. Nous étions parvenus à subtiliser habilement le gong, mais le gourdin sévissait toujours. Aussi, à l'exception de quelques braves et sans clivage linguistique, tous les comédiens décidèrent d'aller se louer des chambres en ville. L'incident fit la une d'un journal : «*Canadians quit their lodgings!*» Les relations diplomatiques menaçaient d'être rompues entre Ottawa et les Lowlands! C'est d'ailleurs le même journal dont le critique théâtral déclara que les comédiens de *Henry V* qui personnifiaient les courtisans de Charles VI parlaient avec «*a phoney B-Film accent...*». On ignorait apparemment, dans la capitale écossaise, que des francophones vivaient sur les bords du Saint-Laurent depuis près d'un demi-millénaire.

Après la dernière représentation, la décoratrice Tania Moisevitch me tendit un rouleau enveloppé de papier journal. C'était la maquette de mon costume. Je la lui avais réclamée plusieurs mois auparavant, mais mes camarades m'avaient assuré que c'était peine perdue. Tania ne faisait presque jamais don de ses maquettes. J'en fus d'autant plus ému et flatté. Ce magnifique *trophée* occupe toujours une place de choix, pendu au mur de mon bureau dans mon appartement de Montréal

SCÈNE XLII

Chacun sa mère patrie

À la demande des membres de la Compagnie, il y avait un battement d'une huitaine de jours entre la fin des spectacles, à Édimbourg, et le retour de l'avion nolisé. Les comédiens francophones descendirent à Paris, sauf Roger Garceau, interprète du rôle du Dauphin de France, qui accompagna ses camarades anglophones à Londres. Durant ce séjour, on organisa une petite fête en l'honneur du comédien anglais, Alec Guinness, qui avait inauguré la première saison du Stratford Festival en 1951, dans le rôle-titre de *Richard III*. On relatait que, durant une représentation, une spectatrice de la première rangée essayait vainement de suivre le texte de sa brochure. Déroutée par l'important travail d'*editing* que les metteurs en scène anglais font subir à Shakespeare, elle allait désespérément d'une page à l'autre, sans parvenir à retrouver le moindre repère. Inutile de dire que tous les comédiens en étaient vivement agacés. Profitant d'une sortie par un de ces tunnels dont j'ai déjà parlé, Alec Guinness s'arrêta près de la dame, lui arracha sa brochure qu'il referma violemment, avant de la lui rendre avec un sourire affable.

À Londres, en 1956, Guinness triomphait dans une adaptation de *L'Hôtel du libre échange,* de Feydeau, rebaptisé *Hotel Paradiso.* Roger Garceau l'y avait vu, la veille au soir. Au cours de cette fête, il s'approcha de Guinness et, de l'air incroyablement hautain qu'il peut quelquefois afficher, il lui déclara qu'un acteur aussi *british* que lui ne pouvait prétendre jouer Feydeau, lui faisant totalement défaut la légèreté et le pétillant essentiels à l'interprétation de cet auteur parisien par excellence. Guinness encaissa sans dire mot. Mais il procéda à une petite enquête et, plus tard dans la soirée, il revint vers Roger pour lui rétorquer d'un ton cinglant : « *I'm told you're not so good in the Dolphin either!* » Et il tourna les talons. Le lendemain, sa doublure reprenait son rôle dans *Hotel Paradiso.*

SCÈNE XLIII
Un comédien en quête de son personnage

De retour enfin à Montréal, après presque six mois d'absence, nous nous attaquions à un autre chef-d'œuvre de Molière, *Le Malade imaginaire*, nouvelle occasion pour Guy Hoffmann de faire valoir toutes les facettes de son merveilleux talent dans le rôle d'Argan. Une production bénie que ce *Malade*. Encore une totale liberté dans l'invention du metteur en scène, Jean Gascon, et le jeu des comédiens. J'éprouvai d'abord beaucoup de difficulté avec le personnage de Thomas Diafoirus que m'avait confié Jean Gascon. Je ne parvenais pas à me l'approprier. Il fuyait, il m'échappait. Je me sentais sinistre, et alors que tous mes camarades répétaient avec un plaisir évident, je suais et peinais sans résultat. Et puis un jour, peut-être me suis-je vaguement souvenu de cet élève de Tortsov, le directeur d'école dans l'œuvre de Stanislavski, intitulée *Composition du personnage*. En bref, cet élève ne découvre la façon de jouer son rôle qu'après avoir trouvé le costume et les accessoires qui lui convenaient, procédant donc de l'extérieur vers l'intérieur, contrairement à l'enseignement des écoles où l'on ne cesse de répéter, avec raison d'ailleurs, : « Abordez votre personnage de l'intérieur. C'est de l'intérieur que lui viendra son comportement extérieur : gestes, attitudes, démarche, etc. »

Lors d'une répétition, l'idée me vint de doter ce Diafoirus fils d'un cheveu sur la langue. Et tout surgit de ce simple défaut de prononciation : l'arrogance et la prétention de ce petit pète-sec, sa bêtise et sa morgue, jusqu'au ton de sa voix de crécelle et à sa façon de rejeter ses cheveux vers l'arrière, de droite et de gauche : « Monsieur, je viens saluer, reconnaître, chérir et révérer en vous un second père... » Est-il besoin de dire que mes sifflantes fournissaient à Guy Hoffmann l'occasion rêvée d'accuser réception d'innombrables postillons. Sans rien enlever à l'humanité des personnages, nous faisions assaut de lazzi.

Au deuxième acte, pendant que Clitandre (Georges Carrère) s'évertuait à présenter la petite pastorale qu'il allait chanter avec Angélique, la fille d'Argan dont il est secrètement amoureux, c'était de la douce folie. Le fauteuil d'Argan comportait de nombreux petits tiroirs où ce dernier rangeait son imposant arsenal de médicaments. Il en sortait une petite boîte, dont il répandait malencontreusement le contenu. Il fallait alors le voir *rapatrier* ses pastilles, du bout du pied, en allongeant la jambe de façon démesurée, d'un côté puis de l'autre, avec de subtiles précautions afin de ne pas déranger l'exposition du prétendu maître de musique.

SCÈNE XLIV

Un interprète investi par son personnage

Pour leur part, Diafoirus père et Diafoirus fils étaient assis sur une banquette au jardin, leurs chapeaux de docteurs placés entre eux. Il s'agissait de deux longs cônes tronqués à large base, celui du père étant bien sûr plus imposant que celui du fils. Lors d'une des dernières répétitions, pendant la tirade de Clitandre et la gymnastique d'Argan, les chapeaux attirèrent soudain l'attention de Thomas Diafoirus. Ce réflexe fut vraiment celui du personnage et non de son interprète : en l'occurence moi-même. Il se mit à les considérer, d'un air intrigué : la manière dont ils étaient posés à plat, le plus petit emboîté dans le plus grand, lui semblait inconvenante. Il tenta donc de rectifier cet état de choses. D'abord en troquant leur position : le plus grand s'emboîtait donc dans le plus petit ; non, ça n'allait pas. Deuxième tentative : il les disposait sens dessus dessous, bord des chapeaux dirigé vers le haut. Toujours insatisfait, il les mettait l'un sur l'autre, le premier à plat et le deuxième, renversé sur le premier ; ça n'était pas ça non plus. Il essayait pour lors du contraire, en renversant celui qui était à plat et en redressant celui qui était renversé. Finalement, de guère lasse, il en revenait à l'arrangement initial, dont il se satisfaisait, faute de mieux. Les deux jeunes amoureux étaient prêts à se lancer dans leur pastorale, dont la présentation était passée totalement inaperçue. Sans trop de pertes, d'ailleurs. Bon prince, Georges Carrère n'avait qu'un souci : celui de ne pas nous regarder, Guy et moi, de peur d'être pris de fou rire.

Après une des représentations du *Malade imaginaire*, donnée à Stratford en 1958, Bruno Gerussi m'avoua que, s'il avait osé seulement le quart de ce que m'avait inspiré Thomas Diafoirus, il se serait fait assassiner par le metteur en scène et par ses camarades ! Cette liberté du comédien le faisait rêver. Au TNM, Jean Gascon m'avait prié de garder cette facétie du personnage qui l'avait fait rire à pleurer.

Avec *Le Malade,* et pour la première fois de son histoire, le Théâtre du Nouveau Monde dépassait les cinquante représentations d'affilée d'une même production. Comme l'écrivait le critique de *La Presse*, Jean Béraud, on avait rarement entendu une salle à ce point « glousser de joie ». Les spectateurs riaient aux folles inventions dont les deux que je viens de décrire ne constituent qu'un exemple entre vingt, au plaisir du jeu auquel se livraient tous les interprètes (Huguette Oligny, espiègle Toinette ; Denise Pelletier, pulpeuse Béline, etc.), aux intermèdes *à l'Ialienne* qui permettaient à Gabriel Gascon de créer un Polichinelle directement issu de *la Commedia de l'Arte*. Lorsque au guichet, notre fidèle Antoinette Verville annonçait « complet » avec une satisfaction évidente, elle se faisait presque injurier par des spectateurs incrédules. Les connaissances bien intentionnées, qui venaient jusque-là nous « encourager », étaient évincées de leur fauteuil par de vrais amateurs de théâtre anonymes.

En février 1957, quatrième production en langue anglaise, avec l'émouvante *Glass Menagerie,* de Tennessee Williams. Rupert Caplan avait encore importé un comédien américain, James Daly, pour jouer le personnage de Tom. Drôle de type que ce Daly qui, sans la moindre sollicitation de notre part, se lançait dans les confidences les plus gênantes. Ne nous expliqua-t-il pas que, lors de sa nuit de noces, il avait fait l'amour dans le sang des menstruations de sa femme ! Preuve de passion, selon lui. Mais c'était un remarquable comédien. Avec Eileen Clifford, dans le rôle de la mère, et Joan Watts, si attachante dans celui de la jeune infirme qui fait collection de petites figurines d'animaux de verre, il parvint à faire un joli succès de cette touchante pièce. Le meilleur jusqu'ici de notre collaboration avec Caplan : près de six mille spectateurs en quinze représentations. Signe révélateur sans doute : devant cette production, je ne regrettai en rien celle que j'avais vue à New York, en 1949, avec l'extraordinaire Laurette Taylor et la distribution de la création.

SCÈNE XLV

Après Ovide Plouffe, Vézinet
ou... Louis Laine

Cette sixième saison ne compta que deux spectacles en français. Cela s'explique en partie du fait que le succès nous obligeait à doubler, et même davantage, le nombre de représentations pour chacun d'eux. Avec le deuxième spectacle, nous retrouvions Labiche : *Un Chapeau de paille d'Italie*, comédie en cinq actes mêlée de couplets. Labiche a toujours été considéré chez nous comme un dramaturge anodin, tout juste bon pour les collèges classiques, pourvu qu'on gomme les allusions fréquentes aux amants et aux maîtresses, comme nous avions été priés de le faire pour *Célimare*. Il ne faut pourtant pas s'y tromper : la gaieté et l'inconscience de ses personnages masquent le rictus avec lequel l'auteur se livre au carnage d'une bourgeoisie décadente. Il préfigure l'iconoclaste Feydeau. Loin de moi, cependant, l'idée de transformer ces deux auteurs comiques en contempteurs féroces. D'abord et avant toutes choses, ils provoquent le rire. «*Castigat ridendo mores*», selon la définition fameuse de la comédie qu'Arlequin affichait à la porte de son théâtre. «Elle fustige les mœurs en riant.» Et c'est le rire qui scandait le déroulement de notre *Chapeau de paille*.

Grâce à Georges Groulx d'abord. Après le Célimare de 1952, il incarnait Fadinard, le marié de cette noce parcourant en farandole les rues de Paris, à la recherche d'un foutu chapeau compromettant, fait de paille d'Italie. Avec son air ahuri et sa démarche dégingandée, on l'aurait dit emprunté à un film muet. Grâce à tous les autres : Guy Hoffmann, le beau-père, lourdaud pépiniériste qui se retrouve accompagné de la noce, par mégarde évidemment, dans les salons d'une pimbêche, la baronne de Champigny, interprétée par Denise Pelletier ; enfin Victor Désy, le fidèle Victor Désy en Bobin, silhouette que n'aurait pas renié Daumier.

Quitte à me répéter, c'était de nouveau le bonheur du jeu qui l'emportait sur tout. Nous nous sentions heureux dans les délicieux costumes de Robert Prévost, et nous nous laissions tous emporter par les joyeux couplets :

Heureuse journée,
Charmant hyménée!
Son âme étonnée
Bénit le destin...

Notre retour à Montréal m'avait permis de renouer avec *La Famille Plouffe* de la télévision, après une absence de plusieurs mois qui avait couru du début des répétitions de *Henry V* jusqu'à sa dernière représentation à Édimbourg. Il y avait là un manque à gagner important, mais j'étais heureux de me payer ce luxe et de donner ainsi une preuve de ma préférence au théâtre sur le petit écran.

Dans le Labiche, j'étais le vieil oncle Vézinet, type de personnage farfelu auquel j'adore me prêter. Les soirs de télédiffusion des *Plouffe*, mercredi et vendredi, il fallait faire vite. Il nous arrivait, à Denise Pelletier, à Guy Provost, à Janine Mignolet, à Yves Létourneau et à moi-même de quitter le studio, rue Stanley, quelques minutes seulement avant que ne se lève le rideau du Gesù. Le changement de costume se faisait souvent durant le trajet, en voiture. Arrivés au théâtre, quatre coups de crayon, une barbe, une perruque et le rideau était à peine retardé. Le plus difficile était de passer d'un personnage à l'autre. Quitter Ovide pour trouver Vézinet constituait une gymnastique, ma foi! assez simple. Mais quand il s'agissait de la métamorphose du premier en... Louis Laine, c'était autre chose. Les soirs de Claudel, quand je débouchais en coulisses, je n'étais pas à prendre avec des pincettes.

Et puis, il y avait la fatigue physique. Dans la peau de Vézinet, j'allais me coucher dans un lit masqué par des rideaux, au fond de la scène, et j'y restais un bon moment. Les mercredis et vendredis, après une journée entière en studio de télévision, je devais me concentrer de toute mes forces, me répétant mentalement au lieu de compter les moutons : «Ne t'endors pas! Ne t'endors pas! Ne t'endors pas!...»

SCÈNE XLVI
Vive la liberté!

La dernière représentation du Labiche marquait nos adieux au Gesù. Décision prise après avoir vu refusées deux pièces soumises pour approbation au père Georges-Henri d'Auteuil, recteur du Sainte-Marie. La première était une adaptation d'un roman du pourtant catholique Graham Greene, *La Puissance et la gloire,* où l'auteur relate le calvaire d'un jeune prêtre tourmenté pris dans le tourbillon de la révolution mexicaine. Je me rappelle la réponse du père d'Auteuil presque *verbatim* : «Je ne nie pas qu'un prêtre puisse boire. Je ne nie pas qu'un prêtre puisse avoir une maîtresse. Je ne nie pas que puisse naître un enfant de cette liaison. Mais il n'est pas bon que *madame Chose* de la rue Montcalm le sache.» Jugement qui avait au moins la vertu d'être franc. Nous renonçâmes momentanément à Greene. Au moment où nous aurions pu le jouer, *La Puissance* avait fait l'objet d'un de ces tant regrettés téléthéâtres de l'époque.

Quant à la deuxième pièce, c'était *L'Opéra de quat' sous,* de Bertolt Brecht. Pour le coup, le père d'Auteuil nous demanda si nous voulions rire de lui. Je suis persuadé que sa protestation n'était pas tellement due au fait que Brecht fût communiste, et qu'il dénonçât la collusion de l'État, de l'Église et de la pègre dans l'exercice du pouvoir au sein de certaines démocraties libérales; mais beaucoup plus à ce qu'une partie de l'action se passât au bordel, et que plusieurs des personnages féminins fussent des... péripatéticiennes. Bien davantage que les accrocs au dogme ou les théories sociales subversives, l'atteinte aux bonnes mœurs, surtout en matière sexuelle, créait scandale dans notre société bien-pensante.

Nous quittions donc le Gesù. Non sans un pincement au cœur. Son odeur seule, imprégnée d'humidité et de relents de robes de serge noire, évoquait mille souvenirs. Si je mets à part ma participation à un spectacle au jardin d'enfants du Couvent d'Hochelaga, c'est sur la scène du Gesù que j'avais fait mes débuts de comédien amateur, en 1934, dans le rôle d'Argan du *Malade imaginaire.* Pour Jean Gascon, ce fut l'année suivante dans *Les Trois sagesses du vieux Wang,* d'Henri Ghéon. Jusqu'en 1946, nous avions arpenté ces vieilles planches, comme collégiens d'abord, dans de mémorables *Aiglon, Mithridate, Jules César, Vierge au grand cœur* et autres *Tartarin de Tarascon.* Puis avec les Compagnons de saint Laurent et, enfin, avec l'inoubliable Ludmilla Pitoëff. C'est là que le Théâtre d'essai de Montréal avait connu son éphémère existence. Depuis 1951, 470 des 555 représentations du Théâtre du Nouveau Monde s'y étaient déroulées. Cette scène était devenue un peu la nôtre et... c'était fini.

Heureusement, nous avions trouvé un autre lieu à proximité, rue Sainte-Catherine : l'Orpheum. En 1907, sous le nom de Théâtre Bennett, l'Orpheum avait accueilli ce qu'on appelait le «vaudeville» américain. Puis, sous sa nouvelle appellation, il devenait en 1918 un théâtre de comédie, sous la direction d'un beau jeune acteur belge, Edgar Becman. Les mélodrames et les boulevards parisiens y connaîtront de beaux jours. Plus tard, l'Orpheum sera équipé d'un grand écran. Son propriétaire, la Consolidated Theatre Ltd, espérait ainsi faire une saine concurrence à ses autres cinémas dont le Princess, situé juste en face. Mauvais calcul : le public fervent du septième art se morcellait, mais n'augmentait pas. L'Orpheum, devenu vacant, demande preneur. Le Théâtre du Nouveau Monde en est. Les négociations sont rondement menées. Prix de location : 1 350 dollars par semaine. C'est presque le triple de sept représentations hebdomadaires au Gesù, mais aucune approbation préalable n'y est exigée. Liberté, liberté chérie. Par contre, nous devons pourvoir à l'entretien quotidien et au réaménagement de la scène, d'où le théâtre a été absent depuis nombre d'années. Nous y installons quelques appareils d'éclairage et un jeu d'orgue rudimentaire, manipulé par Louis Harrison en remplacement du cher Georges Faniel, à qui nous disons adieu en même temps qu'au Gesù.

Acte V

SCÈNE PREMIÈRE
Ma campagne préréférendaire

Le mercredi 25 octobre 1995

Faisons surface dans le temps présent. Après une brève tournée en Gaspésie, où l'organisation libérale m'a délégué pour faire campagne en faveur du *non*, je quitte Montréal ce matin, en direction du Lac-Saint-Jean, avec même mission. C'est un nouveau rôle que je remplis avec conscience et assez de plaisir. À cause de mon âge, on me fait une spécialité des maisons de retraite. Quelquefois je m'adresse à de petits groupes mais, là où les pensionnaires sont moins autonomes, je visite leurs chambres une à une, avec l'impression désagréable de violer leur intimité.

Les conditions d'hébergement sont généralement excellentes, et l'ambiance reflète une vie doucement filée à l'abri des inquiétudes et de l'agitation. Mais il y a la souffrance, la langueur, la sénilité, la prostration, la déchéance de l'être humain, diminué physiquement et intellectuellement. Cela me rappelle mes jours d'internat dans les hôpitaux, comme étudiant en médecine, alors que j'étais résolu, aurais-je dû persévérer dans la profession, à me diriger vers la recherche plutôt que la pratique, où l'on côtoyait trop de misère. J'ai le cœur tendre !

Je me suis fabriqué un petit *speech* en trois points. Je me veux d'abord rassurant. Malgré les bruits répandus par les opposants à la fédération canadienne, le sort des retraités n'est pas menacé. Le Premier ministre et le ministre des Finances se sont tous deux engagés, s'il y avait réforme du Régime, à ce que les citoyens âgés de 65 ans au moment de l'application éventuelle de ces réformes n'en soient touchés en rien. Dans un Québec indépendant, par contre, la situation financière serait si précaire qu'il n'est pas du tout certain qu'on trouve les milliards nécessaires à la poursuite du programme dans sa taille présente.

Ce qui m'amène, sans surtout créer d'affolement dans ces milieux éminemment vulnérables, à décrire l'instabilité et l'incertitude où nous plongerait une sécession. Je termine en faisant l'apologie de notre système actuel, avec la garantie qu'une victoire du *non* y entraînerait des modifications dans le sens souhaité par toutes les provinces, y compris le Québec. Discours franchement politique : c'est le mobile de ma présence dans la région. L'accueil est partout positif. Des partisans de l'Association libérale de la région me font même une ovation à Chicoutimi.

À deux seules occasions ai-je subi des rebuffades. Dans le couloir d'un foyer pour personnes âgées, un résidant me prend vivement à partie. J'ai toutes les peines du monde à éviter de me lancer dans une polémique, qui ferait mauvais effet. Je réussis à me dominer en assurant mon contradicteur que « je respecte ses opinions sans les partager ». Une autre fois, dans une salle commune, un joueur de cartes refuse de me serrer la main. Car je fais l'apprentissage de la tournée des poignées de mains individuelles, quelque nombreuse que soit l'assistance. Affichant mon plus beau sourire, j'essaye de convaincre l'homme qu'il faudra bien apprendre à vivre civilement entre adversaires, peu importe de quel côté penche la victoire. Rien à faire : visage fermé, il s'obstine à fixer son jeu. Je dois abandonner. Comme je quitte la salle, l'air sincèrement navré, plusieurs pensionnaires m'assurent que c'est un « vieux bougon ». Leur sympathique démarche me réconforte.

J'aborde les conférences de presse avec le trac, mais elles se déroulent sans anicroche. Je m'applique à répondre aux questions avec une totale franchise ; ce qui, je crois, désarme les journalistes. Je n'hésite pas à déplorer la dérive de nos programmes sociaux et à souhaiter plus de souplesse de la part du gouvernement fédéral. Tout en soulignant les inconvénients qu'impliquera le retrait d'Ottawa de certains champs de compétence. Ainsi de l'assurance-chômage ; lorsqu'elle ne relèvera que des provinces, qui veillera au partage équitable des cotisations entre les plus riches et les moins riches d'entre elles, comme c'est le cas du Québec qui se trouve à profiter de la prospérité de l'Ontario et de l'Alberta ? Je souligne également la nécessité qu'une question nette et précise soit posée lors du référendum. Le plus honnête serait de demander simplement : « Souhaitez-vous que le Québec se sépare du Canada ? » Je m'empresse d'ajouter que la coalition Bouchard-Parizeau-Dumont n'aura jamais ce courage.

Un journaliste d'Alma sollicite mon opinion au sujet de Lucien Bouchard. Je réponds que le chef du Bloc ne parle plus «qu'en tonitruant sur un ton qui fait croire... je n'affirme pas qu'il l'est... mais son ton fait croire à de l'intolérance, de l'aveuglement et du fanatisme.» Une telle attitude augure mal de l'esprit qui régnerait dans un Québec prétendument libre. Je prévois l'heure où les Québécois ne supporteront plus de se faire ainsi hurler par la tête. Quelqu'un de mon entourage me prédit, étant donné le caractère vaniteux du personnage, qu'il me fera payer mes paroles désobligeantes, l'occasion lui en serait-elle donnée un jour...

SCÈNE II
Fais-moi peur!

Le samedi 28 octobre 1995

À Montréal, j'ai affronté successivement, dans les studios de Télé-Métropole et de Quatre-Saisons, Paul Piché et Pierre Falardeau. Avant l'enregistrement, on nous laisse longtemps seuls ensemble, ce dernier et moi. Il se dit ennuyé de se trouver en face d'un être humain *sensible*. En nous quittant, il me confie que sa blonde lui a demandé de ne pas me démolir. Sinon, il m'assure que je me serais retrouvé découpé en petits morceaux. Ouf, maman, fais-moi peur! Je l'ai échappé belle!

Je préside également le Comité du *non* du comté de Mercier. On ne m'a pas donné la tâche la plus facile dans ce bastion péquiste, ancien fief de Gérald Godin. Un soir dernier, j'ai dû rencontrer Jean-Claude Germain en joute oratoire, sur les questions d'ordre artistique et culturel, devant un auditoire en très grande majorité hostile. Assez pénible.

Aujourd'hui, par une rude journée d'automne, surmontant ma répugnance, je fais mon apprentissage du porte-à-porte dans les rues du Plateau Mont-Royal. Autant dire que Daniel se jette dans la fosse aux lions. Comme le personnage biblique, j'en sors miraculeusement vivant, étonné même d'y être plus souvent accueilli par des fédéralistes que je ne m'y attendais. Le pointage de mes accompagnateurs indique une proportion à peu près égale des tenants respectifs du *non* et du *oui*, mais nombreux sont ceux qui refusent d'afficher leurs couleurs. À l'exception d'une porte claquée par quelqu'un qui me reconnaît, je suis vivement impressionné par la courtoisie dont on fait montre, même chez ceux qui ne se cachent pas d'être séparatistes. On m'écoute poliment, pour finalement me souligner, avec le sourire, que je perds mon temps. Je rentre chez moi frigorifié, mais assez heureux de cette nouvelle expérience.

SCÈNE III

Vox populi

Le lundi 30 octobre 1995

Enfin, depuis hier, le calme fait suite à l'agitation de ces dernières semaines. La paix après la frénésie. Le silence succède au tumulte des appels partisans. Vers 19 heures, je me rends au Métropolis, quartier général des forces du *non* à Montréal. Dès mon entrée, on me dirige par des escaliers sombres et étroits, dans une espèce de bunker souterrain. Un stratège du Parti libéral m'y brosse un tableau de la situation, et m'indique le comportement à suivre et le discours à tenir, lors d'éventuelles interviews. Je comprends parfaitement qu'on s'applique à éviter tout dérapage et toute bévue, mais j'avoue écouter mon mentor avec quelque réserve. J'admets difficilement qu'on me téléguide.

Dans la grande salle, c'est assourdissant. La foule accueille tout nouvel arrivant par des clameurs presque hystériques. Atmosphère disco : projecteurs rotatoires, banderoles, drapeaux et oriflammes. À une extrémité, un cadran numérique affichera les résultats au fur et à mesure qu'ils seront connus. Les premiers chiffres créent la déception, mais on se retient de se l'avouer. J'attends longtemps une première interview qui devait avoir lieu dès mon arrivée. Puis, je dois quitter pour les studios de Télé-Québec où on me demande de commenter les résultats de fin de soirée.

Là aussi, c'est un peu la débandade. Le dépouillement des urnes crée l'euphorie dans cette officine PQ : les *oui* et les *non* ne cessent de se chevaucher, se talonnant tour à tour, prenant un peu d'avance les uns sur les autres, pour la perdre aussitôt et vice versa. Je suis hanté par le souvenir de Dauthuile. Un peu avant 23 heures, n'étant toujours pas passé devant les caméras, je décide de quitter pour retourner au Métropolis : peut-être y dispose-t-on d'informations différentes de celles qui sont diffusées par Télé-Québec.

Ayant stationné ma voiture rue de Maisonneuve, j'entends des clameurs de manifestation violente du côté de la rue Sainte-Catherine. Je descends la rue de l'Hôtel-de-Ville à pied, pour me retrouver au milieu d'un attroupement de séparatistes aux prises avec les forces de l'ordre. Les manifestants veulent de toute évidence investir le Métropolis. Je parviens heureusement, sans être reconnu, à me frayer un chemin jusqu'au barrage policier. On me refoule comme les autres. Un agent commence même à me pousser brutalement. Je lui oppose un sonore « Ne me bousculez pas ! » Sans doute étonné de voir un patriarche parmi toute cette jeunesse, il cesse aussitôt ses bourrades.

J'essaye de contourner l'obstacle par le sud de la rue Sainte-Catherine. Peine perdue : le secteur est bouclé. Dans un parking, un journaliste se précipite sur moi pour recueillir mes impressions au micro. Je réitère mes incitations à la tolérance et à la modération. Il me demande de commenter le fort pourcentage du vote des francophones en faveur du *oui*. Je dis espérer que les hommes politiques ne vont pas jouer de cette corde sensible, et je conclus : « Nous sommes tous des citoyens, peu importent nos origines, notre couleur et notre poil... »

De guerre lasse, je regagne ma voiture et rentre chez moi. En route, j'entends à la radio les incroyables propos de Parizeau au sujet du vote des ethnies qui aurait privé les Québécois « de souche » d'une victoire. À la maison, je trouve Monique au bord des larmes. J'essaye sans conviction de la réconforter : même par une faible marge, les *non* l'ont remporté. Monique me confirme qu'en effet, Bernard Derome vient de l'annoncer, sur un ton lugubre, à la télévision de Radio-Canada : « Si la tendance se maintient... » Il ne nous reste plus qu'à essayer de dormir.

SCÈNE IV

Autopsie d'une mince victoire

Le mardi 31 octobre 1995

Au petit jour, je me retrouve à l'émission *Bon matin* pour commenter les résultats d'hier. J'essaye d'être objectif autant que faire se peut. D'abord, un constat : impossible d'en venir à une interprétation claire du vote. La réponse a été à l'image de la question : ambiguë. Parizeau avait promis de l'astuce : il en a fait usage. Eut-on demandé franchement si le Québec voulait se séparer du Canada, l'écart eût été beaucoup plus grand en faveur du *non*, que le mince 1,2 p. 100 obtenu hier. Sans doute, dix à douze fois. Il y a ceux qui ne comprennent pas qu'un *oui* majoritaire pourrait entraîner la sécession (d'après les sondages, près du tiers des tenants du *oui*); il y a ceux qui veulent négocier avec le fédéral, «le couteau sur la gorge» (pourcentage indéterminable).

Chose certaine, il faut crier haut et fort que les 50,6 p. 100 des citoyens canadiens du Québec, qui ont voté *non*, ne l'ont pas fait par frousse du changement, mais parce qu'ils tiennent à l'intégralité et à l'entité du Canada.

Leçon à tirer : le gouvernement fédéral doit proposer un nouveau partage des compétences, entre Ottawa et toutes les provinces canadiennes. Il ne s'agit pas d'affaiblir le pouvoir central, mais de faire place à la réalité d'une nouvelle situation. La décentralisation doit s'accentuer là où le domaine concerné n'exige pas la concentration administrative, ni une unité d'approche et de stratégie, à l'exclusion évidente des affaires étrangères, de la citoyenneté, des relations avec les autochtones, du code criminel, de la défense, du revenu (en ce qui touche l'ensemble de la fédération), des pêches et océans, des douanes et de la monnaie. Il faut aussi maintenir un droit de regard du fédéral sur les normes nationales en matière de santé. La règle d'or de toute décentralisation sera de la jauger selon l'intérêt des citoyens : quel palier de gouvernement leur offrira-t-il les meilleurs services, tout en leur garantissant bien-être et sécurité? Tout cela n'est naturellement pas une question de semaines ou de mois, mais de plus ou moins trois ans.

Si les politiciens séparatistes n'entrevoient pas d'autres moyens de se maintenir au pouvoir, il pourrait bien y avoir un nouveau référendum sur la sécession du Québec, au tournant du XXIᵉ siècle. Toutefois, le temps joue à l'avantage des fédéralistes. La flamme émotive se consume, alors que les convictions issues de la raison sont durables. Les résultats d'un troisième référendum sont prévisibles et ne vont pas dans le sens où le souhaiteraient les séparatistes. Tout au contraire.

Reste que, pour l'instant, on a bien failli en être réduit au sort de ce pauvre Dauthuile!

Tout de suite après l'interview, je me mets en route pour mon bureau. À Ottawa, ce n'est rien moins que la réjouissance. Ma secrétaire m'en veut gentiment. À la suite du rassemblement monstre de dernière minute à Montréal (près de 100 000 Canadiens et Canadiennes venus de toutes les régions du pays pour crier leur foi dans le fédéralisme et leur attachement au Québec), malgré les récents sondages qui indiquaient que l'avance du *non* fondait rapidement, je lui avais prédit une victoire par au moins 56 p. 100. Sans doute désirais-je ainsi conjurer le mauvais sort.

SCÈNE V

On pend la crémaillère

Le mercredi 1ᵉʳ novembre 1995

Il y a trente-huit ans aujourd'hui, le 1ᵉʳ novembre 1957, ayant quitté le Gesù, le Théâtre du Nouveau Monde inaugurait son nouveau lieu : L'Orpheum. C'était un charmant théâtre avec de nombreux défauts : il était poussiéreux, n'était muni d'aucun équipement ; dans ses loges, les comédiens descendaient comme dans des carrés à charbon ; sa scène était de bonnes proportions, mais privée de dégagements convenables, et son hall s'était vu rétréci par l'aménagement d'étroites boutiques à l'ouest de l'entrée principale. Aux entractes, les spectateurs en étaient réduits à s'entasser comme des sardines, l'hiver, et à se promener, rue Sainte-Catherine, par beau temps.

Mais que ce lieu était agréable : compact, chaud, intime. Ses décorations rococo et ses moulures de plâtre, dans des tons de coquille d'œuf et de vert tendre, lui donnaient allure de bonbonnière. Le deuxième balcon fermé, nous retrouvions nos huit cent cinquante fauteuils habituels. L'acoustique était parfaite et nous sentions le public tout près de nous. S'il avait été sauvegardé jusqu'à l'ère récente des rénovations et des restaurations d'équipements, Montréal serait doté d'un théâtre sans pareil.

SCÈNE VI
Journalisme dénonciateur

Le premier spectacle à y être présenté était *L'Œil du peuple,* d'André Langevin, lauréat d'un nouveau concours dont j'avais été l'instigateur, en réponse aux plaintes constantes formulées contre nous par nos amis auteurs dramatiques. Puisque nous prétendions éprouver tant de difficultés à dénicher une bonne pièce d'un dramaturge canadien d'expression française, mon intention était d'en provoquer l'écriture avec l'appât, pour les participants, d'un prix en argent offert par le Secrétariat de la province de Québec, et de nous créer une obligation morale d'inscrire l'œuvre primée au répertoire de notre saison suivante. Engagement respecté jusqu'à mon départ temporaire du TNM, en 1963.

Lors de ce premier concours, quatre-vingt-trois manuscrits furent soumis à un jury constitué de Jan Doat, Alain Grandbois, Clément Lockwell, Léon Lortie, Eric McLean, Roger Rolland et Fernand Seguin. Ils retinrent *L'Œil du peuple.* Les règlements du concours exigeaient que les concurrents signent d'un pseudonyme, révélant leur identité dans des enveloppes scellées et confiées au juge André Montpetit. Ce fut donc une surprise lorsqu'on apprit que l'auteur n'en était nul autre qu'André Langevin qui retrouvait, dans cette œuvre, le mordant et l'esprit caustique absents de sa *Nuit d'Amour,* montée trois ans plus tôt. En toute logique, mes camarades du TNM me confièrent la mise en scène de *L'Œil du peuple.*

Nous avions quitté le Gesù. Heureusement. Car il n'aurait sûrement pas été possible d'y présenter cette satire des entreprises de moralité et des politiciens qui s'en réclament, tout en s'abandonnant dans le privé à leurs mœurs dissolues. Tartufferie et hypocrisie débusquées par « l'œil du peuple », c'est-à-dire la caméra indiscrète d'un reporter. Jean Duceppe jouait le rôle de ce journaliste décontracté avec sa goguenardise habituelle. *L'Œil du peuple* ne fut qu'un demi-succès, n'attirant que des deux-tiers de salles et ne se valant que de bien tièdes critiques. Reste que le total de ses douze mille spectateurs en vingt-deux représentations paraîtrait aujourd'hui satisfaisant à plus d'un directeur de théâtre.

C'était d'ailleurs un bon pamphlet, écrit d'une plume alerte. La preuve en est qu'il fit mouche au moins dans un cas. Le maire Jean Drapeau, nous dit-on, s'en jugea la cible, lui qui avait été élu premier magistrat de Montréal grâce en grande partie au rôle qu'il avait joué, comme avocat, dans l'enquête sur la corruption municipale, au début des années cinquante. En toute franchise, un tel rapprochement n'avait jamais, à quelque moment que ce soit, effleuré mon esprit. Peut-être André Langevin, lui, n'était-il pas aussi ingénu. Quoi qu'il en soit, l'attitude dorénavant distante que le maire afficha envers le Théâtre du Nouveau Monde tendrait à corroborer cette interprétation des faits. Car nos relations, de cordiales qu'elles étaient jusque-là, se firent dorénavant pour le moins tièdes. Il était loin le temps où André Gascon soutirait 50 dollars en argent, de notre recette, pour aller les porter discrètement en main propre au candidat à la mairie, Jean Drapeau.

SCÈNE VII
Un comédien comblé

La deuxième production de la saison 1957-58 devait nous faire éprouver le bonheur d'être maîtres chez soi. Sans contrat de location à la pièce et seul occupant du théâtre, nous pouvions prolonger les représentations d'un spectacle tant que la recette couvrait nos frais. Ainsi *Mon Père avait raison*, de Sacha Guitry, fut-il joué cinquante-trois fois devant vingt-sept mille spectateurs.

La création de *Mon Père avait raison* avait marqué, en 1919, la réconciliation de l'auteur avec son illustre père, le comédien Lucien Guitry, après une brouille de treize ans pendant laquelle la vanité de l'un et de l'autre se heurtaient, sans vouloir capituler. Retrouvant leur affection mutuelle, père et fils à la ville obtinrent un énorme succès à la scène. Jouée par le TNM trente-huit ans plus tard, la pièce de Sacha permit à un Jean Gascon manifestement ravi d'incarner le personnage du fils, Maurice Bellanger. Mais elle nous fournit surtout l'occasion d'être témoins de la jouissance qu'éprouvait François Rozet à succéder au grand Lucien Guitry dans le rôle du père, Charles Bellanger. C'en était émouvant à l'extrême. Plus tard, François devait me confier que cette période fut la plus heureuse qu'il ait connu dans son pays d'adoption. Il revivait ses beaux jours de L'Odéon, ne partant de chez lui que pour se rendre au théâtre et ne quittant le théâtre que pour rentrer chez lui, où il offrait des soupers fins à ses camarades. De surcroît, tous les soirs il était comblé par l'accueil enthousiaste du public. Un comédien heureux dans sa peau et dans celle de son personnage : que demander de plus ?

Je nourrissais en moi-même de sérieuses réserves au sujet de Guitry. Auteur de boulevard par excellence, faiseur de bons mots, agréable bavardeur, philosophe superficiel, il ne me semblait pas répondre aux exigences qui auraient dû être celles de notre Compagnie. Mais je me rendis volontiers devant le succès remporté.

SCÈNE VIII

Premier Dubé

Si, jusque-là, les reproches étaient justifiés à l'endroit du Théâtre du Nouveau Monde, au sujet de son peu d'enthousiasme pour les auteurs nationaux, la saison 57-58 les rendait décidément caducs, puisqu'elle se terminait par une deuxième création canadienne sur un total de trois productions : *Le Temps des lilas,* de Marcel Dubé. Cette pièce avait été proposée par Jean Gascon. Aujourd'hui, je le soupçonne d'avoir voulu me faire la leçon : sans organiser de concours, il savait, lui, provoquer la créativité de nos dramaturges... Mais cette réflexion ne m'effleura pas, à l'époque. Elle me vient bien tardivement, et elle n'est probablement pas fondée.

Le Temps des lilas est une très jolie pièce, tendre et romantique à souhait. Son sujet rappelle de loin celui de *La Folle de Chaillot.* Isolée dans un environnement urbain envahissant, persiste une petite maison de bois avec son arrière-cour et son jardinet, dont les deux propriétaires âgés — Virgile et Blanche — résistent héroïquement aux propositions alléchantes de promoteurs immobiliers. Sur cette toile de fond socio-économique, se déroulent les intrigues amoureuses des quatre pensionnaires qui louent une chambre à l'étage de la maisonnette. Une vieille fille se pendra, désespérée d'être repoussée par le vieux garçon à qui elle s'offre ; un aventurier aux allures mystérieuses disparaîtra, abandonnant sa jeune maîtresse dolente ; la maison sera expropriée ; Virgile et Blanche se retrouvent seuls, promis au refuge pour personnes âgées. Perception doucement pessimiste de la vie, qui constitue l'un des thèmes caractéristiques des pièces de Marcel Dubé.

Favorablement reçue à Montréal, *Le Temps des lilas* sera traduit en anglais et jouée par les mêmes comédiens dans l'une ou l'autre version, à Bruxelles, à Anvers, à Ostende, à Paris, ainsi que dans douze villes du Canada, de Rimouski à Vancouver. Car en avril 1958, le TNM devait entreprendre la plus longue tournée internationale de toute son histoire, cette fois subventionné par les trois paliers de gouvernement. Avec *Le Temps des Lilas*, les dirigeants de la Compagnie honoraient l'engagement pris à l'issue de la tournée précédente : présenter à l'étranger l'œuvre d'un auteur canadien.

SCÈNE IX

Organisation de broche à foin

Trois ans après notre participation au Festival d'art dramatique de la ville de Paris, nous sentions de nouveau le besoin d'aller faire *valider* notre travail en dehors des frontières du Québec et du Canada. Notre ambition était d'organiser une vraie tournée internationale au cours de laquelle plus d'un pays étranger serait visité. Nous visions New York et, bien sûr, Paris. Mais il y avait aussi Bruxelles, siège de l'Expo universelle, cette année-là. Et il y avait le Canada anglais.

Sans structures adéquates, l'organisation d'une telle tournée relevait du tour de force. Mais nous profitions de liens d'amitié tissés au fur et à mesure de nos productions et pérégrinations. À Montréal, avec l'imprésario Nicolas de Koudriavtzeff, avec Ken Johnstone, traducteur de la série télévisée *The Plouffe Family* et du *Temps des lilas*, et avec Paul Davis — dit « Dodo » à cause de son fort bégaiement — journaliste au *Montreal Star* qui deviendra notre agent de presse improvisé pour la partie canadienne de la tournée. À New York, avec messieurs Hambleton et Houghton, directeurs du *Phœnix Theatre* où Marceau avait fait ses débuts américains. En France, avec A.-M Julien et Claude Planson du Festival d'Art dramatique de la Ville de Paris, devenu depuis peu le Théâtre des Nations. À Ottawa, avec des fonctionnaires du nouveau Conseil des Arts du Canada.

Aucun budget de prétournée : tout se faisait par correspondance, par télégramme et par téléphone. Je me rappelle des communications houleuses avec Oscar Lejeune, directeur du Théâtre du Parc de Bruxelles, qui ne voulait pas entendre parler de Molière. J'avais 30 ans de moins, j'étais irascible, et ce monsieur Lejeune dut finalement se rendre à mes arguments retentissants : les Belges verraient *Le Malade* et *Les Trois farces,* en plus du *Temps des lilas.*

On imagine la complexité des problèmes de logistique. Il y en avait aussi d'ordre purement syndical. Il fallut convaincre les membres de la troupe, qui n'avaient jamais joué qu'au Québec, qu'ils devaient adhérer à l'Actors' Equity Association pour évoluer sur les scènes du Canada anglais et de New York. D'ardues négociations furent entreprises avec l'IATSE pour obtenir que son sceau soit apposé sur nos décors, même s'ils n'avaient pas été construits par ses membres. Enfin, après cinq longs mois de corvées dont on vint à bout avec des moyens quasi artisanaux, nous quittions Montréal pour la métropole américaine.

SCÈNE X

An Import of Great Import

La tournée commençait au Phœnix Theatre, avec *Le Malade.* Après la première représentation, nous étions attablés au restaurant Sardi's où tous les comédiens de Broadway allaient traditionnellement attendre la parution de la première critique, celle du *New York Times*, aux petites lueurs du jour. D'honnêteté légendaire, le critique officiel du journal, Brook Atkinson, avait délégué un confrère, déclarant qu'il ne comprenait pas assez bien le français pour faire justice à nos productions. Vers 2 heures du matin, André

Gascon et moi nous rendions aux quais de chargement du grand quotidien new-yorkais. Le long d'une ruelle mal éclairée et bruyante des cris des camelots, on enfournait des piles et des piles de journaux dans de nombreux camions de couleur vert triste. On nous offrit gratuitement l'exemplaire que nous réclamions.

De retour auprès de nos camarades, nous affichions une telle sinistre mine qu'ils devinèrent instantanément le ton de la critique. Non que ce fût un éreintement. C'était pire : louanges tempérées par des réserves. Ainsi disait-on grand bien des interprètes d'Argan et de Thomas Diafoirus, regrettant du même souffle ne pas avoir vu, dans ces rôles respectifs, Bert Lahr et Red Skelton. C'était loin du triomphe que nous escomptions et dont nous avions besoin pour assurer notre réputation à Montréal. La mort dans l'âme, nous regagnâmes nos sinistres chambres du Van Rensselaer Hotel, où nous étions descendus à cause de la modicité de ses tarifs hebdomadaires. C'est là que je fus réveillé par la sonnerie du téléphone, l'esprit embué par les nombreuses libations ingurgitées pour noyer mon amère déception. C'était Jean Duceppe, à ses heures journaliste radiophonique à CKAC. Je n'essayai pas de dissimuler, et lui confiai que le moral de la troupe était au plus bas. Bon camarade, Duceppe était aussi attristé que moi.

Nous aurions dû nous attarder, ce matin-là, dans les rues de New York. Car les critiques de tous les autres quotidiens proclamaient leur enthousiasme. Robert Chapman titrait : «*An import of great import.*» Le ton de ses confrères était à l'avenant. Pas l'ombre d'une réserve. Nous l'avions notre triomphe! À ce point que, plus tard dans la journée, un nouveau critique du *New York Times* réclamait la faveur de venir assister à nos répétitions des *Trois Farces*, histoire de se familiariser avec ces étranges animaux qui suscitaient l'enthousiasme de toute la presse, à une exception près. Ce qui lui fut évidemment accordé. Et le lendemain de la première des *Farces*, le *New York Times* se joignait à l'unisson du chœur de nos laudateurs américains.

Côté public, le ton était semblable, mais maigres les assistances. Même phénomène que précédemment à Stratford. Quelques

Jean-Louis Roux, Jean et André Gascon
1958

étudiants de High Schools et d'universités, quelques francophiles. Peu de membres de la pourtant nombreuse colonie francophone. Nous ne portions ni l'auréole de la Comédie-Française, ni celle de la Compagnie Renaud-Barrault, et nous ne venions pas de la *métropole*. Mais il nous arriva de voir en coulisses des artistes réputés, tels le soviétique Igor Moiseyev, dont la troupe de danseurs était alors la coqueluche du monde entier, Red Button, qui avait remporté l'année précédente l'Oscar du meilleur acteur de soutien, et Ruth Draper, humoriste qui présentait à l'époque un *one woman show* où elle faisait valoir de prodigieux talents de chanteuse, d'imitatrice, de diseuse et de mime.

SCÈNE XI
Réception mondaine à New York

Après une de nos représentations, elle nous invita à souper en nombreuse et sélecte compagnie dans son luxueux appartement. Canadiens francophones, nous étions en quelque sorte des objets de curiosité. On nous posait mille questions sur notre vie personnelle et sur l'exercice de notre métier. Nous improvisions sur place une brève représentation de salon : de sa voix si agréable, le ténor Jean-Paul Jeannotte y chantait *a capella* quelques mélodies de Fauré ou de Gounod ; nous récitions quelques fables de La Fontaine, et Guy Hoffmann se livrait à un de ses numéros de guignol irrésistible. Il faisait mine de s'arracher un cheveu, de le lisser avec sa salive jusqu'à ce qu'il devienne rigide, de l'introduire dans une oreille, de le faire voyager à travers son crâne jusqu'à l'oreille opposée, de le récupérer et de le remettre soigneusement en place. Il n'en fallait pas plus pour conquérir tous les invités, et nous en usâmes à l'occasion durant cette longue tournée.

Le riche mari de Ruth Draper souffrait d'un cancer de la gorge. Il ne se déplaçait qu'en fauteuil roulant et ne pouvait parler que sur le souffle, d'une voix étrangement rauque. Pour attirer l'attention d'un interlocuteur, il faisait entendre de petits sifflements aigus et, d'un geste autoritaire des doigts joints en supination, l'invitait à s'approcher. Sa femme était manifestement suivie à la trace par un jeune adulateur. M'ayant mandé selon le rite décrit, il me confia en les fixant tous deux d'un regard assassin : «*The fools! They think I don't know, but I do. They're waiting for me to die.*

Believe me… they still have a long time to wait!» Que fallait-il faire? Rire, me désoler, marquer mon désaccord ou ma compassion? Je me contentai de hocher la tête, d'un air pensif, et de m'éloigner lentement…

Après un bref retour à Montréal, nous nous embarquions de New York, à bord de L'Île-de-France, en direction du Havre. Durant la traversée, Jean Gascon exigea que nous procédions à des raccords de scènes de l'une ou l'autre des pièces, qui laissaient selon lui à désirer. Car nous visions toujours au meilleur, sinon à la perfection. Nous répétions dans la salle de spectacle du paquebot, située sous la ligne de flottaison et donc démunie de hublots. Pénible impression de claustration à quoi s'ajoutaient le tangage et le roulis du paquebot provoqués par le temps inclément de la Mer du Nord. Les raccords en devenaient de plus en plus difficiles, boiteux à cause de l'absence de l'un ou l'autre d'entre nous à la recherche de l'air frais des ponts, en un mot… houleux! Le gros temps devait avoir raison de nos bonnes intentions.

SCÈNE XII
La vie de comédiens en tournée

La tournée se prolongea au total sur six mois. C'est long pour un groupe d'une vingtaine de comédiens, d'artistes et de techniciens, tenus à l'écart de leurs petites habitudes quotidiennes et vivant en promiscuité forcée. Pourtant, tous se montraient de bons troupiers. Le pacte Gascon-Roux-Hoffmann fonctionnait, même s'il arrivait que l'un des trois s'engageât à contrecœur dans l'exécution du numéro convenu : *Pépère*, la *turlute* ou *Popeye*. Je ne me rappelle pas d'incident regrettable qui eût pu compliquer nos rapports *familiaux*. Si ce n'est le fait qu'un jour, j'oubliai d'aviser la troupe d'une réception officielle après le spectacle. Les comédiennes en furent réduites à s'y rendre sans apprêts exceptionnels. À la suite de quoi, elles firent clan à part et me battirent froid pendant au moins une quinzaine.

À Paris, nous n'étions pas des inconnus puisqu'il s'agissait de notre deuxième voyage en trois ans. Cette fois, on nous fit l'honneur du lieu principal du Théâtre des Nations : le Sarah-Bernhardt. Guy Hoffmann, ému, y occupait la loge de la grande comédienne, où l'on avait conservé meubles et accessoires, y compris une baignoire d'époque. C'est là que Jean Gascon et moi avions auditionné pour Charles Dullin, dix ans auparavant. Le jour de notre arrivée, nous eûmes l'occasion de serrer la main du *camarade* Bertolt Brecht, qui réglait les derniers signaux de *Mère Courage*. Nous ne fûmes pas déçus : il avait bien le cigare aux lèvres et était vêtu de son célèbre bleu de travail !

Comme dans le cas du *Cercle de craie caucasien*, en 1955, *Mère Courage* me donna l'occasion de constater que, malgré le fameux *Verfremdungeffekt* brechtien, les comédiens du Berliner Ensemble, y compris la femme du maître, Helen Weigel, jouaient comme nous, à la recherche de la sincérité et d'authentiques contacts avec le public. Bien sûr, il doit en être autrement pour les pièces purement didactiques, dans lesquelles je n'ai pas eu l'occasion de voir évoluer la célèbre troupe du naguère Berlin-Est. Déjà, dans *Le Cercle*, le personnage du récitant impliquait une *distanciation*, comme tout semblable personnage dans le théâtre non brechtien.

Mère Courage constituait une production d'une rare homo-généité, présentée avec des moyens grandioses et jouée par des comédiens étonnants. C'est sa qualité exceptionnelle qui faisait l'originalité du spectacle, et non quelque élément mystérieux issu d'une savante doctrine. Je me méfie des théoriciens. Ils inventent des systèmes et voudraient y emprisonner les praticiens. Heureusement, le métier simplifie les choses, et la seule idéologie toujours valable, en matière de théâtre, c'est celle de Molière qui ne visait qu'un but : plaire au public. On ne diffère que par les moyens pris pour en arriver à cette fin.

Avec *Mère Courage*, je me retrouvais en territoire connu. Ce qui ne fut pas le cas de l'éblouissant spectacle de *Kabuki* auquel j'assistai, une semaine plus tard. En compagnie de tous mes camarades d'ailleurs, car la troupe au complet s'y retrouva. La musique, les costumes, les maquillages, la chorégraphie, tout nous était matière à émerveillement, à dépaysement. Durant l'entracte, dans le hall du Sarah-Bernhardt noir de monde, Georges Groulx se livra à une imitation des interprètes japonais, exagérant leur voix gutturale et leur chant psalmodié. C'est en vain que nous tentâmes de le faire taire, de crainte de passer pour de parfaits béotiens. Nous agissions d'ailleurs sans beaucoup de conviction, car il était irrésistible.

Le 23 mai, avait lieu la première de notre *Malade* sur la scène du Sarah-Bernhardt : très chaleureux accueil. Toutefois, ce n'était pas le même enthousiasme qu'à l'occasion des *Farces*, trois ans plus tôt ; l'élément de surprise y manquait. Reste que Jean Paris, le critique bruxellois du *Soir* titrait : « Molière revivifié par le Nouveau Monde. » Ce jugement constituait le juste reflet du sentiment général.

SCÈNE XIII
Deux spectateurs dans une rangée vide

Chez l'ambassadeur du Canada, Jean Désy, nous retrouvions nos amis de la Comédie-Française avec qui nous avions fait connaissance en 1955, à Montréal d'abord, puis à Paris, en sablant le champagne au Foyer des artistes de la Maison de Molière durant l'entracte des *Amants magnifiques*, spectacle qui donnait à Robert Hirsch l'occasion de faire valoir ses remarquables dons d'acrobate et de danseur. C'est surtout avec Louis Seignier et Georges Chamarat que nous nous sentions en amitié. Dans les somptueux jardins de son Excellence, rue du Faubourg Saint-Honoré, nous devisions agréablement. À l'Odéon, les comédiens français remportaient un énorme succès avec *Port-Royal,* de Montherlant. Bien que les représentations fussent données à guichet fermé, ils nous y invitèrent. Je fis le tour du jardin, pour constater que pas moins de quinze membres de notre troupe désiraient profiter de leur offre généreuse. Confus, je retournai auprès de Seignier et de Chamarat : sans sourciller le moindrement, ils m'assurèrent que quinze fauteuils nous seraient réservés à la date de notre choix.

Le soir dit, j'allai m'attabler vers vingt heures trente à la terrasse du fameux Café Voltaire, devenu depuis le siège du Centre culturel américain, de l'autre côté de la Place en face de l'Odéon. Je me proposais d'y accueillir mes camarades et de les réunir avant d'aller réclamer nos fauteuils de faveur. J'y fus bientôt rejoint par André Gascon mais, sauf pour lui, mon attente fut vaine. Peu avant vingt et une heures, penaud au delà de tout ce qu'on pourrait imaginer, j'allai annoncer au contrôleur qu'un malentendu inexplicable réduisait à deux les membres de notre groupe, et qu'il pouvait disposer des autres réservations. Il me répondit d'un ton sec qu'à cause de l'heure tardive, les fauteuils resteraient inoccupés.

André Gascon et moi nous retrouvâmes tout fin seuls au milieu d'une rangée du centre de l'orchestre, occupant le « fauteuil du prince », selon l'expression employée au XVIIe siècle, c'est-à-dire l'emplacement qui offrait le point de vue et d'audition idéal. Le pire, c'est que, plus la représentation se déroulait, plus nous nous sentions envahis par l'ennui. J'aime les romans de Montherlant, surtout *Les Célibataires* et *Les Jeunes filles*, où il affiche fièrement son machisme d'homosexuel. Mais je trouve que dans son théâtre, la grandeur est souvent artificielle et qu'à ce chapitre, Victor Hugo a mieux réussi que lui. D'entendre une religieuse de Port-Royal, vierge par définition, déclarer d'un ton recueilli : « Dieu ne nous remplit qu'autant que nous sommes vides... » me donnait envie de « vider » les lieux justement. Mais comment vider une rangée vide, sans être aussitôt repérés ? André et moi avions l'impression d'être la cible des regards meurtriers des comédiens, sans doute mis au courant de notre inacceptable comportement envers l'auguste Maison. Il nous fallut rester jusqu'aux rideaux de la fin et feindre même un franc enthousiasme. Les excuses que je présentai, le lendemain, furent poliment reçues.

Malgré cela, c'est Seignier et Chamarat qui offrirent à Guy Hoffmann de l'accueillir comme pensionnaire dans leur glorieuse institution. Le quelquefois féroce critique du *Figaro*, Jean-Jacques Gauthier, n'avait-il pas écrit à son propos : « ... un excellent acteur, rond, agile, volubile, dynamique, aimant les planches et s'y mouvant avec joie, vraiment comique et doué d'une bonne voix, un acteur qui sans doute connaîtrait, s'il voulait, le succès à Paris. » Mais lors de notre première tournée, les retrouvailles de Guy avec la France, après huit ans d'absence, n'avaient pas été très heureuses. Tant s'en faut. Les malentendus avec sa mère avaient repris, comme s'ils n'avaient été interrompus que de la veille, et les contacts avec ses anciens amis ne lui avaient inspiré que déception. Très émotif, Guy refusa même de considérer l'éventualité d'un retour dans son

Varvara Pitoëff

pays natal. La vie propose ainsi des croisées dont il nous faut choisir l'un des chemins. L'autre, écarté, restera à jamais inexploré, inconnu, mystérieux et obsédant. Il n'y a qu'au théâtre qu'on puisse connaître divers destins.

SCÈNE XIV
Mon amie Varvara

Ce voyage me donna l'occasion de retrouver ma chère Varvara, celle du nombreux clan Pitoëff avec qui j'avais gardé des liens de profonde amitié. C'était un adieu : Varvara se préparait à quitter pour l'Inde, où elle se tuerait littéralement de travail à l'ashram de Sri Aurobindo, près de Pondichéry. Sous sa crinière de fauve rousse et derrière son caractère apparemment rébarbatif, Varvara cachait une douceur étonnante. Ses yeux bleu-vert en étaient le miroir. Et les modulations de sa voix, particulièrement lorsqu'elle s'adressait aux enfants et aux bêtes.

Son charme discret lui valait les relations les plus inattendues. Ainsi en 1950, m'emmenait-elle au superchic Plaza Athénée passer la nuit dans la suite que Bethsabée de Rothschild y louait à longueur d'année. Elles s'étaient connues en Suisse, durant la guerre, toutes deux compagnes de même chambrée, et étaient restées amies intimes. Quand Bethsabée ne l'utilisait pas, Varvara pouvait disposer de son pied-à-terre parisien.

En 1958, c'est la photographe Thérèse Le Prat que Varvara attirait à l'une de nos représentations au Sarah-Bernhardt. Le lendemain, j'allais poser en Thomas Diafoirus chez la portraitiste la plus célèbre de l'heure. Le Tout-Paris aurait donné cher pour être à ma place. La séance résulta en une étude remarquable, qui pourrait s'intituler *Le Clown recueilli*. Cette photo, que j'avais malencontreusement laissée dans une valise prêtée au TNM pour je ne sais quel spectacle, a été perdue dans l'incendie de notre atelier de la rue Sanguinet, en 1963. Heureusement, je l'avais fait reproduire dans un album préparé, en collaboration avec Normand Hudon et Éloi de Grandmont, pour célébrer le dixième anniversaire de la Compagnie, en 1961. Elle n'est donc pas entièrement perdue ni pour moi, ni pour la postérité, du moins celle que l'œuvre de Thérèse Le Prat ne laisse pas indifférente.

SCÈNE XV
Deux visiteurs seuls dans un parc désert

Nous fîmes un dernier voyage ensemble, en excursion dans les châteaux de la Loire. J'avais loué une Renault 5, et nous quittâmes Paris sans itinéraire précis. Nous roulions lentement, nous arrêtant pour manger dans des auberges qui nous semblaient sympathiques et, le soir, pour visiter un château et y assister au spectacle *Son et lumière*. Le matin, j'allais frapper à la porte de sa chambre, où elle terminait ses exercices de yoga, et nous reprenions la route.

En arrivant à Chenonceaux, nous devions renoncer à la visite, tant la pluie tombait drue. Qu'à cela ne tienne : nous nous attarderions jusqu'au lendemain soir. Inscription à l'hôtel et dîner à une bonne table. Après le repas, le beau temps est revenu. En passant devant la château, j'aperçois la grille ouverte et à tout hasard, je m'enquiers : on m'informe que, n'ayant pu avoir lieu à l'heure prévue à cause de l'intempérie, le spectacle allait commencer incessamment. Le fonctionnaire accueille même, sans les faire payer, ces visiteurs inespérés que nous sommes, et les prie de passer dans le parc.

Nous nous retrouvons absolument seuls, Varvara et moi. Dans le soir tombé, pas âme qui vive, sauf nous et les petites bêtes nocturnes. Nous nous avançons avec précaution dans ces allées qu'ont jadis arpentées Henri II et Diane de Poitiers, comme si nous redoutions de troubler leur esprit. L'air est si léger qu'on dirait que la pluie abondante l'a débarrassé de toutes les impuretés qui auraient pu s'y trouver en suspension. Le gazon, les bosquets, les arbres exhalent de riches parfums de fraîcheur. À travers les branches, filtre la lumière bleutée de la lune, imprimant sur le sol des dessins insolites. Le silence nous enveloppe de sa chape moelleuse. Nous sommes en attente, pénétrés d'une étrange ivresse mêlée d'inquiétude.

D'un seul coup éclatent les premiers accords et luisent les premiers feux du spectacle *Son et lumière*. Le château prend vie. Des ombres se profilent derrière ses fenêtres illuminées et se glissent dans la nuit accueillante. La brise soudaine nous donne l'impression qu'elles nous frôlent. Des voix d'antan parviennent jusqu'à nous dans le secret des âges. L'instant est magique et se prolonge en une éternité. Varvara et moi en sommes émerveillés : immobiles, nous retenons notre souffle de peur de rompre le charme.

Quand reviennent le silence et l'ombre, nous restons sans bouger pendant plusieurs minutes, puis nous nous dirigeons à regret vers la sortie, sans échanger un seul mot. Sous le petit pont rustique qui enjambe un ruisselet, le croassement d'un crapaud et la lueur phosphorescente d'un bout de bois flottant nous font tressaillir. Nous nous arrêtons pour scruter la nuit, avec la bizarre sensation d'être encerclés de fantômes énigmatiques qui vont nous poursuivre jusque dans nos rêves...

SCÈNE XVI
Une princesse des Mille et Une Nuits

Après le Théâtre des nations, nous partions pour la Belgique où nous étions invités dans le cadre de l'Expo universelle. Monsieur Lejeune nous présente sa femme, couverte de vison : tous deux concèdent avec enthousiasme que j'avais été bien inspiré d'exiger que Molière fût du voyage. L'Expo attirait même le gratin du Gotha. Si bien que la création européenne du *Temps des lilas* eut lieu à la fin de mai en présence, entre autres, de la princesse Shahnaz, sœur du shah d'Iran. Une photo, prise lors de la soirée qui suivit la représentation, témoigne du fait que nos comédiennes avaient été cette fois avisées avec un délai convenable; à l'avant-plan, Huguette Oligny rivalise d'élégance et de beauté avec cette Schéhérazade moderne. L'œuvre de Dubé reçut un accueil sympathique du public et de la presse. Les critiques parlaient d'une «adorable tragi-comédie», «drame de la solitude» joué de façon parfaite par la troupe du Théâtre du Nouveau Monde.

SCÈNE XVII
Michel de Ghelderode

À la ville, nous devions faire la connaissance d'un personnage étonnant : l'auteur Michel de Ghelderode qui — je l'ai déjà signalé — avait même scandalisé Paris dix ans auparavant. L'ambassade du Canada nous prêtait les services d'un de ses fonctionnaires de nationalité belge, mi-guide mi-conseiller, homme affable, courtois, cultivé et charmant. Nous entendant un jour exprimer le désir sans espoir de rencontrer Ghelderode, il nous fit la surprise de déclarer doucement : «Michel? Mais il a usé les bancs de la même école que moi. Je peux vous organiser ça quand vous voulez.»

Chose dite, chose faite. Une après-midi, rendez-vous au pavillon belge de l'Expo : projection de diapositives sur une trame sonore de poèmes de Ghelderode. L'auteur y assiste. Malheureusement, on venait de vaporiser le pavillon à l'insecticide. Ghelderode est asthmatique et, à la fin de la séance, c'est un homme au visage congestionné et au souffle court que nous voyons se diriger péniblement vers la sortie, à la recherche d'air frais. À toute chose, malheur est bon : il nous faisait aviser que, le lendemain, il nous accueillerait à son domicile situé dans le Vieux-Bruxelles. Du moins dans ce qui en restait puisque les planificateurs de l'Expo en avaient rasé la majeure partie, malgré les protestations des historiographes et autres mémorialistes.

Nous voici chez Michel de Ghelderode. La journaliste Judith Jasmin, sans doute alertée par les services canadiens, doit se présenter plus tard avec les caméras de télévision. Ghelderode nous reçoit dans son cabinet de travail. Lieu insolite qui relève à la fois du capharnaüm et de la chapelle ardente. Des rideaux filtrent la lumière du jour. Des poupées de cire et des marionnettes sont pendues un peu partout au plafond, aux murs. Dans un coin, un tabernacle ouvert abrite la photo d'une femme nue. Vision du monde intérieur du poète dramaturge, hanté par une foi religieuse digne du Moyen Âge, mais sans cesse éprouvant le goût du blasphème qui ne prend d'ailleurs son sens réel qu'à cause de cette foi même.

Nous nous asseyons autour de sa grande table de travail. Sur un fauteuil à l'écart, traîne une reproduction en noir et blanc d'un tableau de Bruegel l'Ancien. La scène représente un moine haranguant une foule au milieu de laquelle se côtoient seigneurs et truands. Ghelderode nous confie ne plus éprouver qu'ennui envers la littérature, mais sa curiosité intellectuelle se trouve entièrement assouvie par la contemplation de tableaux. Ceux des maîtres flamands, de préférence. Ce Bruegel, par exemple, il le scrute depuis des semaines, étudiant la physionomie et l'attitude de ses nombreux personnages. Après des heures de patiente observation, chacun d'eux finit par lui livrer son secret. Il nous parle aussi de ses poupées, de ses marionnettes, de ses bibelots dont aucun ne se trouve là pour des raisons purement esthétiques. Il n'est pas collectionneur. Chacune des figurines, chacun des objets lui rappelle un souvenir précis. Il en évoque quelques-uns. La femme nue du tabernacle reste un mystère.

Quand on vient lui annoncer l'arrivée des journalistes de la télévision canadienne, il est soudain pris de panique. Lui qui, pourtant, en était prévenu se met à courir après son oxygène. Il s'esquive et ne reviendra qu'une fois la technique installée, s'étant manifestement aspergé d'eau fraîche. Apaisé, il se prêtera de bonne grâce à l'entrevue. Il parle de son univers peuplé de fantômes, de moines lubriques, de monstres et de créatures infernales. Il évoque ses relations avec la Belgique flamande, d'où il tire la plus grande partie de son inspiration, même s'il écrit en français. Le peintre James Ensor, mort récemment, lui a inspiré *Le Siège d'Ostende* par sa vie et ses tableaux. Des allusions trop personnelles ont amené Ghelderode à en interdire la représentation. Plusieurs de ses pièces ont été créées en néerlandais, dont *Pantagleize*, et ont d'abord connu un meilleur accueil chez les Flamands que chez les Wallons.

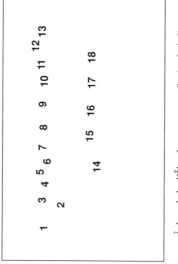

À bord de l'Île de France, en 1948 :
1. Jean-Louis Paris
2. Monique Hoffmann
3. Guy Hoffmann
4. Colin O'Neil
5. Georges Groulx
6. Huguette Oligny
7. Émile Caouette
8. Denise Pelletier
9. André Gascon
10. Jean-Paul Jeannotte
11. Gaétan Labrèche
12. Victor Désy
13. Gabriel Gascon
14. Robert Prévost
15. Jean-Louis Roux
16. Jean Gascon
17. Denyse Saint-Pierre
18. Jean-Marc Hébert

Cette entrevue constitue un document absolument unique au monde. À mon souvenir, elle a duré plus d'une heure. Elle n'a été diffusée qu'une seule fois, à Radio-Canada, en version abrégée. Depuis, j'ai vainement demandé, à maintes reprises, qu'on effectue des recherches pour essayer de la récupérer. Peine perdue. L'original — film ou bande magnétoscopique, je ne me rappelle pas — doit pourtant dormir quelque part. À moins qu'un zélé ne l'ait détruit, comme il est arrivé de la presque totalité des émissions des *Plouffe*!

De retour à Paris, nous y donnions une série de représentations de nos trois spectacles à la Comédie des Champs-Élysées, là précisément où j'avais fait mes débuts parisiens, douze ans auparavant. J'y retrouvais les mêmes loges, les mêmes coulisses et la même scène, avec émotion et nostalgie. Pendant quelques instants, je me laissai reporter à cette époque du Paris de l'immédiat après-guerre qui était absolument unique, et où je jouissais d'une disponibilité totale qu'il ne me sera plus jamais possible de retrouver. Nos Molière étaient connus de la critique. Il n'y eut donc que *Le Temps des lilas* à profiter d'une nouvelle presse. Accueil bienveillant et paternaliste. D'honnêtes salles, sans plus. Les dates prévues pour les prolongations ne furent pas utilisées.

SCÈNE XVIII

Inimitié par feuilles d'automne interposées

À Montréal, notre épisode européen fut généralement bien relaté, sauf dans une certaine presse spécialisée en potins issus du monde de la radio, de la télévision et du théâtre. Dans *Écho-Vedette,* notamment. Y sévissait le mari de la comédienne Ginette Letondal, André Roche, qu'un jour j'avais eu le malheur de me mettre à dos pour une vétille.

Cela remonte à 1949. J'étais au volant de la voiture, empruntée à mon père, qui nous amenait à Hull où nous allions présenter *Un Fils à tuer*, d'Éloi de Grandmont. Parmi les passagers, Ginette Letondal et son mari. Le temps d'automne était pluvieux et les feuilles mortes rendaient la chaussée dangereusement glissante. J'étais casse-cou et je conduisais à grande vitesse. Nerveux, André Roche m'invita à la prudence. Ce à quoi je lui rétorquai que, s'il n'était pas content, il n'avait qu'à descendre et à marcher. Pour qui m'aurait bien connu, cette rebuffade aurait été prise pour ce qu'elle était : une blague de mauvais goût. Pas pour lui. Il se tut et à compter de ce moment précis, il me voua une haine féroce. Presque dix ans après ce dérisoire incident, il assouvissait encore sa rancune en montant en épingle la moindre fâcheuse péripétie de notre tournée, dans le journal où il écrivait.

Heureusement, la direction de *La Presse* avait accordé assez d'importance à l'événement pour nous faire accompagner par son critique dramatique en titre, Jean Béraud, qui signa de fréquents reportages, fidèles à la réalité de notre succès. Au voyage d'aller, pour des raisons d'économie, Jean Gascon partageait sa cabine avec lui, à bord de L'Île de France. Nous l'entendîmes même se faire donner du «Jeannot» par son compagnon de l'heure. Ce qui, bien sûr, suscita de notre part maintes plaisanteries au sujet du «nouveau petit couple». À nous en croire, le directeur artistique du Nouveau Monde payait en nature les commentaires élogieux du journaliste chevronné!

SCÈNE XIX
De la baie des Chaleurs
à celle de Vancouver

Un mois après être rentrés à Montréal, nous repartions pour Stratford y présenter une brève série du *Malade imaginaire*. Nous profitions de notre séjour dans la ville festivalière pour répéter la version anglaise de la pièce de Marcel Dubé, sous les directives attentionnées de Ken Johnstone. Il fallait entendre Georges Groulx, rien moins que familier avec la langue de Shakespeare, dire son texte appris au son. Il se surprenait lui-même, riant aux éclats d'arriver à articuler des répliques qui semblaient porter sens pour les oreilles de Ken!

Les représentations du *Malade* remportèrent le succès de critique escompté, avec même des salles un peu mieux garnies que lors de notre premier séjour, en 1956. Après un nouveau battement d'un mois, nous reprenions la route pour une quinzaine au Québec, avec une pointe à Bathurst : dix représentations des *Trois Farces* et du *Temps des lilas*. Puis nous montâmes à bord du train, en direction de Winnipeg, pour une tournée de plus de trois semaines dans les autres provinces canadiennes, jusqu'au littoral du Pacifique. Pour des raisons de budget, nous avions laissé *Le Malade imaginaire* à Montréal. Exception faite de Vancouver et de Toronto, où les imprésarios l'avaient impérieusement réclamé.

SCÈNE XX

L'Ouest canadien

Voyage agréable, puisqu'on nous réservait un wagon entier en queue de convoi. Nous y avions nos quartiers privés, que nous ne quittions qu'aux heures des repas. Nul autre passager ne pouvait y pénétrer. Cabines avec couchettes la nuit, transformées en salon, le jour. C'était le grand luxe. Assis dans des fauteuils confortables, nous admirions le paysage qui se déroulait en panorama. Au passage à la petite gare de Chapleau, nous eûmes une pensée pour Louis Hémon qui s'y faisait happer par une locomotive, en 1913.

C'était la première fois de ma vie que je prenais contact avec le Canada, au delà de l'Ontario. Je fus d'abord frappé par la géographie. J'avais bien fait quelques lectures à propos des Plaines ; j'avais bien vu de nombreuses photos, toutes plus révélatrices les unes que les autres. Mais lorsque, après le parcours d'une nuit j'aperçus par la fenêtre du train cette boule fulgurante, là-bas tout au bout de la Terre, lancer ses rayons à l'horizontale au-dessus d'une surface parfaitement plane parsemée de poteaux de téléphone, j'en eus littéralement le souffle coupé. Pendant une bonne demi-heure, je ne me lassai pas d'admirer l'ascension de l'astre au-dessus de cette immense étendue.

Mon autre découverte fut de caractère citadin et d'ordre social : la constante présence de ce qu'on appelle maintenant les minorités *visibles*. Je fus d'abord simplement étonné de voir autant d'Amérindiens et d'Inuits désœuvrés déambuler à petits pas sur le pavé de Winnipeg. D'autres dans des halls d'hôtel vitrés, installés dans des fauteuils face à la rue, contemplaient les piétons, le regard absent. Leur mise à la fois pittoresque et indigente, de même que leur faciès sombre et buriné, m'indiquaient qu'ils se posaient en marginaux. Exclus du monde des Blancs ou existant volontairement hors ses limites, chômeurs en quête de travail ou flâneurs venus d'une réserve avoisinante. De quoi faire réfléchir sur les problèmes — ô combien ardus et délicats à résoudre ! — de nos relations avec les autochtones.

Winnipeg faillit être une catastrophe. À peine le train en gare, pendant qu'il nous faisait prendre la pose devant une locomotive historique, notre imprésario local nous apprit que la vente à l'avance était à peu près nulle. De façon délibérée ou par ignorance stupide, il n'avait établi aucun contact avec les francophones de Saint-Boniface. Ces derniers s'en étaient vexés (qui ne l'aurait été ?) et avaient pratiquement boycotté nos représentations au Playhouse. Heureusement, la première n'avait lieu que le lendemain, 13 octobre. Sans même défaire nos bagages, nous placions un appel téléphonique à la légendaire fondatrice du Cercle Molière, madame Pauline Boutal. Rendez-vous était pris sur-le-champ. Réconciliation, embrassades, accolades, marathon d'interviews dans les postes locaux de radio, et les pots cassés étaient réparés en moins de quelques heures, juste à temps pour la représentation des *Trois Farces*, le lendemain soir, et la création de *Time of the Lilacs*, le 14.

Après chacun des spectacles, ce furent de joyeuses réunions avec nos camarades de la troupe de Saint-Boniface. Fondé en 1920, ce Cercle Molière se vante à juste titre d'être la plus vieille compagnie théâtrale du Canada. Avec un dynamisme constant et une énergie infatigable, ses membres ont contribué à maintenir au Manitoba un ardent foyer de culture canadienne d'expression française. Tout simplement admirable.

À sept heures un matin, n'ayant pas d'autre moment libre et tenant à nous rencontrer, le maire de Winnipeg nous offrait le petit déjeuner. Son Honneur arriva avec un léger retard, dans une mise agréablement pittoresque. En s'asseyant, il faillit perdre l'équilibre. « *Stubbornly desobedient horse...* » murmura-t-il en rigolant. Boutade qui détermina le ton de l'entrevue. Sans tomber dans le lieu commun ni bêtement généraliser, nous étions à même de constater la jovialité et l'aimable cordialité des gens de l'Ouest. Au sortir de notre rendez-vous, Jean Gascon et moi arborions de magnifiques *ten-gallon* beige pâle, qui faisaient se retourner tous les *cow-boys* que nous croisions, envieux de ces superbes couvre-chefs.

Les jours suivants, nos représentations dans des auditoriums de High Schools à Edmonton et à Calgary furent sans gloire et sans histoire. Manque de publicité faute de moyens, maigres assistances, du reste très sympathiques, et critiques élogieuses. Et puis bien sûr, là comme ailleurs, réceptions officielles de la part des maires et autres notables. Denise Pelletier et moi nous faisions invariablement poser la même question, d'un ton préoccupé : «*Where's the rest of the family?*» L'humble famille Plouffe connaissait la même popularité dans les provinces de l'Ouest qu'au Québec.

SCÈNE XXI

La traversée des Rocheuses

En Alberta, la géographie avait plus de relief. Monts et forêts. J'en éprouvai une sorte d'allégresse après sept jours de Grandes Plaines. À la faveur d'une halte, nous aperçûmes, tout près du quai de la petite gare, une famille de cerfs qui broutait tranquillement. De Calgary, on voyait déjà se profiler les premiers contreforts des Rocheuses. Le train s'engageait dans la traversée de l'un des plus beaux massifs montagneux du monde, sous un ciel profond complètement libre de nuages. Au diable la lecture de Céline, dont je faisais la découverte, après l'avoir boudé pendant trop longtemps.

J'avais les yeux rivés sur le spectacle qui s'offrait à mon ravissement et qui changeait continuellement avec une lenteur majestueuse. Ce pic enneigé, irisé, aux arêtes tranchantes, sculpture gigantesque, se métamorphosait comme au ralenti, à mesure qu'on l'escaladait en le contournant. Éclairages en tons de pastel sans cesse renouvelés, formes perpétuellement mouvantes. Véritable féérie. On pouvait aussi bien se croire stationnaires, et le pic tournant sur lui-même. Après celui-ci, c'était un autre complètement différent, plus haut ou plus évasé, cône dont la pointe retombait de côté comme une énorme crème glacée fondante, pyramide irrégulière façonnée par le temps, chef-d'œuvre issu de l'inépuisable inspiration de la nature. Et ce plaisir des yeux (plaisir des dieux ?...) dura presque un jour entier. Il faut, une fois dans sa vie, faire la traversée des Rocheuses par chemin de fer.

En gare de Vancouver, nous attendait une bien triste nouvelle : madame Rose Gascon, mère de Jean, d'André et de Gabriel, venait de mourir à l'hôpital, où elle était entrée pour un examen de routine. C'était le 20 octobre. Nous ne devions jouer que le 22. Ils prirent immédiatement l'avion pour Montréal. Presque aussi affecté que mes trois camarades, je me retrouvais seul à la tête de la Compagnie, puisque Guy Hoffmann, avec son anglais moins qu'élémentaire, ne pouvait m'être de grand secours dans l'environnement linguistique où nous nous trouvions.

La publicité avait été mieux orchestrée ici qu'au Manitoba et en Alberta, et peu après l'arrivée, je dus me présenter devant les journalistes, armé du courage de la nécessité. Puis je me rendis au campus de l'Université de Colombie-Britannique pour superviser le montage et l'éclairage du décor du *Malade imaginaire*. Un plan rudimentaire avait été expédié à l'avance ; mais, selon notre méthode empirique, c'est sur place qu'on procédait à la mise au foyer et à la direction des appareils. Le hasard est quelquefois curieusement inventif. Dans cette situation émotive, j'avais besoin d'une tutelle vigilante. Je la trouvai en la personne de Dodo Davis, notre attaché de presse, mon aîné d'un bon quart de siècle. En bon papa, le soir, il m'accompagna dans les bars où l'occasion m'était bonne de noyer mon affliction. Il m'empêcha certainement de me livrer à quelque bête aventure.

Sur le littoral du Pacifique, nous tombions en milieu universitaire, nos spectacles étant présentés à l'auditorium de la University of British Columbia, riche foyer de culture dont la faculté de français était animée par de dynamiques professeurs. D'autre part, les Colombiens francophones sont aussi énergiques que ceux du Manitoba. Se trouvaient réunis tous les éléments d'un succès. Les attentes ne furent pas déçues, si bien que nous devions offrir une matinée non prévue des *Trois Farces*. En plus d'un accueil enthousiaste, les contacts humains, avec maîtres et étudiants, étaient empreints de chaleur et de cordialité. Dans ce vaste campus, nous nous sentions entourés et choyés. Je me reporte là certainement aux meilleurs souvenirs de notre tournée canadienne.

J'eus l'agréable surprise, un matin, de recevoir un appel d'un ancien ami parisien : Claude Treille. En 1946, Claude louait une chambre dans le même appartement que moi, rue Mollien dans le VIIIᵉ, chez la vieille et tremblotante mademoiselle Lysée. Nous ne nous étions pas revus depuis. Aucune correspondance, aucun contact. Et voilà que, douze ans plus tard et à dix mille kilomètres de distance, nous nous retrouvions sans avis. Moi, déjà vieux routier de théâtre; lui, professeur de français à l'université, et chauve!

Après quatre jours, nous quittions Vancouver, à la nuit tombée : je ne revis donc pas les Rocheuses. La tournée se termina par d'excellentes représentations, accueillies très favorablement par le public et la critique, d'abord au Royal Alexandra de Toronto et finalement à l'auditorium du Glebe Collegiate d'Ottawa, un lieu bien désagréable dont les murs de béton reverbéraient nos queues de répliques au moins deux ou trois fois, en plus du fait que nos voix y étaient parfois couvertes par un bruit de scies mécaniques, écho de cours du soir en menuiserie.

Le 5 novembre, nous rentrions à Montréal, la tête couverte de lauriers mais les poches vides. Le déficit de plus de 30 000 dollars ne devait être comblé qu'à la fin de 1959, grâce à des subventions spéciales du Conseil des Arts du Canada et de celui de Montréal. Après plus de six mois d'absence, nous retrouvions notre public de l'Orpheum avec des reprises des *Trois Farces* et de la pièce de Marcel Dubé. Sa dernière représentation avait eu lieu à Ottawa, dans sa version anglaise. Si bien que, lorsque le rideau se leva sur *Le Temps des lilas* à Montréal, Virgile s'adressa machinalement à Blanche dans la langue de Shakespeare : «*Is it your mother who taught you how to waltz, mademoiselle Blanche?...*» Le regard étonné d'Huguette Oligny, interprète de Blanche, fit reprendre à Jean Gascon-Virgile ses assises maternelles : «C'est votre mère qui vous a appris le pas de valse?...» On pourrait y voir une occasion de dénoncer les méfaits du bilinguisme!

SCÈNE XXII
Une borne : Venise sauvée

Il y avait presque un an que nous n'avions donné de nouvelle production à Montréal, lorsque s'ouvrit notre huitième saison avec *Venise sauvée,* de Morvan Lebesque, d'après le dramaturge postélisabéthain, Thomas Otway. Pièce exceptionnelle que son adaptateur nous avait lue lors de notre passage à Paris, dans une chambre exiguë de l'Hôtel de Noailles, rue de la Michodière. Nous avions été instantanément conquis par autant de vigueur et d'audace, retrouvant chez Otway la même teinte baroque, la même force épique que dans l'œuvre de Shakespeare.

Le thème de *Venise sauvée* nous fascinait : le charme des pièges qu'un bon dictateur paternaliste sait tendre aux meilleurs de ses sujets. Et puis, le rôle du Doge faisait rêver Jean Gascon. Mais d'autres beaux rôles pouvaient faire rêver d'autres comédiens. Dans une scène des plus osées, on voyait la courtisane Aquilina (Dyne Mousso dans tout son éclat troublant) forcer son vieil amant (puissamment interprété par Guy Hoffmann) à se traîner à quatre pattes et aboyer à ses talons. La Nana de Zola imitera Aquilina, avec son pitoyable Comte Muffat. Des scènes comme celles-là ne s'inventent qu'une fois. Je ne doute pas que l'auteur des *Rougon-Macquart* n'ait pris son inspiration chez Otway.

Le soir de la première, le 27 janvier 1959, il y avait presque un mois que sévissait un conflit syndical à Radio-Canada : la fameuse grève des réalisateurs, qui ne devait se terminer qu'à la fin de mars. J'en ai ailleurs et en détail relaté le déroulement. Comme membre de l'Union des artistes et président de la Société des auteurs, j'appuyais les grévistes. L'Orpheum leur fut donc offert comme lieu de réunion et, un lundi soir de relâche, le 1er février, nous donnions à leur intention une représentation spéciale de *Venise sauvée*. Avec leur millier de sympathisants, ils se plurent à reconnaître, dans la figure du Doge artificieux, celle du président de la Société Radio-Canada, Alphonse Ouimet. Et lorsque les conjurés abusés marchaient à la mort, croyant sauver la République, ils leur substituèrent les soixante réalisateurs de la télévision à qui on refusait le droit d'association sous prétexte qu'ils occupaient des postes de cadre. Mais en cette occurrence, nous nous rendîmes compte qu'une forme de censure peut s'exercer, au delà de la morale, en matière sociale et politique : la Consolidated Theatre nous fit savoir que nous n'étions pas autorisés à utiliser son immeuble comme lieu de réunion publique, hors nos représentations de théâtre. Entre patrons, on est solidaire...

Quelquefois baptisée *Denise sauvée* par certains spectateurs qui faisaient leurs réservations au téléphone, cette *Venise* a laissé, dans la mémoire de plus de onze mille fervents amateurs, le souvenir d'un spectacle somptueux, grandiose : mise en scène remarquable signée de Jean Gascon, dispositif scénique et costumes créés par Robert Prévost, montage sonore dû à Gabriel Charpentier. Gabriel portait depuis peu le titre de « directeur musical » du Nouveau Monde. (Entre parenthèses, l'appellation juste eût été « directeur de la musique » : en dépit de tout son talent, un directeur ne peut être musical.) Riche collaboration de près de vingt ans, qui ne fut interrompue hélas ! que parce que, à mon avis, Gabriel fut mal conseillé. Calculant son cachet par minute de composition, comme l'en avaient décidé ses camarades anglophones, ses exigences monétaires devinrent excessives, du moins pour les moyens dont nous disposions.

Venise sauvée, malgré cette réputation qui la suit toujours, se déroula devant des salles presque aux deux tiers vides. Était-ce le résultat de l'ambiance créée par la grève des réalisateurs ? Était-ce la gravité du ton de la pièce ? Était-ce la rigueur exceptionnelle de l'hiver de cette année-là ? Allez donc savoir. Qui pourrait déceler les raisons de succès et d'insuccès, dans le domaine des arts de la scène, aurait sa fortune assurée. Comme celle de ses descendants *ad aeternam*.

SCÈNE XXIV
Requiescat New World Theatre

En mars, eut lieu notre dernière production en langue anglaise avec *Long Day's Journey into Night*, la magnifique pièce autobiographique d'Eugene O'Neill, connue en français sous le titre de *Long voyage vers la nuit*. La traduction juste et exacte en serait *Voyage au bout de la nuit*, si Céline ne l'avait déjà employé. Rupert Caplan avait de nouveau fait appel à deux comédiens de New York, visant juste avec Mildred Dunnock, si frêle, si fragile, si fiévreuse, si vulnérable dans le rôle de Mary, la mère morphinomane de cette malheureuse famille. Elle allait sous peu donner la pleine mesure de son talent, au cinéma, dans *Death of a Salesman*, où elle interprétait la femme de Willy Loman.

Quant au deuxième comédien, le choix s'en révéla moins heureux, en dépit du grand talent de l'intéressé, Ian Keith, qui semblait fait pour jouer James Tyrone, cet acteur qui épuise son talent dans le succès intarissable d'une seule et unique pièce durant la presque totalité de sa vie. Comme ce fut en réalité le cas du père de O'Neill, avec *Le Comte de Monte-Cristo*. Mais entre l'interprète et le personnage, existaient de telles affinités que l'un et l'autre partageaient le même goût pour le bon whisky. Lors de la deuxième représentation, le dénommé Ian Keith entra en scène, la démarche alourdie d'une bonne vingtaine d'onces d'alcool, promena son œil hagard autour de lui et murmura : «*What the hell am I doing here?...*», avant de prendre refuge en coulisses. D'où Rupert Caplan le propulsa de toutes ses forces, l'obligeant à retourner jouer son rôle. Ce dont s'acquitta le pauvre avec plus de mal que de bien. Dorénavant, il devait être séquestré dans une chambre d'hôpital d'où il faisait la navette en taxi avec le théâtre, sous l'étroite garde du metteur en scène. Confus, je ne savais que faire, si ce n'est que de présenter de bêtes excuses à Mildred Dunnock. L'exquise femme m'embrassa en me dégageant de tout blâme. Mais encore aujourd'hui, j'éprouve malgré moi un sentiment de culpabilité envers elle.

Le bruit de la mésaventure s'était peut-être répandu parmi les amateurs de théâtre anglophones de Montréal : malgré une critique remarquablement bonne, les salles ne se remplirent qu'à moitié. Après dix-huit représentations, nous devions prendre la décision de mettre terme, non seulement à ce spectacle, mais également à nos productions en langue anglaise. Plus tard, heureusement, le Centaur Theatre allait combler le vide ainsi créé.

SCÈNE XXIV

Un autre « bon » boulevard

La saison se termina avec le *Clérambard* de Marcel Aymé. C'est probablement à compter de ce spectacle que j'accumulai, petit à petit, une mesure d'insatisfaction qui m'amènera à une retraite précoce et temporaire, quatre ans plus tard. Marcel Aymé a écrit des nouvelles délicieusement satiriques, et sans doute pourrais-je lire encore avec grand plaisir *Le Passe-Muraille* ou *La Jument verte*. Mais au théâtre, bien qu'il s'attaque avec une certaine férocité aux mœurs bourgeoises corrompues, il n'a guère donné que des boulevards améliorés, dont ce *Clérambard* au sujet duquel je n'ai rien à dire, si ce n'est qu'à ma grande désolation, il obtint un meilleur succès que *Venise sauvée* avec quatorze mille cinq cents spectateurs en trente-sept représentations.

Clérambard m'est pourtant l'occasion de souligner un événement d'importance : les débuts de François Barbeau au TNM comme dessinateur de costumes. Jusque là, François n'avait fait qu'assister Robert Prévost mais, avec la pièce de Marcel Aymé, c'est lui qui créait les maquettes. Il était allé à bonne école et rarement, jusqu'à aujourd'hui, n'ai-je eu de réserve au sujet de ses créations. En tout cas, pas lors de ses collaborations avec moi. Personnage difficile, secret, tourmenté, bourru à ses heures, sensible à l'excès, François Barbeau occupera une place de premier plan dans l'histoire de l'activité théâtrale au Canada. Ses talents ont été requis jusqu'en France, et je suis persuadé que s'il était plus ambitieux et plus agressif, l'attendrait une belle carrière internationale. Tout est d'ailleurs encore possible.

Chaque fois que, en tant que metteur en scène ou comédien, j'ai eu à travailler avec lui, j'ai été comblé. Non seulement par ses maquettes, mais de plus, par son travail sur place. C'est un plaisir d'ordre presque sensuel que de le voir déchirer des étoffes, modeler un costume, se servir souvent de matériaux usagés pour finir d'ajuster un vêtement sur un comédien ou une comédienne. Je peux me vanter de compter, je crois, parmi ceux qu'il affectionne. Preuve en est l'anecdote suivante, que je ne résiste pas à relater.

SCÈNE XXV

La légende se porte nue

C'était durant les essayages du *Roi Lear*. Pour la *Recovery Scene* du quatrième acte, François avait dessiné une sorte de jaquette d'hôpital. Très belle, très simple, en mousseline (mais je ne m'y entends pas très bien en fait de tissus) finement rayée à la verticale de bleu pâle et de blanc. Dans le dos, les pans n'étaient retenus, au-dessus de la taille, que par deux cordons qui les empêchaient d'ouvrir complètement. François m'indiqua que ce costume exigeait que je le porte sans sous-vêtements. J'exprimai de fortes objections, faisant valoir que, en me déplaçant, il se pourrait que j'offre le spectacle de la chute de mes reins et tout ce qui s'ensuit. «Si j'avais encore 20 ans, lui dis-je, je me plierais à de telles exigences car, sans être athlétique, je n'étais pas mal fait. Mais vraiment, qui peut être intéressé à voir les fesses d'un vieillard?» Outré, François s'exclama : «Mais vous ne vous rendez pas compte... Vous êtes une légende!» Son argument me fit tellement rire que je m'y rendis. C'est ainsi que, durant cette scène et lorsqu'il était de dos, mon roi laissait parfois entrevoir quelques courbes indiscrètes couleur chair. Seul François Barbeau pourra jamais obtenir semblable concession de ma part.

SCÈNE XXVI

De festival en syndicat, de syndicat en politique

A l'été 1959, Jean Gascon et Robert Prévost déménageaient à Stratford où l'un devait créer les costumes d'*Othello* et l'autre, en signer la mise en scène. C'est avec émotion que j'assistai à l'une des représentations de ce Shakespeare et que je fus témoin de l'accueil exceptionnel dont il était l'objet. Je me rappelle une image : Othello agenouillé devant le cadavre de Desdémone, retrouvant les gestes et les tons incantatoires de ses souches africaines. Je ne pus réprimer mes sanglots. Secrètement, j'admirais mon camarade. En aurais-je eu le talent et l'occasion m'en fût-elle fournie, je crois que l'audace m'aurait fait défaut pour accomplir semblable tâche. Jean Gascon possédait ce qui me manquait. Il avait plongé tête première, et cela devait le conduire loin.

Avant le début de sa neuvième saison, à l'occasion du Congrès des syndicats du vêtement, le TNM allait donner une représentation spéciale du *Mariage forcé* à Victoriaville. Douze cents spectateurs entassés dans une salle de neuf cents fauteuils. Atmosphère étouffante mais incroyablement chaleureuse. Cette requête nous avait évidemment été faite à la suite des relations que j'avais nouées avec les cadres de la CSN et de la FTQ, durant la grève des réalisateurs de Radio-Canada, entre autres avec Jean Marchand et Louis Laberge. Elle me donna l'idée d'essayer d'élargir notre public, en créant les mercredis des syndiqués avec billets à prix réduit à leur intention. Initiative qui ne devait pas rencontrer tout le succès escompté pour des raisons paradoxales que j'évoquerai plus tard, lorsque j'en viendrai à parler de la pièce de Barrie Stavis, *On n'a pas tué Joe Hill.*

Parmi les syndicalistes actifs dans cette grève, il y avait Jean Philip, fils d'André Philip qui a laissé son nom dans l'histoire des luttes ouvrières en France. Il se porta candidat NPD dans Terrebonne aux élections fédérales qui suivirent la grève, en 1962. S'autorisant de notre récente camaraderie, il me demanda d'aller prononcer un discours en sa faveur à Saint-Jérôme. J'acceptai et fis ainsi mes débuts en politique active, plus de trente ans avant d'accéder au Sénat. Mon intervention ne l'empêcha pas d'être incontestablement défait.

SCÈNE XXVII
Les Irlandais et nous

La neuvième saison fut très chargée : cinq spectacles au total, de septembre 59 à avril 60. D'abord, *Le Baladin du monde occidental,* de l'Irlandais John Millington Synge. *Le Baladin* était un de ces classiques au sujet desquels nous n'avions cessé de lire, dans toutes les histoires du théâtre, et dont on ne cessait de parler comme l'un des grands chefs-d'œuvre de la littérature dramatique. Il était dans le répertoire du Cartel, l'une de nos principales sources d'inspiration pour établir nos choix de saison : Pitoëff l'avait monté à Genève, dès 1919. En 1950, c'est en voyant *Deirdre des douleurs,* du même auteur, qu'avait germée en moi l'idée d'aller piger dans notre folklore pour écrire ma *Rose Latulippe.* Synge avait alors été en quelque sorte mon mentor.

Créé en 1907, *Le Baladin du monde occidental* avait provoqué l'ire des nationalistes irlandais, pour qui les paysans de leur patrie devaient être personnifiés sous un jour romantique, et non de la façon fruste et rustique qui était celle de Synge. Ses représentations avaient même donné lieu à des émeutes, durant lesquelles la police dut intervenir. Drame possiblement provocant que ce *Baladin,* ce qui n'était pas pour nous déplaire. De plus, l'auteur était auréolé de légende : mort prématurément à 38 ans, il n'avait écrit que six pièces. Mais cet œuvre relativement mince est toujours considéré comme l'un des plus importants du théâtre de langue anglaise depuis Shakespeare. Il n'en fallait pas plus pour nous le rendre fraternel.

Cette dramaturgie irlandaise nous fascinait, Jean Gascon et moi, de même que ce peuple qui nous semblait partager tant de similitudes avec nous, du point de vue historique et social. Enfin, le langage des paysans créés par Synge, leur comportement rude, leur vigueur, leur santé nous atteignaient directement, à grands chocs de gueule et de cœur. Voilà des personnages excessifs qui pouvaient s'ouvrir le crâne à coups de bêche pour ensuite s'enlacer rudement. Cette robustesse devait sûrement trouver des échos dans notre public. Hélas! malgré la ferveur des interprètes (une Dyne Mousso devenue un peu replète, un François Tassé tout jeunot, un Gabriel Gascon émouvant de gaucherie), la pièce ne fit pas mouche. Déception qui devait malheureusement se répéter, quatre ans plus tard, avec *L'Ombre d'un franc-tireur,* de Sean O'Casey.

Aussitôt après la première, Jean Gascon s'était envolé pour New York, où les directeurs du Phœnix Theatre l'invitaient à monter *Lysistrata,* d'Aristophane. Il ne devait rentrer qu'à la fin de l'année, juste à temps pour commencer les répétitions des *Femmes savantes,* de notre auteur maison, Molière. Il se détachait petit à petit de son TNM.

SCÈNE XXVIII

Un auteur québécois en diaspora

Je m'étais involontairement tenu à l'écart du travail et des représentations du *Baladin*, accaparé par la préparation de la mise en scène des *Taupes,* de François Moreau, lauréat du deuxième concours d'œuvres théâtrales du Théâtre du Nouveau Monde. Le jeune auteur vivait en Angleterre. Nous avons communiqué par correspondance, mais nous ne nous sommes jamais vus en chair et en os. Il m'a quelquefois adressé d'autres pièces, à mon goût un peu trop influencées par le courant des *angry young men* des années cinquante-soixante à Londres. Sa dernière lettre, datée de 1993, portait le sceau de l'Île de Man, où il est maintenant installé. Intrigant parcours.

Les Taupes constituent une œuvre âpre, un sombre drame de famille que n'aurait pas renié François Mauriac. Dans une atmosphère de huis clos, cinq personnages s'épient et s'entre-déchirent à l'aveugle, sadiques ou inconscients, victimes ou bourreaux. La jeune fille de la maison couche avec son frère adoptif, sur qui la tante porte un œil voluptueux tout en poursuivant une vieille liaison avec son beau-frère, dont la candide épouse se laisse tromper, ignorante des intrigues sordides qui se déroulent autour d'elle. Faisant finalement triompher la vie, l'auteur termine sa pièce sur l'espoir que les jeunes gens puissent éventuellement s'arracher au vide du gouffre où s'engloutiront les trois adultes.

En accord avec le titre de la pièce, Robert Prévost avait créé un décor hyperréaliste, sorte de galerie souterraine aux tons bruns, marrons et bistres, qu'il affectionnait. Les cinq comédiens s'étaient engagés corps et âme dans ce travail éprouvant : Charlotte Boisjoli, éblouissante et vorace belle-sœur ; Gisèle Schmidt, pathétique épouse trompée ; Georges Groulx, timoré et troublant chef de famille déchu ; Patricia Nolin et Benoît Girard, jeunes amoureux vibrants de désir. J'éprouvai un rare bonheur à les guider dans ce labyrinthe de passions et d'intrigues ténébreuses.

Le résultat fut décevant, même si nos exigences d'ordre artistique pouvaient être satisfaites. Peut-être rebuté par un sujet aussi sombre, le public ne répondit pas à nos attentes. Après vingt-neuf représentations, nous n'avions attiré qu'un peu plus de dix mille spectateurs. Pour éviter de creuser notre déficit, nous devions retirer la pièce de l'affiche.

SCÈNE XXIX

Molière ne répond pas

Avec qui allions-nous nous rattraper ? Molière, évidemment : *Les Femmes savantes*. Molière ne nous a jamais trompés... ou presque. Car, pour moi du moins, *Les Femmes savantes* ne constituent pas un souvenir sans ombre. Excellente production pourtant. Décor et costumes remarquables de Robert Prévost, ensoleillés et joyeux comme la comédie. Mise en scène allègre de Jean Gascon. Jeu enlevé des comédiens. Et pourtant... C'est en fin de compte la pièce elle-même qui m'inspire des réserves, la moins bien réussie des grandes comédies de Molière. On le sait, devant le mépris dont il était l'objet de la part des écrivains dits sérieux, il avait voulu prouver qu'il pouvait écrire, en alexandrins, une œuvre qui respectât les trois unités ainsi que toutes les règles du classicisme. Résultat qui sent son devoir soigneux et appliqué. Reste qu'il ne faut pas faire la fine bouche : c'est tout de même du Molière, robuste et chaleureux. Tel que l'aimait notre public. Tel qu'il l'aime toujours. Plus de trente-six mille spectateurs remplirent nos salles aux trois quarts durant cinquante-sept représentations. Y inclus une soirée spéciale en l'honneur du 50e anniversaire du quotidien *Le Devoir*, à laquelle assistait le grand comédien français, Jacques Dumesnil, qui incarnait un bouleversant Alceste sur une autre scène montréalaise.

Souvenir également assombri que ces *Femmes savantes* par un incident d'ordre personnel. J'arrivai un soir au théâtre, éprouvant une grande lassitude. J'avais trop bu la veille, m'étant couché aux petites heures : je frisais l'épuisement. Attendant, en coulisses, ma première entrée, je sentis subitement mon cœur battre à coups accélérés. Je pris de profondes respirations, espérant qu'une fois en scène, sa légendaire anesthésie allait tout arranger. Rien n'y fit. Je disais machinalement mes répliques de Trissotin, mais j'étais concentré sur mon malaise. Mes membres se glaçaient, privés de circulation. Mon cœur entrait peu à peu en état de fibrillation. Quand, malgré tous mes efforts, je me sentis pris de vertige, je dus me résoudre — ô sacrilège ! — à interrompre la représentation et à me réfugier en coulisses. Au directeur de scène qui se précipitait vers moi, je déclarai tout bonnement : « Je suis en train de mourir ! » Et de fait, c'est ce que je croyais. Un médecin, mandé de la salle, me fit boire un demi-verre de rye whisky, avant qu'on ne me transporte à l'Hôtel-Dieu. À mes côtés dans l'ambulance, André Gascon était secoué de sanglots.

À l'hôpital, je fus accueilli par ma femme Monique et par mon fidèle frère René, qui m'injecta un sédatif tellement puissant qu'à peine l'aiguille introduite dans ma veine, je me sentis littéralement assommé comme par un coup de massue. Ils me laissèrent seul. À intervalles réguliers, une nurse venait vérifier si je dormais. Derrière mes paupières baissées, je percevais le rayon de la lampe de poche qu'elle dirigeait vers moi. Je finis par m'assoupir. Soudain, je sentis une présence à mes côtés et j'entendis une voix chuchoter : «Jean-Louis, c'est R.!» Cette R. me poursuivait depuis plusieurs mois, m'appelant au téléphone, m'écrivant, me donnant des rendez-vous au balcon du théâtre, me laissant partout des messages. Elle avait appris mon malaise par les nouvelles télévisées. Comment pouvait-elle se trouver, aux petites heures, dans ma chambre d'hôpital? Je sus, par la suite, qu'elle avait forcé le poste de garde en affirmant être ma femme. Cette nuit-là, le ton sur lequel je lui dis de me laisser tranquille fut sans doute si désespérément sincère qu'elle vida les lieux sans ajouter mot.

Le lendemain, j'appris que j'étais un angoissé et que j'avais été victime d'une crise de «tachycardie paroxysmique». L'homme de la rue aurait tout simplement dit que mon cœur «m'avait débattu». Quelques jours plus tard, les spectateurs de la représentation interrompue étaient invités à revenir voir la pièce. Mais il me fallut de nombreuses années pour que ne m'étreigne plus, attendant mon entrée en scène, l'angoisse de cette affolante chamade. Ce cher Roger Langlois, notre regretté technicien du son, mort prématurément dans son sommeil, rigolait doucement de me voir arpenter à grand pas le fond du théâtre pour conjurer ce trac nouveau genre.

SCÈNE XXX

Lorsque fuit la joie

Les deux dernières productions de cette fin de saison ont sans doute grandement contribué, pour des raisons inverses, à ma décision de quitter le théâtre, environ trois ans plus tard : *Pantagleize,* de Michel de Ghelderode, et *Histoire de rire,* d'Armand Salacrou.

Certains critiques nous reprochaient notre manque d'audace dans le choix de notre répertoire. Yéri Kempf, entre autres, ce Breton bretonnant et royaliste qui était entré à *Cité libre* sur ma recommandation, ne cessait de faire des comparaisons à notre détriment avec de plus jeunes troupes comme L'Égrégore et Les Apprentis sorciers. Je résolus de relever le défi et de monter un Ghelderode, dont la rencontre à Bruxelles me restait vive en mémoire. Mon choix se porta sur *Pantagleize,* sous-titré «vaudeville attristant». Kempf n'en désarma pas pour autant, nous accusant d'opter pour un dramaturge qui n'était plus contemporain, puisqu'il était né au siècle précédent et que sa pièce avait été créée en 1929. Valait mieux le laisser aboyer et faire notre travail.

Ce n'était pas gagné d'avance : jamais le TNM n'avait arpenté ces sentiers, s'étant jusque-là limité au théâtre dit «psychologique». Or, *Pantagleize* était résolument épique, répondant avant la lettre à la description du genre par Brecht. Des personnages qui se dépassent, pleins de contradictions, et auxquels les spectateurs ne sont pas invités à s'identifier. Une action heurtée, sans véritable fil conducteur. Illusion théâtrale résolument abolie. Le Conseil d'administration — à toutes fins utiles Jean et André Gascon — hésitait. J'inventai donc en quelque sorte la formule du théâtre autogéré : le TNM ne paierait que l'aspect physique de la production, les créateurs et les artistes n'acceptant d'être rémunérés que suivant la disponibilité de la recette. Ce qui fut accepté. Et je me lançai dans l'aventure, tête première, avec la complicité de Robert Prévost, de François Barbeau, de Guy Lécuyer, de Georges Groulx et d'une vingtaine d'étudiants de son atelier, dont Ronald France, Rachel Cailhier, Jacques Kanto et Jean Doyon. Ainsi qu'un nouveau venu, sorti de *Boscoville* : Michel Forget.

Je me remis en contact avec l'auteur. Nous échangeâmes quelques lettres. Il commença par se référer à «l'impression laissée par les représentations si saines, si vivaces du Nouveau Monde». Mais, ajoutait-il, il y a aussi celle «d'être joué pour la première fois par des Français véritables». Comme on le voit, Ghelderode se laissait aller au romantisme. Il concluait plus simplement : «Quoi qu'il y ait, ce sera beau — je le sais — puisque seul vous anime l'amour du théâtre, qui est une forme de l'amour du prochain : un geste vers les hommes — non pour leur plaisir (le plaisir abaisse) mais pour leur joie (la joie qui élève).»

Plus tard, il m'expédiait une carte postale, représentant la gare maritime d'Ostende, dans laquelle il parlait de l'Art comme «instrument de paix et de concorde». Avec une telle extraordinaire communion d'esprit, comment ne pas être inspiré?

Je me trouvais toutefois en pays neuf et me laissais aller à l'improvisation, jouant toujours franc jeu avec un style qui me désorientait. Je ne contournais pas les difficultés. Je fonçais dedans. J'acceptais ce monde où l'éclairage monte lorsqu'on souffle les

bougies; où les conjurés communiquent par sémaphore et par
«alphabet phoque»; où est utilisé un langage voisin de l'*exploréen*
de Claude Gauvreau, quelque vingt ans avant ce dernier. Dépaysement qui finit par m'enchanter, au sens féérique du mot, exalté
et soutenu par toute la merveilleuse équipe qui m'entourait, le
généreux Georges Groulx en tête.

    Pantagleize est un personnage que Ghelderode qualifie
de «pathétique et malicieux garçon», cousin de Charlot. Un
matin au réveil, il déclare à son valet «nègre» que la journée
promet d'être belle, ignorant que par cette formule il
déclenche la révolution et s'en révèle être le chef.
Finalement, il en sera surtout la victime. «Cette pièce
a-t-elle un sens, une morale, se demande l'auteur dans un
texte inédit qu'il me communiqua? Si l'on veut, oui, bien
que ce ne soit pas nécessaire une morale, au théâtre : c'est
même nuisible souvent, du moins une morale trop visible
et qui trop insiste! Cette morale d'une triste histoire — et
l'histoire des hommes est toujours triste, absurde et pleine
de fracas, Shakespeare l'affirme! — c'est que, dans notre
siècle atomique et d'autodésintégration, ce siècle d'où sont
bannis les rêves et les rêveurs au profit du cauchemar
scientifique et des bénéficiaires de l'horreur future, un
bonhomme comme Pantagleize devient un archétype,
un homme exemplaire, voire un exemplaire de luxe par sa
rareté, qui accorde peu à la dangereuse intelligence et
beaucoup à l'instinct salvateur; il est humain dans un âge
où tout se déshumanise; il est le dernier poète, et le poète
est celui qui croit aux voix célestes, à la révélation, à notre
origine divine; il est l'homme qui a gardé le trésor de ses
enfances dans le cœur et qui traverse en toute candeur les
catastrophes; il se rattache à Parsifal par la pureté et la
noblesse d'âme, et à Don Quichotte par le courage et
la sainte folie. Et s'il meurt c'est que, dans notre temps
particulièrement, les Innocents doivent être massacrés : c'est
la loi, depuis Jésus! Amen!»

Voilà de quel ton de visionnaire s'exprime Ghelderode. Ton
qu'il emploie pour fustiger aussi bien la répression que les
insurrections qui battent pavillons aveugles. Cela n'eut pas l'heur
de plaire ni à la critique en général, ni aux marxistes-léninistes de
salon qui commençaient à pousser sur les barricades bourgeoises
de la Révolution tranquille. J'avais cru avoir quelque meilleure
chance de réussite auprès d'un jeune public. Erreur. Lors d'une
discussion avec les étudiants après une représentation, je fus assailli
de remarques tâtillonnes au sujet de tel détail de mise en scène et

de tel mouvement de comédien. Excédé, je reprochai à mes contradicteurs d'avoir un esprit de censeur et de ne plus être capable d'enthousiasme. Et je quittai les lieux avec fracas, sous de chaleureux applaudissements, me faut-il préciser.

Malheureusement, après quatorze représentations et trois mille trois cents spectateurs, *Pantagleize* quitta l'affiche. Aucun artiste ne fut rémunéré. Aucun ne s'en plaignit le moindrement. Et *Pantagleize* reste pour moi l'un de mes plus beaux souvenirs, de même que l'une de mes plus grandes déceptions de théâtre.

Un mois plus tard, je me retrouvais à plat avec *Histoire de rire* d'Armand Salacrou. À part *La Terre est ronde*, où il laissait poindre un souffle épique, et ses documentaires comme *Les Nuits de la colère* et *Boulevard Durand*, cet auteur prolifique n'employa guère qu'un style boulevardier amélioré, qui masquait trop bien celui du moraliste acerbe. «Cette double aventure de deux jeunes femmes qui quittent leurs maris et qui leur reviennent» ne constitue rien de plus qu'un drame habilement écrit, inspiré de l'inépuisable sujet de l'adultère. Le TNM, que je me plaisais de rêver, n'aurait jamais dû y consacrer son temps, ses maigres ressources et ses énergies.

Toutes ces réserves, à propos du répertoire du TNM de l'époque cinquante-soixante sont exprimées *a posteriori*, c'est-à-dire en m'inspirant de données qu'une certaine expérience m'a depuis procurées. À quoi servirait un recul de plus de quarante ans, s'il ne permettait de me livrer à plus mûre réflexion? Mais je dois à la vérité d'insister sur le fait qu'à l'époque, si j'éprouvais des doutes au sujet de quelques-uns de nos choix, je ne les exprimais en tout cas qu'avec peu de conviction ou pas du tout. Ce silence ou cette tiédeur me rendaient complice, d'autant plus qu'en acceptant de jouer dans ces pièces, j'y donnais mon aval.

Mince consolation : *Histoire de rire*, avec onze représentations de plus, ne parvint même pas à mille spectateurs au delà de ceux que *Pantagleize* avait attirés, faible indice de fréquentation de 20 p. 100, pour Salacrou, en comparaison de 40, pour Ghelderode. La neuvième saison ne comptait donc qu'un seul franc succès : *Les Femmes savantes*.

SCÈNE XXXI

Quand revient momentanément la joie

À l'été 1960, les Festivals de Montréal, entreprise vieille de vingt-cinq ans assez largement subventionnée par les pouvoirs publics et les mécènes, nous offrait une planche de salut. Une partie de la production étant payée, nous pouvions nous lancer dans la réalisation d'un audacieux projet : *Le Dindon,* de Georges Feydeau. Dix-neuf comédiens, trois décors importants et près de quarante costumes. Alors là, «le pied»! si je peux me permettre cette vulgarité. C'est la première fois que nous abordions Feydeau et l'accord fut complet, probablement parce que nous y retrouvions le même souci que chez Molière : celui de plaire au public tout en lui présentant un tableau assez implacable de ses mœurs. J'écrivais dans le programme : «Georges Feydeau : un de ces auteurs heureux, totalement heureux, qu'il fait plaisir de jouer. Heureux non seulement parce que ses pièces sont gaies — voire même folles —, mais aussi parce qu'il provoque le rire à coup sûr. Quelle logique dans l'absurde! Il y a dans les pièces de Feydeau — et dans *Le Dindon* en particulier —, des éclats, du scintillement, des feux d'artifice, des explosions partout. C'est un auteur d'ère atomique.»

Le coup d'envoi du *Dindon* est pour ainsi dire anodin : un dragueur poursuit une jolie femme jusque chez elle, pour découvrir que le mari est un de ses meilleurs amis. Mais plutôt que d'arrêter les frais, il s'obstine. Et c'est lancé : le voilà pris, lui et son entourage, dans l'engrenage meurtrier des situations embarrassantes, des sombres impasses et des méprises plus cocasses les unes que les autres.

Jean Gascon se retrouvait en un domaine où il se mouvait avec une aisance totale : l'invention comique. Dans la gracieuse volière enrubannée que Théo Aras avait imaginée comme décor, dans les costumes aux couleurs contrastées de Claudette Picard, il orchestrait un tourbillon vertigineux dans lequel les comédiens étaient irrésistiblement entraînés, avec un sens du dosage qui rappelait les fameux crescendo de Rossini. On croit avoir atteint le paroxysme. Mais non : il y en a toujours davantage. Encore un peu, on demanderait grâce.

Il faudrait mentionner tous et chacun des interprètes, du plus petit rôle aux principaux. Chez les hommes : Guy Hoffmann, Jean Dalmain, Roger Garceau — délicieux jeune premier comique —, Jacques Auger — étonnant de fantaisie. Je prenais un énorme plaisir à jouer Soldignac, un Anglais d'origine marseillaise, et Jean Gascon s'en donnait à cœur joie en Gérôme, valet moralisateur d'un fêtard en voie de repentir. Chez les femmes : Monique Lepage, Denyse Saint-Pierre, Monique Leyrac — maîtresse pugiliste —, Janine Sutto — vieille sourdingue en bonnet de nuit.

Après cinq soirées aux Festivals de Montréal, nous réintégrions l'Orpheum pour une série de soixante-dix-sept représentations. Au total, près de soixante mille spectateurs remplirent nos salles à plus de 85 p. 100. De quoi redorer nos coffres vides et nous remonter le moral !

Pourtant, *Le Dindon* faillit bel et bien marquer la disparition du Théâtre du Nouveau Monde. Nous en avions, comme il se devait, sollicité les droits de représentations auprès de la Société des Auteurs. Mais imprudents, nous n'avions pas attendu la réponse avant de nous engager dans la production, ignorant de toute évidence que la Comédie-Française était détentrice de droits exclusifs sur *Le Dindon*, l'une des pièces inscrites au répertoire de sa tournée projetée aux États-Unis et au Canada.

Quand la tuile nous tomba dessus, nous avions déjà commencé les répétitions et investi des sommes considérables. Trente mille dollars de l'époque, l'équivalent d'un quart de million de nos jours : nos liquidités étaient assséchées et notre crédit, épuisé. C'est la façon dont nous étions forcés de procéder, toujours sur la corde raide. Impossible de nous rabattre sur un autre choix. Quant à renoncer, c'était ni plus ni moins que la faillite. Aucun recours possible : nous étions acculés au mur.

Nos premières tentatives auprès du Théâtre-Français furent infructueuses. Nos illustres camarades nous accusaient de mauvaise foi, déclarant qu'ils ne s'attendaient pas à de tels procédés de la part de gens qui, par ailleurs, se prétendaient leurs amis. En dernier recours, il fut décidé que Jean Gascon ferait un voyage éclair à

Paris. Sur place, il ne parvenait même pas à obtenir un rendez-vous de Maurice Escande, administrateur de la Maison de Molière. Il fallut l'intervention de l'ambassadeur du Canada pour forcer sa porte. Heureusement, les discussions finirent par clarifier la situation. Escande comprit qu'il serait mal perçu que la Comédie-Française préside à l'enterrement du Théâtre du Nouveau Monde, et renonça élégamment à son exclusivité sur *Le Dindon*. Peut-être, après tout les sociétaires du Théâtre-Français avaient-ils raison de s'alerter : quand ils présenteront leur *Dindon* à Montréal, les critiques ne manqueront pas d'établir des comparaisons... en notre faveur.

SCÈNE XXXII
Un prestidigitateur italien

Le succès de Feydeau nous amena presque à la fin de l'hiver 1960. Troupe nomade, le Théâtre du Nouveau Monde devait alors quitter l'Orpheum pour se réfugier à la Comédie-canadienne. Comme deuxième spectacle de la dixième saison, après cette longue intrusion dans la farce, le choix de Jean Gascon était tombé sur *Chacun sa vérité* de Pirandello, lui aussi nouveau venu au TNM. Fascinant Pirandello! Éblouissant jongleur d'idées, philosophe prestidigitateur, mystificateur de génie qui finit toujours par nous abandonner en déséquilibre, incapable de reprendre appui dans le monde de la réalité quotidienne.

Chacun sa vérité pourrait, au départ, être signé d'Agatha Christie. Dans une petite ville italienne, vient se réfugier le couple Ponza, accompagné de madame Frola, belle-mère du chef de famille, prétendument chassés de leur village détruit par un tremblement de terre. Rapidement se tisse un voile de mystère autour de ce trio nouvellement implanté dans une minuscule localité où tout le monde se connaît ou croit se connaître. Quelle est la cause réelle de ce changement subit de domicile? Pourquoi la belle-mère n'habite-t-elle pas avec le couple? Pourquoi ne communique-t-elle avec sa fille qu'au moyen de billets déposés dans un panier, hissé au bout d'un fil? Cette madame Ponza est-elle bien la fille de madame Frola? Ne serait-elle pas plutôt la deuxième femme que son mari a épousée après la mort d'une première qui, elle, aurait eu madame Frola comme mère? Quel secret inavouable masque le mutisme avec lequel Ponza accueille toutes les questions des autorités civiles et policières ? On ne le saura jamais. Car, contrairement à Agatha Christie, Pirandello est d'avis que la vérité est impossible à connaître, que les êtres nous échappent et que, par le jeu même de notre pensée, nous ne pouvons nous en fabriquer qu'une idée superficielle ou déformée. À chacun son miroir. À chacun sa vérité. Fidèle à lui-même, Pirandello fait dire à madame Ponza, à la fin de la pièce : «Je suis la fille de madame Frola... et la deuxième femme de monsieur Ponza. Et pour moi, je ne suis personne, personne... Je suis celle que l'on me croit!» Laudisi conclut, parlant sans doute au nom de l'auteur : «Voilà, mesdames et messieurs, comment parle la vérité! Êtes-vous satisfaits?» Et il éclate de rire, comme tombe le rideau. Pour le moins déroutant.

Était-ce dû au fait que nous avions changé de lieu ou à la résistance du public devant un sujet aussi ardu ? Devant un auteur aussi prolixe ? Malgré les qualités de la production, Pirandello n'attirera pas cinq mille spectateurs en vingt-trois représentations. Il nous aurait fallu nous poser des questions, essayer de comprendre pourquoi Pirandello, Ghelderode, Otway échouaient là où parvenaient à plaire Feydeau, Molière, Claudel, Tchekhov. Mais le temps nous manquait, ou l'esprit critique, ou les moyens ou les structures pour nous lancer dans un tel examen qui nous aurait amenés sinon à modifier notre mission, du moins sans doute à essayer de renouveler et d'élargir notre public vieillissant et restreint.

SCÈNE XXXIII
De revers en revers

La saison se termina par un autre échec, une version réduite de L'Orestie d'Eschyle, adaptée et dirigée par Jean-Pierre Ronfard. Il n'y avait pas un an que Jean-Pierre était arrivé à Montréal où l'avait attiré Michel Saint-Denis, conseiller artistique des fondateurs de l'École nationale de théâtre du Canada. Nous recherchions un directeur de la section française de la nouvelle institution. Jean Gascon, qui en était le directeur général ne pouvait pas cumuler les deux fonctions. Je ne me sentais pas une âme d'éducateur, et les autres candidats éventuels ne répondaient pas aux exigences de notre comité de recherche. C'est alors que Michel Saint-Denis nous avait déclaré connaître « une espèce de fou de génie » qui ferait peut-être l'affaire. C'était Jean-Pierre Ronfard, agrégé de lettres qui, pour le moment à Paris, montait des spectacles médiévaux avec des camarades et des élèves de la Sorbonne. C'est ainsi que Jean-Pierre se retrouva parmi nous. Aussitôt, je me découvris quelques affinités personnelles avec le nouveau venu. De même que lui de son côté, avec moi, je crois, bien que nous fussions en apparence à mille lieues l'un de l'autre. Il devait devenir un ami précieux, un de ceux sur qui on peut compter en toutes circonstances. Ils sont rares.

Oreste ou *Les Choéphores,* d'Eschyle, (déformé en *Le Chien est fort* par un spectateur qui s'en enquérait au téléphone) constituait une production téméraire et somptueuse. Le thème principal de la pièce se réfère à une préoccupation constante, profonde et universelle de l'humanité : la recherche de la justice. En procédant à une nouvelle traduction de l'œuvre et en la dirigeant, Jean-Pierre avait tenté de la décaper de son enduit de grand classique intouchable. Robert Prévost avait créé un dispositif, des masques et des costumes qui nous transportaient dans un monde antérieur d'incantations, de destin implacable et de sacrifice expiatoire. Gabriel Charpentier avait fait appel aux sons électroniques pour soutenir le lyrisme du propos, et Suzanne Rivest avait réglé les mouvements des interprètes. Car dans cette production, il n'y avait rien de commun avec quelque naturalisme ou réalisme que ce soit, et tout devait correspondre à l'idée du maître d'œuvre. Les interprètes — Albert Millaire, Jean-Louis Millette, Yves Massicotte, Dyne Mousso et Charlotte Boisjoli en tête — s'étaient engagés presque religieusement dans le long travail de préparation et de répétition.

Mais dès les premières représentations, Dyne Mousso et Charlotte Boisjoli refusent de porter leurs masques, sous prétexte de claustrophobie. J'essayai en vain de les en dissuader. Qu'on m'entende bien : je ne dis pas que c'est ce qui a causé l'insuccès d'*Oreste.* C'en était le premier signe plutôt. Devant un accueil enthousiaste, l'épreuve de l'espace hermétiquement clos, créée par le port des masques, aurait sûrement été surmontée. Mais la réception du public se révéla plus que tiède. Les jeunes, sur qui comptait Jean-Pierre Ronfard, n'étaient pas présents au rendez-vous.

Douze représentations, trois mille trois cents spectateurs. Ainsi se soldaient des semaines et des semaines de travail. Peut-être, aujourd'hui, cette courageuse entreprise trouverait-elle son public. Mais où est le «fou de génie» qui s'y lancera?

SCÈNE XXXIV

C'en est trop

Durant la dixième saison du TNM, se situe un incident qui ajouta à mon malaise, de plus en plus vivement ressenti. Nos amis du Piccolo Teatro di Milano étaient à New York avec leur inépuisable *Arlequin serviteur de deux maîtres*. Pour l'avoir vue à Édimbourg cinq ans auparavant, cette production, qui se promenait triomphalement dans le monde entier, nous était connue. Histoire de renouveler l'«exploit» Marceau, nous décidâmes de jouer une deuxième fois les imprésarios en goupille avec Nicholas de Koudriavtzeff.

Je fus délégué à New York pour discuter d'arrangement avec le représentant américain du Piccolo. Rencontre cordiale : en quelques heures, tout est réglé jusqu'au cachet hebdomadaire de la Compagnie. Poignées de mains : il ne reste plus que les signatures à apposer au bas d'un contrat. Mais en rentrant à Montréal, j'apprends que par le jeu de leur priorité au moment de la prise des votes, Jean et André Gascon ont renversé la décision bel et bien prise à une réunion antérieure. Je pouvais m'imaginer ce qui s'était produit : l'administrateur inquiet avait convaincu le directeur indécis. Il arrivait fréquemment à Jean Gascon de balancer de la sorte d'une décision à l'autre. Cela faisait partie de sa personnalité et n'enlevait rien à son talent, mais c'était quelquefois irritant. Il me fallut expliquer au téléphone, à mon interlocuteur de New York, que je m'étais trop avancé et que le Conseil d'administration du TNM, non seulement n'entérinait pas nos accords, mais renonçait au projet purement et simplement. J'essuyai l'engueulade la plus humiliante qui m'ait jamais été adressée. Je ne pus qu'encaisser, silencieux et rageur.

SCÈNE XXXV

Le journalisme conduit à tout, même au théâtre

Le troisième concours d'œuvre dramatique du Théâtre du Nouveau Monde marqua une autre surprise. Le lauréat était le journaliste chevronné, André Laurendeau, avec une pièce intitulée *Deux Femmes terribles*, dont la mise en scène m'échut naturellement. Quand j'accepte de m'engager dans une production au théâtre, je m'abstiens de critiquer l'œuvre concernée. S'il s'agit d'une création, j'en discute avec l'auteur; bien sûr, je peux proposer des modifications. Mais passé un certain délai, je fonce et ne me soucie d'aucune réserve. Il me serait autrement impossible d'apporter l'ardeur requise par la nature du travail.

Ce n'est donc qu'une fois le rideau baissé sur la dernière de ces *Deux Femmes terribles*, pièce avec laquelle s'ouvrit notre onzième saison, que je me permis de m'étonner qu'un journaliste, qu'un analyste aussi fin, aussi perspicace, aussi clairvoyant que Laurendeau s'engage dans une forme théâtrale aussi traditionnelle. Sa pièce cadrait bien dans un théâtre psychologique d'inspiration bourgeoise et aurait pu être écrite durant les décennies vingt et trente, quand triomphait Bernstein dans son Théâtre des Ambassadeurs. Elle ne témoignait d'aucune préoccupation des recherches formelles qui inspirèrent les principaux dramaturges d'après-guerre : Ionesco, Beckett, Handke, Arrabal ou autres. Pour un homme dont le regard était, en matière politique et sociale, fixé sur l'avenir, il y avait là une étrange méconnaissance de l'évolution de l'art théâtral contemporain.

Cependant, à l'ouverture de la onzième saison, je m'interdis semblables réflexions et me concentrai sur les qualités de *Deux Femmes terribles*, qui en abondait. La langue d'abord : directe, vive, concise. La construction : solide, voire habile. Les personnages bien typés, dont l'opposition favorisait un excellent rapport de forces. Et surtout, le thème. Inspiré par la fin tragique de son beau-frère, l'avocat Jacques Perrault, Laurendeau avait écrit un drame d'amour. Ou plutôt, un drame du couple. Par son propos, l'auteur semblait en venir à la conclusion qu'époux et épouse, maîtresse et amant devaient renoncer plus ou moins rapidement à leur soif d'absolu, à leurs exigences mutuelles. Sinon, l'homme ou la femme finit par dévorer l'autre, à moins qu'il ne l'humilie et ne le mutile. Et dans ce combat singulier, la femme prend souvent le dessus : c'est le coup de la mante religieuse. Difficile de vivre ensemble, et rare que l'on soit fait l'un pour l'autre. Propos grave d'un homme mûr et désabusé, qui n'eut pas de résonnance dans notre public. La pièce traîna pendant vingt-deux représentations sans parvenir à attirer plus de quatre mille cinq cents spectateurs.

Deux Femmes terribles me permit heureusement de mieux connaître André Laurendeau, homme attachant, timide, plein d'humour, aux yeux creux d'insomniaque et au sourire doux et délicat. Il aimait beaucoup assister discrètement au travail de répétitions, découvrant un monde qui le séduisait, celui des artistes, dont il aurait pu faire partie, eut-il développé ses dons de musicien plutôt que d'opter pour le journalisme. Il nous arrivait de nous attarder au restaurant, en fin de soirée, et de bavarder amicalement. De Tchekhov, entre autres, dont il faisait mine de ne pas comprendre la fascination qu'il exerçait sur les comédiens, sans doute pour nous provoquer à nous en expliquer. À d'autres occasions, la conversation se faisait légère. Je lui annonçai que j'avais l'intention de sous-titrer sa pièce : *En attendant Renaud*, puisque ce personnage était, comme l'Arlésienne et comme Godot dans la pièce de Beckett, celui dont on parle constamment sans jamais le voir. Il s'en amusa franchement. Je me suis toujours demandé, et je me demande encore, où André Laurendeau se situerait dans nos épuisants débats constitutionnels. Je crois qu'il serait du côté des fédéralistes et qu'il combattrait les sécessionnistes, tout en souhaitant que les uns et les autres fassent preuve de pondération, et sachent éviter la rigidité fondée sur une tradition vétuste comme les croisades stériles inspirées de droits collectifs illusoires.

En plus de diriger *Deux femmes terribles*, j'y jouais. Et mes instants libres des derniers mois avaient été entièrement consacrés à la préparation d'un disque et d'un album en commémoration de la première décennie de la Compagnie. L'album, préparé avec Éloi de Grandmont et Normand Hudon, comporte surtout des photos avec légendes de chacun des spectacles, produits d'octobre 1951 à mai 1961, et le disque est constitué d'extraits des plus grands succès de ces premiers dix ans. Lorsque ce fut possible, j'utilisai des enregistrements d'époque réalisés en représentation, comme pour les Molière. Sinon, il fallait refaire des scènes devant le micro. Ainsi de *La Mouette*, pour laquelle je réussis, de peine et de misère, à convaincre Dyne Mousso de jouer, dans un studio de radio, sa scène d'adieu avec Kostia. Je n'ai jamais vu comédienne autant souffrir : elle en tremblait de tous ses membres. Mais le résultat est bouleversant.

SCÈNE XXXVI
Triomphe de Brecht

Brecht fit son entrée au Nouveau Monde avec *L'Opéra de quat' sous*. Il y eut un battement d'une dizaine de jours entre la dernière de la pièce de Laurendeau et les premiers filages sur scène de celle de Brecht, qui marquait officiellement le dixième anniversaire de fondation du Théâtre du Nouveau Monde. Je me tins donc forcément à l'écart de sa conception. *L'Opéra* avait mijoté dans l'esprit de Jean Gascon depuis son rejet par le recteur du Collège Saint-Marie, quatre ans plus tôt. Il s'y attaqua avec une furieuse passion. Quand, spectateur au regard neuf, j'assistai à l'une des dernières répétitions du spectacle, avant que le public n'y fût admis, j'en fus émerveillé. Que j'enviais Jean Gascon, sans cependant me résoudre à le lui dire, d'être aussi inspiré comme metteur en scène ! Dès le premier instant, lorsque j'entendis la complainte d'ouverture chantée par Gabriel Gascon, je pouvais prédire que ce serait un triomphe :

> *Le requin, lui, a des dents,*
> *Mais Mackie a un couteau ;*
> *Le requin, lui, montre ses dents,*
> *Mais Mackie cache son couteau.*

Et triomphe il y eut. Pour Jean Gascon, autant pour sa direction que pour son interprétation du rôle de Mackie, dans la peau duquel il se sentait comme un poisson dans l'eau. Pour Monique Leyrac, dont la voix sensuelle faisait merveille dans celui de son amoureuse, Polly. Pour Guy Hoffmann, ahurissant chef de police de carrousel. Pour tous et toutes : Germaine Giroux, Jean Dalmain, Pauline Julien, Powys Thomas et les autres. Pour Monique Mercure, qui devait remplacer brillamment, au pied levé, une

Monique Leyrac victime d'une fracture à la jambe. Pour Robert Prévost, dont le décor ingénieux permettait des changements de lieux instantanés, et dont les costumes recréaient ce qu'on pouvait imaginer être l'atmosphère de Berlin dans les années vingt. La critique fut unanime, sauf pour certains de nos détracteurs endurcis qui trouvaient moyen de souligner le ridicule de voir, le soir de la première officielle, *L'Opéra de quat' sous* joué devant un parterre de smokings et de robes de bal. Ils se trompaient d'ailleurs : le marxiste Brecht eût été ravi de ce contraste. On ne prêche avec mérite qu'à des incroyants.

SCÈNE XXXVII
Le bon sens l'emporte au Sénat

Le mardi 21 novembre 1995

Retour au présent : samedi dernier, coup de fil en catastrophe d'Al Graham, leader adjoint du gouvernement à la Chambre haute. Il me prie de faire une intervention lorsque sera débattu le rapport du Comité permanent des Affaires juridiques et constitutionnelles du Sénat au sujet du projet de loi C-68 « concernant les armes à feu et certaines autres armes ». Je le fais d'autant plus volontiers que, si le Rapport est rejeté, la loi pourrait être enfin adoptée en troisième lecture et s'appliquer après la sanction royale.

Je commence mon intervention en m'étonnant, à titre de néophyte, qu'un projet de loi qui vise des buts aussi incontestablement méritoires provoque le moindre désaccord :

> « Pourquoi cette opposition persistante, me demandaije ? Comme je ne doute pas de la sincérité des sénateurs, des citoyens et des citoyennes, ainsi que des associations qui s'opposent toujours au projet de loi C-68 dans sa forme actuelle, je ne peux qu'en conclure que cette attitude est attribuable à une mauvaise perception et à une mauvaise information, ainsi qu'à l'intervention intempestive, en la matière, de la toute-puissante *National Fire Arms Association* qui a dépensé des sommes considérables pour faire valoir son point de vue, émettant, entre autres, l'idée ridicule et saugrenue de fournir des armes aux femmes afin qu'elles puissent se protéger efficacement d'éventuels assauts criminels. Ce serait à mourir de rire, si ce n'était aussi désolant. »

Je reviens ensuite brièvement au délicat sujet des nations autochtones, dont les représentants et défenseurs d'un côté et de l'autre du Sénat s'opposent farouchement à C-68 :

« … J'ai le plus grand respect, la plus grande admiration et la plus grande estime pour les autochtones, bien que je déplore mon manque de familiarité avec leur façon de vivre, de penser et de travailler. Je considère que leurs soucis de préservation des droits qui leur sont conférés par la Charte sont parfaitement légitimes. Mais bien que je ne sois pas en mesure d'établir la relation entre le projet de loi C-68 et les droits autochtones, je crois que bon nombre des problèmes évoqués ont plutôt rapport avec l'implantation et l'administration de la loi qu'avec la loi elle-même.

« L'actuelle entente constitutionnelle donne pleins pouvoirs au gouvernement fédéral en matière de justice pénale; et l'exercice légitime de ce pouvoir s'étend aux mesures de contrôle d'utilisation et de possession des armes à feu. Il faut reconnaître — et les autochtones seront sans doute les premiers à l'admettre — que leurs communautés ne sont pas à l'abri des problèmes de criminalité, de violence et de blessures accidentelles infligées par les armes à feu. Compte tenu de l'aisance avec laquelle circulent les armes au Canada, et compte tenu de l'inefficacité évidente de lois morcelées, comme il en existe aux États-Unis, des contrôles uniformes sont essentiels pour assurer la sécurité de la population tout entière. Le projet de loi C-68 marque un net progrès dans le bien-être de chacun des individus qui vit sur le territoire canadien. De même, selon moi, fournit-il des mécanismes convenables, tout en assurant aussi le respect des droits des autochtones. »

J'aborde le sujet des pénalités prévues en cas de transgression de la loi. Je fais valoir qu'à mon avis, l'amendement proposé par le rapport du Comité du Sénat à ce chapitre protège les criminels bien davantage que les honnêtes citoyens — fermiers ou chasseurs —, propriétaires de fusils ou de carabines, contre qui seraient intentées des procédures légales s'ils omettaient de les enregistrer. Je poursuis :

« C-68 ne constitue pas un fardeau exagéré pour les propriétaires d'armes, et il protège leurs activités légitimes tout en veillant à ce que ne soit pas menacée la sécurité publique. Même si certaines associations proarmes prêchent la transgression de la loi, comme en témoigne la publication *Firearms Digest,* nous ne devons pas davantage céder devant de telles menaces que nous ne le ferions devant une fraude fiscale ou devant une transgression des règlements sur la conduite en état d'ébriété.

«… Les honnêtes citoyens qui ne payent pas leurs impôts peuvent devenir des criminels; de même que ceux et celles qui reçoivent des prestations de bien-être social ou d'assurance-chômage, sans déclarer leurs revenus. Pourquoi en serait-il autrement des honnêtes propriétaires d'armes? Ils n'ont qu'à faire comme tous les citoyens et toutes les citoyennes du Canada : se soumettre à la loi.

J'en viens finalement à conclure :

«Honorables sénateurs, il est de notre devoir de bonifier les projets de loi qui nous sont confiés après adoption à la Chambre des Communes. Or, dans le cas qui nous intéresse, aucun des amendements recommandés ne contribue à bonifier, non plus qu'à améliorer le projet de loi C-68, prévoyant des contrôles plus sévères de possession et d'utilisation d'armes à feu. Lorsque nous voterons l'adoption ou le rejet de ce rapport, lorsque nous aurons à entériner ou à refuser les amendements proposés, je vous conjure d'oublier tout esprit partisan; de songer, notamment, à faire droit posthume aux quatorze femmes de l'École polytechnique de Montréal, immolées par un tueur fou, le 6 décembre 1989, ainsi qu'aux quatorze cents autres victimes qui meurent atteintes de balles tirées d'une arme à feu, chaque année au Canada. Je vous conjure de songer à la sécurité des citoyens et des citoyennes du Canada, de songer à leur désir de mener une vie pacifique et heureuse. Je vous conjure de rejeter les amendements proposés au projet de loi C-68 et de l'adopter, sans plus tarder, tel qu'il est actuellement rédigé. Nous devons bien ça au Canada, l'un des pays au monde où il fait encore meilleur vivre que partout ailleurs au monde.»

Ne serait-ce que pour cette seule intervention, ma présence au Sénat du Canada serait justifiée, me semble-t-il.

Le vote final a lieu le lendemain, 22 novembre. Il faut saisir la complexité des règles du jeu qui se déroule entre les deux Chambres. Si le rapport du Comité est accepté — c'est-à-dire si des amendements sont proposés au projet de loi tel qu'adopté aux Communes —, il y sera renvoyé. Comme ces amendements concernent le fond du projet, ils seront vraisemblablement rejetés en totalité ou en bonne partie par les députés libéraux et le projet de loi reviendra devant le Sénat, qui aura le choix de renoncer à ses amendements ou de les maintenir. Dans le premier cas, le projet prend force de loi. Dans le second, il devient caduc et devra être de nouveau présenté aux Communes et recommencer son cheminement. Ce va-et-vient peut sembler n'aboutir en fin de compte à rien d'autre qu'à une perte de temps. Néanmoins, il constitue la garantie démocratique qu'une loi ne sera jamais adoptée à la légère.

La procédure du scrutin est conçue comme un véritable suspense. Le Président commence par demander un vote à voix haute. Les sénateurs qui favorisent l'adoption du rapport du Comité et donc des amendements (dans le cas de C-68, les Conservateurs) s'écrient d'abord en cœur : « Yea! » De même ceux qui s'y opposent et soutiennent conséquemment la loi telle quelle (les Libéraux) : « Nay! ». À moins qu'il y ait évidence ou que la question mise aux voix n'en soit une que de routine, le Président annonce que le vote à voix haute n'est pas concluant et qu'il procédera au vote nominal. On convient d'un délai, vingt à quarante minutes, et la cloche se met à résonner dans les couloirs du Sénat. C'est alors que commence le travail des *whips*, d'un côté et de l'autre de la Chambre : ils ont pour tâche de rameuter le plus de membres possible de leur parti respectif. Dans la situation actuelle de la répartition des sièges au Sénat, une seule défection peut décider du vote.

Quand la cloche se tait, le Président ordonne qu'on ferme la porte de la Chambre, et les deux *whips* regagnent solennellement leurs places. Plus personne n'est autorisé à rentrer. C'est alors seulement qu'on procède au vote nominal, en commençant par ceux et celles des sénateurs qui sont en faveur de l'adoption du rapport du Comité, c'est-à-dire du rejet de la loi telle qu'elle a été adoptée par les Communes. Première surprise de taille, il y a défection des deux côtés de la Chambre : quatre Libéraux sont debout et huit Conservateurs restent assis, dont le président du Comité lui-même, le sénateur Gérald Beaudoin qui se trouve à prendre parti contre sa propre motion. Il en résulte un certain remous : la tension est à son comble. À mesure qu'ils sont appelés nominalement par le greffier du Sénat, chacune et chacun des sénateurs se rassoient. Et le Président procède de même pour ceux et celles qui s'opposent au Rapport, c'est-à-dire qui souhaitent que la loi soit approuvée.

Résultat en ce qui concerne la proposition d'adoption du Rapport avec ses amendements : rejet par une majorité de sept voix. Un sénateur conservateur s'abstient.

Il est alors proposé que le projet de loi C-68 soit lu une troisième fois. Si les sénateurs approuvent cette troisième lecture, le projet de loi n'attendra plus que la sanction royale. Le résultat du vote est encore plus probant que le précédent : soixante-quatre sénateurs sont en faveur de la loi en troisième lecture (y compris dix-neuf Conservateurs) et vingt-huit s'y opposent (dont deux Libéraux). Quatre Conservateurs et trois Libéraux s'abstiennent. C-68 recevra la sanction royale.

On a donné aux sénateurs libéraux la consigne de faire montre de retenu dans leur victoire. Il n'en va pas de même dans les galeries du public, où les parents des victimes de Polytechnique et les membres de la Coalition pour le contrôle des armes, la présidente Heidi Rathjen en tête, manifestent bruyamment.

Je rentre rompu à mon hôtel. Je prie Heidi de bien vouloir m'excuser : je n'assisterai pas à la fête organisée par la Coalition pour célébrer ce triomphe de la décence humaine.

SCÈNE XXXVIII
Quand les hommes vivront d'amour

Le vendredi 29 décembre 1995

Il y a quelques jours, coup de fil de Stéphane Laporte, le principal concepteur du Bye-Bye 95 : il me proposait de chanter *Quand les hommes vivront d'amour* en duo avec le compositeur populaire, Paul Piché, lors de l'émission de cette fin d'année, pour marquer une sorte de réconciliation nationale. J'ai accepté sans aucune hésitation : il faudra bien, tôt ou tard, qu'il y ait armistice entre fédéralistes et séparatistes québécois, et que les uns et les autres acceptent la réalité, quelle qu'elle soit. Stéphane Laporte me rappelait dix minutes plus tard : Piché acceptait, de son côté. Voilà qui est bien.

Cet après-midi, enregistrement. La chanson passe en toute fin d'émission : j'ai donc regardé les cinquante minutes qui précédent sur un écran témoin. Je suis consterné par la pauvreté et la vulgarité des sketchs. Que devient la mission culturelle de la

Société Radio-Canada? Où est cette télévision populaire de qualité que devrait offrir le secteur public, avec un volet pour la distraction, certes, mais sans que le spectateur en soit avili, un deuxième pour l'information et un autre, à caractère culturel? Quand donc Radio-Canada sera-t-elle dirigée par des hommes et des femmes qui viseront autre chose que la facilité, d'autres buts que celui d'avoir une cote d'écoute supérieure aux chaînes privées? Un peu d'intelligence et de dignité, bon sang! Un peu d'énergie! Un peu d'imagination!

SCÈNE XXXIX

Pas pour demain

Le lundi 7 janvier 1996

Dans les journaux, échos du duo Roux-Piché. Je suis épargné. Mais ce pauvre Paul Piché se fait reprocher par des «purs et durs» d'avoir consenti à chanter avec un abominable fédéraliste. Décidément ce n'est pas demain que «les hommes vivront d'amour» au Québec.

SCÈNE XL

Les excès d'un tribun

Le mercredi 24 janvier 1996

J'arrive aujourd'hui à Strasbourg, avec une délégation de parlementaires canadiens de langue française, dirigée par le député Martin Cauchon. Dès son arrivée à l'hôtel, ce dernier apprend qu'il doit rentrer immédiatement à Ottawa : Jean Chrétien le nomme au Cabinet, dont il deviendra ainsi le plus jeune ministre. Une fois maîtrisé le moment bien compréhensible d'émotion, Martin me demande de prendre la tête de la délégation. Je serai donc forcé d'être assidu à toutes les réunions et de prononcer moult discours, notamment à l'Hôtel de ville, où nous ne sommes malheureusement pas accueillis par la mairesse, Catherine Trautmann, momentanément hospitalisée. Dommage, j'aurais aimé faire sa connaissance : on en dit beaucoup de bien.

C'est à Strasbourg que siège le Conseil de l'Europe, qui est un peu la conscience de l'Union européenne en matière de droits de l'homme et de libertés fondamentales. Réunions passionnantes avec des fonctionnaires du Conseil ainsi qu'avec certains délégués. Nous assistons à la séance où est débattue l'admission de la Russie. J'écoute les discours avec le sentiment de vivre un moment historique. De nombreux délégués, surtout parmi ceux qui représentent les pays autrefois membres du pacte de Varsovie, déclarent qu'ils voteront contre l'admission de la Russie, parce que les droits individuels y sont constamment bafoués. En riposte, le délégué britannique tient un raisonnement qui peut paraître paradoxal, mais qui n'en est pas moins séduisant. D'après lui, c'est justement pour cette raison qu'il faut que la Russie adhère au Conseil de l'Europe ; les citoyens russes qui se sentiront lésés dans leurs droits pourront désormais en référer à la Cour européenne des droits de l'homme, dont les jugements devront être respectés par le pays nouvellement admis.

Soudain, agitation dans la salle. Tout le monde se retourne : le chef du parti libéral-démocrate de Russie, l'ultranationaliste Vladimir Jirinovski fait son entrée, accompagné d'un état-major tel qu'on le croirait chef d'État ! Son discours est très attendu : il le sait. D'attaque, il parle sur un ton de forcené qui n'est pas sans rappeler celui d'Hitler. Un clown dangereux qui lance des défis au visage de tout le monde. Il presse les délégués de refuser l'admission de la Russie au sein du Conseil, et d'assurer ainsi son élection comme président, lors du prochain scrutin dans son pays. C'est à la fois risible et angoissant. Se peut-il que le destin du monde puisse quelquefois reposer sur les sautes d'humeur et les états d'âme de déments de la sorte !

SCÈNE XLI
Un échec extravagant en son espèce

Le vendredi 25 janvier 1996

Mes souvenirs du TNM me ramènent aujourd'hui trente-quatre ans en arrière. C'est en effet un 25 janvier, en 1962, que, malgré son succès, *L'Opéra de quat' sous* dut céder l'affiche à *La Double inconstance*, dont la première avait été prévue pour cette date. Désastre. Après seulement sept représentations, Marivaux devait quitter l'affiche... faute de public. Ce fut l'unique four du genre au TNM. Que se passait-il donc pour que nous soyons ainsi abandonnés par un public qui, hier encore, était debout et s'époumonnait à crier bravo, une fois tombé le rideau de L'Opéra de quat' sous ? C'était pourtant Robert Prévost qui avait signé décors et costumes. C'étaient Huguette Oligny, Lise LaSalle, Jean Besré, Georges Groulx qui en étaient les interprètes. C'était ce dernier qui en avait signé la mise en scène. Un peu appuyée, soit, mais ce ne pouvait être uniquement pour cette raison que les salles se vidaient. Quoi ? Pourquoi ? Comment ? La faute devait-elle en être reportée sur le seul auteur ? Sur sa trop grande finesse ? Sur son style délicat ? Sur son analyse implacable du cœur humain ? Encore une fois, nous nous contentions de constater les dégâts, sans parvenir à en comprendre les motifs.

Avant la troisième ou la quatrième représentation de cet infortuné Marivaux, je fus alerté par un coup de fil d'André Gascon : il était au théâtre où les comédiens et les comédiennes menaçaient de refuser de jouer. Je me précipitai sur place, pour apprendre que notre administrateur leur avait laissé entendre que le Nouveau Monde n'honorerait peut-être pas leur contrat, faute de moyens. Rappelons qu'à cette époque, n'existait aucune convention collective pour la scène. Je tranquillisai tout le monde, et la représentation eut lieu avec seulement quelques minutes de retard, devant une salle maigrichonne. Ce pauvre André ! Refermé sur lui-même, secrètement tourmenté, pince-sans-rire à ses heures, il avait deux passions : Dostoïevski et le TNM. L'auteur russe répondait à ses inquiétudes profondes, et le théâtre comblait ses rêves. Il devait se sentir bien abandonné ce soir-là, à l'Orpheum, seul officier de quart du navire en détresse, et peut-être n'avait-il agi de la sorte que pour lancer un appel au secours.

Heureusement, le succès de L'Opéra de quat' sous était loin d'être épuisé, et la pièce de Brecht put reprendre l'affiche sans problème après moins de quinze jours de relâche, terminant notre onzième saison avec un total de soixante-huit représentations et plus de trente et un mille spectateurs. Indice de fréquentation de 55 p. 100 seulement. Car, pourvu que soient couverts nos frais par la recette du guichet, nous préférions prolonger les représentations, augmenter le nombre de nos spectateurs et ajouter au revenu des artistes, plutôt que de nous glorifier d'un pourcentage élevé d'assistance. Aujourd'hui, les directeurs de théâtre raisonnent à l'inverse et je le déplore.

SCÈNE XLII

Les opéras se suivent mais...

Les comparaisons sont odieuses, je le sais. Pourtant, lorsqu'il y a quelques années, j'assistai au Théâtre du Nouveau Monde à une nouvelle production de *L'Opéra de quat' sous*, mise en scène par René-Richard Cyr, je ne pus m'empêcher de penser à celle de 1962. Je n'ai aucunement le complexe du *vétéran*, ni celui du patriarche, louangeur de l'histoire ancienne, tel que le dénonçait le poète latin Ovide. «*Laudator temporis acti*», plaisantait mon père, chaque fois qu'il voyait quelqu'un s'accrocher aux temps révolus. Mais comme se déroulait le spectacle de 1992, me revenaient irrésistiblement des évocations de celui que j'avais vu, trente ans plus tôt. Et malgré toute mon estime pour mon jeune ami René-Richard Cyr, je me prenais à devenir nostalgique. Que c'était beau, magique, émouvant, drôle, corrosif, spontané, alors ; et que c'était froid, réfléchi, bénin et réservé, aujourd'hui.

Un exemple : au repas de noces de Mackie et de Polly, tous les truands font des frais de toilette pour témoigner de leur fervent attachement à leur chef. René-Richard Cyr et Mérédith Caron les habillaient de costumes dans le goût *punk*, très colorés, très fantaisistes, très... *voulus*. Jean Gascon et Robert Prévost leur avaient fait revêtir des smokings et des habits de soirée, trop grands ou trop petits, manifestement volés ou loués avec dévotion chez le fripier. C'était merveille de les voir, tout guindés dans leurs habits bourgeois, se livrer naïvement à cet hommage dérisoire. Je préférais décidément le premier *Opéra de quat' sous* au deuxième. Et il n'y avait pas là que réminiscence mélancolique.

SCÈNE XLIII

Douze articles de foi théâtrale

Dans un des programmes de cette saison 1961-62, à la suite de tant d'échecs et de dérapages, je lançais un cri inspiré en quelque sorte par un retour de conscience. Il était intitulé *Notre credo* :

« Nous croyons qu'à côté d'un théâtre de pur divertissement, doit exister un théâtre qui, sans pour autant être ennuyeux, concourt à la formation intellectuelle et morale de la société ;

« Nous croyons, le secteur de pur divertissement étant abondamment desservi, que le Théâtre du Nouveau Monde doit consacrer ses activités à cet autre secteur ;

« Nous croyons que le slogan "le public a toujours raison" a été inventé par des mercantis sans conscience, et que son application totale, tant dans le domaine industriel qu'artistique, aboutirait à une dégringolade fatale sur la pente de la facilité ;

« Nous croyons, le théâtre n'étant pas qu'une opération commerciale et qu'un événement mondain, que le public a autant de devoirs envers l'homme de théâtre que l'homme de théâtre peut en avoir envers le public, et que, conséquemment, l'un et l'autre doivent être d'une exigence totale l'un envers l'autre ;

« Nous croyons que Molière, même s'il se vantait de n'avoir qu'un but — celui de plaire — n'a jamais écrit et joué que des pièces qui lui tenaient à cœur ;

« Nous croyons que le théâtre doit s'adresser à toutes les classes de la société, et qu'il ne saurait exclure de spectateurs faute de finances ou d'instruction ;

« Nous croyons que la masse peut être touchée par des formes de théâtre qui ne reflètent pas que des préoccupations bourgeoises délétères, et qu'on peut la convier à des spectacles qui réclament sa participation active ;

« Nous croyons que, pour survivre et se développer, le théâtre canadien doit faire de plus en plus appel à ses dramaturges nationaux ;

« Nous croyons que l'aide financière de nos gouvernements est essentielle à la vie de l'art théâtral, mais que cette aide doit se substituer au pouvoir économique du public et non à l'intérêt qu'il peut porter au théâtre ;

« Nous croyons que les problèmes du théâtre, au Canada, ne trouveront de solution que dans une politique nettement déterminée, tant sur le plan de l'éducation de la masse que sur celui de l'aide aux troupes ;

« Nous croyons qu'une troupe de théâtre ne saurait survivre longtemps sans une équipe homogène et permanente d'artistes, d'artisans et de techniciens ;

« Nous croyons que le Théâtre du Nouveau Monde a fait ses preuves, au Canada et à l'étranger, qu'il doit cesser après dix ans d'être une troupe nomade — sous peine de disparaître par épuisement à brève échéance — et que le public réclame des autorités officielles qu'elles lui fournissent un édifice où il lui soit permis de donner son plein rendement, sans perte inutile d'énergie. »

Sous le *nous*, se profile un *je* bien personnel, et sous le ton un peu *preacher*, pointe un brin de découragement. Mais là se trouve toujours l'essentiel de mes convictions au sujet du rôle du théâtre dans la société, et de celui de l'État dans l'évolution du théâtre. C'était écrit il y a trente-cinq ans et, à part des retouches de style, je n'en changerais rien aujourd'hui.

SCÈNE XLIV

Enters the Great Will

En prélude à notre douzième saison, nous renouvelions notre association avec les Festivals de Montréal, qui nous permit la mise sur pied d'une autre importante production. Cette fois, nous abordions Shakespeare. Les contacts avec nos camarades de Stratford n'étaient évidemment pas étrangers à ce choix. Shakespeare, le plus grand, s'imposait au répertoire du Théâtre du Nouveau Monde. Nous ne nous en étions abstenus jusque-là que par timidité et par appréhension de la taille des moyens requis. Notre collaboration avec les Festivals de Montréal nous offrait la possibilité de surmonter ce dernier problème. Quant au premier, il était devenu moins aigu depuis notre participation à *Henry V,* et surtout depuis que Jean Gascon exerçait ses talents de metteur en scène au sein du réputé Stratford Festival.

Pourquoi *Richard II* ? En plus du fait qu'il avait été récemment joué par le Théâtre national populaire et qu'une nouvelle traduction s'en trouvait de ce fait disponible, je serais tenté de répondre : parce qu'il comporte deux beaux rôles masculins, Richard et Bolingbroke. Et je ne serais pas loin de la vérité. Richard, faible monarque d'occasion, que l'adversité achèvera d'humaniser; Bolingbroke, ambitieux usurpateur qui finira, en anticipation de Bonaparte, par se couronner lui-même et régner sous le nom d'Henri IV. Jean Gascon et moi y trouvions notre compte. Deux superbes personnages qui nous permettaient, en scène, les confrontations que nous devions éviter à la ville. Le magnifique dispositif et les costumes de Robert Prévost, la musique de Gabriel Charpentier, les authentiques tableaux brossés par Jean Gascon avec une abondante figuration, le jeu noble des comédiens et des comédiennes, tout contribuera à imprégner ce spectacle de faste et de grandeur. Un critique sarcastique prétendra que nous avions bien appris notre leçon à Stratford. Et pourquoi pas ? C'eût été stupide de notre part de ne pas bénéficier de notre expérience ontarienne et de n'en pas faire bénéficier notre public, qui nous témoignera d'ailleurs son adhésion en remplissant nos salles aux trois quarts : près de seize mille spectateurs en vingt-cinq représentations. Mais cette fois, avec une affiche de trente-quatre comédiens, il nous était impossible de descendre sous l'indice de 70 p. 100 de fréquentation,

Jean Gascon et Jean-Louis Roux dans Richard II
1962

PHOTO : Henri Paul

sans essuyer de pertes financières. *Richard II* se termina donc avec presque exactement moitié moins de représentations et de spectateurs que *L'Opéra*.

SCÈNE XLV

Coup d'œil dans le rétroviseur

Avant de réintégrer l'Orpheum, nous avions donné quelques représentations du Shakespeare à la Comédie-canadienne, où se déroulaient en partie les spectacles des Festivals de Montréal. J'eus la surprise, un soir, d'y voir déboucher en coulisses nul autre qu'Enrique Aguirre, cet ami parisien de la fin des années quarante, compagnon d'une des filles Pitoëff. Il venait de débarquer à Montréal, par cargo, et en route pour l'hôtel, son taxi passant par hasard devant le théâtre, il apercevait mon nom et celui de Jean Gascon affichés à la marquise. Il sommait aussitôt le chauffeur d'arrêter et venait tout simplement nous serrer la main.

Le lendemain, nous prenions un verre ensemble. Devenu traducteur professionnel, il devait se rendre au siège new-yorkais de l'ONU et avait profité de quelques jours de liberté pour se payer des vacances en mer. Le seul cargo mixte, dont l'horaire correspondait au sien, partait du Havre pour aboutir à Montréal. Notre rencontre était donc le pur fruit du sort. De telles conjonctures me plaisent. J'y décèle même un sens particulier. Sans ce concours parfaitement fortuit de circonstances, me serais-je jamais inter-rogé — pour la seule et unique fois — sur la pertinence de la décision que j'avais prise, douze ans auparavant, de rentrer au Canada? Probablement pas : je n'aime pas m'abîmer dans le passé. Mais ce jour-là, à la faveur des souvenirs évoqués avec Aguirre, pendant quelques instants j'essayai de m'imaginer ce qu'aurait été ma vie, si je m'étais obstiné à tenter carrière en Europe. En douze ans, serais-je parvenu à jouer le rôle de Bolingbroke sur une scène parisienne? Y serais-je l'un des dirigeants de la plus importante compagnie de théâtre? Je me permettais d'en douter et malgré mes nombreuses insatisfactions, je me réjouissais sans nostalgie du lot qui m'était échu. Avoir su, j'aurais fait la même chose.

SCÈNE XLVI
Ponctualité d'un retardataire invétéré

Dans *Richard II*, Guy Hoffmann jouait très sobrement le rôle du duc d'York, malheureux défenseur du roi déchu. Il y avait longtemps que Guy réclamait son droit à la mise en scène. Depuis plus de dix ans, n'avait-il pas mis son incomparable talent de comédien au service exclusif de la compagnie ? Ne lui en devions-nous pas une expression de reconnaissance ? Il fallut nous rendre à ses raisons. Et pour sa première mise en scène, Guy choisit une pièce policière qui avait tenu l'affiche pendant plusieurs saisons à Paris : *Piège pour un homme seul,* de Robert Thomas. Option qui révélait ses goûts et ses préférences. Notre tendre amitié m'empêcha de m'opposer à Guy, alors que cette pièce représentait pour moi, justement, tout ce que devait éviter le Nouveau Monde. Pendant ce temps, phénomène de vases communicants, depuis la reprise de son activité, le Rideau-Vert affichait courageusement Lorca, Sartre, Musset, Montherlant, Giraudoux, Cocteau et Calderon de la Barca, aux côtés de Roussin, Létraz, Roger Ferdinand, Guitry, Max Régnier et autres boulevardiers. J'y perdais mon latin. Pourtant, en bon troupier, j'acceptai d'interpréter le rôle masculin principal de la pièce de Thomas. Guy y faisait lui-même une délicieuse apparition en clochard.

Il s'attaqua à la mise en scène de *Piège pour un homme seul* avec une énergie et une conscience étonnantes. Le travail fut des plus agréables. Imaginez : il commença toujours les répétitions avec une ponctualité scrupuleuse, alors que jusque-là ses retards étaient devenus légendaires et donnaient lieu à peu près toujours au même scénario ; d'une fois à l'autre, il arrivait, après avoir fait poireauter ses camarades quelquefois près d'une heure, mine renfrognée, regard dissimulé derrière ses lunettes fumées, son éternel cigare au coin de la lèvre. Il ne regardait personne et observait le mutisme le plus complet en allant, sans se presser, déposer dans le coin le plus éloigné de la salle de répétitions son imperméable et sa serviette. Puis, immanquablement, il flanquait un coup de pied coléreux au mur, à une chaise, à une table ou à une patère quelconque, en bougonnant : « Me fait chier, le théâtre ; me fait chier... Mon métier, moi, c'est le cinéma!» Allusion au fait qu'avant la guerre, il avait assisté le cinéaste Yvan Noé et ne rêvait effectivement que de se retrouver lui-même, un jour, derrière la caméra. Il se rappela ses premières amours à l'occasion de *Piège pour un homme seul* : au début et à la fin de la pièce, un générique était projeté sur un écran transparent, derrière lequel se tenaient les comédiens, tour à tour éclairés au moment où leur nom y apparaissait. Il n'était pas peu fier d'avoir monté la pellicule avec des moyens de fortune.

Habile intrigue que celle conçue par Robert Thomas : un homme tue sa femme et croit avoir réalisé le crime parfait. Mais voilà que la victime refait surface. En réalité, on comprendra plus tard qu'il s'agit d'un membre féminin de l'escouade policière, déguisé pour les besoins de la cause. Le meurtrier est dans l'impossibilité d'utiliser le seul argument qui pourrait prouver hors de tout doute l'usurpation de personnalité. Il doit donc dissimuler, même en situation d'intimité avec cette femme, jusqu'au moment où il flanche et passe aux aveux.

Je jouais aux côtés de la belle Ginette Letondal qui, pour la circonstance, avait enterré la hache de guerre brandie contre moi par son mari, depuis bientôt quinze ans. J'étais l'époux coupable; elle, ma prétendue femme. Mon rôle se révéla tellement épuisant, mon personnage si survolté que, bien que l'action n'exigeât aucun changement, il me fallait à l'entracte endosser un deuxième costume, parfaitement identique à l'autre, tant le premier était trempé de sueur. Je mouillais ma chemise, selon l'expression courante dans le métier. Avant la fin des représentations, il fallut remplacer Ginette, qui devait retourner en France où son conjoint faisait partie de la prestigieuse équipe de *Paris-Match*. Huguette Oligny reprit le rôle. Et j'eus la surprise de pouvoir jouer la pièce sans changement de costume. Je perçai rapidement le mystère. Ginette jouait dans le même sens que moi, me forçant à pousser l'hystérie. Ce qui d'ailleurs me fut reproché par mon *protégé* de *Cité libre*, Yéri Kempf. Alors qu'Huguette, beaucoup plus justement, se montrait détendue et calme, comme il se doit pour qui est persuadé ou veut paraître persuadé de son bon droit. Je n'avais donc pas à lutter à la fois contre mon affolement et le sien.

C'est l'essence du théâtre. Pour qu'il y ait réelle dynamique, il ne faut pas que les forces jouent en parallèle au même niveau, mais plutôt qu'elles s'opposent l'une à l'autre, avec des charges différentes. Le courant ne circule que grâce à un écart de tension entre le point de départ et le point d'arrivée. Par exemple : dans une discussion, à moins que la situation ne l'exige autrement, les antagonistes ne doivent pas élever le ton, l'un sur l'autre, sous peine de parvenir rapidement à un paroxysme fastidieux pour le public et exténuant pour les interprètes ; sous peine de bloquer le flot d'énergie. L'un jouera l'agitation ; l'autre, le flegme. Ce qui permettra une progression d'intensité et une accélération de tempo sans excès, un contraste saisissant entre l'infériorité de celui qui s'excite et l'avantage de l'autre qui s'efforce à la placidité. Différence de tension, circulation d'énergie : c'est cela qui crée la dynamique théâtrale.

Selon notre mode de prolongation, *Piège pour un homme seul* tint l'affiche au delà de huit semaines et, en soixante-trois représentations, attira plus de vingt-sept mille amateurs de suspense qui respectèrent le secret de l'intrigue, comme ils en étaient priés. Encore une fois, le succès me consolait momentanément de mon dépit.

SCÈNE XLVII

Rentrée de Molière

Faste du point de vue de la fréquentation que cette douzième saison. Un nouveau succès s'enchaîne sur les deux premiers. Grâce à qui ? Molière, comme de bien entendu. Un spectacle coupé : *Le Médecin malgré lui* et *George Dandin*. Celui-ci, mis en scène par Jean Dalmain ; celui-là par Jean Gascon. De connivence, tous deux transportent l'action au Canada, à l'époque du Régime français. Les mœurs et l'accent paysan s'y prêtent, et Molière ne s'effarouche pas des plumes d'Indien, du son des tam-tams et des bottes des coureurs des bois. « C'est du théâtre pour acteurs et spectateurs en santé », écrira Jean Gascon. Guy Hoffmann et Monique Leyrac s'amusent follement en jouant les rôles de Sganarelle et de sa femme dans *Le Médecin*, farce étourdissante issue directement de l'esprit des vieux polichinelles et du théâtre italien. Pour ma part, avec une silhouette à la Davy Crocket, j'incarne Monsieur Robert,

le voisin qui veut s'interposer entre l'époux violent et la femme
brutalisée, et qui se fait rabrouer par le fameux : « Il me plaît
d'être battue. »

En George Dandin, Jean Dalmain est douloureux, risible et
pathétique. Molière s'y joue lui-même, cocu consentant aux côtés
de sa frivole Armande. Mais au delà de l'amertume, des grincements
et de la cruauté, le rire éclate, provoque et quelquefois déchire. Et
le théâtre fait le plein : près de vingt-cinq mille spectateurs en
vingt-neuf représentations.

Le bonheur n'est pourtant pas total, comme en témoigne ce
mot du programme : « Il s'en trouvera sûrement pour nous reprocher
de jouer encore Molière. Il se trouve toujours quelqu'un pour nous
reprocher quelque chose. Si nous avions la faiblesse de nous attarder
à tous les reproches et de suivre tous les conseils de Pierre, de
Jean et de Jacques, nous n'aurions pas monté cinquante spectacles
en moins de douze ans. Qu'on me permette la comparaison : nous
faisons notre métier au milieu des envieux, des pédants, des
théoriciens et des impuissants, comme Molière faisait le sien. Et
toutes proportions gardées, nous le faisons comme lui, avec tout
notre cœur, toute notre âme, toutes nos forces, toute notre
intelligence et tout notre instinct. » C'est signé Jean Gascon mais,
sous sa plume, je retouve mon style. Comme secrétaire général,
j'avais la tâche de préparer les programmes des spectacles. Pressé
par le temps, il m'arrivait souvent d'écrire, pour Jean, des textes
qu'il consentait à faire siens. Celui-là correspond trop aux
préoccupations qui me hantaient pour ne pas être de moi.

La première de *George Dandin* et du *Médecin malgré lui*
avait eu lieu, exceptionnellement, au Théâtre Capitol de Québec,
le 14 décembre. La reprise à Montréal devait se faire immédiatement après les fêtes. Comme nous étions les locataires exclusifs
de l'Orpheum, nous y avions entreposé décors et costumes, à notre
retour de la Vieille Capitale. En eut-il été autrement, tout aurait
disparu ou à peu près. Le 6 janvier 1963, peu avant minuit, André
Gascon me réveillait au téléphone, pour m'annoncer que notre
atelier de la rue Sanguinet était la proie des flammes. Lorsque
j'arrivai sur les lieux, je trouvai André, retenant mal son émotion,
qui ramassait sur le trottoir quelques pages de notre *Livre de Bord*,
rongées par le feu et trempées par l'eau des boyaux d'arrosage.

Pour chauffer l'atelier, nous nous servions d'un poêle où nous brûlions les résidus de la construction des décors : bouts de bois et morceaux de toile. Ce début janvier, le temps était particulièrement rude : avant d'aller se chercher un café dans un restaurant de la rue Sainte-Catherine, le gardien avait bourré le poêle à capacité. En son absence, probablement à cause de la toile enduite de peinture, la combustion avait fait éclater le poêle, et les flammes s'étaient mises à dévorer instantanément tout ce qui pouvait se consumer. Le degré de chaleur était si élevé qu'en fut tordue une poutre d'acier de trente centimètres d'épaisseur, située directement au-dessus du foyer d'incendie. Presque tous les costumes des onze premières saisons étaient réduits en cendres ou inutilisables ; notre collection d'affiches était en grande partie détruite, ainsi que plusieurs maquettes construites de décors. Heureusement pourtant, la petite pièce qui nous servait de secrétariat avait été presque entièrement épargnée par les flammes, sinon par l'eau. Nos archives — comptabilité, documents, photos, correspondance — étaient en quasi totalité récupérables. Mince consolation au milieu de ce sinistre.

SCÈNE XLVIII
Claudel et la comédie musicale

Outre les attaques dont nous étions la cible, une de mes constantes inquiétudes concernait, on le sait, la qualité du choix de notre répertoire. L'avant-dernier spectacle de 1962-63 en constitue la parfaite illustration. Nous mettions à l'affiche une comédie musicale qui avait fait les belles soirées du Théâtre Gramont pendant au moins deux saisons : *Irma-la-douce*, livret d'Alexandre Breffort et délicieuse musique de Marguerite Monnod. Les Parisiens ne se lassaient pas de fredonner ces mélodies qui allaient bientôt conquérir Broadway et Hollywood :

Oui, la nuit, à Paris
Tous les cafards sont gris
Et ça fait comme un coup,
Du mal par où qu'ça passe...

Où était donc le dénominateur commun entre Shakespeare, Robert Thomas, Molière et les truands d'un Pigalle d'imagerie populaire ? Je donnais ma langue au chat et me dédommageais en personnifiant des silhouettes à traits chargés d'un avocat de la défense, en Cours d'assises, ou d'un chasseur de papillons, perdu dans la forêt tropicale de Cayenne. Mais Guylaine Guy, en cocotte des années folles, et Pierre Thériault, en souteneur jaloux, faisaient la joie du public. Nous attirions autant de spectateurs qu'avec *Piège pour un homme seul* en moins des deux tiers des représentations.

Il me fallait pourtant satisfaire mes exigences. Je proposai à mes camarades de revenir à Claudel, qui ne nous avait pas si mal servis, sept ans auparavant. Mon choix se porta sur *Le Pain dur*, pièce âpre à caractère réaliste, dont le style me semblait d'accès abordable pour un public que nous avions bien du mal à définir, vu notre parcours sinueux. Il y avait aussi que je connaissais bien l'œuvre, ayant joué le personnage de Louis, en 1946, avec Ludmilla Pitoëff en Lumîr.

Je m'attachai d'abord à la distribution, que je soignai particulièrement. Pour la juive Sichel, je fis appel à Monique Miller avec qui je travaillais régulièrement à la radio et à la télévision. Depuis la reprise de *L'Avare*, en 1952, elle avait d'ailleurs joué plusieurs fois au TNM. Profondeur, intensité, beauté physique, voix harmonieuse et sensuelle, elle réunissait tout pour interpréter ce personnage dévoré et dévorant. Pour Lumîr, la mystique militante polonaise, je choisis une « débutante » : Michelle Rossignol, récemment de retour de Paris où elle avait suivi les cours de Tania Balachova. Elle rendait admirablement la flamme de la croyante, la passion charnelle de la maîtresse, la foi de la révolutionnaire, la douceur trompeuse de la revendicatrice. Quant à Turelure, je fis sursauter Guy Hoffmann lorsque je lui offris le rôle. « Claudel ? J'y comprends rien... » m'opposa-t-il en bougonnant. J'insistai, le priant de me faire confiance, et il se rendit sans trop de résistance. Que nous avons eu raison, tous deux ! Les privilégiés qui ont pu voir Guy incarner ce paysan arriviste, retors, cauteleux, naïf, redoutable et luxurieux ont été témoin d'une interprétation magistrale. Je reprenais moi-même le rôle de Louis avec la maturité qui me faisait défaut, dix-sept ans plus tôt. Léo Ilial et Victor Désy complétaient la distribution, chacun dans un rôle de composition.

Robert Prévost avait créé un décor austère, sombre, dépouillé, plein d'ombres et de mystères, celui d'un ancien monastère cistercien désaffecté. La poussière et l'humidité y étaient palpables. François Barbeau avait signé des costumes d'une justesse et d'une discrétion admirables. En 1946, Louis portait l'uniforme de capitaine de la légion étrangère, épaulettes et galons compris. À la réflexion, cela me semblait peu vraisemblable pour un déserteur. Je demandai à François de dessiner un costume qui rappellerait le passé militaire du personnage, mais dont toute garniture d'identification aurait été soigneusement enlevée. Il poussa le scrupule jusqu'à user l'étoffe sur les épaules et à l'extrémité des manches, là où étaient autrefois cousus les galons et les insignes. Souci du détail chez cet admirable créateur. Comme à l'accoutumée, ses costumes féminins d'époque étaient particulièrement réussis.

Aucune musique pour mon *Pain dur* qui constituait, à mon avis, la pièce *amusicale* par excellence. La pluie, le tonnerre, le crissement des roues d'un carrosse sur les pavés de la cour, le grincement d'une porte constituaient les seuls bruits d'atmosphère. J'eus conscience d'avoir monté un très beau spectacle. La critique le salua généralement comme tel. Mais le public bouda. C'est à peine si nous parvenions à atteindre 40 p. 100 d'indice de fréquentation. À la fin des vingt-six représentations, il n'était pas rare de compter à peine soixante-quinze spectateurs dans la salle. Cet insuccès me blessa profondément.

SCÈNE XLIX
Le gaullien André Malraux

De passage à Montréal, à la recherche d'un spectacle de théâtre qu'il comptait présenter officiellement à Paris, Malraux était venu voir *Le Pain dur*. Mais à Claudel, il préféra Shakespeare ; au *Pain dur*, *Le Songe d'une nuit d'été* ; au Théâtre du Nouveau Monde, le Théâtre du Rideau-Vert. Quelque peu paranoïaque, j'y vis l'influence du maire Drapeau, dont les faveurs s'étaient depuis peu portées sur la troupe de mes camarades Yvette Brind'Amour et Mercedes Palomino. Après une éclipse de près de quatre ans, le Rideau-Vert avait refait surface en 1956, au petit Théâtre Anjou de la rue Drummond, pour s'installer plus tard au Stella. Les deux directrices procédaient avec prudence et sagesse à une réorientation du répertoire. Ce qui explique qu'on pût y trouver Shakespeare. Aujourd'hui, je comprends le choix du ministre de de Gaulle : à défaut d'un auteur canadien d'expression française, l'élisabéthain

Shakespeare lui paraissait plus attrayant et plus inusité que Claudel le français. Et le faste du *Songe,* plus séduisant que le dénuement du *Pain dur.* Mais, de cette préférence, je fus également blessé.

Le séjour de Malraux fit grand bruit dans le landerneau artistique du Québec. Georges Lapalme venait d'être nommé à la tête d'un nouveau ministère, celui des Affaires culturelles. On pouvait croire que cette visite annonçait une coopération fructueuse avec notre vieille mère patrie. Un midi, le nouveau ministre convoqua tout le gratin des artistes à rencontrer l'auteur de *La Condition humaine.* Ce fut un ballet digne d'une turquerie de Molière. À l'extrémité de la salle, secoué de tics nerveux, se tenait le royal Malraux, debout, cigarette aux lèvres évidemment.

Humbles courtisans, nous attendions à l'écart, groupés par secteurs. De l'un aux autres, voletait le maître de danse Lapalme, rose d'émotion et de fierté. Il convoquait et annonçait : «La peinture! La littérature! La danse!» Et les délégués s'avançaient timidement pour jouir de leur petit bout d'audience. «Le théâtre!» C'était notre tour. «Quels sont vos besoins?» nous fut-il demandé, sans doute au nom de la République. Allez donc répondre à une telle question en trois minutes! À peine Jean Gascon avait-il prononcé quelques phrases que la sentence tomba aussitôt : «Nous vous enverrons des décorateurs et des metteurs en scène.» Je n'eusse pas été surpris qu'à la porte il nous eût fallu déposer notre contribution de censitaire sous forme de paquets de tabac et de cartons d'allumettes... Georges Lapalme se montra plus digne, quelques mois plus tard, lorsqu'il démissionna de son poste pour protester contre les budgets dérisoires que lui allouait le gouvernement Lesage.

SCÈNE L

Un Nouveau Monde estival

Particulièrement longue, la saison se poursuivit encore durant l'été. À Repentigny, venait d'être créé un nouveau Centre d'Art, dont les directeurs avaient fait construire un petit théâtre en bois rond d'architecture étonnante. On s'adressa au Nouveau Monde pour produire et monter les spectacles qui devaient y être présentés. Guy Hoffmann choisit un excellent classique de Broadway : *Arsenic et vieilles dentelles,* qui inaugura le nouveau lieu. Agréable fantaisie qui permettait aux comédiens et aux comédiennes de s'amuser ferme, tout en amusant le public. Pour y succéder, je dénichai un texte très rarement joué : *La Vengeance d'une orpheline russe,* du Douanier Rousseau, bien sûr mieux connu pour la naïveté de son pinceau. Le temps pressait et je trouvai excitant de proposer à Jean Gascon de diviser la mise en scène de cette pièce entre nous. Il fut convenu que je monterais la première partie ; Jean, la deuxième. Mais la règle du jeu exigeait que nous n'ayons aucune discussion préalable, procédant au recollage des morceaux durant les derniers dix jours de répétitions.

Un samedi matin, curieux des surprises mutuelles que nous nous réservions, nous procédions au premier filage. Ahurissement : j'avais misé sur la parodie ; Jean, sur le sérieux. Je me faisais témoin et critique, alors que lui s'identifiait à l'auteur. Il convint rapidement que mon option était meilleure que la sienne, et on procéda aussitôt à des raccords pour assurer l'unité du spectacle. Au moment des représentations, se produisit un phénomène assez courant. Les clins d'œil constamment adressés au public faisaient crouler de rire les gens du métier, mais déroutaient les spectateurs ordinaires, qui boudaient un peu leur plaisir.

La pièce américaine faisait quatre mille fauteuils en vingt-deux représentations. Le Douanier Rousseau, cinq mille quatre cents en vingt-trois. Au moins n'étions-nous pas tombés dans les concessions excessives qui sont trop souvent, hélas ! le fait de telles entreprises. Succès plus qu'honnête, compte tenu de la rigueur des soirées de cet été-là. Le théâtre n'était pas muni de système de chauffage, et il nous fallut faire une publicité spéciale pour rassurer les amateurs : des appareils à rayons infra-rouges avaient été installés pour réduire le froid et l'humidité. Deux ans plus tard, ce joli théâtre était détruit de fond en comble par un incendie, où périssait le concierge de l'établissement.

SCÈNE LI
Adieu à Mark Drouin

Lorsque débuta la treizième saison, à l'automne 1963, notre président Mark Drouin était emporté par le cancer. Il n'avait pas

60 ans. Perte douloureusement ressentie. Sans lui, qui sait si le
Théâtre du Nouveau Monde aurait vu le jour. Apport déterminant
que le sien. Homme de droite, avocat de compagnies, vivant dans
l'ombre de l'Union nationale et de Duplessis, il avait la générosité
de nous compter parmi ses amis, bien que n'ignorant pas nos
convictions politiques adverses. Nous avions la sagesse d'éviter le
sujet. Depuis plusieurs mois, il se savait condamné. Je l'avais
compris lorsqu'un soir, au cours d'une réjouissance d'après
première durant laquelle il n'avait cessé de danser et de rire, je le
trouvai affaissé dans le petit bureau de notre atelier, la tête entre
les mains, silencieux, à bout de souffle. Mark était sans contredit
un bel homme. Il le savait et en était fier. Lorsque le mal commença
à le marquer physiquement, il s'enferma chez lui, rue de Launes
à Québec, et refusa de recevoir quelque visiteur que ce soit. Nous
lui communiquions nos sentiments affectueux par l'intermédiaire
de sa femme Jeanne, sœur du poète Alain Grandbois. À la nouvelle
de sa mort, je lui rendis hommage avant le lever de rideau
d'une représentation de *L'Ombre d'un franc-tireur* : « C'est plus
qu'un bienfaiteur, c'est un ami que nous perdons. » Je ne pus retenir
mes larmes.

SCÈNE LII
Retour à l'Irlande

C'est avec cette pièce de Sean O'Casey que nous inaugurions
la saison 1963-64. À la faveur d'une longue tournée de *Maison de
poupée,* en France à la fin des années quarante, Jean Gascon et
moi avions fait le connaissance de Philippe Kellerson, qui y jouait
Torvald, mari de l'infortunée Nora, héroïne de la pièce d'Ibsen.
Philippe était à ses heures metteur en scène et traducteur. J'avais
rapporté dans mes cartons sa version de *L'Ombre d'un franc-tireur.*

O'Casey, comme son aîné John Millington Synge, fut d'abord
joué à l'Abbey Theatre de Dublin et, comme celles de Synge, ses
pièces avaient la vertu de heurter le public irlandais. Les
représentations de *La Charrue et les étoiles,* en 1926, furent
accompagnées d'émeutes provoquées par la rage des militants
nationalistes qui ne pouvaient supporter d'être ainsi dépeints. De
voir, à côté de leur héroïsme, étaler leurs lâchetés et leurs
vantardises. Ils rejetaient violemment l'opposition de l'auteur à

l'égard de « la bigoterie, du faux romantisme du sang versé, du bruit et de la fureur ». Le directeur du théâtre, le grand poète Yeats, se précipita sur scène et apostropha les spectateurs en leur adressant ce cinglant reproche : « Vous venez de vous déshonorer pour la deuxième fois ! » Il se reportait évidemment à l'accueil qui avait été ménagé au *Baladin du monde occidental,* de Synge, seize ans auparavant. De semblables incidents, même s'ils s'étaient produits quelques décennies plus tôt, nourrissaient notre ferveur.

Je l'ai déjà dit : Jean et moi étions fascinés par la dramaturgie irlandaise et par le parcours de l'Abbey Theatre. L'histoire de la république d'Eire nous paraissait avoir plus d'un point commun avec la nôtre : luttes pour la langue, pour une Assemblée responsable ; domination du clergé, aussi bien protestant que catholique ; poussées récurrentes de sentiments nationalistes en réaction à ce qui paraissait être l'oppression anglaise, etc. N'étions-nous pas mûrs dès lors pour ce théâtre *combattant*? Il valait la peine de tenter l'aventure.

L'action de *L'Ombre d'un franc-tireur* se déroule justement alors que l'Irlande est en proie à la guerre civile, immédiatement après avoir obtenu son indépendance au début des années vingt, les adversaires de la partition de l'Île s'opposant au gouvernement provisoire. Avec la montée au Québec de mouvements extrémistes comme le FLQ, le moment nous semblait propice à la production d'une telle œuvre. Nous nous trompions. Je me trompais.

O'Casey est un témoin implacable et n'a rien d'un thuriféraire du nationalisme. Issu d'une famille extrêmement pauvre, ayant souffert de la faim au point d'en être physiquement handicapé, il rêvait de justice et de société égalitaire plutôt que de prédominance nationale. Pour lui, la révolution devait, avant tout, être d'ordre social : il s'en ouvrira explicitement dans une œuvre ultérieure intitulée *The Star turns Red.* En fin de compte, déçu dans ses convictions, désolé de voir catholiques et protestants se déchirer entre eux, se jugeant rejeté et par la critique, et par le public irlandais, il décida de quitter sa terre natale. Dans ses extraordinaires œuvres autobiographiques, il écrira : « Exilé pour exilé, je ne le serai pas plus à l'étranger que dans mon propre pays. »

Le petit peuple irlandais lui tenait toujours à cœur et il continua, dans ses pièces, à en relater la saga. Pourtant sa tendresse ne lui enlève pas sa clairvoyance. Ses héros ne sont pas romantiques. Ils sont humains, faibles, menteurs et froussards. Comme Donal Davoren que je jouais, poète oisif qui se plaît à passer pour un franc-tireur révolutionnaire et qui, par lâcheté, laisse son amoureuse, la petite Minnie Powell, courir à la mort. O'Casey ne le juge pas. Il l'aime même, il le comprend et il en prend pitié.

Ce genre d'antihéros n'est pas populaire au Québec. Du moins, ne l'était-il pas au début des années soixante, et cela m'étonnerait qu'il le soit devenu de nos jours. Ici, nos séparatistes sont tous des chevaliers par définition. La production du trio Gascon-Prévost-Barbeau était pourtant très soignée. Les comédiens impeccables dans leurs personnages truculents et misérables : Georges Groulx, Louise Rémy, Victor Désy, Germaine Giroux, Yvan Canuel. Même pas des quarts de salle. C'en était trop pour moi.

Ajoutés à cet échec cuisant, les coups portés par une nouvelle revue nationaliste, *Parti pris*. Il faut lire ce que j'écrivais alors, pour comprendre mon désarroi :

> « Une nouvelle revue a récemment vu le jour. En parcourant les divers articles du premier numéro, le lecteur découvre rapidement que l'équipe de rédaction (dont la majorité semble avoir moins de 30 ans) entend couper tous les ponts avec la génération précédente, se refusant à tout dialogue, jugé futile. Son principal but, si nous comprenons bien, est de démanteler les mythes dont la nation s'est inspirée, depuis les vingt dernières années, pour instituer des valeurs nouvelles et sûres.

> « J'ai appris, avec une certaine stupeur, que j'étais moi-même un de ces mythes, et que le Théâtre du Nouveau Monde (qualifié d'"horrible") en était un autre. Être devenu un mythe en douze ans d'existence et en moins de vingt-cinq ans de métier, c'est un record ! Il est vrai qu'au Canada français, on vieillit avant de mûrir. [...]

> « Nous ne sommes pas assez bêtes pour ne pas nous apercevoir que le théâtre au Québec, et notre troupe en particulier, passe par une crise aiguë : répertoire, public, conception de l'activité théâtrale, etc. Mais malgré nos efforts, nous ne sommes pas parvenus à mettre le doigt sur le ou les bobos. Peu d'étudiants et à peu près pas de travailleurs viennent voir nos spectacles. Pourquoi ?

> « Nous sommes prêts à nous retirer prématurément à l'une ou à l'autre condition suivante : si quelqu'un veut bien prendre la relève (qui ?), ou si le théâtre, comme le

prétendent Gilles Constantineau et Jacques Godbout, ne
correspond plus à un besoin dans la Cité. Mais de cela,
reste à faire la preuve.

« Les pages de nos programmes sont ouvertes à Denys
Arcand (l'auteur de l'article), à *Parti pris* ou à n'importe
lequel de ceux dont le propos aurait d'autre but que celui
d'insulter le voisin et d'étonner le badaud.

« Il ne nous est que rarement, sinon jamais, arrivé de
répondre aux critiques autrement qu'en continuant à
travailler avec le plus d'acharnement possible. Si cette fois
nous croyons devoir faire exception, c'est que *Parti pris* et
Denys Arcand condamnent l'attitude de toute une génération
et sur tous les plans, dont celui de l'activité théâtrale. D'une
part, nous croyons qu'agissant ainsi, ils se rendent la tâche
beaucoup plus difficile, sinon impossible ; d'autre part,
nous aimerions avoir des précisions avant de nous tenir
pour battus. »

On peut le constater : je trouvais insupportable d'être lâché
par la génération montante. C'était la première fois que je me
rendais compte que j'avais 40 ans, et que des cadets se bousculaient
derrière nous pour nous déboulonner. Le Théâtre du Nouveau
Monde était devenu « le théâtre à papa ». Accablant ! Qu'aurait-il
fallu faire ? Nous livrer à une réflexion approfondie, à une analyse
sérieuse de la situation ? Peut-être avoir recours à des gens de
l'extérieur : sociologues, analystes, psychologues ? Que sais-je ?
Nous lancer dans une campagne de sensibilisation et de publicité ?
Sans doute. Mais devant cet effondrement, je me sentais sans
courage, démuni. Pour être franc, malgré notre profonde amitié, la
constante majorité de Jean et d'André Gascon, dans les décisions
prises collectivement, m'était devenue un fardeau difficile à porter.

Au delà de l'accablement, j'étais aux prises avec des
problèmes d'ordre pécuniaire. J'avais quitté *La Famille Plouffe* en
1960, sur un malentendu avec l'auteur Roger Lemelin. Je jugeais
qu'il n'avait pas tenu certains engagements financiers à mon égard ;
lui, estimait qu'il s'en était libéré. « Divorce », après plus de huit
ans de « collage ». Raison plus sérieuse sans doute : l'identification
au personnage d'Ovide commençait à m'agacer sérieusement, à me
peser à l'excès. Ma décision entraîna la perte d'un revenu
extrêmement confortable. Alors que Jean Gascon touchait un salaire
d'appoint comme directeur général de la nouvelle École nationale
de théâtre du Canada et des cachets intéressants au Stratford

Festival, que Guy Hoffmann avait commencé, l'année précédente, à faire des *infidélités* avec le Théâtre du Rideau-Vert, j'en étais presque réduit à mes maigres cachets du TNM, à part quelques apparitions au petit écran. Me restait une porte de sortie : donner priorité exclusive à la télévision, où m'attendait tout le travail que je pouvais souhaiter, comme scripteur et comme comédien. Je pris donc la résolution à laquelle je songeais depuis des années, et particulièrement depuis l'insuccès navrant du *Pain dur*, qui m'avait laissé au cœur goût d'amertume : lors d'une réunion du Conseil d'administration, présidée par M⁶ Marcel Piché qui avait succédé à Mark Drouin, j'annonçai officiellement que je quittais le TNM. Ce ne fut une surprise pour personne.

SCÈNE LIII

Nouvelle carrière à l'horizon

Le vendredi 22 mars 1996

Quittons le passé. Aujourd'hui, réunion du Bureau des gouverneurs de l'École nationale de théâtre du Canada, à Ottawa. Je lance une invitation officielle à Jean Pelletier pour le déjeuner qui s'ensuit. Non seulement Jean a-t-il fait partie du comité pilote qui a planifié la création de l'École en 1960, mais sa situation actuelle lui permettra sûrement d'être un jour utile à l'Institution dans la recherche d'une solution à ses constants problèmes de financement à longs termes.

Il doit partir avant la fin du repas. Sur le seuil de la porte, il hésite et finit par me faire signe. Il m'apprend en toute confidence que mon nom apparaît dans une courte liste de candidats que le Premier ministre considère pour combler le poste de lieutenant-gouverneur du Québec, en remplacement de Martial Asselin dont le mandat se termine bientôt. Inutile de décrire ma stupéfaction. Comme nous sommes dans un couloir du Sénat, cette fois je ne cherche pas les caméras de Surprise sur prise ! Jean Pelletier me dit qu'il s'est permis de donner son avis à Jean Chrétien : comme, pour lors, je serais complètement coupé de ma profession de comédien, je ne serais vraisemblablement pas disposé à envisager une telle nomination. Sur le coup, j'en conviens.

SCÈNE LIV
Période de réflexion

Le mardi 26 mars 1996

J'ai évidemment mis ma femme Monique au courant de ce dernier événement. Avec son sens pratique, elle me fait aussitôt remarquer que je ne pourrais guère être plus «coupé de ma profession» que je ne le suis maintenant. Depuis que j'ai quitté le TNM en 1982, c'est en effet la première saison, à Montréal, où mon nom n'apparaît sur aucune affiche, ni comme comédien, ni comme metteur en scène, ni comme traducteur ou adaptateur. Il se peut qu'on hésite à faire appel à un sénateur en tant qu'homme de théâtre. Pourtant, les avocats, les médecins, les ingénieurs, les hommes d'affaires qui siègent au Sénat continuent à exercer leur profession durant leur temps libre. Il est difficile de ne pas voir dans cette première absence, en douze ans, le résultat de mes prises de position politiques en public. Je ne m'en plains pas : je suis prêt à assumer les conséquences de mes actes. Je ne fais que constater le phénomène, sans évidemment pouvoir prouver le bien-fondé de mes appréhensions.

Monique m'amène également à constater que je quitterai le Sénat, sans retraite, en mai 1998. Mais cette unique préoccupation ne suffirait pas à entraîner ma décision, bien sûr. Il faut songer au poste lui-même, à ce qu'il signifie, à ce qu'il comporte, à ce que je pourrais y faire, si je ne veux pas me contenter de me retrouver dans le rôle d'une potiche, d'un accessoire de luxe.

Je décide de m'en ouvrir à mon vieux copain et conseiller intime, le sénateur Jacques Hébert.

SCÈNE LV
L'avocat du diable

Le mercredi 27 mars 1996

Longue conversation avec Jacques. Je me fais l'avocat du diable : il répond à mes objections.

JEAN-LOUIS : Le poste de lieutenant-gouverneur prolonge des liens inutiles avec le système monarchique. Il devrait être aboli.

JACQUES : Tant que nous vivons en monarchie constitutionnelle, le poste a sa raison d'être. Il ne pourra être aboli que lorsque les dix provinces et le parlement d'Ottawa décideront de modifier notre structure politique, d'instituer par exemple un régime républicain, selon le modèle américain ou français. Et même alors, il faudra bien qu'un haut fonctionnaire, un préfet par exemple, représente le pouvoir central dans chacun des départements ou régions.

J-L : Le lieutenant-gouverneur n'a aucun pouvoir. Il n'est là que pour accorder la sanction royale aux projets de loi. Autant dire qu'il pourrait être remplacé par un tampon.

J : Les lois n'entrent en vigueur que lorsque le lieutenant-gouverneur y a apposé sa signature. Il a au moins ce pouvoir. La loi prévoit en effet qu'il puisse refuser la sanction royale ou exercer son droit de réserve, c'est-à-dire s'en remettre au gouverneur général en conseil. Même si ces deux dernières prérogatives n'ont été exercées que de façon rarissime, elles existent. En réalité, les pouvoirs théoriques d'un lieutenant-gouverneur sont énormes, allant jusqu'à la possibilité de dissolution d'une assemblée législative. Cela s'est vu.

J-L : Je vais m'ennuyer à mourir !

J : Tu pourrais songer à toutes sortes d'activités. Tu pourrais voyager beaucoup dans toutes les régions du Québec. Tu es préoccupé par le sort des gens qui vivent en milieu de détention, par ceux qui habitent des coins éloignés, par les peuples aborigènes. Ta seule présence en ces milieux constituerait un stimulant. Qui sait ? Tu pourrais apporter amélioration aux conditions de vie de tous ces citoyens plus ou moins marginaux.

J-L : Tu crois que je pourrais infléchir de quelque façon que ce soit les politiques ou les attitudes du gouvernement péquiste ? Ne sois pas naïf.

J : Les peuples aborigènes relèvent de l'autorité fédérale, de même que plusieurs prisons situées au Québec. Et puis, tu as des relations privilégiées avec les journalistes, même séparatistes. Sans en abuser, tu pourrais une ou deux fois l'an convoquer une conférence de presse au cours de laquelle tu ferais rapport de tes tournées, et exercer ainsi une influence sur l'opinion publique.

J-L : Je serais tenu à la neutralité.

J : Oui. Mais cela n'empêcherait en rien des prises de position d'ordre strictement social, en dehors de toute politique. Reste que tes convictions sont bien connues, même si tu ne les exprimes pas. Ce serait un grand réconfort pour les fédéralistes québécois, qui constituent la majorité de la population, de te voir occuper ce poste.

J-L : Il faut que je réfléchisse.

J : Cela ne t'engagerait en rien de ne pas retirer ton nom de la liste des candidats. Il serait toujours temps pour toi de refuser la nomination, si elle t'était officiellement offerte.

J-L : Ouais…

Il est évident que notre entretien prolongé n'a pas exactement pris cette forme. J'élague et je condense pour clarifier.

SCÈNE LVI
Je plonge

Le jeudi 28 mars 1996

Rendez-vous avec Jean Pelletier. Je lui fais un résumé de mes réflexions et de mes conversations avec Monique et avec Jacques Hébert (il sait que ce dernier peut se faire muet comme la tombe et ne soulève aucune objection à ce que je l'aie mis dans la confidence), et j'en viens à la conclusion que je maintiens en effet mon nom sur la liste des candidats au poste de lieutenant-gouverneur du Québec.

Mi-sérieux, mi-badin, je lui confie que je serais le plus heureux du monde d'être en situation de refuser la sanction royale à une loi qui proclamerait unilatéralement l'indépendance du Québec. Il n'y a d'ailleurs pas là que raillerie. La constitution canadienne ne prévoit nullement la sécession d'une de ses provinces. À moins d'amendement consenti à l'unanimité par tous les partenaires de la Fédération, une loi unilatérale à cet effet, même provenant d'une Assemblée aussi nationale se dise-t-elle, serait donc inconstitutionnelle et, par définition, ne pourrait être signée par un haut fonctionnaire fédéral.

Mais tout cela est purement hypothétique.

SCÈNE LVII

Mort de ma sœur Simone

Le samedi 13 avril 1996

Le noyau familial continue à se morceler. Cette fois, c'est ma sœur Simone qui est morte, il y a quelques jours. On célèbre aujourd'hui son service funèbre. En réalité, elle était déjà disparue depuis longtemps, de plus en plus absente, perdue dans les ombres de sa conscience, victime — disait-on par euphémisme — de la maladie d'Alzheimer. Pour dire vrai, elle souffrait de sénilité, même si elle était à peine âgée de 70 ans, lors de l'apparition des premiers symptômes.

Dans ces occasions, ce qu'on éprouve d'abord, c'est naturel-lement de la douleur, du chagrin, de la tristesse devant la perte d'un être cher, aussi prévisible que fût sa fin. Mais souvent, ces émotions sont dirigées beaucoup plus vers nous-même que vers la personne disparue. Surtout lorsque s'y mêle un certain sentiment de culpabilité. Comme on voudrait que le temps fasse machine arrière, et comme on souhaiterait avoir manifesté sa tendresse et son attachement de façon plus tangible par une présence accrue, même si l'on sait que cette présence n'était, hélas! à peu près plus perçue. Et puis, il y a le fait qu'en voyant ainsi s'éloigner un proche à tout jamais, les plus âgés d'entre nous voient le cercle se resserrer, et se rapprocher de jour en jour le terme du voyage. D'où une part d'attendrissement sur notre propre sort.

Si nous pouvions nous oublier complètement, peut-être nos sentiments ne seraient-ils pas aussi sombres. Pour Simone, il s'agit d'une véritable délivrance. Ceux qui ont la foi croient de plus à l'accession à un monde meilleur. J'ai été rendre visite à ma petite sœur, il y a quelques semaines, et j'étais désolé de la trouver dans un tel état de déchéance, aussi explicable fût-il, elle que j'avais connue si coquette, si soigneuse de sa personne, comme en témoignait son portrait au fusain, pendu au mur de sa triste chambre. La perte la plus irréparable est sans doute celle de la dignité qui précède la mort physique.

Je relègue donc cette dernière image à l'oubli, pour résolument me souvenir de Simone, telle qu'elle était dans toute sa vigueur et dans toutes ses contradictions d'être humain, de femme. Comme petit dernier de la famille, j'ai eu des relations privilégiées avec mes quatre sœurs, et particulièrement avec Simone qui était ma plus «jeune aînée». Oui : Annette, Jeanne et Alice étaient là. Mais c'est surtout Simone que je me rappelle, m'entourant d'une deuxième tendresse maternelle, m'enveloppant des irradiations de son caractère enjoué et cordial. Les samedis où elle avait congé du pensionnat, elle me faisait patiemment la lecture de toutes les bandes dessinées de *La Presse* : *Tarzan*, bien sûr, mais aussi *Mutt et Jeff*, *Blandine*, *Polydor aîné* et *Jacques le matamore*.

Oh! Simone n'était pas parfaite : loin s'en faut. Elle s'abandonnait fréquemment à son imagination et à ses fantasmes, ce qui la rendait sans doute quelquefois de relation difficile pour ses proches, peut-être même pour ses enfants. C'est probablement pourquoi elle prenait de plus en plus refuge dans son monde à elle, souvent coupée de la réalité.

De l'imagination, elle en avait à revendre. J'ai toujours en mémoire un souvenir dont elle-même s'amusait volontiers d'ailleurs. Elle était couventine et, un midi, rentrant déjeuner à la maison, elle nous rejoint à table avec la tristesse et le désarroi inscrits sur le visage. Elle venait de voir un pauvre laitier traîné par son cheval qui avait pris le mors aux dents. Et sur un ton à vous faire frémir d'épouvante, elle imitait les cris plaintifs de la malheureuse victime : «Ah!... Ah!...» Vérification faite, l'imprudent laitier n'avait pas attaché son cheval pendant qu'il faisait une livraison à domicile. La bête, jouissant d'une autonomie inespérée, se rendait allègrement toute seule, en traînant la voiture derrière elle, vers la halte suivante. Et le laitier, affolé, lui courait après essayant vainement, par ses «Wow!... wow!...» de l'arrêter dans sa course. Dans l'esprit de Simone, cette scène cocasse était devenue un tableau dramatique qui lui faisait venir les larmes aux yeux. Ça, c'était elle tout craché. J'ai déjà évoqué cet autre souvenir, à la fois plus émouvant et plus révélateur, lorsque, en rentrant de la première de *L'Échange*, de Paul Claudel, je trouvai une note de sa main sur mon oreiller. Elle m'y disait toute son admiration et m'expliquait combien elle m'enviait. Simone rêvait d'être une artiste. D'où tous les efforts et toutes les énergies consacrés à ses cours de chant, pendant de si nombreuses années, et plus récemment à ses cours de peinture et de sculpture. Elle n'est jamais parvenue à un statut d'artiste professionnelle; néanmoins, je possède une sculpture et une aquarelle qui témoignent de son talent indéniable. Dans d'autres circonstances, peut-être, serait-elle arrivée à infléchir son destin et à le modeler selon ses désirs.

Le souvenir que je veux garder d'elle est celui d'une femme libre, coquette, enjouée, sensuelle, remarquablement intelligente, complexe, souvent imprévisible, d'une sensibilité extrême, d'aucuns diraient exacerbée, comme d'une artiste qui se nourrissait de rêves, un peu fous comme tous les rêves, mais de rêves, oui, de rêves, de ceux-là même sans lesquels il n'y aurait pas d'existence possible.

SCÈNE LVIII

« Le Premier ministre désire vous parler »

Le lundi 1er juillet 1996

Ce matin, vers 9 heures, le téléphone sonne : c'est le bureau du Premier ministre. En attendant qu'il prenne l'appareil, je confie à ma femme Monique que je crois deviner la raison de son appel. C'est sûrement de ma candidature au poste de lieutenant-gouverneur du Québec dont il sera question. Je n'en avais pas entendu parler depuis plus de trois mois et je m'étais fait très volontiers à l'idée d'y renoncer. J'étais en somme satisfait de cette tournure des événements. Et voilà que tout allait être possiblement remis en question.

« Bonne fête du Canada, monsieur le Sénateur! » C'est bien ce que je croyais : Jean Chrétien m'annonce que, si j'accepte la nomination, je serai le prochain lieutenant-gouverneur du Québec. J'en éprouve presque de la déception, et je réclame 24 heures de réflexion.

Jean-Louis Roux et Jean Chrétien
1994

SCÈNE LIX
Un Lieutenant-gouverneur au théâtre

Le mardi 2 juillet 1996

Je rappelle le Premier ministre pour lui faire part d'une difficulté. Depuis le mois de mai dernier, après une traversée du désert de presque un an, les offres de travail au théâtre se sont multipliées : à Ottawa, à Hull et à Montréal. Il s'agit de petites troupes, mais tout de même : tels sont les hasards imprévisibles du métier. Je me suis engagé par contrat et je détesterais mettre mes employeurs dans l'embarras en me désistant à si bref délai, même si les conventions collectives m'y autorisent puisque, dans aucun des quatre cas, la période de répétitions n'a été amorcée.

Jean Chrétien a une réaction étonnante : « Pourquoi n'honorez-vous pas ces contrats-là ? Je trouverais assez sympathique de voir un lieutenant-gouverneur jouer au théâtre. » Voilà maintenant que mon Premier ministre se fait délinquant !... Il me prend au dépourvu : j'accepte le défi.

SCÈNE LX
Derniers épisodes au Sénat

Le jeudi 4 juillet 1996

En attendant ma nomination officielle, je continue mon travail de sénateur. C'est ainsi qu'aujourd'hui, je suis à Stockholm pour assister aux réunions de l'Organisation pour la sécurité et la coopération en Europe, dans le droit fil de mon séjour à Strasbourg, en janvier dernier. Outre les plénières, je siège au Comité des droits de l'homme. Je me retrouve, comme au temps des réunions de

Jean-Louis Roux dans Six heures au plus tard
1996

PHOTO : RAYMOND CHARETTE

l'Institut international du théâtre, en compagnie de délégués de plus de cinquante pays. Une timidité naturelle m'empêche d'intervenir sur des sujets qui me sont pourtant chers.

Le dimanche matin, nous faisons une randonnée sur la mer Baltique. L'événement a une agréable couleur de kermesse. Nous allons déjeuner dans une petite île où se trouve une forteresse désaffectée en pierres massives, avec un chemin de garde. Je m'y attarde : me parviennent des échos des personnages de *Danse de mort*, de Strindberg. Aucun décorateur ne pourrait imaginer meilleur lieu scénique pour les faire évoluer. Un peu nostalgique, je songe qu'à la fin de mon mandat de lieutenant-gouverneur, en 2001, je serai décidément trop vieux pour jouer le rôle d'Edgar. C'est pourtant l'un des seuls auxquels je rêve encore.

SCÈNE LXI
Soins palliatifs et code criminel

Le mardi 30 juillet 1996

En janvier dernier, j'ai pris part à Paris à une réunion de parlementaires canadiens et français dans une salle du beau palais qui abrite le Sénat, au jardin du Luxembourg. J'y ai fait une intervention à propos du rapport du Comité du sénat canadien traitant des graves questions des soins palliatifs, du suicide assisté et de l'euthanasie. Ce rapport va dans le bon sens, bien qu'il me semble trop timide. Les Français eux, l'ont trouvé audacieux ! Ainsi va la vie : au chapitre des mœurs, nous avons traîné de la patte pendant plus de la première moitié du siècle, en comparaison de l'Europe, de la France en particulier. Aujourd'hui, nous sommes à l'avant-garde.

En préparant cette intervention, l'idée m'est venue de travailler à un projet de loi visant à amender le Code criminel afin de permettre une libéralisation des attitudes dans les trois domaines mentionnés. Je m'en suis ouvert au sénateur Sharon Carstairs, en qui j'ai trouvé une interlocutrice éclairée. Depuis son opposition aux Accords du Lac Meech, alors qu'elle était membre de l'Assemblée législative du Manitoba, madame Carstairs a été diabolisée au Québec. C'est pourtant une femme remarquable, d'une intelligence aiguë, adroite à procéder à l'analyse ou à la synthèse d'un sujet. Et c'est une oratrice hors du commun, s'exprimant sans aucune hésitation et sachant moduler son discours de justes inflexions. Elle est de plus une vraie libérale, au sens philosophique du mot; c'est-à-dire qu'elle a «le cœur à la bonne place», selon l'expression chère au sénateur Hébert.

Nous convenons en premier lieu d'isoler les trois questions l'une de l'autre, puisqu'elles ne risquent pas de poser les mêmes cas de conscience et de provoquer la même opposition de la part des esprits religieux. Alors que l'utilisation des soins palliatifs semble être considérée comme pratique légitime par à peu près tout le monde, le suicide assisté incite à beaucoup plus de réserves, et l'euthanasie reste un sujet tabou pour nombre de citoyens et de citoyennes. Il faudra donc procéder par ordre et avec prudence.

Nous requerrons d'abord les services d'un conseiller juridique pour préparer un projet d'amendement au Code criminel, de façon à ce que les médecins et les autres professionnels de la santé qui ont recours aux soins palliatifs pour atténuer les souffrances de leurs patients en phase terminale ne soient plus exposés à des poursuites judiciaires, comme c'est actuellement le cas. Ce projet sera identifié par la lettre «S» et non par la lettre «C», puisqu'il émanera du Sénat et non des Communes.

Décidément, le Sénat est utile à quelque chose.

SCÈNE LXII
Adieu au Sénat

Le mercredi 7 août 1996

Aujourd'hui, caucus national spécial, réunissant sénateurs, ministres et députés libéraux. Pendant la séance, je reçois un billet : «Jean-Louis, je voudrais vous voir à la fin du caucus. (signé) Jean Chrétien.» Le Premier ministre m'explique que ma nomination comme lieutenant-gouverneur du Québec sera rendue publique le soir même. Il me prie donc de préparer ma lettre de démission du Sénat, et me conseille de quitter le caucus sur-le-champ.

Je lui serre la main et me dirige vers la porte, non sans jeter un dernier regard sur tous ces gens que j'ai cotoyés depuis deux ans, surtout sur ceux et celles avec qui j'ai établi des liens de franche camaraderie, voire d'amitié.

Le mercredi 7 août 1996

Son Excellence Roméo Leblanc
Gouverneur général du Canada
Résidence du Gouverneur général
Ottawa

Excellence,

Par la présente, j'ai l'honneur (et le regret) de vous offrir ma démission comme membre du Sénat du Canada.

Veuillez agréer, Excellence, l'expression de ma plus haute considération.

Jean-Louis Roux, C.C.

Jean-Louis Roux en compagnie de sa femme Monique, de son fils Stéphane, de sa belle-fille Martine et de ses deux petits-enfants, Gabriel et François

PHOTO : Charles H. Leclerc

Index des noms cités

Québec, Canada
1997